O LIVRO DE JÔ

UMA AUTOBIOGRAFIA DESAUTORIZADA

VOLUME 1

Este é o original da fotografia da capa deste volume. A pessoa que está à direita, sorrindo, é Salgado Filho, na época ministro da Aeronáutica e presidente do Jockey Club Brasileiro. Eu, todo metido, aos quatro anos, dizia ao fotógrafo que pediu para fazer o retrato: "Vamos rápido com essa foto, não tenho muito tempo!". Mamãe me vestiu com o uniforme (só que com meia casaca) dos alunos do Eton College, da Inglaterra, para ir àquele Grande Prêmio de 1942.

JÔ SOARES

E MATINAS SUZUKI JR.

APRESENTAM

O LIVRO DE JÔ

UMA AUTOBIOGRAFIA DESAUTORIZADA

VOLUME 1

COMPANHIA DAS LETRAS

Por se tratar de uma obra de memórias, em várias passagens este livro reproduz um vocabulário de época que precisa ser considerado em seu contexto histórico.

Grafia atualizada segundo o Acordo Ortográfico da Língua Portuguesa de 1990, que entrou em vigor no Brasil em 2009.

Capa e projeto gráfico
Alceu Chiesorin Nunes

Foto de capa
Acervo pessoal do autor/ reprodução de Marcos Vilas Boas

Fotos de guarda
Acervo pessoal do autor

Foto de quarta capa
© Marcio Scavone

Cadernos de fotos
Joana Figueiredo

Preparação
Márcia Copola

Checagem
Érico Melo

Índice remissivo
Luciano Marchiori

Revisão
Thaís Totino Richter, Clara Diament e Huendel Viana

Dados Internacionais de Catalogação na Publicação (CIP)
(Câmara Brasileira do Livro, SP, Brasil)

Soares, Jô
    O livro de Jô : Uma autobiografia desautorizada. — 1ª ed.
— São Paulo : Companhia das Letras, 2017.

    ISBN 978-85-359-3014-6

    1. Apresentadores (Teatro, televisão etc.) – Brasil – Biografia
2. Soares, Jô, 1938- I. Título.

17-08495   CDD-927.9145

Índice para catálogo sistemático:
1. Apresentadores de programas : Televisão : Biografia   927.9145

2ª reimpressão

[2018]
Todos os direitos desta edição reservados à
EDITORA SCHWARCZ S.A.
Rua Bandeira Paulista, 702, cj. 32
04532-002 — São Paulo — SP
Telefone: (11) 3707-3500
www.companhiadasletras.com.br
www.blogdacompanhia.com.br
facebook.com/companhiadasletras
instagram.com/companhiadasletras
twitter.com/cialetras

Para Mercedes e Orlando,
e para o Rafa

Dying is easy… comedy is hard.
Frase atribuída ao ator Edmund Gwenn, em seu leito de morte, respondendo a um amigo que lhe perguntara como se sentia.

Sumário

José Eugenio Soares

Por Millôr Fernandes

Jô Soares é todo cordura — e quem encontrar outra ressonância na palavra é um grosso materialista. Carioca da gema, estudou na Suíça, no cantão de Vaud, de onde até hoje tira estranhos padres untuosos. Ao nascer num hospital do Rio Comprido desconfiou logo que a vida era incurável. Donde seu ceticismo sem remédio. Pois, cercado do riso que o envolve, nem percebe a seriedade que provoca. Suas imitações são tão originais que tinha que acabar inimitável. E sua deformação profissional chegou ao ponto em que, às vezes, ao acabar o trabalho, leva meia hora até encontrar sua própria cara. E se alguns amigos vissem, como eu, as caricaturas que lhes faz, nenhum deles voltaria a falar comigo. Pudibundo em dias úteis, reserva sua lascívia para os dias santos. Mas dizem que, em certas tardes de abril, ele mergulha em chamas. Que é quando viola a correspondência alheia e lê, abobalhado. Pois ninguém jamais foi tão íntimo do âmago. Irmão do videoteipe, primo do tubo catódico (trabalha na tevê desde quando ainda se chamava vosvê), só faz televisão com controle remoto — do Oiapoque ao Chuí derrota os que, como eu, tratam a televisão com um "nem te ligo".

Profissional perfeccionista, sua vontade de acertar é tão grande que só atira nos diretores de tevê com mira telescópica. Pintor de domingo, seus quadros são um dia de descanso. Acha que o problema demográfico só estará resolvido se a população, além de não crescer em número, diminuísse de cintura. Sempre de bom humor, nem parece humorista. Adora motocicleta, sua forma pessoal de bicicleta. Lê muito, sobretudo o que ele mesmo escreve, sua forma pessoal de feedback. Conversador compulsivo, gasta com amigos todos os restos da semana — pois não crê em poupança do tempo que lhe sobra. Usa roupas fantásticas — só para compensar um mundo cinza. Exibicionista nato, um dia descobriu que, pondo bilheteria, era muito mais fácil. Fala diversas línguas; tem sotaque apenas em português, claro. Não escolhe papéis — aceita seu script em papel fino, crepom ou *Schoellershammer*. Eclético total, o que mais gosta é tudo. Só estará realizado no dia em que interpretar um personagem totalmente sem graça e o público não rir.

Certa ocasião em que trabalhamos juntos fez um regime tão sério, ficou tão inacreditavelmente magro que, ao vê-lo, todo mundo me dizia com espanto: "Millôr, como você está gordo!". Pouco agressivo em seu humor, trabalha mais na linha do sardônico, cara que mora numa ilha de paz lá perto da Sicília. Está profundamente certo de que aos humoristas cabe melhorar o ser humano — Deus fez apenas uma caricatura. Por isso sua frase predileta: "É no pepino que se torce o menino". Ama o agreste, torce pelo Fla x Flu, ri muito em certas noites de quarto minguante, uma vez, distraído, omitiu dezesseis dias e, às segundas-feiras, apenas se o entrevê, que digo?, se o entrevê, perdão, se o tevê. E tem razão quando diz que a televisão de 21 polegadas não dá toda a dimensão de seu talento: ainda espera atuar numa de 21 pés, em holografia. Tudo que é ele deve a si mesmo, papagaio que nenhum banco desconta. Feminista exagerado, acha que as mulheres, hoje em dia, já estão com tudo, quer dizer, só falta um pedacinho. Pois é fruto de vosso ventre, embora se julgue ultrapassado e espere, na próxima geração, vir em proveta. Voando entre Rio e São Paulo já gastou muitos medos: pois dizem que foi ele quem colocou a pedra fundamental na ponte aérea. Crê no palhaço, e em

Carlitos, um só seu filho, o qual padeceu sob o poder de Joseph Mc-Carthy. Mas no refluxo das marés não acredita. Sua expressão facial está na cara. Sua expressão corporal só se vê quando ele para. E no dia em que morrer não deseja choro nem vela. Quer um enterro bem simples: apenas um caixão de pinho com oitocentos bispos vestidos de púrpura em volta, trezentas câmeras filmando e narração em dezessete línguas. Igualzinho ao do papa.

Texto escrito por Millôr Fernandes na série "Retratos 3 x 4 de amigos 6 x 9", que usei para a apresentação do livro *O astronauta sem regime*, lançado em 1983. Ao contrário do que diz meu amigo Millôr, não ando mais de motocicleta, além de, desde que sofri meu segundo acidente, não recomendar o veículo a ninguém. Hoje, meu queridíssimo Millôr, acho que até mesmo as televisões de 85 polegadas são insuficientes para mostrar todo o meu talento.

O LIVRO DE JÔ

I

aris, 1954. Eu jantava com minha mãe no Calavados. O famoso ator e comediante francês Robert Lamoureux também estava lá. Na maior cara de pau, fui até ele e perguntei se poderia mostrar uma coisa que eu sabia fazer. Como o ator gentilmente consentiu, exibi sobre sua mesa o meu grande número da época, uma divertida dança com os dedos das mãos calçando sapatinhos. Quando acabei, o Lamoureux disse:

— Não sei o que você quer ser na vida, mas não tem jeito, vai acabar fazendo teatro.

Rio de Janeiro, 1957. Na piscina do Copacabana Palace, eu apresentava uns números para a roda de amigos ali reunidos, quando um homem gritou para mim:

— Menino, venha aqui.

Fui até ele, que perguntou o que eu fazia. Respondi que estava estudando para prestar o vestibular do Instituto Rio Branco, queria seguir carreira de diplomata no Itamaraty. Ele então me disse:

— Você pode estudar o que quiser agora, mas o que você vai acabar fazendo de fato na vida é trabalhar no teatro.

Sem que nem ele nem eu soubéssemos naquela tarde ensolarada do Rio, aquele homem teria enorme influência na minha carreira. Era o Silveira Sampaio.

II

No Carnegie Hall, por uma fresta na cortina de tecido cuidadosamente escolhido para não atrapalhar a perfeita acústica do local, o trompetista Harry James, nervoso, espia a plateia. São cerca de 20h do domingo 16 de janeiro de 1938, em Nova York. Os 2804 lugares da mais famosa sala de concertos dos EUA estão sendo tomados por um público de colarinhos engomados e vestidos longos. "Senti-me como uma puta numa igreja", diria o músico, mais tarde. Aquela seria uma noite mítica para a história do jazz, a entrada triunfal do *swing* na catedral da música branca da elite mais rica do planeta, mudando para sempre a sensibilidade do século XX. Enquanto, ainda intimidados (até que Gene Krupa quebrasse o gelo atacando seus tambores), Benny Goodman e o resto da big band davam os acordes iniciais de uma música que acabava de ser lançada, "Don't Be That Way", a 7736,1 quilômetros dali, no Hospital Alemão, no Rio Comprido, cidade do Rio de Janeiro, sem pedir licença a ninguém, eu vinha ao mundo pesando 3,750 quilos.

Sou o primeiro (e único) filho de uma mulher extraordinária chamada Mercedes Leal Soares. Mamãe vivia com naturalidade coisas que só anos e anos depois se tornariam realidade para a maioria das mulheres de seu tempo. Foi, por exemplo, a primeira mulher a tirar carteira de motorista no Rio de Janeiro, tocava piano muito bem e, décadas antes da chamada globalização, já falava sete línguas. O André Jordan, cidadão do mundo que, assim como meus pais, morou no Anexo do Copacabana Palace, escreveu em seu livro de memórias que "d. Mercedes era uma mulher muito inteligente e espirituosa".

O poeta e editor Fernando Moreira Salles me contou certa vez que foi assistir a um dos meus one-man shows com seu irmão mais novo, o documentarista João Moreira Salles. Impressionado por ver uma pessoa gorda como eu dançando e saltando com leveza no palco, ao chegar em casa Fernando fez esse comentário a seu pai, o ex-embaixador em Washington Walther Moreira Salles, que lhe respondeu:

— Para mim não é surpresa nenhuma, essa leveza vem da mãe dele. Nenhuma dama no Rio de Janeiro era tão graciosa, suave e alegre para se dançar nas festas e nos bailes quanto a Mercedes. Era a minha parceira preferida.

Meu querido amigo Nilton Travesso, um dos homens mais importantes da história da televisão brasileira, o responsável pela minha contratação pela TV Record em 1963, foi uma ocasião com sua mulher, Marilu, passar o Carnaval na nossa casa, em Petrópolis, e ficou encantado ao conhecer mamãe. Nilton diz que ela era de "uma nobreza inacreditável, tinha um glamour, uma educação, uma gentileza. Jogava baralho com fichas de madrepérola, era uma mulher muito chique". Ele conta que foi a primeira vez que viu alguém fazer por telefone a reserva de mesa para jantar num restaurante — achou a atitude muito civilizada (naquele tempo isso ainda era prática incomum no Brasil).

A atriz Heloísa Helena me disse que, aos quinze anos, via minha mãe nas rodas de mulheres do Rio e que Mêcha (pronuncia-se "Mêtcha"; Mêcha é apelido de Mercedes em espanhol; mamãe tinha umas primas argentinas que acabaram estabelecendo a maneira de ela ser chamada pela família e pelos amigos) marcou a sua vida: falava o que pensava, era grande contadora de histórias, soltava palavrões e... fumava. Esse hábito, nada bem-visto nas mulheres da época, seria a origem de sua enfermidade (tromboangeíte obliterante, TAO, doença vascular inflamatória oclusiva, associada ao tabagismo, que impede a chegada da circulação às extremidades), praticamente desconhecida no Brasil. Ela fumava um cigarro fortíssimo, da marca Petit Londrinos, fabricada pela Tabacaria Londres. Mamãe foi rara até em sua enfermidade. Ela nunca perdia o humor. Por causa da TAO, teve um dedo amputado de cada mão. Seu primeiro comentário ao voltar da cirurgia:

— Vou exigir um desconto de vinte por cento da minha manicure.

Naquela noite de domingo de 1938, minha mãe tinha quarenta anos. Se nem mesmo hoje, com os enormes progressos da medicina reprodutiva, é fácil para a mulher madura ter seu primeiro filho, imagine as dificuldades que ela enfrentou — e os preconceitos, pois o costume era as mães ficarem mães bem mocinhas. Fazia catorze anos que Mêcha estava casada com meu pai, Orlando Heitor Soares, e já havia desistido de ter filhos quando, em cima de um cavalo, saltando uma cerca na tradicional fazenda da Jureia (que pertencia à minha madrinha Helena Maria de Lima e Silva, nascida em Bruxelas, que falava com forte sotaque francês e era neta do conde de Tocantins, irmão do duque de Caxias), sentiu dores. Ela pensou que fosse um fibroma no útero, o tumor que se forma na parede desse órgão, mas o médico Otávio Rodrigues Lima, seu primo-irmão, lhe informou que, em vez de fibroma, era um "filhoma". Mamãe começou a chorar. Não de alegria, e sim pela certeza de que iria morrer. A cesariana era cirurgia de alto risco. Vale lembrar que eu fui inventado antes da penicilina.

Justamente por ser tão próximo de minha mãe, o dr. Otávio não teve coragem de fazer a cesariana. Na hora H, atribuiu a incumbência ao dr. Jorge de Rezende, que viria a ser um dos mais importantes obstetras do Brasil. O hospital em que nasci era a referência médica no Rio de Janeiro. A medicina alemã gozava de grande prestígio internacional. Papai contava que a primeira vez que me viu foi saindo da sala de cirurgia, nos braços da enfermeira-chefe germânica Dora Scheverter, que passou por ele apressadamente dizendo: "Seu filho, seu filho!", e continuou escadaria abaixo, a mil por hora, rumo ao berçário, onde me depositaria. Ele pensou: "A enfermeira vai cair, e pronto, o bebê vai morrer. Catorze anos casado sem ter filhos, e, quando nasce um, morre no dia em que nasceu".

Meu nascimento foi anunciado ao mundo... bem, pelo menos à então Capital Federal, e, ainda sem ter feito nada na vida a não ser sujar fraldas, ganhei o meu primeiro adjetivo na imprensa. A *Revista da Semana* registrou minha chegada e, no dia 21 de agosto, o *A Noite*, o jornal de maior circulação no Rio, noticiava o batizado do "interessante menino José Eugenio":

> Realiza-se hoje o batizado do interessante menino José Eugenio, primogênito do Sr. Orlando Soares e D. Mercedes Leal Soares, figuras muito estimadas e de relevo nos nossos círculos sociais. Após a cerimônia, que terá lugar às dezesseis horas, na igreja de Santa Teresinha, em Copacabana, o distinto casal oferecerá em sua residência um "cock-tail" às pessoas de suas relações. Os padrinhos de José Eugenio serão o nosso brilhante colega Costa Rego e a Sra. Helena Lima e Silva.

O "nosso brilhante colega" da nota acima, meu padrinho, era o Pedro da Costa Rego, ex-governador e ex-senador por Alagoas, e nada mais nada menos do que o homem que comandou o elenco de grandes jornalistas do *Correio da Manhã*, com idas e vindas, por décadas. O redator do comunicado do batismo certamente não conhecia a mensagem que Costa Rego, dez anos antes, ainda governador, mandara aos deputados da Assembleia de seu estado dizendo que preferia ser "forte a ser lisonjeado".

E para governar Alagoas, naquele tempo, tinha de ser um forte mesmo. Em 1926, os inimigos tramaram a morte de Costa Rego. O atirador contratado, o guarda-civil Felismino Hugo Jatobá, subiu no alto de uma mangueira e mirou. Na casa vizinha, percebendo que algo diferente estava acontecendo, um bando de gansos entrou em alvoroço e começou a grasnar. Apavorado, o candidato a assassino não atirou — e, ainda assim, foi condenado a trinta anos de prisão. Na varanda de sua casa, Costa Rego lia sossegadamente o jornal, ao lado de sua amante francesa, Marcelle Sigaud, e do dr. José Eugenio Soares (já viram de onde saiu o meu nome), meu tio-avô pelo lado paterno, que era médico e chefe do Serviço de Saúde daquele estado. Queridíssimo pela família, alguns anos depois tio José Eugenio, um homem bonito, levou um tiro no ventre disparado por um marido ciumento no interior alagoano. Colocado em cima de uma mula, demorou muito para chegar à cidade mais próxima com recursos para atendê-lo; morreu no caminho.

Em suas colunas nas páginas do *Correio*, Costa Rego foi assíduo e corajoso combatente de Getúlio Vargas, tendo escrito uma das frases mais famosas sobre o ditador: "Tem a superioridade de não acalentar amigos; tem ainda a inteligência de não cultivar inimigos". Em 22 de fevereiro de 1945, apoiado pelo proprietário do periódico, Paulo Bittencourt, ele foi o único editor de jornal que teve peito para publicar a célebre entrevista que Carlos Lacerda havia feito com José Américo de Almeida (paraibano, autor de *A bagaceira*), sepultando a censura do Estado Novo e abrindo a contagem regressiva para a deposição de Vargas. Respeitado homem de imprensa, o redator-chefe mais longevo do mais importante jornal do país, Pedro da Costa Rego foi praticamente esquecido. Entre os poucos que se lembraram dele está uma das pessoas mais cativantes que conheci, Otto Lara Resende, o qual trabalhou em quase todas as grandes publicações do Rio, muitas vezes defendendo certa ideia em artigo num determinado periódico para, em seguida, defender argumentos diametralmente contrários àquela ideia em outro. Assim era a vida de jornalistas, que ganhavam muito pouco para ser exclusivos de um só veículo. Em 1977, Otto redigiria a carta de demissão de Walter Clark, episódio traumático na história da Globo, para, em seguida, redigir a carta que aceitava a demissão, assinada por Roberto Marinho, de quem foi ghost-writer. Ambas impecáveis.

Coisa rara de acontecer, Costa Rego não se encantou com Otto Lara Resende, que, por seu lado, o classificou como um "jagunço perfeccionista, miopemente minucioso". No teste feito pelo mineiro para ser editor de política do *Correio*, o senador, como era chamado mesmo depois de deixar o Parlamento, disse a ele: "Está ali uma máquina; sente-se e escreva o que há na política; se for bom, amanhã você fica sabendo, porque sai [no jornal]; se não for, cesta". Numa longa noite na redação, já próximo ao deadline para a impressão do jornal, estavam trabalhando apenas Costa, Otto e um colega, quando o primeiro perdeu as estribeiras e teve um "destempero caricatural" com o jovem escritor. O jornalista de São João del Rei havia passado, sem revisar, seu artigo do dia para o redator-chefe ler. Este considerou o fato um crime de lesa-pátria. Enquanto dava o esporro no pobre editor, o todo-poderoso do *Correio da Manhã* olhava para o outro profissional que restava na redação, como se pedisse apoio para sua altercação. O cara, no entanto, ficou mudo. Só mais tarde, no momento em que Costa Rego, finalmente pacificado, se retirou, é que ele murmurou para o Otto: "Não ligue. O velho é barulhento, mas é bom sujeito". O nome do outro jornalista era Graciliano Ramos.

Tida como uma das peças mais contundentes escritas contra Getúlio Vargas, um texto do meu padrinho comparava à pesca do pirarucu a maneira como o ditador decapitava seus colaboradores:

Ora, não é senão uma pesca de pirarucu o que o sr. Getúlio Vargas faz, no desdobramento das crises da Revolução. Os homens que ele quer submeter, anular ou proscrever são primeiramente arpoados.

Correm. Ao fim da linha, o Ditador suavemente os chama. Embora resistindo, eles voltam, presos ao arpão. O sr. Getúlio Vargas larga-los mais uma vez, e só os larga para que voltem, até que, extenuados, lhes possa aplicar o macete.

O apelido "pirarucu" logo pegou na então Capital Federal para designar as viúvas políticas de Getúlio. Com dor de corno por ter sua Ação Integralista Brasileira colocada na clandestinidade pelo Estado Novo, Plínio Salgado, que havia apoiado o ditador, escreveu-lhe em janeiro de 1938 dizendo: "Em todas as rodas de políticos da cidade, só se falava então no 'tombo' que V. Ex.ª nos dera; no novo 'pirarucu' que V. Ex.ª pescara...".

Na tarde de 23 de agosto de 1954, véspera do suicídio do presidente, um dos últimos homens a visitá-lo no Palácio do Catete foi Augusto Frederico Schmidt — curioso caso de mistura de poeta, editor e empresário, muito respeitado no Rio de Janeiro, que viria a ser influente assessor de Juscelino Kubitschek e o escritor de seus discursos. O retrato pintado por Schmidt é melancólico. Ele fora surpreendido com a confirmação da audiência com o presidente da República para tratar de uma questão menor — um relatório americano sobre o problema da alimentação no Brasil — no pior momento do governo, mergulhado numa crise sem saída. Diante de um Getúlio mais magro e abatido, declarou que não poderia ler o relatório, a hora era grave, não havia clima. Estupefato, ouve Vargas, o homem à beira do abismo, pedir-lhe que leia o que dizem os americanos sobre a industrialização... do pirarucu! A dada altura, Schmidt interrompe a leitura para fazer alguns comentários e não consegue evitar a menção ao maquiavélico artigo "A pesca do pirarucu", de Costa Rego. "Getúlio sorriu-me, com um largo sorriso, mas triste. Um sorriso que poderia traduzir-se talvez assim: 'Quem está sendo pescado, neste momento, sou eu'", escreveu o poeta.

Uma tarde, minha mãe me leva para fazer uma das coisas que eu mais adorava na infância: tomar sorvete de creme com calda de morango e farofa de amendoim na Confeitaria Guanabara. Eu estava prestes a ser crismado. Pouco depois, o Costa Rego chega à sorveteria e senta-se conosco. Nós nos cumprimentamos e mamãe foi logo dizendo: "Olha aqui, Costa, você pode dar uma nota sobre a crisma do Zezinho, mas, por favor, sem veadagem, Costa, sem veadagem!". Ela não tinha engolido aquela história de "interessante menino" da nota do batizado, que saíra na *Noite*. Era assim que Mêcha, *a* antipoliticamente correta por excelência e pessoa essencialmente informal, tratava um poderoso jornalista da República, o cara que Otto Lara Resende dizia ter "alma de mandacaru".

Passávamos férias na fazenda da Jureia, que ficava na região de lindas propriedades cafeeiras. Íamos de automóvel até Barra do Piraí, onde pegávamos um carro de boi. Lembro-me do aboio do condutor, a pé, ao lado dos animais, com uma vara: "Xô, Marinheiro! Vâmu, Teimoso!". Tenho ótimas recordações de lá e uma foto da qual gosto muito, da minha infância, às gargalhadas, vestindo um macacão que minha própria mãe costurava, com bastante capricho. Ela fazia um para cada dia da semana, assim eu podia me esbaldar e me sujar à vontade, porque sempre teria um macacão limpo para usar no dia seguinte. Uma vez, brincando com um menino que vivia na fazenda, entrei numa área interditada por uma cerca de arame farpado: tinha sido um açude, era um lamaçal. Afundei até a cintura e me puxaram com uma corda amarrada num trator.

Lá também havia um negro bem velhinho, desses que apareciam com um cachimbo na boca nas pinturas figurativas brasileiras, o qual diziam ter sido um escravo reprodutor. Como um cavalo garanhão, ele era usado para engravidar as escravas e aumentar a população cativa — sinônimo de riqueza — nas fazendas. O velho, segundo contavam, costumava afirmar que os tempos de escravidão não foram tão ruins para ele. Fiquei com essa história na memória, às vezes me perguntando se era verdadeira, até que, em 1973, li uma reportagem do dramaturgo barretense Jorge

Andrade, na revista *Realidade*, sobre o ex-escravo João Antônio, que declarava ter sido reprodutor nas fazendas do barão de Guaraciaba. Do alto dos seus 122 anos, João Antônio disse ao teatrólogo: "Homem é bicho perigoso". Documentos recentes descobertos por historiadores portugueses mostram que a figura do escravo garanhão já existia no Paço Ducal de Vila Viçosa, a mais importante casa nobre do reino, no século XVI: "Tem criação de escravos mouros, alguns dos quais reservados unicamente para fecundação de grande número de mulheres, como garanhões [...]. Não é permitido ao mouro garanhão cobrir as grávidas, sob a pena de cinquenta açoites, apenas cobre as que o não estão, porque depois as respetivas crias são vendidas por trinta ou quarenta escudos cada uma".

Para todo mundo que me conhece ou já me viu na televisão, é difícil crer que levei tempo para falar. No *Diário do bebê*, um mimoso livro com palavras de Osvaldo Orico (pai de Vanja Orico e ótimo contador de casos nas rodas boêmias) e ilustrações do grande J. Carlos, em edição caprichada da Civilização Brasileira em conjunto com a Companhia Editora Nacional, minha mãe contou a primeira palavra que pronunciei:

Estava José Eugenio brincando em sua caminha e atirando no chão os brinquedos, encantado com os ruídos dos mesmos na queda. Mamãe que estava sentada cosendo à máquina, de costas para o filhinho, abaixava-se e apanhava os objetos até que finalmente cansada ralhou com Zezinho ameaçando "ai ai a mamãe faz pan pan se jogar outra coisa no chão". Tendo ele repetido a façanha mamãe virou-se de repente e ele com os bracinhos abertos: "caiu". José Eugenio falou muito tarde, tinha então dezessete meses.

Havia nessa época, no Rio, um diplomata maranhense extremamente culto, gordo, muito amigo das rodas dos intelectuais boêmios, chamado Antonio Barreto Mendes Vianna. Quando nasci, ele já tinha servido em Budapeste e em Buenos Aires, e chegaria a ser secretário-geral do Ministério das Relações Exteriores no governo de Juscelino. Foi embaixador na Grécia, onde, em 1962, recebeu Erico Verissimo e sua mulher, Mafalda, pais do meu querido amigo Luis Fernando. Erico ficou impressionadíssimo com o conhecimento e com a curiosidade de Mendes Vianna por aprender sobre a cultura grega, como relata em suas memórias, *Solo de clarineta*:

> Passamos em Atenas muitos dias agradáveis, graças principalmente à hospitalidade que nos dispensou o embaixador do Brasil, Antonio Mendes Vianna, homem erudito e inteligente, de prosa brilhante e pitoresca, grande conhecedor da Grécia, tanto da antiga quanto da moderna, pois não só tem lido, e bem, tudo quanto de mais importante já se escreveu sobre a história e cultura gregas, como também tem percorrido este país de automóvel, em todas as direções, visitando recantos onde o turista comum jamais pôs o pé.

Minha mãe, que adorava cavalgar, um dia, bem antes de eu nascer, caiu da montaria. O cavalo empinou, derrubou-a e pisou com as duas patas dianteiras no peito dela, estraçalhando-lhe os seios. Fizeram uma reconstrução mamária, mas, como então não havia os recursos de hoje para a realização dessa cirurgia, Mêcha não podia amamentar. Carmem, a mulher do Mendes Vianna, que era muito amiga de mamãe e teve um filho na mesma época, acabou sendo minha mãe de leite. Quando o diplomata morreu, em 1976, a viúva generosamente me legou todo o guarda-roupa dele, que eu aproveitaria nos personagens dos meus programas de televisão e no teatro durante muitos anos. Tendo permanecido a vida inteira no Itamaraty, ele tinha casacas, fraques, colarinhos de ponta virada, camisas esporte havaianas, enfim, um enxoval completo e, melhor, todos os trajes talhados para o meu corpinho.

Mendes Vianna, designado por Castello Branco, que julgava as relações com a França de De Gaulle importantíssimas, viria a ser o primeiro embaixador do regime militar em Paris (e no momento em que o Itamaraty iniciava o processo de vigiar a vida dos brasileiros exilados no exterior). Ouvi uma história de que Vianna, boêmio e culto, tornou-se muito amigo da cantora Juliette Gréco. Em noitada parisiense, Juliette teria dedicado a ele uma música cujos versos modificou para chegar a algo assim: *"Combien il est doux d'être dans le bras de Antoine"*.[1]

Nosso país teria relevância considerável no princípio da carreira da artista, que criou laços de amizade com vários brasileiros. Apesar de já ter feito alguns filmes na França, na sua vinda ao Rio, em dezembro de 1950, aos 23 anos, Juliette Gréco era menos um grande sucesso popular e mais a musa cult dos círculos intelectuais parisienses de esquerda que frequentavam um buraco existencialista chamado Tabou e o cabaré Le Boeuf sur le Toit, onde ela começou a cantar profissionalmente. Seu primeiro disco, *Si tu t'imagines*, saiu quando Gréco já provava os vestidos Elsa Schiaparelli que usaria na temporada na boate Vogue, no Rio, inaugurada em 1947 pelo austríaco Max von Stuckart, também conhecido como Barão Stuckart, o qual por um período seria o rei da noite na então Capital Federal. Mesmo assim, foi recebida pelo espírito generoso carioca como uma celebridade e acabou ficando três meses por aqui.

Quem fez uma entrevista de bastante repercussão com a existencialista Juliette Gréco, pouco antes de ela embarcar para o Brasil, foi o Rubem Braga, na época correspondente em Paris do *Correio da Manhã*. (Eu viria a conviver bastante com Rubem nos anos da minha primeira passagem pela Globo.) Em texto intitulado "A mais bela professora de filosofia", o cronista capixaba, sempre atento às mulheres atraentes, classificou Mlle. Gréco como

---

1. "Como é doce estar nos braços de Antonio."

"uma francesa que fala de arte e de filosofia com uma boca tão sadia e bela como é difícil de encontrar igual". Juliette cantou na comemoração da posse de Getúlio Vargas, dessa vez como presidente eleito — sempre me intrigou saber que mensagem a cantora preferida de Jean-Paul Sartre, Maurice Merleau-Ponty e Albert Camus passou a Vargas e seu entourage, em sua maioria composto de espíritos profundamente autoritários. Os rapazes nativos, e não foram poucos, que se apaixonaram pela diva libertária quase se suicidaram de decepção ao vê-la entrar no Rolls-Royce do riquíssimo mineiro Henrique Tamm, considerado um almofadinha pelos nossos boêmios supostamente existencialistas.

Sérgio Porto, que na pele do Stanislaw era a flor dos Ponte Preta, foi um dos que implicou com a onda existencialista entre as mulheres do Rio. Num texto para a revista *Sombra*, ele escreveu:

As *existencialistas* gozam de muito prestígio, pois a moda está em pleno apogeu. Todas as pessoas que se julgam *bem* sentem-se na obrigação de gostar dos números das francesas ditas partidárias da filosofia de Sartre. Entre elas, a mais popular que nos visitou foi a Juliette Gréco. O show em que a referida senhora aparecia era realmente emocionante. Ela surgia frente ao microfone toda envolta numa manta negra, ficava séria uns dois minutos, olhando para o nada das coisas, depois anunciava uma canção e, em vez de cantar, falava. Sim, porque aí é que está o existencialismo dela. Esse tipo de cantora não canta, fala.

Guimarães Rosa dizia que quem lembra tem. Sempre tive uma memória muito boa e enorme curiosidade por coisas que a maioria das pessoas, as quais não costumam prestar atenção em nada, tomam como frívolas. Às vezes fico dias atrás do significado e da origem de uma palavra — como ela é em outras línguas, qual a pronúncia correta — ou de uma informação. Um escritor se forma não só lendo bastante, mas prestando muita atenção nas pessoas, na experiência que elas transmitem, naquilo que viveram. O fato de eu me lembrar de inúmeros acontecimentos e de gostar de me aprofundar em detalhes me ajudou a construir personagens com frequência complexos (a maneira como falam, a entonação, o sotaque, o vocabulário, o modo como se vestem, como usam o cabelo, a linguagem facial e gestual) e não apenas a escrever livros e artigos para revistas e jornais. Me ajudou muito também a fazer roteiros para programas de televisão e shows, uma atividade que sempre me deu imenso prazer, até porque tive excelentes parceiros nesse trabalho, gente como o extraordinário Max Nunes e o tímido Hilton Marques, para citar dois exemplos dentre vários possíveis.

Hoje em dia a internet é a biblioteca universal, mas durante longo tempo as enciclopédias foram uma das minhas leituras prediletas. Algumas delas magníficas, como a *Antologie Planète*, com chefs-d'oeuvre sobre crimes, história em quadrinhos, o sorriso ou o terror, entre muitos outros; ou os fabulosos volumes temáticos organizados pelo jornalista francês Gilbert Guilleminault, que reúnem ensaios de colaboradores em torno de assuntos como "Do primeiro jazz ao último tsar", "Prelúdio à Belle Époque" ou "De Charlot a Hitler". Guardo comigo o *Grande Dicionário Larousse*, edição de 1890, que pertenceu ao meu avô Carlos Leal. Tenho também diversas enciclopédias completas arquivadas no computador. Às vezes, passo dias ligando para amigos — e até para pessoas que não conheço — a fim de checar uma informação, conferir uma história, me certificar se o que minhas recordações cochicham em meus ouvidos está correto. Quando estou escrevendo um livro ou roteiro, desenvolvendo um personagem, começando a montagem de uma peça, o momento que me dá mais prazer é o da pesquisa. E gosto tanto desses momentos que chego a incluir, nas páginas finais de meus romances, a bibliografia que li durante sua escrita. Isso não é usual em livros de ficção, mas é uma forma de oferecer uma pequena retribuição aos autores que me ajudaram a enriquecer as tramas inventadas pela minha imaginação e a dar vida a elas.

Mas preciso fazer uma ressalva: a boa memória nunca me levou a viver voltado para o passado; ao contrário, estou mais interessado naquilo que faço no presente, nos projetos que gostaria de realizar. O que foi, foi; o que já fiz, já fiz. As lembranças dos detalhes apenas valem para que eu possa aperfeiçoar as múltiplas funções que nasci com o dom de exercer: escrever, interpretar, tocar, dirigir. Coisas quase insignificantes para muita gente, como a hora, o dia e o ano do nascimento, por exemplo, me propiciaram descobertas incríveis, como o maravilhoso concerto de Benny Goodman, citado no início deste capítulo.

A noite de 16 de janeiro, inovadora peça de teatro de autoria da escritora e filósofa americana de origem russa Ayn Rand, obviamente me despertou a atenção pela coincidência da data do título com a do meu aniversário — título que, aliás, descobri depois, Rand detestava, pois achava vazio e sem significado, mas fora escolhido pelo produtor da Broadway que comprou os direitos do espetáculo. A peça estreou em 1935 e, no ano seguinte, obteve enorme sucesso de público, tendo sido adaptada em vários países. Aqui, mereceu uma montagem do Teatro Brasileiro de Comédia, em 1949, com direção de R. H. Eagling, um dos líderes do grupo amador criado por ingleses que moravam na capital paulista, o English Players, e tradução de Dinah Prado Marcondes e Abílio Pereira de Almeida — que também estava no elenco.

A história se passa numa corte de justiça onde o tribunal do júri é composto não de atores, mas dos próprios espectadores, escolhidos no começo da apresentação. Por isso, tem dois finais diferentes: um se o júri considerar Karen Andre, a ré, culpada de assassinato, outro se julgar que ela é inocente.

O português dono de um bar próximo ao TBC, famoso endereço no bairro da Bela Vista, em São Paulo, se orgulhava de ter aquele templo de cultura perto de seu estabelecimento e não perdia uma montagem no teatro fundado pelo engenheiro napolitano Franco Zampari, que se integrou à elite paulistana e foi responsável por trazer Adolfo Celi para o Brasil. Uma noite, o diretor e os atores de *A noite de 16 de janeiro* resolveram retribuir a assiduidade e o carinho do dono do bar e o convidaram para ser o *foreman*, a pessoa que, no final, dá o veredicto ao juiz (a peça segue as regras e os rituais do tribunal do júri americano, que diferem daqueles do brasileiro). No fim do último ato, o juiz perguntou se o júri havia chegado a alguma conclusão. O português, envaidecido por estar colaborando com o seu querido TBC, levantou-se e respondeu em alto e bom som:

— Sim, meritíssimo: a culpada é inocente!

O último romance que escrevi, *As esganadas*, lançado em 2011, se passa no ano do meu nascimento, por sinal ano de abertura do Golden Room, do hotel Copacabana Palace. A sala de espetáculos faria uma revolução na noite da então Capital Federal. Inaugurada com show da estrela do music hall francês Maurice Chevalier, trazia um glamour e uma sofisticação que o país não estava acostumado a ver. (Muito tempo depois, eu dirigiria ali um espetáculo do Chico Anysio, produzido pelo Ricardo Amaral.)

Ainda em 1938, um fato que parou o Rio, atraindo multidões — e que também aproveitei em *As esganadas* —, foi a corrida de automóveis no chamado Circuito da Gávea, vencida pela segunda vez pelo italiano Carlo Pintacuda, o qual viraria ídolo aqui e seria até citado em marchinha de Carnaval. O grande incentivador dessas corridas foi o bon vivant e sportsman Carlos Guinle — que jantava de smoking em seu palacete na esplanada de Botafogo, e era pai do playboy Jorginho e irmão de Octávio, o construtor e administrador rigoroso do Copacabana Palace, onde minha família viria a morar.

Fiquei fascinado quando descobri que o notável cineasta português Manoel de Oliveira, que era piloto, participou da corrida, terminando em terceiro lugar. Enquanto eu escrevia o romance, o querido Walter Salles Jr., ele também cineasta e piloto de corrida de automóveis da classe GT, me mandou uma foto do Manoel no

Circuito da Gávea, a qual, infelizmente, não deu para utilizar no livro. Waltinho, que conhece como ninguém o cinema do mundo inteiro, e eu nos hospedamos por um período no mesmo hotel em Paris, o L'Abbaye. Toda tarde, ele vinha até mim e convidava:

— Jô, vamos até o Cosmos ver a última obra-prima do cinema da Geórgia?

O Cosmos era um cinema controlado pelo Partido Comunista Francês, que ficava perto do nosso hotel.

Eu respondia:

— Pô, Waltinho, mas tem de ser do cinema da Geórgia?

E caíamos na risada.

Nasci 66 dias depois de Getúlio Vargas decretar o Estado Novo. O Brasil dava saltos de modernização, urbanizava-se, industrializava-se. Por outro lado, estava cheio de conflitos, a Segunda Guerra Mundial alvorecia e Getúlio instaurava um período sombrio de restrição às liberdades políticas e de expressão. Meus pais moravam numa casa não muito grande, de três andares, na rua Farani, 56, uma pequena via que deve o nome ao joalheiro Domingos Farani, primeiro a se estabelecer no logradouro, em 1872. A Farani começa na praia de Botafogo e termina na Pinheiro Machado, perto do Palácio Guanabara e da sede do Fluminense (time para o qual torço), onde eu viria a filmar *O pai do povo*, em 1976, minha única e prazerosa experiência como diretor de cinema.

Vargas achou que sua família ficaria mais bem instalada no Palácio Guanabara, casarão em que haviam morado a princesa Isabel e o conde d'Eu, do que no Catete — o palácio do governo. A mansão tinha fama de mal-assombrada: um dos escravos que trabalharam na sua reforma quando foi adquirida pelo casal real teria sofrido tanta violência por parte do feitor da obra, que amaldiçoou: "Nenhum morador vai ter paz enquanto morar aqui". Quando eu tinha cinco anos, adorava ficar sentadinho na mureta defronte de casa. Um flash marcante que guardo desse tempo é o de Getúlio passando, em carro aberto, pela nossa rua. As sombras da história do Brasil circundavam aquele endereço: quatro meses após meu nascimento, à meia-noite de 11 de maio, dois caminhões despejaram cerca de vinte homens, armados e disfarçados de fuzileiros navais, na esquina da Farani com a Pinheiro Machado. Eles caminharam silenciosa e rapidamente para a frente da residência presidencial e se puseram a atirar contra o Guanabara. Era o levante dos camisas-verdes, que se sentiam traídos por Vargas. Plínio Salgado, o líder da Ação Integralista Brasileira, encontrava-se em São Paulo e não participou do atentado.

O fascismo tropical rompia pela via armada com o ditador. O oficial do dia da guarda palaciana, tenente Júlio Barbosa do Nascimento, havia se acumpliciado com os revoltosos e o Guanabara estava praticamente desguarnecido naquela madrugada. Getúlio e seus filhos, Alzira e Maneco, seguraram revólveres para se defender. O chamado Putsch Integralista — que contou com o apoio de outras correntes liberais antigetulistas — poderia ter tido seu roteiro filmado por Carlos Manga na época das chanchadas da Atlântida. Os revoltosos cortaram as comunicações do Guanabara, mas se esqueceram da principal: a linha direta entre o palácio residencial e o do Catete. Os golpistas que ficaram de prender o ministro da Guerra, o general Eurico Gaspar Dutra, não o reconheceram, pois ele estava em trajes civis; diz a lenda que chegou de pijamas ao Guanabara, e pilotando uma motocicleta.

Uma das laterais do palácio faz longa divisa com a sede do Fluminense, indo desde o campo de futebol, encostado na Pinheiro Machado, passando pela piscina e chegando ao fundo, onde, do lado do Guanabara, há um lindo jardim simétrico, com fontes e palmeiras. Existia uma passagem entre esses dois patrimônios urbanos do Rio. Conhecedores dela, os legalistas, chefiados então pelo coronel Cordeiro de Farias (que era, na verdade, o interventor no Rio Grande do Sul e estava por acaso no Rio de Janeiro, o que mostra o grau de desarticulação da defesa do governo), foram enviados para prender os integralistas e acabar com a rebelião. Só que, ao alcançarem a passagem do estádio do Tricolor das Laranjeiras para invadir o famigerado jardim, a porta estava trancada. Ninguém deu ordem para arrombá-la e salvar o presidente da República imediatamente; o grupo de assalto ficou esperando aparecer alguém com a chave. O dia já nascia quando Alzirinha, mulher de coragem extraordinária, descobre o impasse e envia o investigador Aldo Cruschen — durante a noite toda ele guardara uma das alas do palácio, sem que se soubesse —, o qual, com a chave na mão, atravessa os jardins para abrir a porta aos "salvadores" (as aspas irônicas são da própria filha do presidente) de Getúlio.

A notícia do Putsch correu a então Capital Federal, e a classe teatral, liderada pelo nosso ator mais famoso na época, Procópio Ferreira, fez uma manifestação de apoio a Vargas. Ele disse: "Nós temos que ir lá prestar solidariedade, apoiar o presidente". Como o pessoal do teatro não tinha dinheiro, pagou de seu bolso os táxis. Desembarcaram nos jardins do Guanabara amanhecendo o dia e o Procópio gritando: "Viva o presidente Getúlio Vargas". Diretores, atores, atrizes, figurinistas, as mulatas de teatro de revista, enfim, uma gente barulhenta manifestava um apoio não solicitado pelo presidente. Getúlio, morto de cansaço por causa da tensão e da luta pela sobrevivência, e Alzirinha diziam um para o outro: "O que vamos fazer agora para debandar essa turma?". Aquilo não acabava, o dia nascendo e a classe artística, sobretudo do teatro de revista, fazendo tumulto cívico no Palácio Guanabara. Isso é uma coisa realmente louca, e maravilhosamente brasileira.

Vargas era muito amigo de Procópio (segundo o ilustre crítico de teatro Décio de Almeida Prado, o ator recebeu a mais alta condecoração que nosso povo dá a uma pessoa: o direito de deixar de usar seu sobrenome), que escreveu um livro fundamental para a história dos palcos nacionais, *O ator Vasques*. O presidente queria saber dele informações sobre as grandes atrizes e sobre a movimentação dos artistas. ("Em assuntos de teatro, Getúlio Vargas só confiava em mim", Procópio anotou em suas memórias.) Os dois baixinhos, o ditador e o ator, estavam certa vez num churrasco na Fazenda Itu, em São Borja, no Rio Grande do Sul, perto da fronteira com o Uruguai. Getúlio, bem à vontade em sua estância, de bombachas e com a cuia de chimarrão na mão, perguntou a Procópio se ele estava poupando alguma quantia para o futuro. O ator, que era conhecido por ganhar muito dinheiro e torrar tudo, respondeu que conseguia economizar uns trocados. Vargas então aconselhou:

— Empregue suas economias em terra. A terra é a única amiga que possuímos. Ela nos dá tudo, inclusive o leito para o sono eterno.

O Putsch Integralista teve lances tão hilários que decidi criar uma versão dele no romance *O homem que matou Getúlio Vargas*. No livro, de 1998, o protagonista, Dimitri Borja Korozec, o bósnio que tem seis dedos em cada mão, filho de uma irmã bastarda de Vargas, é o responsável pelo fracasso do assalto ao Guanabara. Reprimido o atentado — inclusive com o fuzilamento de rebeldes nos fundos do palácio —, um personagem boêmio que frequenta o Café Lamas sentencia: "Por essas e outras é que o Brasil não acaba", que era uma das frases preferidas de Max Nunes.

Entre as amigas de minha mãe, estava uma das mulheres mais deslumbrantes do Rio de Janeiro: Adalgisa Nery, viúva do pintor modernista de muito talento Ismael Nery. Ela era interessantíssima. Escritora, poeta, jornalista, teve um fim de vida recluso e bastante sofrido. Em 1940, se casou com uma figura estranhíssima, o sergipano Lourival Fontes, chefe do horrífico Departamento de Imprensa e Propaganda (DIP) de Getúlio Vargas, que se inspirava no forte esquema de propaganda nazista. Tenho lembranças imprecisas da censura e do regime policialesco criado pelo Estado Novo, mas, com minha sensibilidade, consegui perceber um clima de medo aqui e ali, e posso dizer que desde criancinha sinto aversão por censuras.

Durante a ditadura militar instalada em 1964, no auge da repressão e da censura, eu revivia em alguns momentos lampejos do ambiente tenso que vira na infância. Lembro-me de que as amigas de mamãe sempre se perguntavam como Adalgisa havia se casado com um homem tão feio. Lourival Fontes tinha olhos assimétricos, um era mais aberto e olhava para um lado, o outro, mais fechado, olhava para o lado oposto; seu apelido era Um Olho no Padre.

Fazendo pesquisas para escrever *O homem que matou Getúlio Vargas*, descobri um livro muito bem elaborado, cujo título é *Couraça da alma*. O autor, Emmanuel Nery, filho caçula de Adalgisa com Ismael, traça um perfil íntimo, profundamente cruel e engraçadíssimo de seu padrasto Louro, apelido daquela versão brasileira de Goebbels. Depois de dizer que Lourival Fontes era uma pessoa honesta e um gênio de sensibilidade política, o descreve como um vesgo que "tinha um olho que olhava para cima e para a direita e outro que olhava para a esquerda e para baixo". E encerra com um veneno que seria capaz de manchar a biografia de qualquer homem público em qualquer lugar e qualquer época, que dirá de uma autoridade majestática do Estado Novo, que acreditava na superioridade racial:

Desleixado na aparência, sempre com a camisa borrada de cinza do cigarro e as cuecas infectas, pois se limpava mal e contra a vontade ao levantar-se das latrinas, fossem elas domésticas ou em castelos de lordes britânicos. Por sinal, raramente puxava as válvulas. Era inclusive comum minha mãe entregar ao motorista dele um embrulho com uma ou duas cuecas, caso o próprio notasse que o ar ao seu redor ficara um tanto poluído.

Nem Hamlet conseguiria uma vingança tão contundente contra seu padrasto Cláudio, nem os mais inteligentes inimigos do DIP conseguiriam nada tão corrosivo contra Lourival Fontes.

III

Na sexta-feira 1º de junho de 1864, o jornal *O Publicador* (vejam que nome moderno, parece até um jornal da era da internet!), da antiga capital da província da Paraíba, estampou sete anúncios variados em formato, tamanho e tipografia, esparramados na página 4, a última do periódico, divulgando um estabelecimento comercial chamado Loja da Boa Fama. Nos reclames, percebe-se a imensa gama de produtos que a loja punha à disposição de seus fregueses: "afamados bules de metal de Britannia" para chá, que duram dez anos, "facas e garfos cabos de baleia de um botão para mesa", "estojos com sete navalhas finas, apellidadas semanaes", "o verdadeiro papel liso inglez aberto e dobrado próprio para officios", "pennas d'aço do afamado fabricante Perry", charutos e "cigarros de palha de milho, grande formato", "caximbos de gesso, madeira, massa e escuma do mar", "borseguins de bezerro, borseguins de couro de porco", "linha de meada e novello para bordar", "talagarça para quadros", e mais uma infinidade de artigos. A linha final dos anúncios diz: "Vende-se a dinheiro à vista".

Em vários dos reclames, o designativo do estabelecimento é substituído ou secundado por outro, A Loja do Adolpho. O nome completo desse Adolpho era Adolpho Eugenio Soares, um rico comerciante português que era pai do pai de papai. Seu nome virou lenda no comércio varejista da atual João Pessoa. No texto do primeiro anúncio, na coluna da esquerda, que informa a mudança de endereço da loja, diz-se que ela foi do número 14 para o número 16 da rua das Convertidas, "defronte da loja do sr. Antonio Camillo de Hollanda". Nesta vendiam-se "as únicas verdadeiras luvas de Jouvin", recebidas "directamente de Paris". Como dinheiro atrai dinheiro e no comércio não se gosta muito de concorrência, Adolpho casou-se com a filha de Antonio, que se tornou minha bisavó Amazile Meira de Hollanda Soares.

Um irmão dela, Francisco Camillo de Hollanda, foi presidente, como se dizia na época, da Paraíba (1916-20) e personagem de um dos casos mais notáveis dos oligarcas do Nordeste na República Velha. Esta história me foi narrada por Ariano Suassuna (ele mesmo filho de outro governador daquele estado, João Suassuna), quando fiz uma maravilhosa entrevista com o escritor, no Recife, em 2007. Foi com uma participação no *Auto da Compadecida*, do Ariano, que fiz meu primeiro papel importante no teatro, na década de 1950.

Ele conta que Camillo de Hollanda, o qual "inimizou-se" com o governador Antônio Pessoa, foi o homem "mais ronhento que já existiu no Nordeste todo". Antônio era irmão do todo-poderoso da política paraibana, o futuro presidente da República Epitácio Pessoa (1919-22). Mas Epitácio, em vez de apoiá-lo para seguir no posto, preferiu aliar-se a Hollanda, que se tornou o novo chefe do Poder Executivo no estado. Sentindo-se traído dentro da própria família, Antônio Pessoa se recusou a passar o cargo para o inimigo. Abandonou a política e foi morar em sua fazenda, na cidade de Natuba, onde morreu meses depois.

O juiz Caldas Brandão, cumprindo um protocolo formal, se dirigiu então ao palácio do governo para levar ao titular as condolências pelo passamento de seu antecessor. Camillo teria agradecido polidamente a visita de pêsames, mas para espanto do magistrado disse que Antônio Pessoa iria para o inferno e seria recebido pelo diabo com uma festa de três dias. A frase chocou profundamente a opinião pública do estado, desolada pela notícia da perda recente de um proeminente político. Antônio Pessoa Filho, em protesto, deixou o cargo de prefeito da capital, aumentando exponencialmente a crise política na Paraíba.

A situação chegava perto do descontrole, a ponto de a Igreja tentar exercer sua função de conciliadora. O bispo d. Adauto Aurélio de Miranda Henriques procurou o governador, disse não acreditar que teria saído dele a imprecação que corria de boca em boca pela Paraíba e lhe pediu que fizesse um esclarecimento público para evitar uma crise política de graves consequências. Camillo de Hollanda respondeu:

— Meu bom dom Aurélio, Vossa Excelência Reverendíssima sabe que eu jamais diria uma coisa dessas! Que mal o diabo me fez pra eu lhe desejar a péssima companhia de Antônio Pessoa?

A consternação era geral. Diante da humilhação pública, a viúva de Pessoa foi ao Rio para se queixar ao cunhado Epitácio, que continuava, à distância, mandando na vida política paraibana. Furioso, Epitácio renegou o protegido e jurou varrê-lo do mapa do governo do estado. Com o fim de seu mandato, também se encerrou a carreira de Camillo de Hollanda, irmão da minha bisavó, que nunca mais conseguiria ser eleito para nada.

Ariano Suassuna contou ainda que tempos depois, na década de 1930, um amigo seu, Fernando Nóbrega, viu Francisco Camillo de Hollanda, já bem velho, caminhando pela rua Nova, na capital. Ele se aproximou e disse:

— Doutor Camillo, com muito respeito, eu venho lhe dar uma notícia. Faleceu dona Mariquinha, a viúva de Antônio Pessoa.

O ex-governador respondeu:

— Que dia triste, Fernando, que dia de luto.

Ao ouvir a resposta, o amigo de Suassuna pensou: "Bem, com a idade, o homem amansou". Mas não teve tempo de pensar mais nada, pois Hollanda emendou:

— Que dia de luto no Instituto Butantan. Quer dizer que aquela velha serpente morreu?

Quando eu trabalhava na Globo, nos anos 1970, Roberto Marinho me surpreendeu com a frase: "Eu conheci muito o Garoupa". Nunca soube que o empresário de comunicações mais importante do país a partir daquela década tivesse conhecido meu pai. Sem que Orlando Soares sequer imaginasse em que momento e por que o apelido nasceu, o Rio inteiro o chamava de Garoupa. Papai era engraçado, mas seu humor era de observação, de ficar olhando e ter umas sacadas. Já o de Mercedes era aquele humor explícito, de contar piadas e histórias fascinantes.

No período em que frequentava o famoso Liceu Paraibano, na antiga capital Parahyba do Norte, hoje João Pessoa, papai se desentendeu com o diretor e atirou um tinteiro nele. Isso bastou para que os filhos de meu avô deixassem de ser aceitos nos colégios do estado, por isso Orlando e dois irmãos foram enviados ao Rio de Janeiro para estudar. Um deles, Mauro Eurico Soares, morreria em 1919, vítima da pandemia que ficou conhecida como gripe espanhola. Vovó Maria Zulmira Ribeiro Soares, mãe de meu pai, tinha doze anos no dia em que se casou com o Tota (Antônio Camillo Soares), em João Pessoa. Quando o marido quis lhe dar o primeiro presente, ela pediu uma boneca. Era uma menina. Moravam num casarão na rua da Areia e, naquela época, vovô estava muito bem de vida: era o proprietário do único carro da cidade. Mais tarde, seus negócios deram para trás e ele, que gostava de jogar, perdeu tudo. Nem o fato de ter ganhado duas vezes na loteria resolveu seus problemas financeiros. Ele acabou vindo, com toda a família, morar no Rio.

Papai não quis seguir a carreira de agrônomo, que meu avô recomendava, e foi se especializar no mercado de capitais, trabalhando como corretor na Bolsa de Valores. Muito simpático, logo se integrou à vida da capital do país, passando a ser visto nas rodas literárias e políticas. Tornou-se amigo, entre outros, de Manuel

Bandeira e Sérgio Buarque de Holanda, bem como habitué do Café Lamas, aberto em 1874, que ficava no largo do Machado, o local clássico da boemia carioca. Mas meu pai era um boêmio atípico, praticante da boemia seca, aquela de bater papo até altas horas. Ele não bebia nem usava drogas. Note-se que, então, se podia comprar cocaína na farmácia. Era só pedir: "Me dá aquela da Merck, que é a melhor". Infelizmente, papai fumava demais.

Orlando frequentou com assiduidade turmas de rapazes que aprontavam exclusivamente pelo prazer de aprontar. Um dia, um grupo pegou um táxi que fazia ponto ali no Lamas e disse ao motorista, que era enturmado com eles, para rumar para São Paulo. Ir de carro do Rio a São Paulo naquele tempo equivalia a uma viagem de Ulisses voltando para Ítaca. Além de papai, ia no grupo o grandalhão Manoel, filho do deputado gaúcho Germano Hasslocher, que adorava fazer uma bagunça. A dada altura, resolveram parar num restaurante de beira de estrada. Meu pai ficou um pouco para trás, e o dono do estabelecimento começou a conversar com eles:

— Então, os rapazes do Rio de Janeiro vão passear em São Paulo...

O Manoel respondeu em tom bastante sério:

— Não, nós estamos numa missão terrível. Vamos internar aquele rapaz ali, ele pensa que é peixe! Se pedir qualquer coisa líquida, por favor, o senhor não dê, porque ele vai querer enfiar a cara dentro do copo, da garrafa... É um horror.

O proprietário do restaurante não acreditou muito:

— O senhor está brincando comigo?

Aí, o Manoel Ferraz Hasslocher falou:

— O senhor quer ver? Vamos chamá-lo pelo nome de um peixe qualquer... Ah, por exemplo, Garoupa! Ô Garoupa!

Orlando atendeu prontamente:

— Que é?

O cara ficou assustadíssimo. Daí meu pai perguntou:

— Escuta, amigo, onde é que eu posso lavar as mãos por aqui?

— Não tem água! Aqui não tem água! Aliás, é um problema enorme para nós, um inferno, não tem líquido nenhum.

— Como, nada? Eu queria tomar uma água...

— Não tem.

— Um Guaraná Champagne?

— Também não.

Meu pai se enfureceu:

— Vamos logo embora desse lugar atingido pela Lei Seca.

E os outros fizeram sinal para o cara do restaurante de que papai era maluco.

Ir almoçar nos navios estrangeiros que chegavam ao porto era um programa. Certa vez, o grupo da famosa boemia do Lamas foi a um desses transatlânticos degustar as delícias de pratos difíceis de encontrar no Rio. Alguns dos rapazes falavam bem inglês, e um americano logo fez camaradagem e se sentou à mesa deles. Depois de se regalarem, pediram a conta. Quando o garçom a trouxe, o americano foi rápido:

— É minha!

Ao ver o valor da nota, ele quase caiu da cadeira: 10 mil dólares!

— Como? Não é possível — exclamava, enquanto conferia item por item. — Camarões tanto, entradas tanto, um bife tanto... — Daí leu: — Um relógio Patek Philippe, 8 mil dólares! Está errado isso aqui! Como é que tem um relógio nesta conta?

E o Manoel:

— É, fui eu, peguei o relógio ali na joalheria do navio. Se você não quiser pagar, não tem problema, eu tiro o relógio da conta. Não vamos brigar por causa disso.

Ele havia colocado o relógio caríssimo na conta do americano... Se passasse, tudo bem.

O irmão do Manoel, Paulo Germano Hasslocher, também conhecido como o Golias das Campinas do Sul, foi uma das pessoas mais interessantes do Rio na primeira metade do século xx. Ele atraía atenção por se vestir esmeradamente, foi o grande rival de João do Rio no dandismo: só era visto na avenida Central envergando fraque, cartola, gravata plastrom, polainas, monóculo e luvas. Segundo Francisco de Assis Barbosa — que almoçou com Paulo na Taberna da Glória para uma entrevista publicada na ótima revista *Diretrizes*, fundada pelo Samuel Wainer no ano em que nasci —, dizia-se a três por dois que ele não passava de um maluco. Um detalhe curioso: quando, incentivado por Getúlio Vargas, no início dos anos 1950, Samuel Wainer resolveu fundar o seu próprio jornal, ele comprou a marca *Zero Hora*, um dos melhores nomes de jornal que o Brasil já teve, do Paulo Hasslocher. Maluco e briguento: em 1915, estava ao lado do sergipano Gilberto Amado quando este, no saguão do *Jornal do Commercio*, matou a tiros o poeta gaúcho Aníbal Teófilo — aliás, Paulo Hasslocher teria sido o primeiro a agredir a vítima.

Em 1921, sem que nenhum dos dois soubesse manejar a arma escolhida, às duas horas da manhã para evitar a polícia, num barracão do morro da Viúva, Paulo esgrimiu em duelo com o escritor lusófobo Antônio Torres. Ele disse que atingiu seu contendor, o qual se portou com bravura, por dezoito vezes, mas os ferimentos não foram graves. "Foi este o único duelo a espada que houve na República", vangloriava-se. No verão de 1922, apareceu no noticiário policial dos jornais por ter atirado num garçom espanhol que se recusara a atendê-lo, pois já estava fechando o restaurante do Palace Hotel, em Petrópolis. Entre 1918 e 1929, foi proprietário do prestigioso semanário *A.B.C.*, que tivera em Lima Barreto um de seus principais colaboradores. Paulo Hasslocher atuou na direção da Associação Brasileira de Imprensa (abi) e participou ativamente da política do Rio Grande do Sul, tornando-se bastante próximo de Getúlio quando este ainda era presidente do estado. Entrou para a diplomacia na década de 1930, quando acumulou a função de conselheiro comercial com a de chefe do serviço de inteligência brasileira na embaixada de Washington, passando informações secretas a Vargas. Tinha uma voz grossa e papai ria muito das imitações que eu fazia dele. De vez em quando eu encontrava o Paulo Hasslocher no Jockey Club e ele dizia com o vozeirão:

— Gosto muito do seu pai, gosto muito do Garoupa.

Manoel Hasslocher foi um dos mais ativos militantes entre os camisas-verdes da Ação Integralista Brasileira. Ele viria a ser o editor da revista *Anauê!*, o principal veículo para divulgação das atividades e agitações integralistas no país, e era um grande amigo de Benjamin Vargas, o Bejo, irmão de Getúlio.

Orlando Soares tinha uma habilidade maravilhosa para dar apelidos. Um dos sujeitos que frequentavam a sua roda de cama-radagem era muito feio, mas, por uma dessas ironias do destino, se chamava Belo. Meu pai só se referia a ele como "O Incêndio". Eu perguntei:

— Por que incêndio?

— Porque é o "belo horrível".

Havia uma expressão corrente na época que dizia ser um in-cêndio o encontro marcado entre "o belo" — o espetáculo feérico das labaredas — e o "horrível".

Como as histórias dos meus livros sempre transcorrem no Rio do passado, o Lamas aparece em vários deles. Fiz uma peque-na homenagem a Orlando e sua turma no romance *Assassinatos na Academia Brasileira de Letras*, que lancei em 2005:

Frequentado por boêmios, artistas, intelectuais, políticos, jornalistas e até por umas poucas ovelhas negras do clero, o Lamas também servia de precioso manancial de informações. Suas portas não fecha-vam nunca. Um dos boêmios assíduos, o Garoupa, contava que dois anos antes, por ocasião da primeira revolta dos tenentes, foi impos-sível baixar a grade de ferro que protegia o local. Estava emperrada por falta de uso.

A partir do primeiro domingo de agosto de 1933, com a vitória do cavalo pernambucano Mossoró, que concorreu com "craques" — no jargão do jornalismo turfístico de então — estrangeiros, a realização do Grande Prêmio Brasil, no Jockey Club Brasileiro, tornou-se um dos acontecimentos mais importantes no calendário anual da Capital da República. O Hipódromo da Gávea, que estava entre os cartões-postais do Rio da primeira metade do século xx, havia sido inaugurado em 1926. Aos domingos, os homens se engalanavam para ficar nas tribunas e as moças, de chapéu, passeavam pela pelouse do prado, enlouquecendo os rapazes. Durante anos, o hotel Copacabana Palace promoveu as Grandes Noites do Sweepstake, uma semana de bailes e badalações que antecedia o evento do Jockey.

Filho único tardio, meus pais, em vez de me protegerem do mundo e me mimosearem excessivamente, como seria normal nessas circunstâncias, criaram-me com rara liberdade e independência — e também se divertiam muito comigo. Costumo dizer que meus pais me mimaram mas não me estragaram. Fizeram a coisa na medida certa. Quando completei quatro anos, mamãe resolveu fazer uma festa diferente para o período: os meninos se fantasiariam de cozinheiro e as meninas, de camareira. E, claro, com o seu preciosismo, Mêcha foi ao Copa encontrar com o chefe de cozinha, a quem conhecia bem, para ver como era a roupa exata de um cozinheiro, o chapéu, a calça, como se colocava o lenço em volta do pescoço etc. Na foto que consegui guardar dessa festa, uma das meninas vestidas de camareira ao meu lado é a atriz Joana Fomm (minha mãe, louca por pif-paf, jogava na casa da mãe dela).

Tem outra foto minha da mesma época, justamente num Grande Prêmio, na qual apareço de meio fraque, calça listrada, colete, gravata, lenço na lapela e cartola, binóculo pendurado no pescoço, todo exibido, sendo observado por um risonho Joaquim Pedro Salgado Filho, dublê de presidente do Jockey e ministro da Aeronáutica, que estava entre os principais colaboradores de Getúlio

Vargas. Ele ria do que eu dizia ao fotógrafo: "Vamos rápido com essa foto, não tenho muito tempo!". Sempre me emociono ao pensar no Hipódromo da Gávea, porque esse se tornou um dos locais que meu filho, Rafael, que era autista, sentia mais prazer em visitar. Passei várias tardes com ele olhando os cavalos no prado.

Um Natal, escrevi na carta para o querido Papai Noel que só queria ganhar duas coisas: uma bicicleta de rodas americanas e uma estrela de xerife, que eu via nos filmes de caubói. Mamãe entrou em desespero: foi a todas as lojas de brinquedos (no Rio daquele tempo não eram muitas) e não encontrou nenhuma estrela. Por sorte, ficou sabendo de uma promoção — acho que era de um sabonete — que estava oferecendo uma como brinde. Mêcha começou a comprar quantidades enormes do produto para ver se ganhava, mas nada. Aí ela descobriu que a fábrica do sabonete se situava no fim da avenida Brasil, um lugar longíssimo, na zona industrial da cidade. Foi até lá e o dono da fábrica disse que não poderia lhe vender uma estrela, pois se tratava de um brinde. Minha mãe perguntou então quantos sabonetes em média ele precisava vender para dar uma estrela de xerife. O fabricante respondeu que não daria para fazer um negócio como o sugerido, pois, se descobrissem, poderia parecer que havia fraude, o que atrapalharia a promoção. Ela retrucou que não sairia dali sem a estrela e, após longa discussão, o cara cedeu. Na noite de Natal, quando eu vi a estrela no alto na árvore, quase desmaiei de emoção e disse:

— Eu sabia que Papai Noel não ia falhar comigo, apesar de eu não ter me comportado muito bem este ano!

Além do Lamas, outro ponto de encontro de Orlando Soares com os amigos era a antiga sede social do Jockey Club Brasileiro, localizada na esquina da avenida Central, hoje Rio Branco, com a Almirante Barroso, no centro. (Em 1956, na Esplanada do Castelo, o Jockey iniciou a construção de uma sede projetada por Lúcio Costa, que fica próxima e faz contraponto ao clássico Edifício Gustavo Capanema, com o qual o arquiteto modernista "agrediu a burrice brasileira", como dizia Otto Lara Resende.) Todo mundo importante no Rio — políticos, empresários, jornalistas — almoçava no restaurante do Jockey, que não tinha ar condicionado e era muito quente. Eu era bem pequeno e meu pai me carregava nos ombros, segurando as minhas perninhas, para passearmos na Rio Branco. Em frente à sede do Jockey, ele encontrou um amigo que não via fazia muito.

— Garoupa, quanto tempo! Como você está?

— Pois é, quanto tempo eu não te vejo...

— É o seu filhinho? É? Ah, deixa eu vê-lo de perto... — Pegou-me no colo, brincou comigo e continuou: — Pois é, Garoupa, andei sumido, eu estava internado em Campos do Jordão. Esta tuberculose está acabando comigo...

Não pôde terminar a frase. Papai, bravíssimo, me arrancou das mãos dele, gritando:

— Seu irresponsável, seu irresponsável!

No princípio da década de 1940, a tuberculose ainda matava uma quantidade enorme de brasileiros. Meu pai entrou voando no Jockey, comigo no colo, e me levou direto para o banheiro, a fim de me dar um banho de álcool.

De tanto ir com ele à sede social da Rio Branco, até hoje me lembro do nome do porteiro, o Alex. A maioria das pessoas ia lá para jogar baralho. Uma figura assídua era um cara conhecido como Mário Charuto. Sujeito gozador, com imenso senso de humor e uma irreverência maior ainda. Já o Mesquita era sisudo, o oposto do Mário. Juiz, se não me engano, não admitia brincadeiras. Tinha fama de pão-duro: só tomava suco de laranja no bar do Jockey porque era de graça. E só jogava crapô, com dois baralhos sebosos que levava numa velha caixa de papelão. A partir de certo dia, começaram a cobrar uma quantia irrisória pelo suco, e o Mesquita passou a tomar sal de fruta, porque o sal de fruta continuava sendo gratuito. Todo mundo caçoava dele à boca pequena, mas ninguém tomava intimidade. "Com o professor Mesquita ninguém brinca", dizia-se. Até que o Mário Charuto resolveu encarar a parada.

Ele mandou fazer uma caixa de madeira de jacarandá muito elegante, com uma placa dourada na tampa que trazia a seguinte inscrição: "Para o Professor e Doutor Mesquita, com carinho e admiração do Mário". Dentro, colocou quatro baralhos importados, novíssimos.

— Professor Mesquita, me desculpe a interrupção, mas não pude deixar de notar que o senhor está sempre jogando com esses baralhos velhos. Na verdade verdadeira, o país devia seguir o seu exemplo, porque o senhor é um homem muito econômico, um homem que não faz desperdícios. Mas dói o meu coração ver o senhor jogando com esse baralho e carregando essa caixa de papelão, porque o senhor merece muito mais do que isso. Então, tomei a liberdade de mandar fazer para o senhor esta caixa com esses baralhos novos.

O Mesquita ficou encantado.

— Vocês vivem falando que o Mário é um sem-vergonha, um moleque, que só gosta de fazer brincadeira... Imagina! É um rapaz muito bem-educado, olha que presente maravilhoso ele me deu.

Com isso, Mário Charuto foi tomando certa intimidade com o Mesquita. Passava por ele e dizia: "Professor, como vai?". Passava de novo, "Professor Mesquita", exclamava, e dava uma pancadinha no seu ombro. Depois de uns dias, começou a tratá-lo mais diretamente: "E aí, Mesquita, tudo bem?". E dava-lhe um tapa nas costas. Os dias se sucediam e os tapas nas costas iam ficando mais fortes.

— Ô Mário, não se exceda — reagiu, chateado, o Mesquita.

— Mas o que é isso, professor? O senhor tem toda a minha consideração.

No dia seguinte, *pá* na cabeça, *pá*.

— Ah, é você, Mário?

— Sim, professor, tudo bem? Continuo sendo seu admirador.

E seguiu tratando o Mesquita com essa intimidade.

— Mas até onde vai isso? — as pessoas perguntavam ao Mário Charuto.

— Ah, ele agora caiu na minha, não tem problema.

Um dia, o Mesquita estava de costas, em pé diante do balcão do bar. Mário chegou sorrateiramente, enfiou a mão entre as pernas do professor e apertou-lhe os colhões.

— Quem é que está aqui? *É o nosso professor Mesquita?*

O sisudo Mesquita perdeu a compostura de vez e se pôs a gritar:

— Eu vou devolver os baralhos! Eu já vou lhe devolver essa caixa! Eu não aguento mais! Está aqui a caixa. Eu não quero mais essa intimidade. Eu não aguento mais!

Nesse tempo, tinha um tarado famoso na Cinelândia, o Com Licença. Ele entrava num cinema, esperava as luzes se apagarem, tirava o pinto para fora, escolhia uma fileira de poltronas e ia passando... o pau duro no pescoço de todo mundo que estava nas poltronas da frente. "Com licença, com licença, com licença", até que chegava ao final da fileira e gozava. Era o terror dos gerentes das salas da Cinelândia, que, ao se encontrarem para tomar um cafezinho, comentavam: "Está cada vez mais difícil segurar o Com Licença". O sujeito começou a usar uma capa de chuva para poder entrar nos cinemas sem ser reconhecido, e foi ficando cada vez mais rápido no gatilho. O vaga-lume, também chamado de lanterninha, vinha atrás dele, e ele passava pelas fileiras bem apressado: "Com licença, com licença, com licença, aaaaaah...". Ninguém conseguia conter o Com Licença. Enquanto escrevo estas memórias, os jornais publicam notícias sobre casos de abuso sexual nos ônibus de São Paulo que lembram muito a história do Com Licença. Na época do meu pai, isso era tratado como caso de folclore da cidade. Hoje, o assunto assumiu contornos muito mais graves, mas a questão dos distúrbios sexuais ainda permanece como um dos problemas mais difíceis para a humanidade solucionar — se é que tem solução.

Meu avô materno, Carlos Pereira Leal, fundou e dirigiu no Brasil a Equitable, uma empresa americana de seguros. Quando Getúlio nacionalizou esse tipo de empresa, com a nova Constituição de 1937, a companhia passou a se chamar Equitativa e vovô se aposentou, em protesto. Ele tinha uma vila na rua Real Grandeza, em Botafogo. Numa das casas moravam duas tias-avós, duas figuras inteiramente malucas. Não sei se eram irmãs dele ou da minha avó, Heloisa. Poucas e raras pessoas podiam entrar naquele sobrado. As velhinhas espiavam pelo andar de cima e, se aceitavam receber o visitante, desciam a chave para ele numa cestinha amarrada a um barbante. Mais tarde, quando a visita ia embora, pediam-lhe que trancasse a porta e colocasse a chave de volta na cesta, a qual recolhiam puxando rapidamente a cordinha. Depois que elas morreram, mamãe foi com outros parentes arrumar a casa misteriosa. Encontrou várias caixas de sapato cheias de cabelos: as velhinhas não jogavam nada fora.

Heloisa Loureiro de Leal, vovó Lulu, que não cheguei a conhecer, teve um papel importantíssimo na trajetória da enfermagem no Brasil. Diante da eclosão da Primeira Guerra, ela liderou, em setembro de 1914, um grupo de senhoras da sociedade do Rio de Janeiro que se dispuseram, voluntariamente, a ajudar a treinar enfermeiros e técnicos para a Cruz Vermelha, os quais seriam enviados à Europa para cuidar das vítimas de um dos mais cruentos conflitos da história da humanidade. Fundaram o Comitê das Damas da Cruz Vermelha, que viria a se tornar a seção feminina da Cruz Vermelha Brasileira. O curioso é que um tio de papai, general Ivo Soares, foi também um dos pioneiros na Cruz Vermelha Brasileira, chegando à presidência da entidade. Isso, antes de Garoupa e Mêcha se conhecerem. A Cruz Vermelha acabaria sendo o embrião do primeiro curso para enfermeiras profissionais no país, criado logo depois, uma vez que a carência de mão de obra qualificada no setor era enorme — sobretudo com a pandemia de gripe espanhola, em 1918.

Na primeira turma de alunas do curso de enfermeiras voluntárias estavam minha mãe e suas irmãs, ainda bem jovens. Certo dia, em treinamento num hospital, Mêcha, ajoelhada, tratava do ferimento no pé de uma senhora de idade bem avançada, o qual exalava um odor horrível, um cheiro pútrido. Uma amiga de mamãe passou por ali e, ironicamente, disse em francês:

— *Ça sent les roses.*[1]

A paciente, que era uma francesa pobre, respondeu com elegância:

— *Ce qui sent les roses c'est le coeur de cette jeune fille agenouillée à mes pieds.*[2]

Na casa de meus avós, trabalhava um jardineiro português. Um dia, ele chamou vovó Heloisa e disse que pedia as contas porque ia voltar para a terrinha.

— Imagine a senhora que eu tive um sonho, joguei e acertei no milhar.

O milhar, no jogo do bicho da época, dava uma grana maravilhosa.

— E como é que foi o sonho, seu Manuel?

— Foi o seguinte: eu sonhei que estava aqui no jardim plantando uma roseira e, em volta de mim, voava uma borboleta. Ela rodeava minha cabeça, rodeava, rodeava... Eu não conseguia parar de pensar nesse sonho, então fui lá, joguei no bicho e ganhei.

Vovó congratulou-o:

— Muito bem, seu Manuel, o senhor sonhou com a borboleta, jogou nela e ganhou o milhar. Parabéns!

Então o jardineiro respondeu:

— Não, não, senhora. Eu joguei no burro.

---

1. "Isso cheira a rosas."

2. "O que cheira a rosas é o coração dessa jovem ajoelhada aos meus pés."

— Por que no burro, seu Manuel?

Com ar de quem explicava o fato mais elementar do mundo, ele esclareceu:

— Pois, claro, os brasileiros não ficam sempre dizendo que português é burro? Quando vi a borboleta em volta de mim, pensei: é burro, ela está voando ao redor do burro.

Mamãe tinha dois irmãos, Carlinhos e Felipe, que eram completamente malucos. Eu só conheci o Felipe, o Carlos morreu muito cedo. Um sábado, vovó Lulu fez uma feijoada para cerca de quarenta pessoas. Meus dois tios colocaram dois camundongos na panela e, durante o almoço, ficaram tirando onda:

— Tá boa essa feijoada, não está, Carlinhos?

— Muito boa, Felipe, acho que nunca teve uma feijoada tão boa aqui em casa.

A feijoada deu em confusão danada, muitos convidados se sentiram mal e vomitaram.

Por um período, vovó Lulu teve um cozinheiro chinês. Ela avisou: "Ó, aqui em casa não se come rato". Na época, dizia-se que, por causa da imensa fome no país deles, os chineses começaram a comer ratos, bichos que teriam passado até a ser considerados iguaria. Um dia, vovó resolveu oferecer um puchero a um grupo de amigos. Quando ela foi verificar como estava o prato, descobriu que tinha uma ratazana aberta em cima do cozido. Vovó, fula da vida, ralhou:

— Mas eu não falei para você que aqui não se come rato?

— *No, no, puchelo pala a senhola, lato pala mim* — respondeu o chinês.

Em 1906, na Paraíba, vovô Tota queria batizar o mais novo irmão de papai com o nome de Renan. Na hora da cerimônia, o padre não concordou, pois se tratava de uma homenagem ao pensador francês Ernest Renan, que se tornara referência para agnósticos e ateus do mundo todo. Ao lado da pia batismal, vovô decidiu então que seu filho se chamaria Togo, em tributo ao almirante japonês Togo Heihachiro, que, no ano anterior, convertera-se num símbolo de heroísmo e coragem ao derrotar a frota do tsar, durante a Guerra Russo-Japonesa. Meu tio recém-nascido virou cristão com o nome de Togo, mas, na confusão que eram os registros de nomes nos cartórios nordestinos, passou a ser cidadão brasileiro tendo em seus documentos os dois nomes desejados pelo meu avô: Togo Renan Soares.

Uma das realizações mais importantes do esporte nacional de todos os tempos, hoje muito pouco lembrada, foram os dois títulos mundiais de basquete conquistados em 1959 e 1963. Os títulos vieram nos anos subsequentes ao bicampeonato mundial de futebol, criando a ilusão de que o Brasil seria uma enorme potência no mundo esportivo (após a final de 25 de maio de 1963, entre confetes e serpentinas, 25 mil vozes gritavam no Maracanãzinho: "É no pé, é na mão/ Brasil bicampeão"). Na primeira conquista, no Chile, o país se beneficiou do fato de a poderosa seleção da União Soviética, que estreava no torneio, ter se recusado a enfrentar o time de Formosa (hoje Taiwan) — em solidariedade à China, que não tinha relações diplomáticas com a ilha. Na campanha do bicampeonato, os brasileiros não perderam nenhum jogo, batendo inclusive as gigantes seleções dos EUA, da URSS e da Iugoslávia em partidas memoráveis.

Aquela geração de atletas excepcionais — Amauri, Wlamir, Algodão e Ubiratan, entre outros — talvez não tivesse atingido o ápice de seu desempenho se no comando da seleção não estivesse o irritadiço Togo Renan Soares, conhecido como Kanela (o apelido Canela de Vidro teria surgido quando ele, tentando um lugar nos times infantis do Botafogo, exibia as suas canelas muito finas e muito brancas). Os estudiosos do nosso basquete dizem que a modalidade no país pode ser definida como antes e depois dele, que operou uma verdadeira revolução tática e técnica, substituindo uma maneira lenta de jogar por uma dinâmica mais veloz de transição e implantando o famoso e rápido "contra-ataque em três". Como os jogadores brasileiros tinham uma das mais baixas médias de altura nos torneios internacionais, a solução era compensar esse handicap com muita técnica e velocidade.

Tio Kanela foi técnico da nossa seleção de basquete de 1951 a 1970 e sua coleção de troféus diz tudo: além de conquistar o bicampeonato, foi vice-campeão mundial em 1954 e em 1970, cinco vezes campeão sul-americano, medalha de bronze nas Olimpíadas de 1960, em Roma, e, como técnico do Flamengo, chegou ao inédito decacampeonato estadual (ao todo, foram doze títulos). Mas o curioso é que ele, que não praticava nenhum esporte, foi técnico vitorioso numa quantidade enorme de modalidades: de futebol pelo Botafogo, pelo Bangu (dirigiu ainda algumas partidas do time profissional do Flamengo), de polo aquático e de remo. João Saldanha dizia que meu tio foi um excelente treinador de futebol. "No Bangu, o Kanela foi o responsável pela formação de um grande craque. Responsável total. Chamava-se Domingos da Guia, que era de uma família de banguenses. [...] O Domingos jogava no meio do campo. Centromédio na época. Kanela chamou-o e convenceu Domingos a jogar de zagueiro. O resto todos sabem", escreveu. Segundo Saldanha, Kanela também havia criado a marcação com três zagueiros, a qual revolucionou o futebol, e teve o mérito de dar valor ao treinamento sério, regular e aplicado. Em 1969, como técnico da Seleção, João Saldanha montou um timaço nas eliminatórias para a Copa do México que ficou conhecido como As Feras de Saldanha (ele explicava: "Eu não convoquei 22 damas, convoquei feras"), com Carlos Alberto, Gérson, Tostão, Paulo César Caju, entre outros. Numa das ocasiões em que a Seleção estava concentrada, levou os jogadores para assistir ao meu espetáculo *Todos amam um homem gordo*. Eu o cumprimentei pelas feras e ele me disse baixinho:

— Esse negócio de canarinhos não dá, né, Jô, eles não são bichas. Que adversário vai respeitar uma seleção de canarinhos?

À sua incrível capacidade de liderança, o baixinho Kanela adicionava um temperamento irascível, tempestuoso; tinha pavio curtíssimo. No Campeonato Mundial de Basquete de 1963, durante a tensa semifinal contra a União Soviética, para muitos o jogo mais importante do torneio, o primeiro tempo terminou 43 a 42 para o Brasil. Meu tio havia reclamado muito da arbitragem e, no intervalo, quando o juiz uruguaio Julio Sánchez Padilla se encaminhava para o vestiário, se aproximou dele e desferiu-lhe uma bofetada. O Maracanãzinho abarrotado sentiu um frio na barriga: no jogo do século para a seleção brasileira de basquete, seu técnico acabava de ser expulso. Mas, no fim, para delírio do país, a seleção venceu por 90 a 79. A agressão de Kanela foi saudada pelo dramaturgo, escritor e colunista esportivo Nelson Rodrigues como o momento decisivo para a vitória do basquete nacional, e ficou imortalizada numa coluna no *Jornal dos Sports*, em 25 de maio de 1963, intitulada "O tapa cívico". No *Globo*, onde também escrevia, em seu admirável estilo, Nelson registrou que "contra a Rússia fizemos a barba e o bigode do Rasputin. E, na final, enfiamos os Estados Unidos numa banheira de Cleópatra e lhes demos uma lavagem de leite de cabra".

Quando eu tinha oito ou nove anos, tio Kanela me levou para assistir a um jogo de futebol no campo do Botafogo, no antigo estádio da General Severiano. (Lembro-me bem de um atacante daquele time alvinegro, o Ponce de Leon, um ruivo a quem chamavam de Diabo Louro. Ele era famoso por ser boêmio e exímio bailarino, exibindo-se em gafieiras com sapato de duas cores.) De repente, meu tio se vira e me diz: "Olha, você fica sentado aqui quietinho, não se mexe, que eu vou até o outro lado do campo. Está vendo aquele sujeito que está sentado do outro lado? Eu vou lá bater nele e já volto". Foi lá, brigou com o cara, os dois rolaram pelos degraus da arquibancada, uma confusão tremenda. Depois voltou. Contei a papai o acontecido, e ele imediatamente ligou para o irmão, louco da vida:

— Nunca mais eu deixo você sair com o meu filho.

— Mas, Orlando, não teve nada de mais, foi só uma pequena discussão com um desafeto que estava sentado do outro lado — justificou-se tio Kanela.

Antes de ir para o Flamengo, ele fazia tudo pelo Botafogo, tendo sido técnico em todas as modalidades para as quais foi convocado. Uma vez trocou murros, sopapos e pontapés com o Carlito Rocha, o presidente, ex-jogador e técnico, um dos maiores mitos da história do clube da estrela solitária — Nelson Rodrigues dizia que o "velho Rocha" punha Deus ao lado do Botafogo. Foi um bafafá. O mais engraçado é que Kanela escreveu uma carta de demissão em que explicava: "É para mim impossível continuar trabalhando num clube que é dirigido por um indivíduo que tem um gênio horroroso".

Mas o gênio do meu tio também era pavoroso. Na pensão onde ele morava, havia um senhor de bastante idade. Um dia, depois do almoço, eles começaram a papear sobre a goiabada. Titio falou:

— Eu gosto daquela goiabada cascão, aquela dura, que tem pedaço mesmo de goiaba.

O velhinho respondeu:

— É, é boa, mas eu prefiro a outra, a mais macia, porque eu tenho dentadura e aquela dura gruda nos meus dentes, não dá para eu comer.

Kanela contra-atacou:

— Mesmo assim, eu acho que a *verdadeira* goiabada é a goiabada cascão.

O velhinho não se deu por vencido:

— Mas a cascão eu não consigo comer.

Kanela, já gritando:

— Mas a goiabada cascão é melhor.

O velhinho, teimoso:

— Eu não acho!

Possesso, Kanela se levantou, começou a bater na nuca com a palma da mão direita e a gritar:

— Nesse cangote aqui ninguém monta. Tá pensando o quê? Em mim ninguém monta... E goiabada é goiabada cascão!

Certa vez, quando eu morava na Suíça e passava férias em Paris com papai e mamãe, tio Kanela foi nos encontrar. Na capital francesa os táxis, vermelhos, só tinham banco para passageiros atrás. Na frente, eram equipados exclusivamente com banquinhos retráteis. Usava-se aquele espaço para colocar a bagagem. Mas meu tio queria ir na frente, sentado no banquinho retrátil. O motorista discutiu com ele, que se levantou, agarrou o outro pelas lapelas do paletó e determinou: "Escuta aqui, eu vou sentado onde eu quiser!". E foi mesmo, no banquinho, ao lado do motorista, que não parava de resmungar. Meu pai queria morrer nessas horas, ele ficava enlouquecido com o irmão mais novo.

Sem saber nadar, tio Kanela era o timoneiro num barco com quatro remadores nas regatas do Botafogo. Ele começou a dar uma bronca fenomenal, um esporro nos atletas, e eles, com raiva, se puseram a sacudir o barco, ameaçando virá-lo. Ao perceber o risco que corria, titio mudou de atitude e disse calmamente: "Por hoje, já treinamos demais, peço aos senhores atletas que nos conduzam para o embarcadouro para que possamos encerrar as atividades". Assim que pôs os pés em terra firme, gritou para os remadores: "Seus filhos da puta, vocês queriam me matar, seus calhordas". Quem me contou essa história foi o herói do esporte brasileiro, Amaury Passos, que dizia ter sido Kanela quem ensinou nosso basquete a ganhar. Quando entrevistei meu tio no *Jô Soares Onze e Meia*, o Amaury carinhosamente o acompanhou até os estúdios do SBT.

Eu apresentei ao tio Kanela o meu amigo marroquino naturalizado brasileiro Bob Zagury (durante alguns anos o homem mais invejado pelos outros homens do mundo, por ter sido o namorado da Brigitte Bardot no estonteante auge da sua beleza, fama e sensualidade), que chegou a defender a seleção francesa em 1954 e atuou pelo Flamengo por um tempo. Fui vê-lo jogar pelo quinteto rubro-negro; nesse jogo, titio estava suspenso, não podia ficar no banco porque havia agredido o juiz na partida anterior. Por coincidência, era o mesmo árbitro que apitava nesse dia. Quando o juiz passava próximo ao lugar onde Kanela estava na arquibancada, este gritava:

— Apanhou... e vai apanhar de novo!

Quando Rafael nasceu, em 1963, Theresinha e eu convidamos tio Kanela para ser seu padrinho.

IV

Corre na Paraíba uma história segundo a qual a origem do nome da ilha Stuart, no estuário do rio Paraíba do Norte, se explica pelo grupo de navegadores escoceses do século XVII que, fugindo da perseguição da Igreja Anglicana em seu país, acabaram tomando posse da ilha. Quando eu estudava na Suíça, entre 1951 e 1956, papai me levou um livro que contava a saga desses navegadores, a qual eu adorava. É uma pena, mas essa versão tem mais o fascínio dos mitos do que verdade. A ilha foi comprada por um cidadão britânico chamado Francis Jordan Stuart, já no século XIX, e revendida depois da sua morte; como Stuart criou um local para depositar os restos mortais de protestantes e anglicanos, que eram proibidos de ser sepultados em cemitérios católicos, na ilha há uma área conhecida como Cemitério Inglês. Gosto de imaginar que a narrativa sobre os escoceses é verdadeira porque ela tem um maravilhoso quê de aventura fantasiosa — e também porque, todas as vezes que penso nela, me lembro do adorável Orris Eugenio Soares, tio de meu pai.

Nascido em João Pessoa, ele era um legítimo gentleman, muito louro e de pele clara, olhos azuis oceânicos, elegantíssimo na sua gravata-borboleta, culto, refinado. Poderia ser um lorde escocês. Na juventude, no Liceu Paraibano, conheceu Augusto dos Anjos — de quem se tornaria um amigo de toda a vida. Descreveu o tímido e esquivo menino que chegava à escola como "um pássaro molhado, todo encolhido nas asas com medo da chuva". Os dois ainda foram contemporâneos na Faculdade de Direito do Recife, importante centro de conhecimento na época, onde Tobias Barreto implantara um ensinamento cientificista. No Recife, Augusto escreveu "As cismas do destino", que Ferreira Gullar me disse não ter dúvida de que foi o primeiro poema modernista brasileiro, aquele que quebrava as convenções da retórica beletrista. Fiquei tão marcado por essa observação do maranhense Gullar, que até hoje sei os versos do poema de cor:

Recife. Ponte Buarque de Macedo.
Eu, indo em direção à casa do Agra,
Assombrado com a minha sombra magra,
Pensava no Destino, e tinha medo!

Na austera abóbada alta o fósforo alvo
Das estrelas luzia... O calçamento
Sáxeo, de asfalto rijo, atro e vidrento,
Copiava a polidez de um crânio calvo.

Lembro-me bem. A ponte era comprida,
E a minha sombra enorme enchia a ponte,
Como uma pele de rinoceronte
Estendida por toda a minha vida!
[...]

Foi o tio Orris, juntamente com o poeta Heitor Lima, quem, em novembro de 1914, informou a Olavo Bilac a morte repentina de Augusto dos Anjos, vítima de uma pneumonia. O Príncipe dos Poetas Brasileiros teria perguntado: "Quem é Augusto dos Anjos?". Os dois então recitaram alguns versos do paraibano. Bilac sorriu com desprezo e falou: "Fez bem em morrer. A poesia não perde muita coisa". Curiosamente, Olavo Bilac e Augusto dos Anjos passaram a ser os poetas preferidos de Getúlio Vargas, como conta Alzirinha em seu livro de memórias sobre o pai. Em 1920, Orris cumpriu a promessa de saldar a dívida de gratidão que julgava ter com Augusto organizando sua obra numa nova edição, *Eu e outras poesias*, que incluía poemas inéditos até ali, e escrevendo um prefácio que se tornou referência nos estudos acerca da vida do poeta. Foi essa edição a responsável por despertar um interesse maior do leitor brasileiro pelo autor dos "Versos íntimos" e da "Psicologia de um vencido". O também paraibano Ariano Suassuna me disse que nossa literatura precisava agradecer a Orris Soares o fato de Augusto dos Anjos ser hoje um poeta conhecido.

É difícil saber exatamente o que recebemos na nossa herança genética, mas gosto de pensar que a minha imensa paixão pelo teatro tem algo a ver com tio Orris — que, por sinal, intelectualmente, era um anarquista como eu. Ele é autor de quatro peças: *A cisma*, *Dentro da fé*, *A barreira* e, a mais conhecida, *Rogério*, escrita em 1920. Esta última era avançadíssima, pois inspirada na Revolução Russa de 1917, e profética: o líder dos revolucionários se torna um ditador, como se daria com Josef Stálin. De uns tempos para cá, iniciou-se um processo mais que justo de revisão da importância inovadora de *Rogério* na história do teatro nacional — e eu torço para que ela tenha o devido reconhecimento. Numa época em que as mulheres brasileiras não tinham direito a voto, o personagem principal da peça declara:

— O sexo não é condição de superioridade nem de inferioridade: é condição de harmonia. As mulheres serão julgadas como homens e bater-se-ão como homens.

Além de ter trocado correspondência com João do Rio sobre a natureza do teatro, mencionada pelo crítico Sábato Magaldi, Orris Soares mereceu a atenção do escritor Lima Barreto. Num dos artigos literários que publicou na *A.B.C.*, Lima afirma que conheceu meu tio-avô, lamenta que suas peças não tivessem sido montadas, faz elogios enfáticos a *Rogério* — com direito a uma pequena ressalva, que podemos considerar construtiva:

Admirei muito a peça, o estudo dos personagens, da protagonista, embora me parecesse ela não possuir uma certa fluidez. Isto nada quer dizer, porque é qualidade que se adquire. As que não se adquirem são as que ele tem: poder de imaginar, de criar situações e combiná-las. A cena final da loucura do terrível revolucionário [...] é maravilhosa e intensa.

Em 27 de dezembro de 1969, cinco anos após a morte de tio Orris, o funcionário do Serviço de Censura de Diversões Públicas da ditadura militar, Wilson de Queiroz Garcia, recusou um pedido de montagem de *Rogério* porque via no personagem principal um perigoso líder que pretendia fazer uma revolução sindicalista de contornos anarquistas. Como sempre, a obtusidade da Censura a impedia de enxergar a totalidade e a complexidade da peça, que termina com uma cena surpreendente e notável de coroação do líder que o poder corrompera.

Orris Soares e outro irmão de meu avô, Oscar, fundaram o jornal *O Norte*, em 7 de maio de 1908, em João Pessoa. O periódico se tornou "epitacista", isto é, defensor de Epitácio Pessoa, o qual assumiria a Presidência do Brasil em 1919. Na década de 1950, *O Norte*, que passara a pertencer a outros proprietários, foi vendido a Assis Chateaubriand, para ser usado na sua extemporânea campanha de senador (o titular e o suplente da Paraíba no Senado renunciaram para que Chatô pudesse lançar sua candidatura fora do calendário eleitoral). Um dos grandes projetos da vida de tio Orris, que era funcionário do Instituto Nacional do Livro, foi o do primeiro abrangente dicionário de filosofia em língua portuguesa, cuja publicação se iniciou em 1952. No entanto, a edição ficou incompleta, pois saíram apenas dois volumes (o segundo, com os verbetes entre as letras "E" e "K", só foi lançado em 1968; Orris deixou pronto até o verbete "Politeísmo", o restante da obra seria completado por outros autores). Dizia-se que a interrupção desse projeto significou uma enorme frustração para meu tio, mas eu me lembro destas palavras dele, já bem velhinho, numa conversa com papai:

— Orlando, eu acho que eu não tenho mais lucidez suficiente para continuar uma obra dessa envergadura.

A frase é a prova de que ele estava absolutamente lúcido.

Oscar (Cláudio Oscar Soares) foi deputado pela Paraíba de 1918 até a Revolução de 1930. Certa vez, num voo, um senhor, um tiozinho bastante simpático que estava sentado perto de mim, me disse:

— Eu conheci muito o seu avô, o Oscar Soares, fomos da mesma geração política, da mesma legislatura.

Corrigi:

— Era meu tio-avô.

Sem dar grande atenção à minha observação, ele continuou:

— Foi o político mais honesto que eu conheci, eu sou testemunha da honestidade dele. Imagine você que ele foi presidente da Comissão de Orçamento e morreu pobre.

Meu pai contava que uma ocasião viu um sujeito, em frente ao Palácio Tiradentes, onde funcionava a Câmara Federal, pedir dinheiro a tio Oscar dizendo:

— Eu sou seu eleitor, vim pedir uma ajuda para o senhor porque eu votei no senhor.

Oscar Soares, pacientemente, respondeu:

— Sim, claro, vou te dar uma ajudazinha. Me diz uma coisa, onde é que você vota?

— Aqui mesmo, no Rio, seu deputado.

— Mas, meu filho, eu sou deputado pela Paraíba. Eu vou lhe dar o dinheirinho pela sua imaginação, mas, da próxima vez que for pedir dinheiro para algum político por aqui dizendo que é eleitor dele, pergunte primeiro se ele é deputado pelo Rio de Janeiro.

Outro irmão de Orris, dr. Pedro Eugenio Soares, se formou em medicina no Rio e fez carreira diplomática. Em 1926, ele aceitou ir para um lugar remotíssimo, do qual as pessoas sabiam muito pouco, a embaixada brasileira em Pequim, onde trabalhou como segundo-secretário — ainda seria cônsul em New Orleans, nos EUA. Um dia, na capital chinesa, tio Pedro pegou um riquixá. Como o calor era intenso, ele não resistiu e soltou um palavrão em português. O cara que estava puxando o riquixá se voltou para trás e perguntou, também em português:

— Brasileiro?

— Sim — meu tio respondeu. E emendou: — E você, de onde é?

— Sou cearense, de Quixeramobim. Isso aqui é muito melhor!

Fico imaginando como um cearense foi parar na China naquela época e que tipo de vida ele levava para achar que puxar um riquixá para chineses era o paraíso comparado a Quixeramobim...

Meu pai tinha uma irmã, Eglantine Soares Tanner de Abreu, cujo apelido era Baby. Ela ocupava uma alta função no Departamento Administrativo do Serviço Público (Dasp), um dos órgãos criados pelo Estado Novo para fazer reforma administrativa no serviço público federal, e conhecia muito bem a língua portuguesa. Com a queda de Getúlio, foi trabalhar no Serviço Nacional de Teatro, ligado ao Ministério da Educação e Saúde Pública. Baby foi de imensa generosidade quando papai veio a perder tudo, nos últimos anos da década de 1950. Meus pais foram morar de novo na rua Farani, só que agora do outro lado, na esquina da praia de Botafogo, num pequeno apartamento conjugado emprestado por ela. Tempos depois, criei um personagem, uma nordestina chamada Eglantine, que tinha onze filhos e ainda por cima estava grávida. Batizei seus filhos com os nomes dos irmãos de minha única tia. Com sotaque carregado, ela ia dizendo: "Cadê Normando?", "Cadê Renan?", e assim por diante. Titia, louca de raiva, me ligou:

— Como é que você faz isso comigo, Jô?

— Mas, tia Baby, ninguém sabe que é a senhora, só a gente da família conhece os nomes...

Fico feliz em poder retomar essas histórias nesta minha autobiografia desautorizada, porque isso me dá a oportunidade não só de prestar homenagens tardias a minha família e a pessoas a quem devo muito, mas também de resgatar a importante presença cultural e política da Paraíba na vida nacional da primeira metade do século xx, hoje injustamente esquecida. Por ter, ao lado de Minas Gerais, apoiado o Rio Grande do Sul na chamada Aliança Liberal, a Paraíba e seus filhos ganharam um papel de peso na Capital da República após a Revolução de 1930.

Francisco de Assis Chateaubriand Bandeira de Mello, o Cidadão Kane brasileiro, era paraibano, nascido em Umbuzeiro, quase na divisa com Pernambuco. Ele se divertia com a minha mãe e considerava meu pai muito inteligente (como Orlando ficava calado, ouvindo-o falar, julgava papai um gênio). Chatô era pura agitação, um furacão, é impressionante que não tenha sofrido antes o derrame que o paralisou. Certa vez, jantando com meu pai, de repente ele se vira e diz:

— Orlando, essa conversa está muito boa, eu odeio interromper uma conversa. Vamos pegar o avião comigo, para continuar conversando.

Chateaubriand ia viajar... para a Europa!

Meu pai fazia uma brincadeira dizendo que iam construir um busto em homenagem a Assis Chateaubriand na Paraíba (ele se referia à capital e não ao estado; como muita gente de lá, nunca aceitou que o nome da sua cidade natal tivesse sido mudado para João Pessoa), com a seguinte frase gravada em placa de bronze no pedestal: A CHATÔ A PARAÍBA.

Eu brincava na piscina do Copa, o todo-poderoso chefe dos Diários e Emissoras Associados passava por mim e me saudava de sua maneira peculiar:

— Ô paraibano! Ô paraibano!

Eu respondia:

— Eu sou carioca.

— Filho de paraibano, paraibano é — retrucava Chatô, o homem que estava trazendo para o Brasil a televisão, o veículo que me tornaria conhecido nacionalmente.

Tempos depois, o Chateaubriand fez o Museu de Arte de São Paulo, e de vez em quando pressionava um milionário para doar um quadro de grande valor ao Masp. Um dia, ele consegue um dos dois Tintoretto que trouxe para o acervo do Museu no final da década de 1940. Ansioso por divulgar a boa-nova para a vida cultural paulistana, correu até a Rádio Tupi e deixou a notícia para que fosse lida em caráter extraordinário. O editor de plantão, a fim de não perder tempo, passou o papel para o locutor da maneira como o havia recebido de Chateaubriand. Muito nervoso com a presença intimidatória do patrão, o locutor tomou um gole de água, limpou a garganta, e mandou ver com a sua melhor dicção:

— Tiroteio no Museu de Arte de São Paulo!

Certa vez, eu estava embarcando no Santos Dumont, e o Chatô também. Fiquei observando. O carregador de malas ia dizendo para ele o tempo todo:

— Muito obrigado, doutor Chateaubriand, muito obrigado.

Aí eu fui até o carregador e perguntei por que agradecia tanto ao Chatô. Ele me mostrou uma nota de um cruzeiro.

— Mas você ficou bajulando ele só por causa de um cruzeiro?

O carregador respondeu:

— Não, não, ele me deu tudo que ele tinha no bolso. Ele sempre faz assim, enfia a mão no bolso e me dá tudo que tem no bolso. O problema hoje é que o filho da mãe do secretário que está com ele me tirou o dinheiro que ele me deu e só deixou um cruzeiro. Filho da mãe.

Um dia, o Chateaubriand encontra o Almirante, um dos nomes mais respeitados do rádio brasileiro. Ele se vira e diz:

— Almirante, preciso muito de você. Venha trabalhar comigo.

Atônito, Almirante responde:

— Mas, doutor Chateaubriand, eu já trabalho pro senhor faz vinte anos!

— Então continue, Almirante, continue!

O Almirante também era uma figura engraçada. Ele teve um derrame e foi recuperando a memória; era um exercício, ia recuperando aos poucos. Encontrava a pessoa e dizia: "Você, eu conheço assim, de tal lugar, disso, daquilo outro", e com isso ele reconstruiu a memória.

Anos depois de Assis Chateaubriand morrer, descobriram, num galpão, caixas e mais caixas de material de televisão. Quando montaram uma das TVs Tupis, ele comprou uma quantidade brutal de material, que ficou guardada num galpão. E, ao cara que tomava conta do lugar, deu a ordem:

— Aqui só quando eu vier pra abrir. Não deixa ninguém mexer nisso.

Um dia alguém lembrou do galpão, foram lá, e o porteiro disse:

— Não, aqui temos uma ordem que só o doutor Chateaubriand...

— Mas ele já morreu...

— Ah, mas ele falou que não pode deixar ninguém mexer nisso.

Foi uma mão de obra convencer o porteiro de que podiam olhar. Aí, estava tudo obsoleto já. Nada mais servia. E era tudo novo, zero.

Mêcha adorava passar trote. Ela fazia uma imitação muito boa, de um português de voz grossa. Meu pai dizia, em desafio: "Não, em mim Mercedes não passa trote, eu reconheço a voz dela na hora". Othelo, seu irmão, a quem eu chamava de Tió, estava sempre com ele; foram apelidados de A Corda e a Caçamba. Como precisava falar com tio Othelo, Mêcha ligou para o escritório do marido. Papai atendeu e mamãe imediatamente reconheceu sua voz. Ato contínuo, ela emendou imitando o português:

— Por obséquio, eu queria falar com o senhor Othelo.

— Seu Othelo não está, mas se quiser pode deixar um recado.

Ela, grosseiramente:

— Não estou aqui para deixar recado pra ninguém.

Papai:

— Olha, o senhor não precisa ser tão indelicado, eu só estou me oferecendo para dar o recado porque sou irmão do Othelo.

Mamãe, baixando ainda mais o nível:

— Então não se meta nos negócios do seu irmão. Indelicado é a puta que te pariu, vai tomar no cuuuuuu… Vai tomar no cuuuuuu! Tu és veado?

Meu pai, que, ao contrário de tio Kanela, não era de se descontrolar facilmente, perdeu as estribeiras:

— Fala onde você está, seu português filho da puta, que eu vou aí arrebentar você.

Minha mãe começou a responder: "Tu arrebentas é a cara da mãe, tu não fazes nada", mas não aguentou e se pôs a rir gostosamente.

— Eu só passei esse trote porque você não reconheceu minha voz. Você se gabava de que eu nunca conseguiria passar um trote…

Aquilo levou papai à loucura, ele não podia admitir que mamãe havia lhe pregado uma peça.

Olhando retrospectivamente, vejo que recebi uma educação diferenciada, moderna, fora da curva, como se diz hoje em dia. Meus pais não tinham preconceitos, eram liberais, e me trataram como alguém que deveria ser independente, que merecia conhecer a verdade, sem falsos moralismos e sem paternalismo. Eles falavam de tudo abertamente na minha presença.

Meu primeiro professor de educação sexual foi um charreteiro de Friburgo, onde passávamos férias. Aos cinco anos, passeando numa charrete, comentei com o condutor:

— Nossa, moço, como o seu cavalo está gordo!

Ele me respondeu:

— Não, menino, não é um cavalo, é uma égua. E ela não é gorda, ela está prenhe.

Curioso como eu era, saiu a pergunta inevitável:

— O que é prenhe?

— É que ela está com um potrinho na barriga — explicou o charreteiro. E completou, apontando para os órgãos genitais da égua, que tinha levantado a cauda para evacuar: — O potrinho da égua nasce por ali.

Aquilo me impressionou muito. Como o potrinho podia nascer do orifício pelo qual ela fazia cocô? Assim que cheguei em casa, falei para minha mãe:

— O potrinho da égua nasce pela bunda.

— O que é isso, Zezinho?

Mamãe me chamou de Zezinho até o fim da vida, para minha irritação.

— Foi o charreteiro que me contou — esclareci.

— Ai, meu Deus, vem cá que eu vou te explicar. Os bichinhos crescem na barriga da mãe e, depois, quando chega uma certa hora, elas fazem força e o filhinho sai por aí — ela me disse pacientemente.

Minha curiosidade não tinha fim:

— Puxa, quer dizer que eu saí da sua bunda?

Mêcha:

— Não, quando se trata de pessoas, de seres humanos, é diferente. Vem o médico, abre a barriga da mamãe... Você não viu que a mamãe tem uma cicatriz na barriga?

Orlando e Mercedes me levavam para tomar banho com ele ou com ela, eu estava acostumado a vê-los nus.

Fiquei encucado com aquilo. Tempos depois, uma ocasião em que mamãe jogava pif-paf com as amigas, entrei na sala sem avisar e falei com toda a convicção:

— Caim e Abel, os filhos da Eva, nasceram pela bunda.

Minha mãe respondeu:

— Zezinho, eu já não te expliquei que não é assim?

Usando todo o raciocínio lógico de que era capaz, contra--ataquei:

— É? Mas onde estava o médico para fazer operação nela, se só existia Adão e Eva?

As amigas de minha mãe desataram a rir e ela, terminado o jogo, pegou uma ilustração e me mostrou como funcionava o aparelho reprodutor.

Um dia, chego do colégio e mamãe estava dando gargalhadas sozinha. Pergunto o que houve. Ela me diz que havia ligado para o seu Manuel, o encanador, a fim de reclamar que ele não aparecera na hora combinada para resolver o problema de um cano entupido que a estava incomodando muito. Brava, Mêcha lhe dissera que era falta de responsabilidade marcar horário e não aparecer.

— Fiquei esperando o senhor a manhã inteira, não pude fazer nada, e o senhor não deu as caras. É um absurdo, isso não se faz — ralhou.

Seu Manuel, do outro lado da linha, não respondeu de imediato. Deu um tempo e, com muita pachorra, começou a falar:

— Tás nervosinha... Tás nervosinha... Com certeza não levaste hoje a pirocada do costume.

Indignadíssima, minha mãe bateu o telefone na cara do português desaforado. Passado um tempo, rememorando a história, ela foi achando aquilo tudo muito engraçado, e não conseguia parar de rir.

Num dos meus últimos espetáculos, *Na mira do gordo*, eu contava a seguinte piada:

Dois portugueses se encontram e o primeiro diz:

— Olá, há quanto tempo, como estás?

O outro responde:

— Tudo bem, casei-me com a Maria.

— Casaste? Como foi isso?

— Ela vinha por um lado da calçada, eu vinha por outro, nos esbarramos e ela então ralhou comigo: "Vê por onde andas, ó filho da puta!". Eu não tive remédio senão responder a ela: "Filho da puta é a puta que te pariu!". Ela então me disse: "Puta que pariu é o cu da sua mãe!". Eu retruquei: "É o cu da sua que é maior!". Bem... conversa vai, conversa vem, nos casamos!

Era uma piada certeira, dessas que fazem as pessoas rir bastante, mas elas ficavam surpresas ao ouvirem que quem me contou a piada foi a minha mãe quando eu tinha sete anos.

A primeira vez que eu disse a Mêcha que ela estava falando uma palavra feia, mamãe me respondeu: "Zezinho, não existe palavra feia. O feio está na cabeça de quem pensa que é feio". Foi uma lição para toda a vida, uma dessas iluminações que clareiam o caminho: o humorista precisa ter toda a liberdade possível e impossível, não pode sofrer preconceitos e restrições na sua maneira de pensar. O palavrão, a censura, o chocante, estão na cabeça das pessoas. Há uma categoria de humor nos Estados Unidos, por exemplo, a chamada *insult comedy* (Don Rickles foi sua maior expressão), que faz do achincalhe das pessoas, especialmente das que estão na audiência, seus momentos de delirantes hilaridades. O gênero também é denominado de "abuso divertido". Acabou a comédia, acabou o insulto. Isso é a liberdade de expressão em seu mais profundo significado. Só mais tarde fui compreender o quanto minha mãe era uma mulher livre e o quanto minha formação, sob sua bem-humorada tutela, foi fundamental para a minha futura carreira de comediante. Sem essa ética da liberdade plena, não existe o verdadeiro humor.

Eu comecei a estudar muito cedo. Quando tinha quatro anos, meus pais me matricularam no Colégio Mallet Soares (o Sérgio Porto também estudou lá, mas aprontava tanto que foi expulso; anos mais tarde, descobri que o jornalista Artur Xexéo foi aluno do Mallet), na rua Xavier da Silveira, em Copacabana. No primeiro dia, a dona Estephanea Helmond, fundadora da escola, disse a Mêcha: "Olha, deixa ele aí. Se por acaso ele não se ambientar, você leva de volta para casa e vem amanhã outra vez. Não vamos forçar nada porque com quatro anos ele é muito menino". Minha mãe contava que foi dar um passeio por Copacabana e, quando voltou, olhou pela persiana e me viu na sala perguntando a dona Estephanea: "Posso ir no bebedouro?". "Está tudo bem", pensou mamãe, "já posso ir embora tranquila." Meu primeiro grande fascínio foram os bebedouros. Eu ficava alucinado vendo aquela fonte de água jorrar — e de poder matar a sede ali. De dez em dez minutos pedia: "Dona Estephanea, eu tô com sede, posso ir no bebedouro?". Pode alguém ficar fascinado com um bebedouro?

Foi ali, no Mallet Soares, que aprendi a escrever. Inicialmente, usava a mão esquerda, mas naquela época se forçava o aluno a escrever com a mão direita. "Zezinho, escreve com a mão da pintinha", me dizia a professora, mostrando a pinta que eu tinha na mão direita. Fui obrigado a mudar de mão. Resultado: sou ambidestro, meio troncho. Por exemplo, desenho com a mão direita e pinto com a esquerda. Os gestos mais soltos, faço com a mão esquerda; a sintonia fina é com a direita. Tiro ao alvo era com a mão direita. Moleque, gostava de brincar de atirar faca: aí já era com a mão esquerda. Jogar as coisas era sempre com a esquerda. Perdi um pouco a prática, mas eu conseguia facilmente escrever com a mão direita escorrendo para o lado direito e, ao mesmo tempo, com a mão esquerda escorrendo para o lado esquerdo. Uma vem para cá, a outra vai para lá, simultaneamente.

Por outro lado, essa ambidestria parece que altera o meu senso de direção. Menciono o problema no conto "Meu nome é Nicky Nicola", incluído no livro *São Paulo noir*, organizado pelo Tony Bellotto: se eu entro em elevador que tem duas saídas, espero alguém me avisar por qual delas devo sair. Em hotéis, saio do elevador e sigo para um lado que invariavelmente não é aquele onde fica o meu quarto. Só consigo distinguir a direita da esquerda checando de que lado era o meu apêndice.

O Mosteiro de São Bento está entre as grandes relíquias coloniais do Rio. O colégio, junto ao mosteiro, foi inaugurado em

1858 e é um dos mais antigos do Brasil. Quando completei seis anos, meus pais me transferiram para esse colégio, o que mudaria muito a minha vida. Situado no centro da cidade, funcionava em período integral, o chamado semi-internato, que era uma novidade, um processo pedagógico mais moderno. Para os primeiros anos de alfabetização, a escola dos beneditinos era considerada a melhor da capital. Ali haviam estudado, antes de mim, Pixinguinha, Noel Rosa e Villa-Lobos, entre outros. Para os alunos mais velhos, o melhor era o Colégio Pedro II.

Chegar ao São Bento era bastante sofrido. Seu Domingos, motorista do ônibus, nos deixava no pé da ladeira, e a subida se revelava especialmente penosa para o moleque gordo que eu era. Até os meninos magros reclamavam daquela rampa íngreme. Mas eu guardo dos tempos do São Bento a recordação de uma das manifestações de carinho mais fortes que tive na vida.

Todo ano, o colégio costumava levar os alunos para um piquenique na praia, onde nos deixavam às oito horas da manhã e iam buscar às cinco da tarde. Eu, louro, com a pele muito branca, fiquei o dia inteiro sem camisa. Como ainda não existia protetor solar, me queimei todo. Os meninos faziam bolas de areia e jogavam uns nos outros. A areia explodia na minha pele, a dor era insuportável. Quando cheguei em casa, me sentia péssimo. Estava um pimentão vermelho e mole. Sentei na cama em vez de deitar, porque não conseguiria nem encostar no lençol. Mamãe chamou o médico, que me examinou e falou:

— O menino está com uma queimadura de segundo grau; em alguns pontos, elas chegaram ao terceiro grau. Se não urinar nas próximas 24 horas, ele corre risco de vida. É sinal de que o rim também foi lesionado, fica queimado de tal maneira que não funciona mais. Neste caso, infelizmente, não tem como o menino sobreviver.

Papai e mamãe entraram em pânico, ficou aquela angústia em volta de mim. Finalmente, à tardezinha, urinei. O xixi parecia cerveja preta, mas todo mundo achou bom, sinal de que o rim estava funcionando. A minha pele, quando começou a descascar, o médico ia cortando, tirava a pele inteira. Eu dormia sentado na beira da cama, tinha uma banqueta com um travesseiro onde me apoiava. Só assim conseguia pegar no sono.

Deixei de ir ao colégio por uns quinze dias. Quando voltei ao São Bento, todas as turmas saíram para me receber. As aulas pararam e veio todo mundo correndo: "Ei, Zezinho! Olha o Zezinho! Ele voltou!". Isso me marcou tanto que até hoje eu lembro dos meninos descendo a escadaria e vindo em direção a mim. Na época, era muito amigo de um garoto chamado José Roberto Taranto, que se tornou veterinário-chefe do Jockey Club do Rio de Janeiro e escreveu um livro sobre o cavalo de corrida brasileiro. Era baixinho, louro e craque no futebol. Foi um dos primeiros a vir me abraçar, com grande afeto e amizade. Guardei para sempre a memória desse abraço.

Minha mãe queixou-se veementemente ao professor encarregado do piquenique:

— Frei André, você tinha a obrigação de zelar pelos meninos. Como pôde deixá-los na praia e não vigiar para saber o que estava acontecendo?

O frade respondeu:

— Peço desculpas. A senhora pode ficar tranquila que isso não acontece de novo.

No ano seguinte, voltei do piquenique com o rosto e os braços vermelhos, mas nada grave. Não tirara a camiseta. Frei André era uma figura espetacular; amigo da garotada e muito extrovertido. Tínhamos a maior admiração por ele. Frei André fumava. O colégio nos ensinava que fumar era considerado pecado. Um dia, o frade passava um sermão, uma descompostura na turma, todo mundo reunido no pátio. De repente, caiu um maço de cigarros da sua batina. Ele se abaixou para pegar o maço e a molecada entrou em delírio:

— Aaaah... Olha lá, ele fuma! É pecador igual à gente!

Eu fiz uma coisa no São Bento que me deixou arrasado. Eu invejava o lápis de um dos meninos, então o roubei. Para mim, foi como se eu tivesse cometido um pecado para o qual não haveria perdão. Não estava completamente alfabetizado ainda, mas adorava escrever as palavras que conhecia, preenchia páginas e páginas com elas. Fiquei sem dormir, preocupado com o meu pecado; ao mesmo tempo, não queria confessar com qualquer padre. Aí pedi à minha mãe que dissesse ao frei Cristóvão que eu queria me confessar com ele. Eu adorava o frei Cristóvão. Ele disse à mamãe que me receberia logo cedo, no café da manhã. Aquilo me fez um bem danado. O frade me confirmou que roubar era um pecado grave, mas que meu arrependimento era sincero e, portanto, eu estava perdoado. Além disso, tomei aquele maravilhoso café da manhã no refeitório do São Bento. Depois vim a saber que o frei Cristóvão era reitor do Instituto São Bento, em Salvador. Disse a mim mesmo que um dia iria visitá-lo, de tanto que eu gostava dele, mas a vida...

Apesar de ter sido preparado por um capitão, não passei no exame de admissão do Colégio Militar (de certa maneira, foi uma sorte, não sei o que seria de mim sob a disciplina rija daquela escola). Convenci meus pais de que precisava me preparar por mais um ano e decidi ir para o internato do Colégio São José, na avenida Koeler, em Petrópolis, cidade onde mamãe nasceu e que visitávamos sempre. Mesmo tendo sido uma escolha minha, não guardo boas lembranças desse período. O internato do São José era aterrorizante, foi uma experiência que me traumatizou. Eu vivia apavorado porque, se tirasse qualquer nota inferior a 4, não poderia ir para o Rio ver meus pais no fim de semana. Matemática era um horror para mim. Se eu ficava preso no colégio, passava a tarde de sexta, o sábado e o domingo chorando, uma coisa patética.

No São José, comecei a mudar determinados costumes. Tornei-me um aluno muito aplicado, gostava demais de ler e escrevia algumas coisas, razão por que me chamavam de Poeta (menino gordo sempre acaba recebendo um apelido chato; o de Poeta demonstrava que meus coleguinhas me respeitavam). Havia um amigo, o Mário Paçoca, que era filho de americanos. Com ele aprendi algumas frases em inglês, língua que eu procurava aprender também no cinema e com os hóspedes estrangeiros do Copacabana Palace. Foi no São José que tomou conta de mim um hábito que duraria para o resto da vida: dormir tarde. No dormitório, a porta ficava semiaberta e entrava uma réstia de luz. Como a minha cama era a mais próxima da porta, eu me deitava com os pés virados para a cabeceira para aproveitar a luminosidade, e lia até uma e meia ou duas da manhã. Às vezes, o inspetor de alunos me flagrava acordado, lendo, e me dava uma bronca:

— Poeta, vai dormir, você vai ter de acordar às seis horas!

Mas guardo uma boa recordação do São José: toda quinta-feira acontecia uma sessão de cinema na capela, que se transformava em sala de projeção. Eu acho que a direção da escola não via os filmes antes de exibi-los, pois não havia censura. Nessas sessões, assisti a vários filmes importantes da época. Um deles me marcou para sempre: *O beijo da morte*, de 1947, *noir* dirigido por Henry Hathaway. Foi a minha introdução vertiginosa ao mundo do suspense, do policial, do filme B, um universo riquíssimo que me influenciaria profundamente, tanto no cinema quanto na literatura, no teatro e nas histórias em quadrinhos. Porém, mais que a película, uma cena me impressionou: aquela em que o ator iniciante Richard Widmark, que faz o papel de um bandido frio, sorri depois de empurrar escada abaixo uma senhora com deficiência, em sua cadeira de rodas. Existe algo no seu sorriso indefinível que me mostrou toda a grandeza que é a arte de representar. A cena tornou-se um cult do universo *noir*. Pouca gente lembra que o protagonista do filme é Victor Mature, e não Widmark, que concorreu ao Oscar de ator estreante. Por causa dessa cena, ele ficou conhecido no Brasil como O Risadinha.

V

Em 1948, o Copacabana Palace inaugurou o chamado Anexo, que dava para a piscina e para a pérgula — os pontos de encontros sociais durante o dia na então Capital Federal. O novo prédio foi projetado para ser habitado permanentemente por famílias, conceito oposto ao de hospedagem temporária (embora muitas pessoas, como o cantor Mário Reis e Artur Bernardes Filho, filho do ex-presidente e membro da turma da boemia do meu pai, morassem regularmente nas dependências do próprio hotel, antes da construção do Anexo). Em suas memórias, o diplomata mineiro Hugo Gouthier conta que foi em companhia de Horácio de Carvalho — dono do *Diario Carioca* e primeiro marido da futura sra. Lily de Carvalho Marinho —, certa manhã bem cedo, ao apartamento de Arturzinho Bernardes, onde este os recebeu com champanhe e caviar. Havia mais alguém no quarto: Juscelino Kubitschek de Oliveira, médico e ex-prefeito de Belo Horizonte, que articulava sua candidatura ao governo de Minas Gerais.

Aos 28 anos, em Nova York, Octávio Guinle, último filho homem da então família mais rica do Brasil, fez um contrato pré-nupcial com a starlet americana Monica Borden. Pressionado pela mãe e pelos irmãos, que achavam Miss Borden uma arrivista, ele tentou anular o contrato. A americana pediu indenização, Octávio quis fugir mas foi preso, e o caso chegou aos jornais. Guilhermina, sua mãe — o pai, Eduardo Palassin Guinle, um gaúcho de origem francesa que havia conseguido a concessão do Porto de Santos, por onde escoava as exportações de café, falecera anos antes —, não hesitou em deserdá-lo. O comportamento moralista da matriarca é compreensível no contexto da época, porém o intrigante é que, segundo uma das grandes fofocas da República Velha, ela vivia um triângulo amoroso com Cândido Gaffrée, sócio e companheiro de toda a vida do marido. Dizia-se que Cândido era o pai de vários filhos de Guilhermina, entre eles Carlos. Neto dela e filho de Carlos, Jorginho, o mais famoso dos Guinle, afirmava que "Guinle bonito é Gaffrée. Com nariz de judeu é Guinle".

Tempos depois, seu divórcio de Monica foi reconhecido pelo Vaticano e Octávio voltou aos negócios da família, gerenciando o Palace Hotel, na avenida Central. Estimulado pelo presidente da República Epitácio Pessoa, que lhe prometeu a concessão de um cassino, deu início à construção de um hotel sem precedentes no país, na praia de Copacabana.

Com seus 230 quartos, mais de mil funcionários, lustres tchecos, móveis suecos, cristais Baccarat e porcelanas de Limoges, o Copacabana Palace foi inaugurado com um ano de atraso, em 13 de agosto de 1923. Sua arquitetura inspirava-se em dois lendários hotéis da Côte d'Azur (o Negresco, de Nice, e o Carlton, de Cannes), e ele se transformou numa espécie de filial de Hollywood nos trópicos, hospedando durante sua história gente que era mais do que gente, como Orson Welles, Ginger Rogers, Rita Hayworth, Marlene Dietrich — a qual veio acompanhada de um então desconhecido músico chamado Burt Bacharach —, Nat King Cole, Ella Fitzgerald, Yves Montand, Rudolf Nureyev, Edith Piaf, entre outros não menos famosos. Antes, a praia de Copacabana havia se tornado notícia internacional apenas pelo célebre banho de Sarah Bernhardt, em 1886, que chocou o Segundo Reinado: mulheres de família não eram vistas na praia depois das sete da manhã.

(A vinda de Sarah ao Brasil é tema de meu primeiro romance, *O Xangô de Baker Street*.)

Passada uma década, a inauguração da piscina de dimensões semiolímpicas do Copa, onde a duas vezes recordista mundial Maria Lenk (que cheguei a entrevistar no *Jô Soares Onze e Meia*) viria a dar aulas de natação, teria consequências importantes para a minha carreira: em 1957, fiz da beira da piscina e da pérgula os meus primeiros palcos. Executava os números de graça, pelo prazer de chamar atenção e ouvir as risadas, mas a plateia era a mais influente da República, e logo meu nome começaria a circular no meio artístico. Descobri que todos poderiam amar um homem gordo.

Octávio Guinle, com todo o seu amor e zelo pelo Copa, não se interessou em adquirir o terreno da pedreira do Inhangá que havia ao lado do hotel. Guinle pensava ser o único potencial comprador da área e que o proprietário queria lhe cobrar um preço muito maior do que ela valia. Dizia: "O que vou fazer com esta pedreira? Criar cabras?". Daí o empreendedor Henryk Alfred Spitzman Jordan, nascido na Polônia e pai do Andrezinho Jordan, tomando o cuidado de demolir à mão a pedreira a fim de não gerar poluição sonora, o que atrapalharia os vizinhos, usou o dinheiro obtido com a venda das pedras para construir o famosíssimo Edifício Chopin, onde moraram os irmãos Adolfo e Arnaldo Bloch, e Jango Goulart com a sua Maria Thereza. No hotel, as pessoas passavam pelo seu fundador e comentavam: "Puxa, Octávio, as cabras cresceram, hein?". Cresceram tanto que acabaram tapando o sol na piscina do Copacabana Palace a partir das duas da tarde.

Papai achou que o Anexo seria o lugar ideal para uma família pequena como a nossa viver, e fomos dos primeiros a fixar residência lá. O conceito de moradia permanente que norteou a construção do novo edifício não deu muito certo, mas meus pais permaneceram ali por cerca de uma década. Bem moleque, eu subia ao último andar, chegava perigosamente à beira do parapeito e ameaçava me atirar na piscina. Os turistas, apavorados, gritavam:

— *No, please, no, you will never make it*, você não vai conseguir!

Eu respondia:

— Atendendo a pedidos, vou deixar o mergulho para amanhã!

Mamãe adorava jogar no bicho. Uma vez ela sonhou que viu uma vaca imensa deitada no sofá do nosso apartamento no Anexo. A vaca disse para ela: "1500, 1500". Ela jogou 1500 na cabeça e deu o milhar, Mêcha ganhou uma nota. Para jogar no bicho, usava o pseudônimo de Dona Cobrinha. Quem fazia as apostas para Dona Cobrinha era o Biriba, office boy do Copacabana Palace. Ele era sensacional: baixinho, barrigudo, cabelo besuntado de gumex, fumava charuto; uma figura de romance do Scott Fitzgerald. Gostava de dizer que tudo que sabia havia aprendido com minha mãe. Atendia o pessoal todo no hotel. No Anexo, morava um senhor gordo e alto, o Fraga, que não saía da cama: despachava recostado na cabeceira. Passava o dia de pijama de seda, alinhadíssimo. Ele tinha paixão por marrom-glacê com banana. Entregava um saco para o Biriba ir buscar um quilo do doce, que custava muito caro. Um dia, ligou para o Carlos, o concierge alemão do Copa, que sabia de histórias fantásticas, e pediu uma balança, dessas que servem para pesar envelopes e correspondência. O Fraga pesa o saco trazido pelo Biriba e verifica que contém apenas oitocentos gramas. Ele chama o office boy e diz:

— Te dei dinheiro para comprar um quilo de marrom-glacê e recebo um saco pesando oitocentos gramas. O que houve?

O Biriba, sem pestanejar, respondeu:

— Pois é, doutor Fraga, o senhor vê como esse comércio do Rio de Janeiro anda cheio de ladrão?

E o Fraga:

— Biriba, tudo que você está aprendendo agora eu já esqueci há anos…

De quando em quando, meu pai deixava um envelope com o Carlos. Dentro dele havia gorjetas para serem distribuídas entre as telefonistas do Copa. Uma vez, uma telefonista que estava saindo do trabalho deparou com ele e questionou: "Seu Orlando, olha, eu não estou cobrando nada, por favor. Mas eu sei que o senhor é muito generoso e sempre deixa uma caixinha para a gente. Eu não sei o que está acontecendo, mas faz tempo que não recebemos". Papai quis saber do concierge por que as gorjetas não estavam chegando às telefonistas. Com seu forte sotaque germânico, ele perguntou a meu pai se elas haviam reclamado. Orlando disse que não, mas que recebera uma dica de alguém que conhecia bem os bastidores do hotel. Carlos acabou descobrindo quem fora a moça que reclamara e passou uma descompostura nela: "É muito feio ficar cobrando gorjetas dos clientes, um funcionário do Copacabana Palace não pode fazer isso!". As telefonistas voltaram a receber suas gorjetas.

Mamãe começou a me levar ao cinema e um mundo inteiramente novo, enlouquecedoramente fascinante, se abriu para mim. Sempre que dava, eu ia ao Cine Roxy, em algumas ocasiões para ver o mesmo filme cinco ou seis vezes. Com a minha boa memória, cheguei a decorar diálogos completos desses filmes. O hábito funcionava, claro que sem que eu soubesse, como os cursos audiovisuais das escolas de línguas de hoje.

Uma tarde, vou com a minha governanta assistir a um filme no pequeno cinema São Carlos, ao lado do Cine Rex, na Cinelândia. Eu tinha seis anos e ainda usava calças curtas. Ela parecia uma indiana, usava óculos e os cabelos presos. Menino fanático por cinema, eu gostava de sentar na segunda fileira. Como a governanta não conseguia enxergar bem tão perto da tela, ela ficava nas fileiras mais ao fundo da sala. Numa sessão, um homem senta na poltrona ao meu lado e começa a passar a mão na minha coxa esquerda. Ele me dizia:

— Puxa mais a sua calcinha pra cima, deixa eu fazer um carinho melhor, puxa sua calça mais pra cima.

Eu sabia que aquela coisa estava errada, não sabia direito por quê. Ele continuava passando a mão, uma coxa roliça de um menino gordo. Aquilo foi me incomodando. Então ele me disse:

— Olha, depois deste filme, a gente pode ir pro Cine Rex, eu conheço o gerente lá, a gente não precisa pagar o ingresso. Tá passando um ótimo filme lá, eu te levo.

Eu respondi:

— Eu estou com a minha governanta, que está sentada aí atrás, preciso perguntar pra ela se posso ir.

Quando ouviu isso, o homem se levantou e desapareceu. Cheguei em casa e contei a história ao meu pai, que ficou enfurecido como eu nunca tinha visto antes. Ele pegou um revólver que eu nem sabia que tinha e me disse:

— Vamos para a porta do cinema, se você vir o homem, me aponta quem é.

Felizmente o homem não apareceu, ia ser uma tragédia. Tenho certeza de que meu pai atiraria no cara para matar, colérico como estava. Mamãe mandou a governanta embora.

Quando penso nesse episódio, vejo o quanto uma criança está exposta ao perigo do assédio sexual. Uma criança pode ser estuprada sem ter a menor noção do que está acontecendo. Felizmente, estudei em colégios internos, estudei no São Bento, e nunca passei por uma situação de constrangimento sexual nesses lugares, e também nunca ouvi ninguém falar que havia passado por uma situação dessas nas escolas que frequentei.

Anos depois, eu já era pré-adolescente, o São Carlos estava reprisando o *Êxtase* com a Hedy Lamarr. O filme era famoso porque a exuberante atriz austríaca fez o primeiro nu — e a primeira simulação de um orgasmo também — de um filme do mainstream cinematográfico. Na saída do cinema, Tió se virou para mim e disse:

— Você me obriga a fazer cada coisa, né, Zezinho?

Aí deu uma piscadela e completou:

— Mas valeu a pena.

O que pouca gente sabe é que, além de atriz, a deslumbrante Hedy Lamarr foi uma grande inventora. Ela ajudou a criar um sistema que evitava que os radares alemães captassem mensagens dos americanos — e esse sistema contribuiu para a invenção dos telefones celulares.

Um dia, em 1945, Getúlio Vargas deposto, o brigadeiro Eduardo Gomes deu uma carona para minha mãe. Embora não se frequentassem muito, eles eram primos, haviam partilhado o mesmo berço (emprestar o berço de recém-nascidos era uma prática comum entre as famílias na época). Quando chegaram em casa, Mêcha mandou me chamar. Eu tinha sete anos. Ela me pergunta:

— Zezinho, quem é este aqui?

O homem parecia enorme para o meu pequeno tamanho, e estava fardado. Senti-me ameaçado. Mêcha insistiu:

— Você sabe quem ele é?

Trêmulo, respondi:

— Sei. É o brigadeiro. — Longa pausa. — É bonito e é solteiro.

Mamãe queria me matar, porque esse slogan fora lançado pelos adversários de Eduardo Gomes, partidários da candidatura do general Dutra, o condestável do Estado Novo. Era uma insinuação de que Gomes seria gay, o que na época poderia prejudicar sua campanha.

Em contrapartida, o mais votado era feio e era casado. A estampa de Eurico Gaspar Dutra, vencedor das eleições presidenciais de dezembro de 1945 — as primeiras verdadeiramente democráticas no Brasil, que incluíam a escolha de um congresso constituinte —, era horrorosa. Sempre imagino uma cena cômica: um oficial alemão propagandista do ideal nazista de homem ariano — alto, forte, louro — descobre que há um general seguidor de sua causa num país distante da América do Sul; ele fica animado, resolve ir conhecer o seu correligionário, chega aqui e encontra um general... do porte e da beleza do Dutra!

Não demorou e começaram as piadas sobre a feiura do presidente. Uma que se popularizou bastante contava que ele foi inspecionar uma obra subterrânea no Rio e, quando colocou a cara no bueiro aberto, os encanadores e operários que trabalhavam lá embaixo se puseram a gritar desesperadamente:

— Aqui não, por favor, aqui não!

Sempre incluí a política no humor. Este é vanguarda da sensibilidade de uma época, e, num país com tradição autoritária, violenta e cheio de desigualdades como é o caso do Brasil, o humor é não só necessário como fundamental. Em meu espetáculo *Brasil: da censura à abertura*, de 1980, que escrevi com Armando Costa e José Luiz Archanjo, baseado no anedotário político nacional recolhido por Sebastião Nery — cujo elenco era composto de Marília Pêra, Sylvia Bandeira, com quem eu estava casado então, Camilla Amado, Marco Nanini e Geraldo Alves —, havia o seguinte trecho em homenagem ao general Dutra:

ATRIZ II Casado e calado. O presidente Dutra foi, talvez, o nosso político mais calado. Desde o tempo em que ele era ministro da Guerra. Levantava-se todo dia às quatro horas da manhã, fazia uma inspeção na Vila Militar e às seis e meia estava no ministério. Ia sempre acompanhado de um ajudante de ordens que nunca lhe ouvia a voz. Uma manhã, assim que ele chegou, o então major Humberto de Alencar Castello Branco [futuro primeiro presidente da ditadura militar], oficial de gabinete, perguntou ao ajudante de ordens, capitão Fragomeni:

(*Ator I e Ator II andando lado a lado pelo palco*)

ATOR I Então? Como é que está o homem hoje?

ATOR II Ótimo. Até conversou muito comigo.

ATOR I Não me diga!

ATOR II Conversou, sim. Quando a gente chegou na altura do Maracanã, ele respirou fundo e disse: "Tá quente hoje!".
ATOR I Puxa! E olhe que ele não é de fazer discurso logo de manhã cedo!

O país tinha um presidente que não falava. Dutra explicava o seu mutismo com a frase: "As palavras não foram feitas para serem gastas". Na verdade, devido a uma dificuldade de dicção, trocava o som "s" pelo som "ch". Millôr Fernandes, em uma de suas infindáveis sacadas geniais, parodiou o jeito dele de falar em 1987, criando o "Xolilóquio da xuxexão" — na época, já se começava a discutir a sucessão do presidente José Sarney.

Xerá a xuxexão
Xuxexo imenxo
Que poxa xer xamada
Xuxexão?

No início da campanha presidencial de 1945, a disputa entre o brigadeiro, apoiado pela UDN, e o general, apoiado pelo PSD (e depois pelo PTB também), era tão acirrada que Silvino Neto, pai do meu queridíssimo Paulo Silvino — um dos melhores humoristas com quem já trabalhei —, criou um programa engraçado, o *Futebol da Sucessão*, no qual ele narrava uma partida de futebol em que os jogadores eram os políticos envolvidos e os times, os partidos:
— Lá vai o brigadeiro com a bola! Dutra vem para fazer o corte! O brigadeiro entra na dividida e chuta a canela do adversário! É falta! É falta da UDN!

Dutra queria conhecer Dorival Caymmi. O cantor e compositor baiano, que fazia grande sucesso então, era sempre visto nas rodas boêmias e dos bons vivants da República. O presidente desejava ouvi-lo cantar ao vivo mas sem ter de ir a boates ou cabarés, que não combinavam com sua vida austera. Ele chamou seu ajudante de ordens e disse: "Gostaria muito de ouvir um espetáculo do Dorival Caymmi, aqui no palácio". O artista é convidado e concorda em fazer o show. Depois o avisam de que a apresentação seria no Catete às seis e meia da manhã. O recado era lacônico: o presidente acorda de madrugada, começa a trabalhar cedo, é o único horário que ele tem. Para o boêmio, seis e meia da tarde já seria cedo, porém ele não teve alternativa senão aceitar a hora imprópria para cantar. Caymmi vai direto de uma noitada para o Catete, onde o levam a uma sala imensa, vazia. Nela, havia uma mesa longuíssima, com o café da manhã, que alguém já tinha tomado, servido num dos lados. Ele senta na outra ponta da mesa. De repente, Dutra entra na sala e vai para o lugar onde estava o café. Há uma boa distância entre os dois e um silêncio constrangedor, subitamente quebrado pela voz do militar:

— Pois não, pode começar.

Caymmi dá um pigarro, afina o violão e, com o vozeirão, põe-se a desfiar seu sublime repertório na manhã ainda preguiçosa do Catete:

— Dora, rainha do frevo e do maracatuuuu...

Eu acho essa história incrível, daria uma grande cena de filme. O presidente e o seresteiro no palácio, antes do início do expediente. Imagino-o perguntando ao ajudante de ordens, enquanto tira com as mãos as migalhas de pão da própria farda: "Onde fica essa Maracangalha?"; "Essa Anália é mulher dele?"; "Quem é essa Marina?". Na época, corria a piada de que Dutra convidara o Caymmi para cantar no palácio só por causa do verso "os clarins da banda militar" — que anunciam que a Dora agora vai passar —, pois ele achava que se tratava de uma marcha militar.

Dorival Caymmi era inseparável de Carlinhos Guinle, irmão do playboy Jorginho e, como este, dedicado exclusivamente a viver a vida. Carlinhos, o grande amigo brasileiro de Orson Welles, morreu muito cedo, aos 37 anos incompletos, em 1955. Existem várias canções (entre elas, as célebres "Sábado em Copacabana", "Você não sabe amar" e "Não tem solução") do bom baiano em que o milionário aparece como coautor. Preferindo perder os amigos a perder a piada, o cronista Sérgio Porto, o Stanislaw Ponte Preta — que mais tarde, no regime militar, se consagraria com a série *Febeapá: festival de besteira que assola o país* —, dizia que Caymmi entrara com a música e Carlinhos Guinle com o uísque.

Durante o período em que viveu em Los Angeles e sua única ocupação era correr atrás das saias de atrizes — famosas e nem tanto — de cinema, Jorginho Guinle tinha uma credencial, concedida pelo famigerado DIP de Lourival Fontes, de representante do governo brasileiro junto ao *office* americano para negócios com a América do Sul (o que, certamente, contribuía para reforçar a ideia de que ao sul da linha do equador só haveria mesmo republiquetas de bananas).

Jorginho contava que, em 1943, quando Eurico Gaspar Dutra ainda era ministro da Guerra, o militar foi a Los Angeles. O playboy o levou para passear nos estúdios de Hollywood, onde Henry King dirigia as filmagens de *A canção de Bernadette*, estrelado por Jennifer Jones, que no ano seguinte ganharia o Oscar de melhor atriz pelo papel. O filme se baseia na vida da jovem camponesa francesa Bernadette Soubirous, para quem a Virgem Maria teria aparecido na gruta de Massabielle, perto da cidade de Lourdes. Havia várias figurantes vestidas de freira e Dutra só concordou em ser fotografado com a Jennifer Jones se elas também saíssem na foto.

— Assim a Santinha vai gostar — ele disse.

Dona Santinha era como chamavam a mulher do militar, dona Carmela Teles Leite Dutra, por ser muito religiosa. Rotunda, larga, tinha braços enormes e fortes. Vendo o casal — que muita gente afirma ter sido o mais medonho a se deitar na cama presidencial brasileira — junto, era fácil acreditar que ela mandava no marido. Vizinhos relatam que Dutra costumava receber oficiais de alta patente para conspirar em sua casa. Depois, levava-os até a calçada, onde ficavam cochichando. De repente, como se fosse um trovão a ecoar por todo o quarteirão, vinha o grito de dona Santinha lá de dentro:

— Fecha o portão, Euuurico!

Diziam que foi ela quem pediu a Dutra que colocasse o Partido Comunista na clandestinidade, o que ocorreu em 7 de maio de 1947. Falava-se também que dona Santinha pressionara o presidente para acabar com o jogo no Brasil, o que ele fez em 30 de abril de 1946. Dois dias antes do decreto que fechava os cassinos — silenciando para sempre uma parte borbulhante e criativa da música e do teatro nacional —, *O Globo*, de Roberto Marinho, em furo jornalístico, publicou as imagens que o fotógrafo francês Jean Manzon havia feito, secretamente, através de uma fenda na claraboia do Cassino Atlântico, em Copacabana. O jornal classificava o material como uma descida ao "inferno do jogo, onde fortunas escandalosas afundam e renascem diariamente".

Jean Manzon já era um fotógrafo conhecido na França (trabalhava para a revista *Paris Match*, de grande circulação), quando, depois da ocupação nazista, não pôde voltar ao seu país. Ele ganhou renome por ter feito a foto do último salto do bailarino ucraniano Vaslav Nijinski, em 7 de junho de 1939. Fazia quase duas décadas que Nijinski estava internado num hospital de doentes mentais na Suíça, quando recebeu a visita de sua mulher, Romola, e do bailarino da Ópera de Paris, Serge Lifar. Lifar começou a dar uns passos do repertório que tinha tornado o ucraniano famoso no mundo todo. No início, Nijinski ficou totalmente alheio aos movimentos do francês, mas aos poucos foi interagindo com ele, fez uns gestos, até que, *zás*, deu um salto vertical, parando no ar por alguns segundos — como fazia no auge de sua carreira —, tempo suficiente para Jean Manzon fotografá-lo. Em 1940, em Londres, Manzon conheceu o cineasta brasileiro Alberto Cavalcanti, que o aconselhou a vir para o Brasil, escrevendo uma carta de apresentação para Lourival Fontes, o chefe do DIP. Fontes o contratou e durante alguns anos Manzon foi o fotógrafo oficial do presidente Getúlio Vargas. Mais tarde, se uniria ao repórter David Nasser para formar a dupla mais célebre da história do jornalismo brasileiro — dupla que não se intimidava em forjar histórias para criar reportagens escandalosas publicadas nas páginas da revista *O Cruzeiro*, de Assis Chateaubriand.

O fim dos cassinos foi um baque. Eu tenho uma recordação melancólica de uma noite em que fui com minha mãe a um mafuá, um parque de diversões montado na praça Santos Dumont, ao lado da nossa casa em Petrópolis. Havia uma daquelas barracas com jogos, entre eles a roleta da fortuna, na qual o ganhador recebia como prêmio uma boneca, um bicho de pelúcia, coisas assim. De repente, a gente escuta:

— Dona Mercedes, dona Mercedes, sou eu!

Ela olha e reconhece o rapaz:

— Artur, o que você está fazendo aqui?

E ele, ainda inconformado, responde:

— Ah, dona Mercedes, foi o que restou pra gente fazer.

Artur, que coordenava a roda da fortuna do mafuá, tinha sido um dos elegantes crupiês do cassino do Copa. Outro crupiê, que estava ali com ele, olha para mim e diz:

— Este é o filho da senhora, aquele que quase nasceu no número 27 da roleta? Você quase nasceu no 27, a dona Mercedes sempre jogava no 27.

Mamãe, grávida, já com barrigão, continuara frequentando o cassino.

Foi justamente em Petrópolis, no Hotel Quitandinha esvaziado após o fechamento de seu cassino, que Dutra recebeu os delegados da Conferência Interamericana, entre eles Evita Perón e Harry Truman, o presidente dos Estados Unidos. Desse encontro é que nasceu um brilhante trocadilho, puro humor troca-letras, da história da política brasileira, aquele que brinca com as saudações iniciais em inglês:

— *How do you do, Dutra?*
— *How tru you tru, Truman?*

Mas o episódio que gerou um grande diz que diz que na Capital Federal, durante o governo Dutra, foi o da cerimônia de inauguração de um hospital. O militar-presidente solta um pum altíssimo. Instala-se um constrangimento enlouquecedor, ninguém sabia para que lado olhar nem o que dizer. Contam que, então, seu secretário particular, Carlos Roberto de Aguiar Moreira, de família tradicional, fala em voz alta: "Oh, meu presidente, desculpe-me… Deve ter sido alguma coisa que eu comi. Pelo jeito, foi uma batata-baroa". Pelo fato de ter assumido o pum do Dutra, Aguiar Moreira ganhou um cartório. Os outros assessores do presidente não se conformavam: "Por que eu não assumi antes dele? Esse cartório podia ser meu…". A partir desse dia, por onde Carlos Roberto passasse, as pessoas apontavam e diziam com admiração:

— Olha lá! É o moço que assumiu o pum do Dutra!

Como não poderia deixar de ser num evento em que todo o Rio estava mobilizado, meu pai me levou para ver os jogos da Copa de 1950. Uma vez que os países europeus estavam dirigindo todos os recursos e esforços para a reconstrução do pós-guerra, o Brasil foi candidato sozinho a hospedar o Mundial de Futebol. Fiz um relato das minhas recordações desses momentos no livro que escrevi com os amigos Armando Nogueira e Roberto Muylaert, intitulado *A Copa que ninguém viu e a que não queremos lembrar*, lançado pela Companhia das Letras em 1994. Havia uma excitação na cidade não só com a Seleção, mas com o estádio do Maracanã, o maior do mundo, que na época tinha capacidade para receber 150 mil torcedores. A única pessoa na então Capital Federal que se opunha à sua construção era o Carlos Lacerda, com dor de cotovelo porque a obra seria inaugurada pelo prefeito nomeado por Dutra, o general Ângelo Mendes de Morais. Apesar de ter apenas doze anos, lembro-me bem de um cartum ilustrando uma coluna de Lacerda na *Tribuna da Imprensa*: mostrava o Maracanã inundado pela chuva, como se fosse uma lagoa, e lá no meio o Mendes de Morais remando, solitário, um pequeno barco.

Permaneceu forte na minha memória um raro momento de improviso coletivo em nossa história, ocorrido durante a partida contra a Espanha. Não existiam grandes torcidas organizadas como agora e, em vista do baile que os brasileiros sapecavam nos espanhóis (o placar final foi 6 a 1 para o nosso selecionado), o Maracanã inteiro se pôs a gritar: "Olé, olé, olé". Não era um olé como o dos dias de hoje, dito quando os jogadores ficam trocando passes sem objetividade alguma; era um olé que vinha do fundo do coração diante de um time que atacava a *Furia* o tempo todo, marcando um gol atrás do outro. A apoteose cívica veio quando todas as vozes começaram a cantar os versos da envolvente marchinha "Touradas em Madri", do nosso Braguinha: "Eu fui às touradas de Madri/ Para ra ra tim bum bum bum...".

Essa alegria toda virou depressão na final contra o Uruguai. Perdemos a Copa em casa, e que casa: o Maracanã! Todo mundo estava certo de que o Brasil seria campeão. Recordo-me até de alguém dizendo que ganharíamos a Jules Rimet porque tínhamos a vantagem de ser o único time que "falava português"! Tínhamos um supertime imbatível e monoglota. O trauma da derrota apagou da minha mente boa parte daquele jogo. Por mais que me esforçasse, não conseguia nem sequer me lembrar do gol brasileiro feito pelo Friaça. O regulamento da época prescrevia que seríamos campeões com um empate, mas a ideia de um empate com os uruguaios não passava pela cabeça de ninguém. Como eu disse em meu depoimento no livro citado, quando eles fizeram o segundo gol, vi mais de 200 mil pessoas entrarem em pânico. Normalmente, é o time que entra em pânico, e a torcida emudece. Na final fatídica, nós entramos em pânico e o time emudeceu. Saí do Maracanã aos prantos. O ritmo do passo dos torcedores cabisbaixos parecia o dos acompanhantes de um enterro — e eu ainda não havia ido a nenhum. A minha dor era a dor de sentir pela primeira vez uma fragilidade na minha ideia de país, na minha noção de brasilidade. O Brasil podia perder, e eu não estava preparado para aceitar esse fato.

Durante a Copa do Mundo de 1998, disputada na França, tive a oportunidade de levar o Barbosa, que era o goleiro na final de 1950 no Maracanã, ao *Jô Soares Onze e Meia*, no SBT. Barbosa talvez tenha sofrido a maior injustiça que o Brasil fez com um dos seus filhos: foi acusado de ser o responsável pela nossa derrota para os uruguaios. Como somos um país que esconde o seu racismo, depois daquela final passou-se a ter nos meios futebolísticos a superstição, nunca dita abertamente, de que goleiro negro não dava sorte. Quase cinquenta anos após o Maracanazo, estava ali um homem decente, muito articulado, que explicou didaticamente o que ocorreu no segundo gol da Celeste Olímpica, marcado pelo Alcides Ghiggia. O uruguaio saiu na frente dele, Barbosa fechou o ângulo para impedir o cruzamento da bola para o interior da área, e ele colocou a bola justamente no pequeno espaço entre a trave e o goleiro brasileiro. Espero ter dado uma pequena contribuição para que a posteridade retire de vez o estigma de culpado da nossa derrota do ótimo goleiro que foi o Barbosa.

Em maio de 1951, papai me diz que iríamos viajar para buscar mamãe, que estava se tratando na Clínica Mayo, em Rochester, estado de Minnesota, EUA. Fui tirar a minha foto para o passaporte sem saber que levaria muito tempo para voltar ao Brasil.

VI

No dia 4 de julho de 1951, meu pai, eu e mais 27 passageiros embarcamos no Rio, num daqueles aviões de quatro hélices chamados de Clipper, da extinta companhia aérea Pan Am, com destino a Nova York. Entre os brasileiros que pegaram o voo conosco estavam o sr. Agenor de Miranda Araújo Filho e senhora, a quem não conhecíamos. Eles eram os pais do João Araújo, que, no futuro, como diretor da gravadora Som Livre, lançaria dois discos de personagens meus, o da Norminha e o do Capitão Gay, e viriam a ser avós do Cazuza, que nasceria sete anos depois da nossa viagem. Durante o voo, eu, achando que já sabia falar muito bem o inglês, entrei numa enrascada. Aquele modelo de avião tinha bar no deque inferior e lá eu começo a conversar com um americano. Ele perguntou o que meu pai fazia. Eu tentei, mas não consegui dizer em inglês. Faltava-me a palavra correta. Quis falar que ele fazia câmbio, troca de moedas, e acabei falando, em "portuglês", que ele trocava dinheiro. O americano, ao ouvir a palavra "troca", entendeu *truck*, "caminhão" em inglês. Disse ele:

— *Ah! He has companies of trucks?*

E eu:

— *Exactly.* — Pausa. — *He trucks Money.*

Totalmente nonsense: "Ele caminhões dinheiro".

— *Oh! A company of security trucks?*

Tentando dar algum sentido à conversa, o americano perguntou se meu pai trabalhava no ramo do transporte de valores.

— *Yes!* — Pequena pausa. — *He trucks money.*

E assim papai passou, durante todo o voo, por proprietário de
uma empresa transportadora de valores.

Aos treze anos, fiquei encantado com Nova York. No início da
década de 1950, era o lugar para se estar; tornara-se a maior e mais
rica cidade do mundo. Havia uma excitação no ar que convidava a
criatividade a se sentir confortável andando por suas calçadas; respirava-se a euforia do pós-guerra. O chamado século americano se
consolidava e Nova York estava a apenas alguns compassos do *grand
finale*, um imenso *chorus line* cantando que aquela era a capital do
século xx. Na metrópole do consumo, os homens da avenida Madison, os "Mad Men", descobriram um jeito de trocar ideias inovadoras por cascatas de dólares. No mesmo ano, foi oferecida ao
publicitário David Ogilvy a conta das camisas Hathaway. Em princípio, do ponto de vista da criatividade, não havia nada de fascinante no convite. Afinal, uma camisa é uma camisa é uma camisa... A
caminho do estúdio, passando em frente a uma drugstore, Ogilvy
teve uma ideia. Entrou na farmácia e comprou um tapa-olho. Sape-
cou o tapa-olho no modelo masculino que faria a propaganda das
camisas, o qual perguntou perplexo:

— Por quê?

E o David:

— Por que não?

Com essa atitude, David Ogilvy assumiria o trono de rei dos
publicitários criativos. Exatamente porque não havia motivo nenhum para o modelo estar de tapa-olho no anúncio, só por esse
toque misterioso e genial, ele fez toda a diferença para a campanha e para a divulgação da marca a partir daí. Simples assim.

Naquele momento, eu não fazia a menor ideia da importância
da publicidade para o novo mundo que se abria, mas, não muito tem-

po depois, as agências em São Paulo seriam um dos locais onde eu passaria a trabalhar. Entre outras atividades, escrevi textos para a Rhodia, então a grande marca de moda no país, graças ao Livio Rangan. Toda a publicidade da Rhodia era feita pela Standard Propaganda, onde aprendi muito com o Licínio de Almeida, encarregado da conta, juntamente com o contato Renato Rosa. Nem todos sabem, porém os dois futuros magos da televisão brasileira, Walter Clark e José Bonifácio de Oliveira Sobrinho, eram também referências no mundo das agências de publicidade do período. Mas os meus encontros com o Walter e com o Boni — a quem eu sempre chamei de Bonifácio e que sempre me chamou de "meu gordinho" — ficam para mais tarde.

Em 1951, a televisão começava a dominar as comunicações e o entretenimento na América. Dali a dois anos, ela se tornaria um meio lucrativo e passaria a atrair o maior volume de investimento publicitário do mundo. Uma nova era se inaugurava. O pré-adolescente que eu era não podia imaginar nada disso nos dias nova-iorquinos que desfrutei com minha mãe e meu pai. No entanto, quando iniciei minha carreira profissional, encontraria na televisão um veículo de amplas possibilidades de trabalho, no qual poderia escrever, dirigir, atuar, imitar, fazer reportagens, entrevistar, tudo isso para um público imenso, repartido por todo o país. Por enquanto, naquela temporada ali na capital mundial da televisão, apenas ouvia dizer que um programa chamado *I Love Lucy* fazia enorme sucesso — ele não só popularizaria o gênero sitcom (traduzindo literalmente: comédia de situação, em geral uma história leve), mas também difundiria a ideia da família americana de classe média como o epítome da felicidade, da harmonia e... do consumo. No Brasil, um dos maiores êxitos no gênero foi o *Papai Sabe Tudo* (transmitido pelo rádio americano, chegaria à TV dos EUA em 1954), incluído na grade de programação da TV Tupi de 1960 a 1966. Era programa imperdível entre as crianças que podiam se dar ao luxo de ter uma TV. Entre 1963 e 1966, o engraçadíssimo comediante, colega e amigo Renato Corte Real fez muito sucesso na TV Record com *Papai Sabe Nada*, uma paródia do gênero, que contava com a participação de sua mulher, Bizu, de seus dois filhos, do sambista e ator Adoniran Barbosa (como Archibaldo Porpeta, o ascensorista da fábrica de chupetas de Máximo Jacarandá, o personagem de Renato) e do Durval de Sousa.

Em 1967, eu viria a participar da talvez mais famosa sitcom brasileira, a *Família Trapo*, na mesma TV Record de São Paulo. O texto era redigido a quatro mãos, por mim e pelo Carlos Alberto de Nóbrega. O curioso é que o Carlos foi convidado justamente porque costumava escrever para o Ronald Golias, mas logo no nosso primeiro encontro ele me disse:

— Deixa eu escrever as partes onde o Golias não entra? Já escrevi demais para ele, gostaria de mudar um pouco.

A impressão que ficou na época — e continua até hoje — foi a de que os textos do Golias seriam do Carlinhos, mas na verdade era eu quem escrevia a parte do Carlos Bronco Dinossauro, o personagem do Golias, principal atração do programa. Nossa *Família Trapo* ia ao ar ao vivo e sem edição, escrachada, cada um sacaneando o outro, cheia de improvisos, onde brilhava o humor de dois enormes comediantes, Othelo Zeloni e Ronald Golias. Na direção, o Nilton Travesso e o Manoel Carlos, e na direção de TV o Tuta (Antônio Augusto Amaral de Carvalho), irmão mais moço da família Carvalho, que formava, com o Nilton, o Maneco e o Raul Duarte, a célebre Equipe A, responsável por grandes sucessos da Record. Se não me engano, foi Tuta quem teve a ideia de realizar o programa.

Retomando o fio da meada, estava nos EUA em 1951 quando a televisão começava a bombar e, pouco tempo depois, o comediante e ótimo pianista Steve Allen criaria o *Tonight Show*, que viraria uma verdadeira instituição americana: a ideia do *late show*, o programa do final da noite na TV, com humor, música, entrevistas e, muito importante, plateia — seria esse formato que eu traria para a televisão brasileira, na década de 1980, num movimento impulsivo, sem nenhuma consciência ou previsão do que iria acontecer. Deixei a Globo, no auge do sucesso, para criar no SBT, a convite do Silvio Santos, o *Veja o Gordo*, um programa igual ao *Viva o Gordo*. Impus como condição a possibilidade de fazer um talk show: o *Jô Soares Onze e Meia*. Um dos maiores responsáveis pela minha mudança foi o Carlos Alberto de Nóbrega. Numa conversa, o Silvio, que é muito amigo dele, disse que gostaria de contratar alguém da Globo que tivesse ampla repercussão, fora da área das novelas. Carlos respondeu:

— Só vejo duas pessoas: o Chico Anysio e o Jô Soares. Mas o Chico tem que vir acompanhado por um elenco enorme. O Jô, não.

Entre parênteses: certas decisões você só toma na vida quando se sente forte e apoiado. No caso da decisão de ir para o SBT pesou muito para mim o apoio que recebi da minha mulher, Flávia Junqueira Soares, e sou muito agradecido a ela por isso. Quando escrevo estas memórias, já não estamos casados, porém permanece entre nós uma amizade e um afeto profundos, e continuo dividindo com ela todas as minhas decisões importantes.

Mas, no início da década de 1950, por trás da euforia do século americano e da felicidade das sitcoms, havia outra América emergindo, sombria, racista e visceralmente anticomunista. No ano em que chegamos a Nova York, os cinemas exibiram a película *Um bonde chamado desejo*, que juntava três magníficos desajustados: Tennessee Williams, o autor do texto original, Elia Kazan, o diretor do filme, e um lindo ator que exalava uma sensualidade crua, valores ambivalentes e uma recusa moral ao establishment, Marlon Brando (nos anos seguintes, ele ainda faria clássicos papéis de anti-heróis em *O selvagem*, de 1953, e *Sindicato de ladrões*, de 1954). Na mesma temporada, as pessoas colocavam imensos sacos de pipoca e copos de Coca-Cola na bandeja, e iam pegar seu assento forrado de veludo na sala de projeção para ver o ambicioso e invejoso jovem de fim trágico vivido por Montgomery Clift em *Um lugar ao sol*. Em 1951, Lee Strasberg, com seu método de atuar, assumia a direção do Actor's Studio, e chegava a Nova York, sem um tostão no bolso, aquele que seria um de seus alunos mais famosos e o mais icônico dos rebeldes americanos: James Dean.

Dean ficaria mundialmente conhecido pelos três grandes filmes de que participou — *Vidas amargas, Juventude transviada* e *Assim caminha a humanidade* —, mas o primeiro veículo a enxergar nele a cara da nova juventude foi a televisão. Um dos mais relevantes teledramaturgos, Rod Serling, já achava naqueles dias que a TV tinha superado Hollywood em importância social e cultural, pelo menos na América. Ele deu a Dean o principal papel no drama teatral *A Long Time Till Dawn*, apresentado em novembro de 1953 dentro da série Kraft Television Theatre (era muito comum no princípio da televisão que o patrocinador aparecesse logo no título do programa). Mais inocente, porém não menos predatório, e mais vulnerável que Marlon Brando, James Dean (que o crítico Steve Vineberg afirmou ser o "mais introspectivo dos atores: suas performances eram sempre sobre o belo caos da sua própria alma") ainda levaria sua rebeldia juvenil a inúmeros dramas teatrais televisivos no mesmo ano, entre eles *Harvest* (no Robert Montgomery Presents) e *Sentence of Death* (no célebre Studio One, da rede CBS). Até pouco tempo consideradas verdadeiras raridades, as imagens na íntegra desse teatro televisivo de Dean são agora facilmente apreciáveis na internet. Havia algo de sinistro no império americano e isso podia ser intuído nos olhares de Brando, Clift e Dean nas telonas. Como disse a dama da crítica de cinema nos EUA, Pauline Kael, do *New York Times*, "existe uma nova imagem nos filmes americanos, a do jovem rapaz como um belo e perturbado animal, tão cheio de amor que não tem defesas. Talvez o pai não o ame, mas a câmera sim…".

Quando hoje penso na força latente da televisão revelando seus músculos — como um Hércules rompendo as correntes que o amarram — naquele início da década de 1950, não deixo de sentir um profundo orgulho por ter sido Ed Murrow, um dos meus heróis do veículo, com seu jornalismo investigativo, sua integridade e sua coragem quase suicida, quem ajudou a pôr a pá de cal no macarthismo. Em plena ascensão na minha visita aos EUA, o movimento liderado pelo senador Joseph McCarthy perseguiu atores, diretores e escritores do teatro, do cinema e da própria TV que eram acusados de comunistas. Murrow mostrou até onde podiam chegar as garras do bom jornalismo na televisão. O filme *Boa noite, e boa sorte*, dirigido por George Clooney, é um ótimo retrato de seu trabalho, além de expor a América no que tem de melhor e de pior: a defesa intransigente da liberdade de expressão e as maravilhas culturais que floresceram à sombra dela, por um lado, e o obscurantismo autoritário da extrema direita, racista, moralista e provinciana, por outro.

No entanto, aos treze anos, em Nova York, eu estava mais interessado no cinema do que na televisão. Não havia TVs em quartos de hotel, e me lembro de ter ido com meus pais à casa de um parente que trabalhava num banco, para assistir televisão depois do jantar. Nada mais do que isso. Mamãe tinha reservado quartos para nós num hotel na Broadway, a Meca das grandes produções de teatro americanas: o Astor, inaugurado em 1904, ocupava o quarteirão inteiro com seus mil apartamentos e ficava no lugar que viria a ser chamado de Times Square pela pressão dos donos do *New York Times*, os quais construíram a sede do jornal ali perto. Para meu encanto, o hotel, por situar-se em plena Broadway, era um dos preferidos pelas atrizes, atores e diretores de Hollywood quando estavam em Nova York. No Astor, havia o famoso Roof Garden, onde, entre outras atrações, a renomada Orquestra de Tommy Dorsey se apresentava no começo dos anos 1940, tendo Frank Sinatra entre seus crooners.

A alguns quarteirões do Astor, poucos anos antes da nossa chegada, fora inaugurado o clube Birdland, onde reinava o saxofonista Charlie Parker. O jazz já havia deixado um de seus mais sagrados endereços, na rua 52, mas o bebop ainda pulsava vivo com suas cores, harmonias e improvisos em novos locais da cidade, sobretudo no Village, com Dizzy Gillespie, Miles Davis, Thelonious Monk e outros músicos maravilhosos. Conheceram muito bem essa turma o Jorginho Guinle e o Vinicius de Moraes, que estiveram entre os primeiros no Brasil a escrever livros sobre o tema. Eu não tinha noção do quanto o melhor do jazz (que considero a música erudita do século XX) estava próximo de mim naqueles dias de pubescência deslumbrada, e nem sequer poderia imaginar que viria a ter, nas décadas de 1980 e 1990, um programa de jazz na Rádio Eldorado de São Paulo, o *Jô Soares Jam Session*. Também não dava para saber o quanto a música iria ser importante na minha carreira. Se não vi e ouvi Thelonious na minha primeira estada em Nova York, consegui assistir a uma apresentação dele num pequeno clube no Village quando voltei lá dezesseis anos depois. E, em 2002, fiquei amigo da simpaticíssima figura que é seu filho, o baterista Thelonious Jr. (nome artístico: T. S. Monk, também chamado de Monk Junior): entrevistei-o quando esteve no Brasil e ele, que ouvia Miles Davis e John Coltrane como músicas de ninar, me deu dicas sensacionais de onde ouvir bom jazz na sua cidade natal. Impressionou-me seu relato de que Monk teve problemas mentais graves no final da vida, com vários diagnósticos desencontrados, desde desordem bipolar até síndrome de Tourette — e que ele parou de se apresentar em público porque tocava dois ou três acordes, em seguida dava uma volta dançando ao redor do piano, depois tocava mais dois ou três acordes e dava outra volta dançando ao redor do piano, e ficava repetindo esse rito indeterminadamente.

Fiquei também amigo de um trompetista americano excelente, Winston Byrd, que, juntamente com Monk Junior, foi ao meu programa. Os dois me levaram a conhecer o *Lucy's*, na Oitava Avenida com a rua 124, no coração do Harlem. Logo em frente, havia um imenso conjunto de cinemas que pertencia ao ex-jogador de basquete Magic Johnson. Todas as segundas, músicos de jazz da melhor qualidade se reuniam, formando o que eles chamavam de Renaissance Band. Sempre que eu ia a Nova York, o *Lucy's* era programa obrigatório.

De volta aos meus treze anos: mamãe, que adorava teatro e cinema, e eu passamos boquiabertos os dois primeiros dias no Astor, diante daquele desfile de atores e atrizes de cinema e teatro que circulavam pelo saguão do hotel. Tudo era mágico para nós. Mas, no terceiro, chegou um grande amigo do meu pai, o Bernardino Pereira Dias, que morava em Nova York, e foi assim descrito pelo André Jordan, também amigo dele:

— Um solteirão bonitão, o homem da Delegação do Tesouro, que era uma boca-rica: fazia todos os pagamentos dos diplomatas brasileiros no exterior.

Imediatamente, ele aconselhou meu pai a se hospedar num ponto mais sofisticado da cidade. Para meu desgosto, o Garoupa aceitou a sugestão e fomos parar num hotel muito chique na esquina do Central Park, o Savoy Plaza, o qual ficava no lugar onde hoje é a famosa loja da Apple.

Bernardino era um gaúcho elegantíssimo, charmoso, vivia preocupado em não desmanchar o cabelo. Quando precisava pôr os óculos para ler alguma coisa, cobria as orelhas com as hastes, em vez de apoiá-las nelas. Seu apelido era Pavão. Pelas histórias que ouvi, ele foi posto no cargo de tesoureiro auxiliar nos EUA por indicação de um dos líderes da Revolução de 1930, José Antônio Flores da Cunha — mesmo depois de ter puxado uma faca para o ex-governador do Rio Grande do Sul, num cassino do Rio, sendo contido por meu pai. As rixas entre a família de Bernardino e Flores remontavam à Revolução Federalista (1893-95), uma guerra civil "implacavelmente sanguinária e bárbara", como escreveu um cronista uruguaio contemporâneo. Papai conseguiu ser bom amigo dos dois.

Flores da Cunha foi um homem singular, dotado de uma cultura extraordinária. Gaúcho fronteiriço, interventor e governador, levou significativas melhorias a seu estado; companheiro e depois inimigo de Getúlio, ficou exilado por cinco anos no Uruguai; sem nunca ter ido à França, conhecia sua literatura e falava muito bem o francês. Grande caudilho, formado no tempo em que política se fazia em cima da sela de um cavalo e com revólver na cintura, perdoou seus inimigos. Foi homenageado na Câmara dos Deputados com uma placa de prata na cadeira que ocupava, coisa rara nas casas mais altas do nosso Poder Legislativo. Era jogador compulsivo, apostador em cavalos e mulherengo de renome. Atribui-se a ele a clássica resposta quando, no fim da vida, lhe perguntaram como se desfizera de sua fortuna:

— Cavalos lerdos e mulheres ligeiras.

No período em que foi intendente de Uruguaiana, em 1920, Flores da Cunha contratou a companhia de Procópio Ferreira para três apresentações na cidade. O baixinho Procópio — que, por causa da altura, gostava de representar sentado — virava um gigante no papel do avarento Harpagon, da peça de Molière. O extraordinário ator e diretor francês Louis Jouvet escreveu, numa de suas autobiografias, que o Harpagon de Procópio Ferreira tinha sido o mais fantástico que ele já vira. A observação ganha relevância pelo fato de que uma das mais importantes criações de Jouvet foi o personagem de Molière. Vale ressaltar que os dois talentos se tornaram grandes amigos. Sempre se encontravam nas várias viagens que Procópio fez à França. Jouvet disse ainda que o brasileiro seria o ator ideal para contracenar com ele no papel de Sganarelo, da peça *Don Juan*.

Os gaúchos de Uruguaiana não se entusiasmaram muito com a presença da companhia de Procópio na cidade, e nas duas primeiras apresentações de *O avarento* os assentos do Teatro Carlos Gomes não foram todos tomados. Na terceira noite, cogitou-se mudar o programa para uma peça mais popular, como uma maneira de atrair mais público. Flores da Cunha, então governador do Rio Grande, não aceitou. Comprou toda a lotação da sala e ofereceu o espetáculo gratuitamente à população, que, segundo ele, precisava aprender a conhecer Molière. Anos mais tarde, Procópio iniciou uma temporada no Teatro Coliseu, em Porto Alegre, com sua mulher, a atriz Regina Maura — a qual viria a ser deputada paulista com seu nome real, Conceição Santa Maria. O casal se encontrava frequentemente com Flores, que passou a assediar a atriz. Uma noite, em plena apresentação, sentindo que Regina se exibia para o ocupante do camarote oficial, Procópio deu um bofetão na mulher e encerrou a peça antes da hora.

Fazendo um parêntese: Procópio Ferreira era uma figura notável. Quando viajava em turnê pelo país, embarcava no navio seu automóvel La Salle, uma das marcas mais sofisticadas da época. Dizem que, nessas viagens, se ele achava que a plateia não estava correspondendo à altura, no final do primeiro ato mandava desmontar o cenário e declarava:

— Vamos embora que essa plateia não me merece.

E rumava para a capital seguinte.

Lembro que, um dia, eu estava com meu pai no bar do Jockey, no centro da cidade. O Flores da Cunha, como não podia deixar de ser, jogava numa das mesas de pif-paf. Passado algum tempo, um militar aposentado, que também estava jogando, levantou-se e veio para o bar, com cara de poucos amigos. Ao lado do balcão, ele começou a se gabar de ter dito poucas e boas ao Flores. De peito estufado, foi se empolgando com sua história e aumentou o volume da voz, sem se dar conta de que o homem das fronteiras havia entrado no bar e estava às suas costas. Flores, com o dedo em riste, disse em pleno gauchês braveado:

— Generallll de meerrrda!

O militar foi se encolhendo, encolhendo, e saiu mudo. Aprendi ali o que é a verdadeira autoridade, aquela que emana de uma pessoa, independentemente do cargo ou da posição hierárquica que ela ocupa.

De vez em quando, Flores da Cunha ia jantar lá em casa. Durante um desses encontros à nossa mesa, ao morder um naco de filé, um fiapo se instalou entre seus dentes. Não teve dúvida: num movimento inconsciente, botou o dedo na boca e ficou tentando tirar o pedaço de carne dali. A cena era desconfortável. A fim de abreviar a aflição da minha mãe, papai pegou o paliteiro e esticou para ele, dizendo:

— Palitinho, general?

Mamãe, de vergonha, queria se enfiar embaixo da mesa.

Quem via Bernardino Pereira Dias se sentindo em casa ao andar pelas calçadas de Nova York, não diria — a não ser pelo sotaque gauchesco que não o abandonava nem sequer quando ele falava inglês — que o *snob* era neto do violento caudilho João Francisco Pereira de Sousa, uma das figuras mais beligerantes do Sul na Primeira República. Rui Barbosa chamou-o de a Hiena do Cati (referência ao nome do quartel construído na região fronteiriça de Santana do Livramento, Rio Grande do Sul; dali saiu o atormentado louco do Cati, do livro de Dyonélio Machado). O coronel era o homem que controlava a fronteira oriental com o Uruguai durante a Revolução Federalista, denominada "a guerra suja" pela extrema crueldade entre republicanos (chimangos, lenços brancos) e federalistas (maragatos, lenços vermelhos), e sua fama de sanguinário se espalhou pelo país. Quando João Francisco Pereira de Sousa foi ao Rio, em 1905, uma nota anônima na imprensa, sob o título "O dia em que a Hiena do Cati assombrou a rua do Ouvidor", dizia: "Reza a lenda que a hiena arranca dentes, capa, degola e estupra inimigos, depois manda os soldados montarem acampamento sobre os cadáveres para se acostumarem, estoicamente, ao cheiro da morte".

A degola, também conhecida como "a gravata colorada", era a maneira comum de matar os inimigos — entre outras razões porque a munição para rifles e revólveres era rara e cara. Os uruguaios, ao contrário dos nossos outros vizinhos, falam português sem o menor sotaque. Não dava para distingui-los dos brasileiros. Contava-se que, nas lutas da fronteira, a única forma de identificar um uruguaio infiltrado era mandando que ele pronunciasse a frase "cair no poço não posso". Eles não conseguiam pronunciar o "ó", a vogal aberta — distinto do "o", fechado. Se falasse "cair no pôço não pôsso", ouvia:

— *Zás!* Degola o filho da puta.

Mas o mais curioso foi que, diferentemente do que afirmavam seus detratores — que ele era um assassino cruel e frio —, a Hiena do Cati apresentou-se ao Rio de Janeiro como uma pessoa afável, bem-vestida e bem-falante, que cultivava um bigode largo, espesso e bem aparado. Como ninguém fica uns dias no Rio impunemente, diante do seu comportamento civilizado na Capital Federal, logo começaram a fazer pilhéria dizendo que a temível "faca de João Francisco" não passava de uma lenda das coxilhas e dos pampas.

Houve um período em que o músico Russo do Pandeiro (Antônio Cardoso Martins) — que foi para os EUA em 1944, indicado por Carmen Miranda — estava sem dinheiro, sem nada, e passou uma temporada no apartamento do Bernardino Pereira, em Nova York. Apesar de ser um gentleman, o gaúcho era absolutamente sovina. O que se chamava na época de "munheca de samambaia": não abria a mão para nada. Para piorar as coisas, Russo também era um notório pão-duro, com o agravante de estar só duro, sem o pão. Eles adotaram uma política de convivência: cada um comprava sua própria comida e, para evitar confusão, punham as iniciais nos ovos guardados na geladeira. Bernardino botava "P" de Pereira e o Russo, "R". Um dia, houve uma tremenda discussão porque o Bernardino disse que o Russo acrescentara uma perninha no "P", transformando-o em "R":

— Não, é um "P". Tu acrescentaste uma perninha para ficar com meu ovo.

Em 1951, o mítico Radio City Music Hall, em Nova York, funcionava também como cinema. Era a época das grandes salas, e o Radio City era a maior delas. Recordo-me de ter assistido ali ao meu primeiro filme de Jerry Lewis, *That's My Boy* (*O filhinho do papai*). Ele fazia um moleque franzino que queria jogar futebol americano mas não podia porque era tímido demais, fraquinho e atrapalhado. Com a ajuda do Dean Martin, acaba conseguindo. Fiquei impressionadíssimo com os recursos cômicos de Jerry Lewis. Durante muito tempo eu me atirava no chão para copiar os seus tombos.

Como o "risadinha" Richard Widmark tinha virado meu ídolo — desde que me fascinou nos tempos do Colégio São José, em Petrópolis —, fui com mamãe ao Radio City para ver *Halls of Montezuma* (*Até o último homem*). É um filme sobre os sete remanescentes de um pelotão que, na Segunda Guerra, desembarcam em missão quase suicida numa das ilhas do Pacífico, muito bem defendida pelos japoneses. Na trilha sonora, o hino dos fuzileiros navais vai ponteando toda a película, cujo título original é tirado do primeiro verso da música dos marines. Widmark é o tenente Anderson, que sofre com dores de cabeça. Os fuzileiros não conseguem descobrir a posição de onde estão sendo lançados os mísseis dos rivais. Um prisioneiro japonês diz:

— Vocês não nos conhecem.

Procurando raciocinar como os inimigos do Extremo Oriente, um fuzileiro que havia estudado com um nipônico em Harvard descobre que os torpedos estão sendo lançados de um lugar que era o oposto do que imaginavam. Os cinco minutos finais são momentos épicos eletrizantes: Widmark joga fora seus comprimidos para dor de cabeça, amassa-os com o cabo do rifle e dá dois minutos para iniciar o ataque à base adversária. Quando a ofensiva começa, ele grita:

— *Come on men, give them hell!* [Literalmente, "deem-lhes o inferno".]

Sobe o hino dos fuzileiros. Anos depois, fiz, num dos meus shows, um personagem inspirado no de Widmark: o sargento Montana. É uma das grandes películas de guerra, muito bem realizada tecnologicamente, com dimensão humana e o drama psicológico dos atos de coragem, medo e heroísmo. Some-se a tudo isso a emoção que tive de vê-lo nos EUA, antes de todos no Brasil, numa das salas mais famosas do mundo: não tinha como esse filme não se tornar um clássico para mim.

Quem me vê falando assim sobre cinema, televisão, jazz e publicidade, pode ficar com a impressão de que era um adulto e não um pré-adolescente que estava em Nova York no início dos anos 1950. Mas o garotão que eu era — e que continuaria a ser pelo resto da vida — também fazia suas reivindicações. Uma delas foi um par de revólveres de brinquedo, com cinturão e coldres, iguaizinhos aos dos caubóis de cinema, que fiz mamãe comprar para mim. Como meu pai os traria para o Brasil, a fim de aliviar nossa bagagem no exterior, tempos depois eu daria um trabalhão danado para eles, porque queria ter os revólveres e o cinturão comigo na Suíça, onde fui estudar. Quem me levou — as mães eram amigas — foi o psiquiatra e escritor paulista Roberto Freire, o Bigode, que compôs uma linda música em parceria com o Caetano Zamma, "O menino e a ave-maria", gravada pelo Agostinho dos Santos.

Meu pai voltou para o Brasil, pois devia cuidar dos negócios, e permaneci mais uns meses nos Estados Unidos com mamãe. Um dia, ela me falou:

— Vamos aproveitar que a gente está aqui e conhecer o Canadá.

Fomos para Quebec, Toronto e Montreal. Fiquei impressionado logo de cara com a educação das pessoas, era algo que chamava atenção. Em Quebec, nos hospedamos no deslumbrante hotel Château Frontenac, um castelo gigantesco, inaugurado em 1893. Foi a primeira vez que vi um hotel conectado com um shopping, com um conjunto de lojas. Sempre fascinados por cinema, entramos num. Mal começa o filme, eu pergunto:

— Mamãe, o Humphrey Bogart está falando francês sem sotaque nenhum... Como é que é possível?

Minha mãe também não entendia direito o que estava acontecendo na tela, mas, rápida como era, resolveu improvisar uma explicação:

— Ah, os atores em Hollywood se dedicam só a isso, eles têm tempo. Têm professores pra ensinar a falar perfeitamente qualquer língua.

Que nada, era dublagem. Nem ela nem eu tínhamos visto um filme dublado até aquela tarde canadense. No Brasil todos os filmes eram legendados.

Sempre tive uma fixação infantil pela polícia montada do Canadá, com seu dólmã vermelho e chapéu de escoteiro. Só que já estávamos no país fazia alguns dias e não tinha visto nenhum daqueles policiais. Mamãe perguntou ao concierge do hotel onde poderíamos vê-los e ele riu, dizendo que os *Mounties* — como são conhecidos — cuidavam mais das operações federais que do policiamento do dia a dia, mas que, se eu quisesse mesmo vê-los, havia dois permanentemente na entrada do edifício do Bank of Canadá. Fui até lá, e entre os dois polícias montadas havia uma porta giratória. Fiquei um tempão girando nas portas, saindo, olhando para eles, girando a porta novamente... Que paciência minha mãe tinha, meu Deus. Muitos anos depois, no *Jô Soares Onze e Meia*, entrevistei o cônsul canadense em São Paulo. Me vesti de Mountie para a ocasião, mas o cônsul, sabendo da minha paixão de criança, trouxe com ele dois membros da polícia montada, que fizeram a minha guarda durante a entrevista.

Quando assisti à excelente série canadense para TV *Slings & Arrows*, há uns dez anos, caiu a ficha de que nunca mais voltei ao Canadá, um país que me deu a sensação de conseguir combinar o que existe de melhor na Europa e nos Estados Unidos. A qualidade do roteiro, dos diálogos, dos atores, tudo isso só pode ser fruto de uma nação de grande cultura teatral. O título da série é tirado de uma frase da tragédia de *Hamlet*, de Shakespeare (*To be, or not to be, that's the question:/ Whether 'tis nobler in the mind to suffer/ The slings and arrows of outrageous fortune*).[1] Trata-se da história de um grupo que monta três (uma para cada temporada) tragédias do bardo inglês, *Hamlet*, *Macbeth* e *Rei Lear*, para participar de um festival shakespeariano batizado de New Burbage Festival. A companhia é subsidiada pelo Estado e, a dada altura, aparece um diretor que quer montar um *Romeu e Julieta* sem palavras. Imagine Shakespeare sem as palavras! Para um diretor de teatro obcecado pelas montagens e traduções das peças de Shakespeare como sou, a série canadense deixa a cabecinha fervilhando de ideias.

Papai ganhava um bom dinheiro com seus negócios na Bolsa, mas gastava tudo. Era muito generoso com todo mundo. Mesmo depois que perdeu todos os seus bens, rachava comigo o pouco que conseguia em pequenos negócios. Mas, quando chegou de volta a Nova York, em 1951, estava bem de saúde financeira e propôs:

— Que tal se, em vez de voltarmos pro Brasil, fôssemos pra Europa?

— Vamos!!!

Minha intuição me dizia que um dia ainda voltaria a Nova York. A cidade me contagiou para sempre. Quando tive condições financeiras, passei a ficar lá um ou dois meses por ano. Aproveitei a cidade o máximo que pude.

Nós pegamos um grande navio da época, o *Queen Elizabeth*, um daqueles transatlânticos maravilhosos, e em quatro dias e meio desembarcávamos no porto francês de Cherbourg. De lá fomos a Paris. Quando o carro em que estávamos atravessou a avenida

---

1. "Ser ou não ser: eis a questão:/ Saber se é mais nobre na mente suportar/ As pedradas e flechas da fortuna atroz". *Hamlet*, tradução de Lawrence Flores Pereira, São Paulo: Penguin Companhia, 2015.

Champs-Élysées, pensei fascinado: "Eu já morei aqui". É a impressão que muita gente tem ao chegar à via mais famosa da França, é uma coisa meio mítica. Saímos viajando pela Europa e, quando passamos por Lausanne, na Suíça, meu pai me perguntou:

— Eu tive a possibilidade de estudar aqui e não quis. Você quer?

Respondi:

— Se o colégio for como eu vejo no cinema, cada aluno com o seu quarto etc., eu quero. Se for como no São José, sem a menor independência, dormindo todo mundo num dormitório, eu não quero.

Quando fomos ver as instalações do Lycée Jaccard (no porto de Pully, no lago Leman, Lausanne), um internato para meninos fundado em 1900, adorei. Eu faria catorze anos em breve e pude ficar sozinho num quarto enorme, de frente para o lago. Décadas depois, casado com a Flavinha, fomos visitar o internato e ela se impressionou com o tamanho do cômodo que tinha sido meu quarto — o qual encontramos transformado em sala de aula. Me adaptei tão bem na Suíça que, apesar da pouca idade, tomei uma decisão acertadíssima: em vez de voltar ao Brasil nas férias, ia conhecer outros países europeus. Hospedava-me na casa dos colegas. Sempre que podiam, mamãe e papai iam para lá passar os dias de folga comigo. Com eles, com meus amigos, com muita coisa para manter acesa a minha imensa curiosidade, e pela quantidade de novidades a descobrir na Europa, nem deu para sentir saudades do Brasil.

O Jaccard dava grande ênfase à prática esportiva (seu fundador, Marius Jaccard, era um ex-atleta), considerada, pela elite europeia, essencial na formação masculina. Apesar de gordo, sempre tive muita agilidade (o que, no futuro, me seria útil nos palcos) e era bastante ativo na prática de esportes. Na Suíça, me dediquei ao remo, que pratico até hoje, para manter a forma, numa máquina que reproduz exatamente os movimentos do esporte, além da bike e da fisioterapia que faço três vezes por semana. Sinto falta apenas de nadar, outro exercício que eu adorava, e nadava muito bem, por causa das limitações de movimento dos meus braços devido aos dois acidentes de moto que sofri. Quando fazia turnês pelo Brasil, a primeira coisa que eu perguntava ao gerente do hotel era:

— Tem piscina aqui perto?

A segunda era:

— Tem melão no serviço de quarto? O melão é uma das únicas frutas com baixo teor de carbo-hidrato.

Na Suíça, no outono, nós jogávamos futebol, e eu era um zagueiro central imexível. No inverno, praticávamos os esportes da estação: eu era um bom patinador, adorava jogar hóquei no gelo e me saí bem nessa modalidade, conquistando quatro dos campeonatos que aconteciam entre os colégios. O melhor atleta em todas as competições de que participávamos era um aluno do mais antigo e mais sofisticado internato da Suíça, o Le Rosey, que não ficava longe do Jaccard. O nome desse jovem era Karim Khan. Hoje, ele é o atual Aga Khan. Além de ótimo atleta, era um rapaz muito bonito, o que causava inveja em todos nós. Tínhamos o maior orgulho porque um alemão que estudava em nosso internato, o Berenhaus, deu uma surra no tênis no Karim, que era campeão na sua categoria no Oriente Médio.

Nos anos 1960, a TV Record montou um rinque de patinação no gelo no terreno dos seus estúdios, perto do Aeroporto de Congonhas, em São Paulo. Era uma das atrações da cidade. Eu ainda não trabalhava para a Record, porém, como adorava patinar, pegava meus patins e ia me exercitar um tempo no rinque. Chamava atenção, porque as pessoas não acreditavam que um gordo como eu poderia ser tão habilidoso num esporte que exige grande equilíbrio e leveza. Estou muito metido? Paciência, mas o próprio Tuta Amaral de Carvalho contou em seu livro de memórias que ia até a janela para me ver patinar...

No verão suíço, todos praticavam o atletismo, mas meu corpinho não ajudava nem nas corridas nem nos saltos, então eu ficava de fora. Como as férias de verão eram longas, passava parte delas em Portofino, na Itália, na casa belíssima que pertencia à família do meu colega de internato Alberto Pederzani. Era um lugar deslumbrante, dava para a enseada: eu abria a janela do quarto e a água estava lá, azul, maravilhosa. Nós praticávamos muito esqui aquático, porque Alberto era um grande campeão, tanto na água quanto na neve. (Como eu havia torcido a perna e rompido o ligamento do joelho esquerdo logo na primeira temporada de esqui na neve, ficando por um mês com a perna imobilizada numa canaleta de metal, deixei de me interessar por esse esporte de inverno. Em compensação, me dediquei integralmente ao hóquei no gelo, ocupando a ala direita. Adoro o jogo até hoje.)

A família Pederzani era dona de uma grande joalheria em Milão. Eu aproveitava a companhia do Alberto para aprender a falar italiano. Uma noite, vimos o famoso playboy Ali Khan — pai do Karim, do Le Rosey — saindo de um restaurante com a Rita Hayworth, que viria a ser namorada também do Jorginho Guinle. Nós fomos correndo até o carro (naquela época não havia segurança em torno de celebridades) e eu bati na janela. Ela se virou para nós e pôs a língua de fora. Apesar dessa cena mal-educada, considero até hoje que é dela a melhor "primeira aparição" num filme. É em *Gilda*, de 1946. O dono do cassino, Ballin Mundson (personagem do ator George Macready), entra na majestosa antecâmara de seu quarto, seguido do gerente do cassino, Johnny Farrell (Glenn Ford), chama por Gilda e pergunta:

— *Are you decent?*

A câmera corta para o quarto vazio e, em segundos, aparecem os sedosos e volumosos cabelos ruivos de Rita Hayworth. Ela surge na tela de baixo para cima — estava abaixada na frente da câmera —, abre um sorriso capaz de derreter uma geleira do Alasca e com uma pitadinha de ironia responde:

— *Me?*

São os sete segundos mais sedutores da história do cinema.

Entre os meus melhores amigos na escola estavam os gêmeos Félix e Martín Gómez Alzaga, que vinham de uma família tradicional argentina. Eram inteiramente malucos, aprontavam muito, mas era difícil puni-los: foram os gêmeos mais idênticos que já conheci. Acho que nem a própria mãe conseguia identificá-los. Um fazia uma coisa e dizia que era o outro:

— *No, no soy yo, es Félix, yo soy Martín.*

Eles deixavam crescer a barba por um tempo, até ficar enorme, verdadeira barba de aiatolá. Aí o Martín entrava numa barbearia e pedia:

— *Por favor, señor, me haga la barba*, mas o senhor tem que colocar a cadeira de barbeiro em direção a Meca, porque senão em cinco minutos a minha barba cresce toda novamente.

O barbeiro suíço não levava a sério, dava uma risadinha. E o Martín insistia:

— É verdade, se não colocar a cadeira nessa posição que estou te indicando, em cinco minutos a barba cresce, uma maldição que foi dada à minha família. Olha, se crescer, o senhor vai ter que fazer de novo sem cobrar um centavo.

Aí o Martín fazia a barba, pagava e ia embora. Em cinco ou dez minutos, entrava o Félix:

— *Yo le avisé, señor.*

O barbeiro tomava um susto imenso, colocava a cadeira na direção que o Martín indicara e fazia a barba do Félix... de graça. Com os gêmeos argentinos, fui aprendendo a falar o espanhol.

Havia um português de sobrenome Marinha que me ajudou muito. Ele possuía uma boa coleção de livros de mistério em português de Portugal; Raymond Chandler, Dashiell Hammett etc., em edições de bolso. Como eu não tinha muitos livros em português lá na Suíça, ler os dele foi uma forma de não perder contato com a língua, além de conhecer a grande literatura policial e de suspense. Eu havia começado a ler quase tudo em francês e era bem precoce como leitor. Lembro que *A metamorfose* do Kafka foi uma leitura decisiva, marcou bastante minha adolescência. A literatura podia ser um salto para o extraordinário, para algo sobrenatural. Eu estava sempre lendo, sem escolher algum gênero específico: ia dos clássicos até a ficção científica, passando pelos policiais e pelas histórias em quadrinho. Não seguia um roteiro de leitura, o que me dava vontade, lia.

Fiquei muito amigo ainda de um iraniano chamado Cyrus Esfandiary-Bakhtiari, um primo da rainha consorte Soraia, na época mulher do xá Reza Pahlavi. Meus colegas e eu éramos apaixonados por ela, que também havia estudado na Suíça. Às vezes a rainha ia até lá e era uma comoção no nosso liceu. Como Soraia não conseguiu ter um filho, um herdeiro, o xá a abandonou. Do meu amigo, nunca mais tive notícias. A primeira vez que fui a Los Angeles (você ama ou odeia essa cidade, eu amei, é claro, por todas as lembranças que tinha do cinema), na década de 1980, estava num táxi e vi, nos documentos de identificação que ficam expostos nas costas do banco do motorista, que era iraniano. Começamos a conversar e ele disse que tivera de sair do país depois da Revolução Fundamentalista do aiatolá Khomeini, o qual chegou ao poder em 1979. Falei que havia conhecido vários iranianos quando estudava na Suíça, do primo da Soraia e de outro garoto, que era um Qashqai — seu povo vivia nas montanhas. O motorista contou que os líderes das comunidades Qashqai, que na origem eram pastores e são famosos por seus tapetes, foram degolados num chafariz, em praça pública, pelos homens de Khomeini. Fiquei cismado, pensando qual teria sido o destino daquele menino e dos meus outros muitos colegas iranianos do Jaccard.

No meu último ano em Lausanne, fui passar as férias em Munique, na Alemanha. Havia um motivo especial para essa viagem e o nome dele era Angela Munemann. Angela era um pouco mais velha que eu, loura, deslumbrante, cobiçada por todos os meus colegas; vinha de uma família riquíssima ligada ao mercado financeiro. Estudava num colégio para meninas, o Le Grand Verger, em Lutry. Na primavera e no verão, nós remávamos todos os dias por 2500 metros, às seis da manhã, de Pully até o colégio das meninas. Eu navegava num barco da categoria iole a quatro com patrão (patrão é o navegador que vai na frente orientando e puxando, corrigindo o leme). Eu era o voga, remador que senta no primeiro banco e imprime o ritmo da navegação. As garotas vinham para o gramado que margeava o lago e conversávamos com elas à distância, combinando programas juntos. Em Munique, Angela namorava um rapaz chamado Rudolf, um nobre russo cuja família escapara do regime comunista. Comecei a competir com ele, fazendo números engraçados que divertiam muito a garota disputada. Ela acabou se envolvendo comigo e o tal do Rudolf ficou com a maior dor de cotovelo. Foi a minha primeira paixão. Nessas férias, meu alemão melhorou bastante.

Recordo-me de duas garotas brasileiras na nossa turma em Lausanne. Uma, a Marialice Mendes da Costa, se tornaria Celidônio ao casar-se com o gourmand José Hugo. A outra era uma paulista, Ana Maria Ovalle, a quem nunca mais vi. Mas a história mais impressionante das meninas que estudavam conosco na Suíça foi a da belíssima guatemalteca Arabella Irene Árbenz Vilanova, matriculada no Le Grand Verger. Ela era filha do presidente da Guatemala Jacobo Árbenz Guzmán, conhecido como El Chelón, que foi deposto e exilado em 1954. Numa curta fase de vida democrática naquele país, ele tentou implantar a reforma agrária e uma agenda socialista. Bateu de frente com um dos maiores símbolos do imperialismo americano nos anos 1950, a empresa United Fruit Company — que explorava, com enorme poder sobre os políticos locais, latifúndios imensos com plantações de frutas tropicais na América Central e no Caribe. Essa combinação da exploração das plantations com a força sobre os governos das nações latinas por parte da multinacional deu origem à expressão pejorativa "república de bananas". A United Fruit Company fez forte lobby com o presidente americano Dwight Eisenhower para que apoiasse a derrubada de Árbenz, o qual nunca mais pôde regressar com sua família à terra natal. O argentino Ernesto Che Guevara, que vivia na Guatemala, ficou espantado com a desarticulação das forças militares e civis que deveriam defender o presidente. Igualmente bela, a mãe de Arabella, María Cristina Vilanova Castro de Árbenz — nascida numa rica família de San Salvador —, converteu-se ao marxismo e foi uma influência de peso no mandato de seu marido, ao mesmo tempo em que o traía com o cubano Ennio de la Roca na própria residência presidencial. Quando a família foi deportada, Jacobo Árbenz passou por uma última humilhação no aeroporto: fizeram-no se despir diante de toda a imprensa, acusando-o de estar levando para fora do país joias que havia comprado, com dinheiro público, para sua mulher na Tiffany's de Nova York. Não se achou nada com ele, mas o ex-presidente, como o revolucionário russo Liev Trótski, não teve sossego: peregrinou pelo mundo, sem encontrar — por pressões da CIA — asilo político em lugar nenhum, a não ser por um período em Moscou e outro em Cuba. Tornou-se alcoólatra e a mulher continuou, no exílio, o caso com o cubano.

Arabella Árbenz foi muito mimada pelo pai e ficou conhecida na Guatemala, ainda criança, por seu gênio difícil. Ela estudava no Canadá quando El Chelón foi deposto, e depois seguiu para a Suíça — terra de seu avô paterno. Foi se reunir à família em Moscou, mas não aguentou estudar e viver sob o regime comunista, e fugiu para Paris — a partir daí, praticamente rompeu com os pais, com os quais não mais falou por longo tempo. Com seu corpo e com sua beleza, logo encontrou trabalho como modelo e iniciou um relacionamento com o banqueiro e produtor de vinhos Philippe de Rothschild — ao mesmo tempo em que foi se viciando em LSD e passando a sofrer crises de depressão. Arabella se muda para o México e se torna amante de um dos homens mais poderosos do país, o dono da cadeia de comunicações Televisa, Emilio Azcárraga, El Tigre. Lá, ela fez o seu único filme, o experimental *Uma alma pura*, uma trama de incesto escrita por Carlos Fuentes. Dizem também que teve um caso com a cantora folk Chavela Vargas, La Llorona. *Pero sí, pero no*, ela acabou se envolvendo com um sobrinho de Emilio Azcárraga, que, furioso ao descobrir o affair, conseguiu que as autoridades dessem 24 horas para ela deixar o México. Arabella então viaja às pressas e acompanha o toureiro Jaime Bravo numa excursão pela América Latina, mas, logo na primeira parada da turnê, em Bogotá, tira a própria vida com um tiro na cabeça, aos 25 anos. Uma história trágica para uma menina linda e, pelo menos nas minhas recordações, muito alegre e divertida.

O esporte mais popular do mundo na primeira metade do século xx foi o boxe, então era natural que na mitologia que ia se formando na minha cabeça de menino aparecessem alguns heróis do esporte que em inglês é denominado *sweet science* (um dos primeiros grandes jornalistas esportivos, o britânico Pierce Egan, no século xix, chamava-o de *sweet science of bruising* — algo como "a doce arte de machucar" — e o gordo e glutão Joe Liebling, um dos maiores repórteres da história da revista *The New Yorker*, usou a expressão como título de sua festejada antologia de ensaios sobre a luta). No Brasil começou-se a qualificá-lo de "a nobre arte". Um nome lendário da minha infância foi o do lutador italiano Primo Carnera, uma espécie de Incrível Hulk dos anos 1930, só que de verdade e com uma trajetória mais triste. Ele chegara a vestir por um ano o cinturão de campeão mundial dos pesos-pesados, a categoria máxima do boxe, de 1933 a 1934, mas seu cartel (seu histórico de lutas) era uma fraude construída pelos gângsteres que controlavam o submundo do boxe americano. Depois que se aposentou do boxe profissional, o gigante Primo Carnera passou a se dedicar a um tipo de luta chamado catch, corruptela de *catch-as-catch-can*, traduzindo livremente: "agarre como puder". Aqui, por ser promovida pelas redes de tv, a luta foi designada *telecatch* ou luta livre.

Na nossa primeira ida a Paris, eu estava na concierge do hotel e de repente vejo uma mão enorme pegando um jornal em cima do balcão. A mão era do tamanho do jornal dobrado, o cara era colossal e me pareceu conhecido. Aí ouço os funcionários da recepção dizendo que era o Primo Carnera. Ele estava fazendo uma série de catchs na França, país onde havia começado a carreira. Não tive dúvida: pedi ao meu pai que comprasse ingressos para assistirmos à luta do Monstro, como ele era chamado. Torci fanaticamente pelo Carnera, acreditando que tudo era verdade, sem saber que se tratava de pura armação, uma espécie de teatro de golpes falsos e resultados previamente combinados. Papai tinha percebido a minha empolgação e, não querendo estragar meu programa, silenciou sobre aquela armação ilimitada. Essas lutas eram tão populares na França que deram origem a um famoso ensaio de Roland Barthes sobre o tema, incluído em seu livro *Mitologias*, o qual fez muito sucesso entre os intelectuais brasileiros nos anos 1960 e 1970.

Testemunhei o fim patético de um ex-campeão mundial dos pesos-pesados. Mas, na verdade, aquele espetáculo grotesco não deixava de ser uma demonstração mais explícita do que havia sido dissimulado por toda a história de Primo Carnera, um fantoche manipulado pelas mãos dos empresários inescrupulosos do boxe. Ele foi vendido como o homem mais forte do mundo, alguém imbatível, porém sabia muito pouco da ciência ou da arte de boxear, tinha queixo de vidro e socos de baixa potência para um peso-pesado. Num artigo que está nas antologias dos melhores textos sobre boxe, o jornalista e escritor Paul Gallico diz: "Um gigante em estatura e força, uma figura humana terrível, com o poder de dez homens, ele era um carneiro desamparado em meio aos lobos que o usaram até o limite de não ter mais nada para usar, até que o último centavo possível fosse espremido de sua enorme carcaça — e então o abandonaram".

Carnera chegou ao título mundial ao vencer Jack Sharkey, em junho de 1933, porque os resultados das lutas teriam sido fabricados — até sua altura era divulgada como sendo 2,01 m, para que ele pudesse ser promovido como o maior lutador de boxe profissional de todos os tempos, mas na realidade tinha 1,97 m. Poucos meses antes de Primo Carnera conquistar o cinturão dos pesos-pesados, o pugilista Ernie Schaaf morreu num hospital, quatro dias depois de ter sido nocauteado pelo italiano. Carnera ficou abaladíssimo com a morte do oponente, porém seus agentes mafiosos usaram o fato para reforçar a reputação de imbatível de seu *protegé*. No entanto, conforme o laudo da autópsia, Schaaf morreu porque, quando lutou, uma dupla infecção viral atingia seu cérebro, a qual foi agravada pelos jabs que recebeu na cabeça. Se tivesse lutado contra um peso-pena, o efeito poderia ter sido o mesmo. Na primeira luta que disputou defendendo o título de campeão do mundo, o pobre Carnera foi abandonado às feras pelos seus agentes. Já tinham obtido todo o dinheiro que poderiam ganhar com a carreira dele. Resultado: o imenso jacarandá foi reduzido a pedaços de lenha pelos "golpes de machado" de Max Baer, numa das maiores surras tomadas por um defensor do título na história do boxe. O Renato Pacote, que trabalhou comigo na Globo, tinha o filme da luta e me emprestou. É uma coisa terrível, de dar pena: ele toma um gancho, cai, levanta, toma um direito, cai, levanta, toma um cruzado, cai, levanta. Apanhou tanto que, ao soar o gongo do penúltimo assalto, vai em direção ao canto de Baer: havia perdido a noção de onde estava. Numa dessas lendas só possíveis de serem criadas pela moral esfumaçada e cinzenta que a atmosfera do boxe respirava, incluindo aí os homens de imprensa que cobriam o esporte, difundiu-se a versão de que Max Baer era ressentido com Carnera porque gostaria de ter sido ele o lutador a ficar com a fama de ter mandado Ernie Schaaf para o túmulo (Baer havia triturado Schaaf antes de este lutar com o inocente gigante).

A história da máfia do boxe originou livros e filmes incríveis. Aliás, quase todos os autores americanos de prestígio no século xx escreveram sobre esporte em livros de ficção ou de não ficção.

Woody Allen chegou a dizer em memorável entrevista ao *New York Times* que o seu "romance de formação" foram as colunas de esporte dos jornais que lia quando adolescente. Por isso, elaborou o roteiro de um filme, que também dirigiu, o divertido *Poderosa Afrodite*, no qual faz o papel de um jornalista da editoria de esportes. Entre os maiores nessa atividade de grandes que era crônica esportiva nos EUA estava Budd Schulberg, um dos meus autores favoritos. Ele foi proibido de entrar no Madison Square Garden, local das lutas de boxe mais importantes em Nova York, depois que sua reportagem intitulada "O negócio sujo do boxe precisa ser passado a limpo imediatamente" saiu na *Sports Illustrated* — a revista esportiva publicava semanalmente alguns dos melhores textos da prosa de não ficção americana.

Schulberg fez o roteiro do filme *Sindicato de ladrões*, em que o personagem de Marlon Brando recebe uma oferta para entregar uma luta que, em tese, era amadora. Em 1947, ele havia escrito um romance fundamental, *The Harder They Fall*, do qual a edição brasileira da revista *Seleções do Reader's Digest* publicou uma condensação. No livro, o personagem principal, Toro Moreno, o Homem das Montanhas, é um lutador argentino visivelmente inspirado na história de Primo Carnera. Em 1956, o romance foi adaptado para o cinema (*A trágica farsa*, no Brasil), com direção de Mark Robson e com Mike Lane como protagonista. Humphrey Bogart, fazendo sua última aparição nas telas como o jornalista desempregado Eddie Willis, e Rod Steiger, interpretando o empresário sem escrúpulos Nick Benko (durante muito tempo fiz imitações dele nesse papel), têm atuações memoráveis.

Em maio daquele ano, Primo Carnera vestiu a carapuça e abriu um processo contra os estúdios da Columbia, pedindo 1,5 milhão de dólares, sob a alegação de que o filme explorava os altos e baixos de sua carreira e que ele ficara submetido a uma imagem de ridículo, "perdendo admiração, respeito, amizade de seus vizinhos e parceiros de negócios". O juiz que julgou a ação, Stanley

Mosk, de Santa Monica, na Califórnia, foi exemplar na defesa do direito de expressão, um dos valores mais fortes da Constituição americana:

— Aquele que se torna uma celebridade ou figura pública renuncia ao direito de privacidade e não o recupera ao mudar sua profissão.

Existem também sequências inspiradas na vida de Carnera no filme *Réquiem para um lutador*, de 1962, dirigido por Ralph Nelson, com Anthony Quinn no papel do decadente pugilista Louis "Mountain" Rivera.

Em 2001, eu fiz um show numa temporada em Campo Grande, capital de Mato Grosso do Sul. Sempre que viajava para fazer espetáculos, levava comigo meu amigo e diretor Willem van Weerelt com uma câmera portátil. Realizávamos entrevistas de rua, num improviso, e depois encaixávamos no talk show. Um dia, quando voltamos para o hotel, o recepcionista nos disse:

— Sabe quem está aqui? O Peter Fonda. Está no bar com a turma dele.

Claro que resolvi subir até o terraço, onde ficava o bar. Imaginem o meu espanto quando chego lá e realmente dou de cara com o Peter Fonda, que estava numa viagem pela região com uma turma de motoqueiros de Harley-Davidson. Ele comparecia em todas as convenções da Harley que aconteciam pelo mundo. Eu me aproximei e disse que só queria cumprimentá-lo, que seria muito breve porque detesto invadir a vida das pessoas. Mas, para minha surpresa, ele respondeu:

— Eu te vi ontem à noite na televisão. Você se parece com o Rod Steiger!

Ao ouvir isso, senti que estávamos em sintonia e começamos a bater um longo papo, Peter tomando caipirinha. Aproveitei, pedi licença e fiz uma entrevista externa com ele, em condições precárias mas que ficou muito boa. A história que corria era que nem ele nem a irmã, Jane, se davam com o pai, o excelente ator

Henry Fonda. Peter contou que, pouco antes de morrer, Henry os chamou e as últimas palavras que disse foram:

— *I love you, I've always loved you.*

Voltando à nossa estada em Paris, em 1951. Fomos a um café, cujo nome não recordo, onde estava Orson Welles, no maior porre. Quando ele passou pelo Rio, em 1942, eu tinha apenas quatro anos, não conseguia me lembrar de nada. Mas, dos treze para os catorze anos em Paris, já o admirava, e ao longo da minha vida essa admiração cresceu. Tarde da noite, tomei coragem, fui falar que era fã dele e pedi um autógrafo. Welles olhou para mim e perguntou:

— *Brazilian?*

Respondi que sim e ele então falou:

— Não vou te dar autógrafo, leva meu passaporte.

E jogou o passaporte em cima da mesa. Agradeci, felicíssimo, e voltei para a nossa mesa, mas meu pai me fez devolver o passaporte. Eu não queria, e repliquei:

— Amanhã ele vai à embaixada americana e pega outro.

Papai foi firme:

— Meu filho, ele está inteiramente bêbado. Faça o favor de devolver o passaporte.

Eu não tinha como desobedecer, e fui devolver, chateado. Meu pai passou o resto dos dias em Paris me sacaneando:

— Jojô [ele às vezes me chamava assim], ficou chateadinho só porque teve de devolver o passaporte do Orson Welles?

Nas minhas férias de 1954, a família se reuniu novamente em Paris. Por lá, meus pais tiveram oportunidade de rever um grande amigo, o advogado, político, diplomata e escritor sergipano Gilberto Amado, primo do Jorge Amado. Já falei dele no episódio em que matou a tiros o poeta Aníbal Teófilo. O que não falei é que o Príncipe (escolhido pela revista *Fon-Fon*) dos Poetas Brasileiros, Olavo Bilac, foi ao velório para atender o último pedido do bardo assassinado: espalhar sobre seu corpo no caixão o perfume Idéal, da marca

Houbigant, que estava na moda em 1915. Gilberto nunca comentava seu crime com meu pai, mas para Mêcha ele disse:

— Mercedes, eu matei aquele homem por medo. Eu não aguentava mais. Cada vez que ele me encontrava, ele arrumava um jeito de me agredir fisicamente, cuspia e dizia que todas as vezes que me encontrasse iria fazer isso. Um dia eu não aguentei mais.

Gilberto Amado tinha um medo terrível do Aníbal Teófilo (porém, registre-se, criticava severamente a poesia deste em sua coluna no jornal *O Paiz*, num período de sérias polêmicas literárias, em que falar mal da obra alheia equivalia a ofensa gravíssima, pessoal e moral). O assassinato e absolvição atingiram profundamente a imagem do diplomata, mas mesmo assim ele ficou para a história como um dos mais inteligentes deputados que o Parlamento nacional hospedou e como um homem cativante. Do muito que escreveu, talvez hoje seja mais lembrado pelas ótimas memórias do que pela obra literária ou ensaística. Curioso que tenha comentado o crime com minha mãe, pois guardava silêncio sobre o tema e nos cinco volumes de suas memórias deixou apenas uma alusão aos tiros que disparou no saguão do *Jornal do Commercio*: "Aquele homem roubou a minha solidão". Ele teve posições políticas extremamente importantes, em 1915 já defendia que o país cobrasse mais impostos dos ricos e estabelecesse um sistema tributário justo; uma de suas maiores preocupações nessa época era que o nosso sistema político não conseguia eleger um parlamento que representasse realmente as diferenças e desigualdades da sociedade. No momento em que escrevo estas memórias, o Brasil discute, mais uma vez, uma reforma eleitoral. Em 1916, Gilberto descrevia uma situação que poderia ser publicada com grande atualidade, um século depois, nas páginas dos jornais: "Jamais partido nenhum no Brasil quis dizer agrupamento de homens, sob bandeira ideológica ou programa prático, para servir o interesse público geral".

Otto Lara Resende (nunca é demais citar o Otto ou o Antônio Maria) contava que, uma ocasião, entrevistando Gilberto Amado, fez um comentário, uma daquelas *ottices* afinadíssimas e deliciosas. O embaixador perguntou se a frase era dele, Otto, que confirmou. Rapidamente, o autor de *Presença na política* disse:

— Então, na hora de publicar a entrevista, coloque a frase na minha boca porque na sua não terá a menor importância.

A querida atriz Fernandinha Torres escreveu certa vez na sua coluna da *Folha de S.Paulo* que sua mãe, a maravilhosa Fernandona Montenegro, gosta de citar uma discussão do Gilberto com uma mulher. Ela disse a ele:

— Eu vou ser franca com o senhor, embaixador.

E ele respondeu:

— Por favor, minha senhora, seja tudo menos franca!

A história mais famosa do Gilberto Amado foi relatada por Sebastião Nery no seu *Folclore político*, envolvendo um diálogo entre ele e Getúlio Vargas. Aproveitamos esse caso em *Brasil: Da censura à abertura*, de 1980, espetáculo que já mencionei aqui. Eis o trecho:

ATOR I Presidente, eu quero ser governador de Sergipe.

ATOR II Por quê, Gilberto?

ATOR I Porque eu quero. É a hora.

ATOR II Mas, Gilberto, tu, um homem tão grande, ser governador de um estado pequeno?

ATOR I Eu quero dirigir minha tribo, presidente. Isso é fundamental pra minha vida.

ATOR II Ora, Gilberto. Eu te conheço muito bem. Essa não pode ser a verdadeira razão.

ATOR I Claro que é, presidente.

ATOR II Não pode ser. Governar por governar? Isso não existe para um homem do teu tamanho, da tua grandeza.

ATOR I (*Pausa*) Tem razão, presidente. O senhor quer que eu diga, eu digo. Eu quero ser governador pra roubar, roubar, roubar do primeiro ao último dia! (*Andando de um lado para outro*) Roubar desesperadamente! Ouviu, presidente? Roubar! Roubar! Roubar!

Um dia, papai almoçava com Gilberto em Paris e eu fui encontrá-los. Quando cheguei, meu pai disse:

— Zezinho, deixe-me apresentá-lo a um dos poucos gênios que o Brasil tem.

Quando estava me aproximando dele, dei um espirro. Aí o Gilberto, que era hipocondríaco, ordenou:

— Não, não se aproxime. Você quer me matar? Você quer me matar?

No número 217 do Boulevard Saint-Germain, em Paris, fica a Maison de l'Amérique Latine. O menu do restaurante da Maison variava conforme o dia da semana, oferecendo um prato típico dos países da América Latina diferente a cada dia. Sábado era dia de feijoada e fomos nos encontrar com brasileiros que viviam na capital francesa. Gilberto Amado estava lá com sua filha, Véra, e o genro, o famoso cineasta francês Henri-Georges Clouzot. A atriz Véra Clouzot, como ficou conhecida, aparecera, em 1953, no ótimo filme realizado pelo marido, *O salário do medo* — que *só* ganhou o Grand Prix no Festival de Cinema de Cannes e o Urso de Ouro no Festival de Cinema de Berlim. No elenco masculino estão Yves Montand e Charles Vanel, escolhido como o melhor ator em Cannes. É a história da tripulação de dois caminhões em missão de altíssimo risco, transportando, por estradas muito ruins, nitroglicerina pura que seria usada para explodir poços de petróleo que estavam pegando fogo. Os dois frascos de nitroglicerina iam suspensos por uma espécie de mola, para evitar qualquer contato e não explodir. É um suspense terrível, pois eles não podem nem ir depressa demais nem devagar demais, e o chofer representado por Montand acaba sendo obrigado a matar o personagem vivido por Vanel, embora fossem amigos. Em 1955, Véra trabalharia novamente num filme do marido, o clássico thriller *As diabólicas*, em que atua também a atriz Simone Signoret.

Apesar do sucesso de Clouzot, seu sogro, Gilberto Amado, homem de opiniões fortes, o detestava (talvez fosse ciúme, ele era também muito ciumento). A dada altura da feijoada na Maison de l'Amérique Latine, o diretor se levantou para ir conversar em outra mesa, e Amado não perdeu tempo. Virou-se para Véra e falou:

— Por que você não põe chifres neste homem? Você tem que cornear este homem, ele é um chato!

Em 1952, quando começaram minhas aulas na Suíça, era natural entre os garotos que o assunto fosse futebol e, especificamente comigo, a Copa do Mundo de 1950, da qual eu ainda não me recuperara moralmente. Parecia, para mim, que ter perdido a Copa em casa era algo que nos colocava em inferioridade e me dava vergonha. Quando alguém mencionava a vitória do Uruguai, eu respondia de imediato que, se as duas seleções se enfrentassem por dez vezes, a brasileira venceria em nove.

— Tanto que no Campeonato Pan-Americano, que disputamos depois, nós vencemos o Uruguai. Ganhamos, sim, do Uruguai!

Ninguém tinha a menor noção do que era esse Campeonato Pan-Americano...

Em 1954, apesar de o futebol na Suíça ser totalmente amador, o país sediou a Copa do Mundo, para nossa excitação no Jaccard. A grande atração era o "escrete húngaro do Armando Nogueira", como dizia o Nelson Rodrigues, com o ataque que tinha os temíveis Kocsis (que seria o artilheiro da Copa, com onze gols), Hidegkuti e Puskás — que sempre fazia dois gols antes que o primeiro tempo do jogo chegasse aos quinze minutos. Nelson não acreditava no poderio da seleção magiar e atribuía sua fama a uma invencionice de Armando — não havia transmissão pela TV para que se pudesse confirmar se eles eram um fenômeno ou não. Conto com mais detalhes os jogos a que assisti da Copa na Suíça no já mencionado livro *A Copa que ninguém viu e a que não queremos lembrar*, que escrevi com Armando Nogueira e Roberto Muylaert.

No dia 16 de junho, uma quarta-feira, fui até Genebra com meu professor de latim, o De Lessert, que gostava muito de futebol, para assistir à goleada brasileira em cima dos mexicanos por 5 a 0 (no primeiro tempo já havíamos feito quatro gols), no estádio do time Servette, de nome Charmilles, que era pequeno e estava abarrotado. A Seleção inaugurou em Copas do Mundo o uniforme do calção azul e da camisa amarela, que se tornaria a oficial desde então, aposentando a camisa branca da fatídica Copa de 1950. Tive o privilégio de ver uma folha-seca — aquele chute cheio de efeito, a bola se desvia de repente, enganando o goleiro — do Didi, um dos jogadores mais elegantes de toda a história do futebol, e um golaço do Julinho Botelho, nosso último gol, depois de Julinho dar fintas desconcertantes nos zagueiros do México. Lembro-me de que o professor De Lessert achou que, pelo porte físico, os brasileiros dariam excelentes ciclistas, o esporte adorado nos verões da Europa.

A segunda partida dos brasileiros, dessa vez contra a Iugoslávia três dias depois, era no belo estádio La Pontaise, na "nossa" Lausanne. Fui ao jogo com um carioca que esteve um bom tempo por lá, o Ricardo Achcar, que havia morado uns anos no Líbano. Ele é irmão da grande dama do balé no Brasil, Dalal Achcar, e sempre foi louco por automobilismo — viria a ser um dos nossos bons pilotos de carro de corrida. Ricardo era maluco pelos MGs, os famosos conversíveis esportivos ingleses, de apenas dois lugares. Numa das vezes que mamãe esteve em Lausanne conosco, disse a ele que carros bons mesmo eram os Mercedes-Benz e que a marca MG não se referia às Morris Garages, como sugeria a propaganda da marca, e falou:

— Sabe o que quer dizer MG, menino? Merda Grossa.

Ricardo riu muito, impressionado com a liberdade de expressão que minha mãe sempre teve.

Todos sabiam que seria um jogo difícil. Castilho, goleiro do meu querido Fluminense, fechou a nossa meta no primeiro tempo (do Tricolor das Laranjeiras, tinha ainda o Pinheiro e o Didi, o Príncipe Etíope, como dizia o torcedor mais ilustre do time, Nelson Rodrigues). No segundo, com o jogo em 1 a 1, os jogadores brasileiros não compreendiam por que os iugoslavos faziam cera e apontavam para o placar. Eu estava desapontado; Julinho, que era um driblador sensacional, e Baltazar, o Cabecinha de Ouro, praticamente não jogaram. Fomos para a prorrogação, que não teve gols. Os brasileiros saíram de cabeça baixa de campo, derrotados. Ricardo e eu não entendemos o motivo. Fomos para o ônibus esperar os jogadores, para comemorar. Para mim, era uma sensação nova, ver os atletas da Seleção ali, de perto. Eles saíram do vestiário ainda arrasados. O ponta Rodrigues, que tinha um canhão na perna esquerda, chorava. Tentamos entrar no ônibus e comemorar a classificação do Brasil, mas não havia clima para isso. Botaram a gente pra fora. Seguiram de volta para o hotel, devastados. O regulamento da Copa era complicadíssimo, a comitiva brasileira totalmente desorganizada e mal informada, e só mais tarde descobriram a razão da cera e dos gestos dos iugoslavos: o empate classificaria as duas seleções para a fase seguinte. Quando entrevistei o técnico Zezé Moreira, décadas depois, ele confirmou que nem ele nem os jogadores conheciam o regulamento da Copa.

No dia 27 de junho, fomos para Berna, a capital da Suíça, que fica a cerca de cem quilômetros de Lausanne, para as quartas de final contra a temível Hungria. A partida seria no estádio Wankdorf, bem maior do que os outros. Tínhamos um ponto a nosso favor: Ferenc Puskás, uma das grandes lendas do futebol — que brilhou não só na seleção húngara, mas também no espetacular time do Real Madrid —, não iria jogar. Mesmo assim, os jogadores brasileiros estavam muito nervosos. Dizem que o desastrado chefe da delegação, João Lira Filho, que não sabia sequer o regulamento, cobrou na preleção do vestiário antes do jogo: "Craques do Brasil, vamos vingar hoje os nossos mártires de Pistoia", aludindo às vítimas da Força Expedicionária Brasileira (FEB), que morreram na Itália durante a Segunda Guerra Mundial. Além disso, era um verão chuvoso na Suíça e o campo estava encharcado.

Eu estava bem otimista, confiava nos jogadores brasileiros, mas Hidegkuti marcou logo aos quatro minutos. Apesar de o meu amado Castilho ter feito duas defesas sensacionais no lance, achei que ele estava mal posicionado no tiro final do atacante magiar. Havia um pequeno espaço para a bola passar. Ouvi pessoas comentarem:

— Mas esse gol é impossível, esse gol não existiu.

Logo depois, aos sete minutos, o artilheiro Kocsis aumentaria a vantagem. A Seleção foi se recuperando aos poucos. O ponta-esquerda Maurinho, que havia entrado no time, inverteu o lado com Julinho Botelho, nosso melhor jogador na Copa, uma coisa que eu nunca tinha visto. Nossa esperança cresceu quando Djalma Santos marcou, de pênalti, aos dezoito. Acho que devem ter sido os vinte primeiros minutos mais emocionantes de um jogo importante de Copa do Mundo. Mas o desastre começou a se confirmar aos quinze minutos do segundo tempo, quando o juiz inglês Arthur Ellis marcou um pênalti para os húngaros que grande parte do estádio não conseguiu ver mas que o Roberto Muylaert, um jovem conterrâneo que também estava por lá, garante que aconteceu. Lantos cobrou e converteu. Mr. Ellis se tornou o nosso inimigo público número um. O árbitro brasileiro Mário Viana, que tinha apitado um dos jogos daquela Copa, foi às rádios acusar seu colega inglês de ser um agente comunista, regime que governava a Hungria então. O folclórico João Lira telegrafou à Fifa reclamando da interferência ideológica no futebol. Uma coisa ridícula. Ele era irmão do general Aurélio de Lira Tavares, membro da Junta Militar que viria a governar, em 1969, o país durante a doença do marechal-presidente Costa e Silva. Lira Tavares, nas horas vagas, era poeta — chegou à Academia Brasileira de Letras — usando o *nom de plume* Adelita.

Voltamos a nos animar com a nossa Seleção cinco minutos depois, quando Julinho, no canto da grande área, pegou um chute fortíssimo que hoje em dia se chamaria de "três dedos" e fez 3 a 2. Muita emoção! Estávamos de novo vivos no jogo. O húngaro que jogava no lugar de Puskás, Tóth II, se machucou e, como naquele tempo não havia substituição, os magiares jogaram praticamente com dez homens até o fim. Segundo Armando Nogueira, os radialistas que transmitiam o jogo para o Brasil (nossa televisão ainda não tinha condições de fazer transmissão ao vivo de um evento desses), por pura patriotada, omitiram essa informação. A partida ficava violenta, com o gramado molhado, muitos escorregões, a bola pesada. Didi acerta um chute incrível da entrada da grande área que se choca contra o poste direito do goleiro Grosics. Aí aconteceu uma coisa terrivelmente humilhante: o técnico Zezé Moreira aproveitou que a bola saiu de campo e a trocou por uma velha bola de treinamento do Brasil, um pouco murcha. O juiz imediatamente mandou que se tirasse aquela bola de campo. A torcida começou a vaiar a atitude antiesportiva do técnico brasileiro. Meus olhos encheram-se de lágrimas. Fiquei morto de vergonha. Eu sentia que o país inteiro estava sendo vaiado, que nos viam como um povo de espertalhões. Revoltado, o Ricardo Achcar, um menino, partiu para cima de um suíço que já era um homem-feito. Tive de segurar o Ricardo com muito esforço. Aos 25 minutos, Nilton Santos, a Enciclopédia, trocou sopapos com o capitão húngaro Bozsik e os dois foram expulsos. Na reta final do jogo, mais uma agonia: o atacante Humberto, que jogava no Palmeiras, deu um chute em Lorant e também foi expulso. Aí, aos 43 minutos, Kocsis sozinho dentro da área cabeceou para finalizar o placar de 4 a 2.

Terminado o jogo, a pancadaria começou em campo, envolvendo jogadores, comissões técnicas, dirigentes e até jornalistas. A polícia suíça, normalmente educadíssima, foi dura na repressão da briga e os brasileiros reagiram no mesmo diapasão. O radialista Paulo Planet Buarque deu uma rasteira espetacular num gendarme. Dizia-se que Puskás havia descido da arquibancada e quebrara uma garrafa na cabeça do jogador Pinheiro — que apareceu no vestiário com um enorme esparadrapo na testa. Maurinho cuspiu na cara de Lantos. O técnico Zezé Moreira, com as chuteiras do Didi nas mãos, deu uma sapatada em alguém importante da delegação da Hungria. Aquele que viria a ser um dos meus melhores amigos mas que eu não conhecia ainda, o Manduca Nogueira, futuro diretor de jornalismo da Rede Globo, então um foca cobrindo seu primeiro grande evento no exterior, disparou sua Rolleiflex sem saber direito o que estava fotografando e flagrou, numa imagem que foi reproduzida pela imprensa internacional, o técnico brasileiro com as chuteiras na mão preparando-se para atingir alguém. A confusão ficou conhecida como a Batalha de Berna.

Saí do estádio encantado com o conjunto da seleção magiar, mas com a clara sensação de que, individualmente, nossos jogadores eram melhores. A dada altura do jogo, Didi deu um chapéu num húngaro e passou de calcanhar, sem perder o seu equilíbrio de bailarino do Bolshoi. Uma soma de habilidade e postura elegante que nenhum adversário poderia exibir. Fiquei também com a sensação de que Zezé Moreira não era o técnico à altura daquele time, seu esquema era rígido e sem a fantasia que os jogadores poderiam criar na cancha.

De volta a Lausanne, três dias depois, Ricardo e eu fomos ver novamente a seleção da Hungria, dessa vez contra o Uruguai. Chovia a cântaros e nós conseguimos ficar atrás de um dos gols. Tomando chuva, coisa de moleques. Apesar de ainda termos os uruguaios presos na garganta, torcemos como loucos pela Celeste Olímpica. O jogo terminou 2 a 2, com Hohberg empatando para o Uruguai aos 41 minutos do segundo tempo. Ricardo e eu rolamos na lama abraçados, comemorando. Por que o Uruguai, com um time mais velho, mais cansado, mais lento, conseguiu endurecer o jogo e empatar com a Hungria? Por causa da chuva. Da lama. E de uma incrível raça. O estádio inteiro aplaudiu os uruguaios. Na prorrogação, não resistiram mais e tomaram dois gols dos húngaros, mais inteiros em campo (a preparação física deles também surpreendeu o mundo). Eu estava mais enlameado do que muitos jogadores, mas saí do estádio com a alma limpa. Saí de cabeça erguida, pensando não em meu país, mas no meu continente. No meu colégio era assim: não havia brasileiro, argentino, panamenho, colombiano, mexicano, todos nos dizíamos sul-americanos. Coisa curiosa: na época ainda não existia o conceito de Terceiro Mundo, mas os iranianos, iraquianos, árabes, turcos e gregos, quando saíam com a gente, também se diziam sul-americanos. Era um grito só: "Sudamérica, Sudamérica, Sudamérica!". Éramos todos da América do Sul. "América do Sul!" Grito que nós dávamos dentro dos cinemas, e em outros lugares aonde a gente ia em grupo, perturbando a paz suíça.

Voltei a Berna para ver, aos dezesseis anos, a minha segunda final de Copa do Mundo. Embora tenha entrado para a história a noção de que a Hungria foi a grande injustiçada do torneio, tenho a convicção de que a seleção alemã jogou bem e mereceu a vitória. Digo "jogou bem" dentro da teoria que tenho sobre os alemães: a Alemanha joga um jogo parecido com o futebol mas que não é futebol. Usam a mesma bola, o mesmo campo, o mesmo tipo de uniforme, seguem as mesmas regras, mas não é futebol. É alguma prática esportiva ancestral teutônica, de nome desconhecido para nós, a qual eles perceberam que se encaixa muito bem no futebol e, há anos, vêm enganando a gente. Tem algo ali herdado dos hunos, que é diferente. A gente assiste pensando que é futebol e eles ficam lá, rindo de nós. Os 7 a 1 que tomamos aqui em casa, em 2014, só provam a minha teoria.

O fato de ser gordo nunca me atrapalhou em nada, nem nos esportes nem na carreira de ator. Ao contrário, acho que até me ajudou quando comecei a aparecer na televisão; era um personagem marcante, que logo se destacava. Além disso, atraía pelo humor, pela minha capacidade de fazer números e contar histórias, por ser um sedutor. Eu também escrevia bem, no colégio fazia redações imaginosas, criativas, e os professores e alunos comentavam isso. Era uma espécie de atitude compensatória inconsciente, uma maneira de me proteger chamando a atenção para outros dos meus atributos. A gordura ia junto no pacote, nunca aparecia sozinha. Houve apenas um período, no início da década de 1970, quando eu já era bem conhecido, em que cheguei a pesar 160 quilos; aí foi demais, se tornou incômodo para mim mesmo.

O mais impressionante é que, embora com 160 quilos, eu continuava engordando. A roupa começou a não caber. Fiz um regime quase desconhecido, revolucionário para a época: o nome, em inglês, era The Drinking Man's Diet. Tradução literal: A dieta do bêbado. Permitia as bebidas com moderação e cortava os carbo-hidratos. Eu não bebia, mas quem me apresentou a dieta foi um querido amigo, José de Alcântara Machado. Zé Alcântara, como era chamado pelos amigos, bebia. Era um bon vivant, como diziam os franceses. A família não permitiu que se colocasse no seu túmulo, por sugestão de seu irmão Caio, o seguinte epitáfio genial: "Morreu de tanto viver".

Voltando ao assunto: emagreci até ficar com cerca de oitenta quilos, mas não recebi incentivo de ninguém. De 160 para oitenta. Perdi a metade. Todo mundo que emagrece recebe elogios, eu recebia olhares e comentários de reprovação:

— Ah... você era mais engraçado quando era gordo...

— Minha senhora, se gordura fosse engraçada, bastava comprar um quilo de toucinho, pendurar na sala e ficar rindo o ano inteiro...

Não só não perdi o humor, como recuperei algum peso. Na época, apresentava o espetáculo *Ame um gordo antes que acabe*, que, graças a Deus, fez muito sucesso. Passei a ficar na faixa dos cem aos 110 quilos, mas tendo que me controlar, porque todo gordo engorda. Na *Família Trapo*, em meu primeiro personagem realmente popular, eu fazia o papel de um mordomo chamado Gordon. Minha ideia inicial era que ele se chamasse Winston, em homenagem ao Churchill, que também era gordo e o meu ídolo de sempre. Mas o Golias insistiu em Gordon, mais parecido com "gordo" (já havia uma autoironia, ao mesmo tempo em que usava o nome de um verdadeiro *butler* das terras de Sua Majestade...). Com o meu primeiro espetáculo solo, *Todos amam um homem gordo*, fiz da obesidade a minha marca, que foi recebida com grande simpatia pelo público brasileiro, e sou muito grato por isso. Devo dizer que sempre odiei a palavra "obeso". Também prefiro "gordo" a "gordinho", acho os diminutivos preconceituosos. Gordo, na Argentina, por exemplo, é um apelido supercarinhoso. Fiquei a tal ponto identificado com essa marca que o José Bonifácio de Oliveira Sobrinho, o Boni, um dos três gênios que encontrei na vida (os outros foram Millôr Fernandes e Pelé), irado com a minha ida para o SBT em 1988, e sem refletir adequadamente sobre o que falava, chegou a ameaçar me proibir de usar a palavra "gordo". Além de absurda e prepotente, a ameaça era ineficaz e impossível. Eu disse a ele:

— Meu amigo, olha pra mim e pensa bem: eu não posso usar a palavra "gordo"? Isso é ligar a prepotência à megalomania.

Ele riu e reconheceu que estava brincando. Bastava eu aparecer na TV para que as pessoas imediatamente associassem minha figura à palavra "gordo". Aliás, a sugestão de chamar o meu programa de *Viva o Gordo* foi justamente dele, inspirado no título do meu show de teatro.

Em julho de 1968, época em que eu estava gordíssimo, escrevi um texto que repercutiu muito na inesquecível revista *Realidade* (com tiragem de 450 mil exemplares), no qual fazia uma reflexão bem-humorada, mas com algumas verdades doídas, sobre ser gordo num mundo que te pressiona pra emagrecer. Como, até hoje, existe pouca literatura sobre ser gordo, reproduzo aqui partes do texto, lembrando que ele tem algumas palavras e referências a coisas que não se usam mais, e lembrando também que ainda não existiam certas coisas, como a cirurgia para redução do estômago:

De acordo com um dicionário da língua portuguesa, a gordura é uma substância animal, untuosa e de pouca consistência, que se derrete facilmente. Bem se vê que o ilustre senhor Cândido de Figueiredo, autor do tal dicionário, nunca foi gordo, já que uma das substâncias mais difíceis de derreter é exatamente a gordura. É evidente que me refiro à gordura do gordo, impossível de derreter sem que o gordo também derreta.

O gordo, pela própria qualidade de gordo, é antes de tudo um forte. Aprende desde cedo a conviver com certos inconvenientes que o perseguirão por todos os tempos — tanto os de vacas magras quanto de gordas. [...]

As piadas de gordo primam pela originalidade e sempre o atingem durante as suas atividades — por sinal, as mesmas dos magros. [...] O interessante é que quem faz essas piadas pensa que o gordo nunca as ouviu. Não sabe que, para o gordo, toda piada de gordo é velha. As estatísticas provam que cada gordo escuta pelo menos 387 por dia. Mas, como o gordo tem uma grande alma, ele costuma rir piedosamente delas, para que o sujeito fique com a impressão de ter sido original e inteligente.

Uma reflexão que me vem agora, enquanto escrevo estas memórias e releio o texto que tem quase cinquenta anos: hoje em dia, o politicamente correto baniu a palavra "fat" — que eu adoro, as placas dos meus carros e das minhas motos começavam e começam com as letras "F", "A" e "T". Mesmo nas lojas especializadas atuais, o gordo é chamado de "big", como se "fat" fosse ofensa. E elas passaram a receber nomes como Imperial Wear, por exemplo; qualquer nome que não faça referência direta aos gordos. Em 1951, para minha imensa alegria, mamãe e eu descobrimos as lojas que se chamavam Fat Man's Shop.

Continuando:

[...] Uma das provações mais violentas pelas quais o gordo deve passar diariamente é a hora de comer. Gordo comendo é coisa quase indecente. Por menos que coma, ou mesmo que venha de um jejum de várias semanas, assim que leva o primeiro garfo à boca já tem gente comentando: "Nossa, como come!". Essa perseguição sistemática incutiu no gordo o chamado complexo de Pantagruel, ou a vergonha de comer em público. Ele prefere alimentar-se escondido e solitário.

O gordo tem vergonha até de comer na frente de outro gordo, para que o outro gordo não pense que ele come mais do que o outro gordo, que com toda a certeza estará pensando que o outro gordo pensa que ele come mais que o outro gordo etc.

A escada — inimiga número um do gordo — só presta para deixá-lo ofegante e moralmente deprimido. Salvo quando é escada rolante — e quando rola. Nesse caso, até se recomenda para o gordo, por ser a única capaz de levantá-lo ao andar de cima. [...]

Outro problema para o gordo é a cadeira de barbeiro. Fabricada com infinitas possibilidades de manobra, a cadeira de barbeiro inclina para a frente, inclina para trás, sobe, desce, vira, gira sobre o próprio eixo, faz mil piruetas. Porém não admite gordo. Seu inventor, ao inventá-la, de duas uma: ou esqueceu o gordo, ou para ele todo gordo era careca.

Como é duro entrar e sair de uma cadeira de barbeiro! Tanto, que há casos célebres de entalamento. E sérios. O de Welsworth, na Inglaterra; Gutierrez, na Espanha; Filk, na Suíça. O mais famoso é o do gordo prefeito Dumaurier, em Vichy, na França: ele sentou numa cadeira de barbeiro para aparar o bigode em 1914 e de lá só saiu em 1920, dois anos depois do fim da guerra. Não fosse a privação devido ao conflito, emagrecendo 64 quilos, estaria aparando o bigode até hoje. [...]

Quando o gordo começa a afinar, uma coisa não deve preocupá-lo de maneira nenhuma: o período em que fica meio desconjuntado. As roupas sobram pelos lados e a gordura não apresenta aquela firmeza necessária ao seu equilíbrio. O gordo passa a "balançar". Fica abatido. Triste. Até emagrece. Anda meio de banda; é o chamado "gordo fora de esquadro". Sua imagem parece refletida por um espelho de parque de diversões.

Então o gordo vira magro. E fica magro enquanto não voltar a comer. Comeu, pronto. Vem a reversão das expectativas, um processo tenebroso: todo gordo que emagreceu e torna a engordar acaba ainda mais gordo. Quanto ao gordo que emagreceu de uma vez, isto é, o ex-gordo, ocorre um fenômeno também tenebroso: ao ver um gordo no automóvel, à mesa, no mar, no cinema, na cadeira do barbeiro, no restaurante, diz logo para ele aquelas 387 piadas que lhe disseram quando era gordo. [...]

De qualquer maneira, gordo leitor, aceite uma sugestão desinteressada: desista de ser gordo. Gordura não dá camisa a ninguém. Derreta-se.

O único gordo que deu certo fui eu. [Quanta modéstia, meu Deus!]

— Deus é gordo — diz Vadinho, o personagem de *Dona Flor e seus dois maridos*, de Jorge Amado.

Quem gostava de citar a frase era o memorialista e exímio escritor Antônio Carlos Villaça, um gordo que adorava falar de gordos. Ele, por exemplo, foi um dos únicos a reparar que Getúlio Vargas voltou ao poder, em 1951, bem rechonchudo: "Estava com quase 68 anos. Mas engordara muito. Estava obeso. O ostracismo lá na estância, sentado no alpendre, sentado na sala a ouvir o rádio, sozinho, o arroz de carreteiro, tudo o engordara. Era um homem pesado". (Outro que notaria o grande aumento na medida da circunferência da cintura de Vargas seria o alfaiate José de Cicco, que teve de renovar todo o guarda-roupa do presidente eleito; ele recomendou que o gaúcho deixasse de usar os jaquetões, que davam a impressão de que ele estava mais gordo e mais baixo.) Em 1993, com 65 anos, Villaça deu uma excelente entrevista para mim no *Jô Soares Onze e Meia*. Ele gordo, eu gordo, começou a falar sobre o gordo na história. Interessante demais. Perguntei a ele também sobre escritores do início do século xx que acabaram completamente esquecidos, como Benjamim Costallat, que acho sensacional, e que foi o primeiro grande best-seller do Brasil: chegou a vender cerca de 150 mil exemplares com seus livros, a maior parte editados por ele mesmo. Enfim, entabulamos um papo maravilhoso; dava para fazer vários programas com o Antônio Carlos Villaça.

O editor José Mário Pereira, que conviveu muito com ele, diz que Villaça costumava citar uma famosa polêmica entre dois dos nossos literatos gordos (e portadores de transbordantes bigodes), ambos acolhidos pela Academia Brasileira de Letras — embora um deles não tenha chegado a tomar posse: a disputa que tinha, de um lado, o poeta e jornalista Emílio de Meneses, nascido em Curitiba, e, de outro, o escritor e diplomata Oliveira Lima, nascido no Recife. A história está também narrada no delicioso livro de memórias do Medeiros e Albuquerque, cujo título, aliás, é sensacional: *Quando eu era vivo*. O boêmio Emílio de Meneses, uma espécie de "Boca do Inferno" do seu tempo, gozador, mordaz, "vivia de confeitaria em confeitaria, conversando quase sempre maleficamente, sobre tudo e sobre todos", escreveu Medeiros e Albuquerque. Meu pai se lembrava bem dele nas rodas boêmias de sua juventude. Uma ocasião, Emílio viu Oliveira Lima e sua mulher, Flora, caminhando no centro do Rio e disse:

— Lá vão a Flora e a Fauna do Brasil.

Ainda segundo Medeiros e Albuquerque, "as volumosas banhas de Oliveira Lima nunca lhe perdoaram essa frase". Emílio usava seus versos para atacar os inimigos (não falta quem diga que ele até vendia poemas difamatórios por encomenda), e terminou assim um poema sobre o oponente:

Eis, em resumo, essa figura estranha:
Tem mil léguas quadradas de vaidade
Por milímetro cúbico de banha.

Mas os adversários não deixavam também de revidar e de sacanear o poeta paranaense. Contavam que, certa vez, apertado pelo excesso de chope que bebera no restaurante Brahma, na Galeria Cruzeiro, um de seus pontos preferidos, não teve alternativa senão ir fazer xixi num terreno baldio. Aliviado, fechava a braguilha quando um moleque gritou:

— Rá, eu vi o seu pinto!

Atirando uma moeda para o garoto, ele respondeu:

— Pegue essa moeda. Você merece o prêmio, pois faz anos que eu mesmo não consigo ver...

Escrevendo uma quadrinha sobre um político da época, Emílio de Meneses provocava:

Quando ele se achar sozinho,
Da treva, na escuridão,
Surrupiará de mansinho
Os dourados do caixão...

Nota-se que a nossa política até que não mudou muito... Quando morreu um "amigo", frequentador do seu grupo, que tinha orelhas enormes e nenhum dinheiro, ele não teve piedade:

Morreu depois de uma sova
E, como não tinha campa,
De uma orelha fez a cova
E da outra fez a tampa.

Papai dizia que ele foi o rei do trocadilho e que, uma vez, ao ver uma artista enfadonha que gostava de entabular conversação com ele procurando assento ao seu lado no bonde, disse-lhe, esquivando-se da presença indesejável:

— Atrás há três, atriz atroz...

Em 1985, o ex-deputado e editor Fernando Gasparian e sua mulher, Dalva, ofereceram um jantar bastante concorrido em que intelectuais e artistas cariocas se encontrariam com Tancredo Neves, então a caminho da Presidência da República, que acabaria não exercendo. De Tom Jobim a Grande Otelo, passando por Maria da Conceição Tavares e pelo dono do *Jornal do Brasil*, Manuel do Nascimento Brito, *tout* Rio compareceu à agradabilíssima casa no número 328 da rua Félix Pacheco, no Leblon. Foi uma espécie de festa de inauguração da Nova República, uma daquelas noites históricas. Eu conversava com o Millôr Fernandes e o Ziraldo quando, de repente, comecei a sentir um cheiro insuportável.

— O Gasparian tem esta casa maravilhosa, pena que seja perto de um esgoto aberto — eu disse.

O Ziraldo respondeu rapidamente:

— Não, não é esgoto, é o memorialista Antônio Carlos Villaça que acabou de chegar.

Refutei dizendo que pessoa nenhuma poderia ter aquele cheiro. Aí o Ziraldo explicou:

— Ele cheira mal porque, diz a lenda, é uma pessoa muito religiosa. Foi seminarista e, como teve que sair do seminário, fez a promessa de não tomar banho.

Eu me virei e vi uma figura muito gorda, com o cabelo todo lambido e genuroso, estranhíssima, toda vestida de preto e com aquele andar de gordo que se sacode um pouco de um lado para outro. É um gordo que não consegue manter o leme reto. Depois dessa noite, nunca mais vi o Villaça.

Passados oito anos, a Dilea Frate, diretora do *Jô Soares Onze e Meia*, sugeriu que eu o entrevistasse. Eu disse que seria bom tê-lo no programa, mas fiz a ressalva sobre o famoso mau cheiro — o caso era conhecido nos meios intelectuais do Rio. Dilea respondeu que o cara que iria trazê-lo cuidava dele. No dia da gravação da entrevista, o acompanhante do Antônio Carlos Villaça, um sujeito chamado Pinheirinho, trouxe uma manta para colocar no sofá.

— Pra que isso? — perguntei.

— É que ele vaza.

— Como é que é?

— Ele vaza. Esse cheiro dele é uma secreção. Dá pra ver que ele é meio brilhoso.

Era um odor inenarrável. De tempos em tempos, o Pinheirinho se aproximava do escritor para borrifar um perfume nele; aliás, nunca fiquei sabendo a marca daquele aroma. Só sei que, no final, restou no ar uma mistura de cheiro de pinho silvestre com esgoto (eu combinara um sinal com a produção: quando um convidado tinha mau hálito forte ou cheirava mal, eu afastava a minha cadeira). Terminada a ótima entrevista, o Villaça voltou para o hotel onde na época a produção alojava os nossos convidados de fora de São Paulo, o Eldorado da avenida São Luís. O Max Nunes, que escrevia para o programa, ficava no mesmo hotel. No outro dia, ele nos contou que as camareiras se recusaram não só a limpar o quarto que o Villaça havia ocupado, mas também todo o andar. A gerência teve de contratar uma firma de limpeza e de higienização urbana para fazer a faxina no apartamento. E lacrou o quarto por um tempo. Podem confirmar a história do odor com quem quiserem. Sei que o memorialista só não conseguiu entrar para a Academia Brasileira de Letras devido ao seu aroma tão original.

Não deixa de ser uma coisa freudiana, uma tramoia do inconsciente, o fato de que o título do livro mais conhecido do Villaça, que ganhou o prêmio Jabuti em 1970, seja *O nariz do morto*. Aliás, um livro muitíssimo bem escrito, que tem o início de obra memorialística mais duro que já li, a chegada à vida como uma experiência da morte:

O menino roxo, nu sobre a mesa de mármore. Um cadáver. A avó contempla o menino roxo. O menino está nu e morto. A vida não quis pousar no menino. Súbito, a avó vê um tremor nos lábios do menino. A avó grita, grita por ele. E então se empenham em que o menino roxo viva. O menino — estimulado — vive, revive. E grita, com sua própria voz. A sala da casa de saúde ilumina-se, na velha manhã de agosto, com os gritos de um menino que nasceu quase morto. Os ferros. A extração. O sofrimento.

O Antônio Maria escrevera uma linda crônica sobre um gordo e sua namorada. Uma noite me encontro com ele no Golden Room e agradeço:

— Puxa, Maria, obrigado, que coisa mais carinhosa essa crônica que você escreveu sobre mim.

— Não, me desculpe, ela é sobre mim mesmo.

Como mães são mães, Mêcha, tentando proteger o filho gordo de futuros problemas e discriminações, e aproveitando que eu estava na Suíça, me levou à célebre clínica La Prairie, dirigida pelo dr. Paul Niehans, em Montreux. Ele fundou a clínica em 1931 e era muito conhecido por, dizia-se, ter salvado a vida do papa Pio XII. Inventou um método de rejuvenescimento por meio de aplicações de células fetais de cordeiro. Eu me lembro de ter ficado nu, aos catorze anos de idade, e de ele me examinar na presença de vários cientistas de terno e gravata. Dr. Niehans ia apontando para o meu corpo com uma vareta e dizendo:

— Olha a barriga em forma de lua, é uma indicação típica dessa espécie de obesidade. Mas nós vamos resolver esse problema com a terapia celular com feto de carneiro.

Fiquei internado e tomei as injeções intramusculares das tais células. Não adiantou nada. Aquilo me cheirava a charlatanismo. O engraçado é que me levaram para ver a fêmea do carneiro, que estava numa espécie de curral.

— Olha lá, a mamãe do seu carneirinho é aquela ali...

Tive de ficar em repouso absoluto durante dez dias, num quarto com televisão, um luxo que a clínica caríssima oferecia aos pacientes. Levei umas revistinhas de sacanagem e, um dia, me masturbei. Um imenso sentimento de culpa tomou conta de mim: tinha certeza de que o tratamento não dera resultado porque me masturbara. Essa clínica tornou-se uma das mais famosas do mundo, inclusive em termos de produtos para rejuvenescimento. Havia muitos cremes ali, mas para mim teve, na verdade, crime.

Além do Ricardo Achcar, havia outros brasileiros na Lausanne do meu tempo. Entre eles, o Eduardo Armando, de uma família de São Paulo, cujo pai era proprietário de uma revendedora de automóveis e, segundo seu filho, tinha o apelido de Foca devido aos seus bigodes (mas não contem pra ninguém, por favor); o Franco Heim, que já estava de saída quando cheguei; e os irmãos Pedro e Mario Eberhardt, da família dona da Arteb, uma grande fabricante de cadeados e de faróis para automóveis. Por um breve período, passou por lá o Epitacinho — também chamado de Joãozinho —, que era da minha idade, uma figura muito sedutora. Seu nome não era Epitácio, como se imagina; era João Pessoa Cavalcanti de Albuquerque. Ao nome pomposo, adicionava-se uma vírgula e, depois da vírgula, o substantivo "neto", assim, em letra minúscula. O "neto", em seu caso, era fundamental, para diferenciá-lo do avô João Pessoa, que foi presidente do estado da Paraíba e candidato a vice-presidente da República na chapa de Getúlio Vargas, nas eleições de 1º de março de 1930. Derrotado nas urnas, voltou à presidência do estado, mas foi assassinado meses depois, no dia 26 de julho. Sua morte causou constrangimento nacional e é apontada como uma das causas da Revolução de 1930, que levou Vargas ao poder. João Pessoa, neto, ou Joãozinho, tinha também o apelido de Epitacinho, porque seu pai, ex-senador, chamava-se Epitácio em homenagem ao tio-avô, Epitácio Pessoa, que foi presidente da República. Epitacinho chegava à Suíça com as costas quentes do passado político de seus ancestrais.

As histórias em torno de Epitacinho ou Joãozinho eram inúmeras: mimadíssimo, o afilhado muito querido de Getúlio Vargas possuía, mesmo sem ter a idade legal, carteira de motorista e porte de arma. Ele cresceu embalado por uma sequência de tragédias:

além de o avô ter sido assassinado, ao chegar ao Lycée Jaccard já não tinha pai: Epitácio Pessoa Cavalcanti de Albuquerque foi encontrado morto, aos quarenta anos, na sua mansão do Alto da Gávea — onde Getúlio, eleito presidente, ficara hospedado, aguardando a posse e montando seu gabinete. Samuel Wainer conta que a Capital da República sussurrava ao pé dos ouvidos que o senador pela Paraíba fora envenenado pela mulher. Como a vítima do caso passional era um dos mais íntimos amigos de Vargas, o fundador da *Última Hora* foi ao Catete saber se poderia publicar a notícia.

— Cumpra seu dever de jornalista — respondeu-lhe o presidente.

Samuca dizia que essa foi a primeira manchete policial que o seu jornal deu e que, mesmo tendo ele aumentado a tiragem, a edição se esgotou rapidamente. Em 1956, com João Pessoa, neto, ou melhor, Joãozinho, ou, melhor ainda, Epitacinho, já no Brasil, sua mãe, Anna Clara, se suicida. Nunca mais o vi, mas foi nesse mesmo ano que voltei a morar no Rio e, quando cheguei por aqui, ele era protagonista de um grande escândalo nas páginas dos jornais cariocas.

Aos dezoito anos, Epitacinho começou um rumoroso caso com a vedete Virgínia Lane, que gravara o grande sucesso do Carnaval de 1952 — a marchinha "Sassaricando" — e tinha o dobro da idade dele. Ela era dentuça (muita gente achava que aí residia o seu it, como se dizia então), baixinha (por isso praticamente inaugurou a moda dos sapatos de salto plataforma), mas tinha umas pernas! Pernas que um colunista qualificou de "espirituais", de tão perfeitas. Para valorizar (e alongar) ainda mais esse atributo, Virgínia mandava fazer maiôs bem cavados. Em 1956, era a principal atração da revista *Mulher de verdade*, em cartaz no Teatro Follies, no Posto 6, em Copacabana. Não se sabe ao certo o tamanho da herança do órfão Epitacinho, cujos bens eram tutelados pelo avô materno. Gastador e "transviado", como foi chamado nos jornais, sem poder mexer no dinheiro que seria seu após a emancipação, envolveu-se com agiotas (o apelido de um deles era Mãozinha). Meu pai, que também foi vítima de usurários, me contou que um dia encontrou Joãozinho tentando vender um revólver para um deles, a fim de levantar uma graninha. O sujeito não queria comprar a arma, mas papai chamou-o de lado e o convenceu a ficar com ela. Orlando temia que o jovem fizesse uso do revólver, fosse contra terceiros, fosse contra si mesmo.

Um parêntese: na época o recurso a agiotas era muito comum. Um dia, meu pai, em desespero, sem saber mais o que fazer, procurou Evandro Lins e Silva e seu primo Aldo, dois dos maiores criminalistas do Brasil. Contou da sua agonia. Não tinha nem como pagá-los.

— Orlando, nem se preocupe com isso. Vamos inverter essa situação. Vamos processá-los por agiotagem, que é crime grave.

Desse dia em diante, os agiotas sumiram como por encanto. Até hoje sou agradecido aos Lins e Silva por terem aliviado parte dos problemas do Garoupa.

Em apuros financeiros, João Pessoa, neto, deu uma coleção de cheques sem fundo e falsificou a assinatura de um grande amigo de sua família numa promissória. Foi preso em julho de 1957. Sua defesa usava o passado político do rapaz e o fato de ele ter estudado na Suíça como atestados de sua boa índole. Epitacinho tinha um secretário também jovem, o qual passou a acusar, nas páginas do vespertino *A Noite* — que deu ampla cobertura sobre o caso —, a vedete Virgínia Lane pelo inferno financeiro vivido por seu chefe e amigo. O curioso é que Virgínia (cujo sobrenome verdadeiro era Giacone) declarou ter sido "amiga íntima" do pai dele — o senador Epitácio Pessoa —, no tempo em que trabalhava no Cassino da Urca. E, mais curioso ainda, já no fim da vida ela dizia que estava na cama com Getúlio Vargas, no Palácio do Catete, quando o presidente teria sido assassinado por quatro pessoas, numa versão alternativa ao suicídio mais importante da história do país. Virgínia disse também que foi amante de Vargas por quinze anos. Se tudo isso é verdade, ela ostentava no currículo a peculiar conquista de ter levado para debaixo dos lençóis o pai, o padrinho e o filho/afilhado. Perguntado pelo repórter de *A Noite*, no presídio, sobre como estava seu caso com a vedete, Epitacinho, com a voz grave, respondeu citando o fatídico verso de Herivelto Martins e Marino Pinto: "Não falem desta mulher perto de mim".

Sempre que podia, minha mãe pegava um transatlântico e ia me visitar. Não se usava muito viajar de avião naquela época. Certas ocasiões ela ia até a Suíça, mas em geral eu ia encontrá-la em Paris. Numa das travessias do oceano, um deputado brasileiro tirou-a para dançar várias vezes. Mamãe estava quase chegando aos sessenta anos, era uma senhora para os padrões de então. Já de madrugada, por volta das duas horas, bateram à porta de sua cabine. Era o tal deputado junto com o comandante do navio. Eles foram entrando na cabine e o deputado falou alto:

— Você pode ficar com o dinheiro, só quero meus documentos, só quero os documentos.

Virou-se para o comandante e disse:

— Estou acostumado com esse tipo de gente picareta em navio, mas eu só quero os documentos.

Minha mãe, sozinha a bordo, só conseguia dizer:

— Não estou entendendo nada, não estou entendendo nada.

— Ah, você não vai me enganar — prosseguia o deputado. — Você dançou comigo pra me dar um golpe, eu conheço muito bem os ratos de navio. Devolva os meus documentos, só quero os documentos. O dinheiro pode ficar para você.

Aí Mêcha se dirigiu ao comandante:

— Eu sou passageira regular desta linha, pode verificar nos documentos do navio. Viajo constantemente nesta linha e não há nada que possa justificar a loucura desse senhor e a invasão da minha cabine.

— Essa história é montada, o senhor pode prendê-la. Sou deputado, exijo os meus documentos de volta.

Mamãe estava desesperada, não tinha a quem recorrer. Tentando acalmar a situação, o comandante disse:

— Eu reconheço a senhora como nossa passageira constante. Senhor deputado, o senhor não se incomodaria de olharmos sua cabine, quem sabe os seus documentos tenham caído lá?

— Eu não esqueci nada lá, mas, se o comandante faz questão de olhar, vamos até lá. O senhor verá que eu tenho razão, estou sendo vítima de um golpe no navio.

Foram até a cabine do deputado, fizeram uma vistoria e o comandante achou os documentos atrás do vaso sanitário. Quando o homem baixara a calça para usá-lo, os documentos caíram sem que ele percebesse.

Voltaram à cabine da minha mãe, o deputado já entrou de joelhos, tentando pedir milhões de desculpas, mas não conseguiu terminar a frase. Mamãe fechou a mãozinha direita, sem um dedo, e esmurrou a cara dele com toda a força e raiva. Até chegar à França, ela foi tratada como uma rainha pelo comandante. O nome do deputado está ausente neste livro não porque eu deseje poupá-lo, o canalha não merece essa consideração, mas é que não lembro mesmo como se chamava. Ele foi salvo pelos lapsos da minha memória.

No início de agosto de 1954, com dezesseis anos, acompanhei mamãe no estrepitoso baile do castelo de Corbeville (que os inimigos de Getúlio, carregando fortemente nas tintas, passaram a chamar de O Bacanal de Corbeville), mais uma extravagância de Francisco Chateaubriand. O palácio, a cerca de cinquenta quilômetros de Paris, remonta ao século XVI, mas sua construção definitiva se deu no fim do século seguinte. Na década de 1950, ele pertencia ao então papa da alta-costura francesa, Jacques Fath. A fábrica de tecidos brasileira Bangu, de Gilberto Silveira e seus filhos Silveirinha e Joaquim Guilherme, a qual ganhara grande impulso na Segunda Guerra exportando produtos de algodão, queria expandir ainda mais seus negócios internacionais. Os Silveira contrataram Fath para criar um evento em Paris, no que foram entusiasticamente apoiados por Chatô, que havia tempos queria levar à Europa o que chamava de Brasil verdadeiro ("um Brasil de mestiços autênticos, mulatos inzoneiros, índios e negros"). Ele bolou uma noite mirabolante.

Além de fretar dois Constellation da Panair do Brasil e abarrotá-los de convidados, levou para a festa que reuniu 3 mil pessoas a orquestra de Severino Araújo, Elizeth Cardoso, Ademilde Fonseca, Luiz Gonzaga, Jamelão, baianas vestidas a caráter, índios e passistas. Danuza Leão, no auge de seu esplendor e perdidamente apaixonada pelo galã francês Daniel Gélin, apareceu fantasiada de Maria Bonita. Chateaubriand surgiu em cima de um cavalo, vestido com roupas de couro de vaqueiro nordestino. A ex-amante de Getúlio Vargas, Aimée Sotto Mayor (que então já usava o sobrenome De Heeren), a paixão da vida do dono dos Diários e Emissoras Associados, desfilou numa liteira carregada por quatro negros de tanga. Entre as celebridades internacionais, estavam Orson Welles (bêbado, corria atrás da lindíssima Carmen Therezinha Solbiati, depois Mayrink Veiga), Ginger Rogers e Jean-Louis Barrault, entre outros. O grande problema foi que Alzirinha, a filha, e dona Darcy, a mulher, de Vargas, convidadas por Chateaubriand, compareceram ao baile. Pra quê? A imprensa hostil ao presidente fez da cobertura da festa um estardalhaço. Era uma pauta destrutiva para Getúlio servida em bandeja de prata aos jornais de oposição. Estávamos nos divertindo no baile — eu verdadeiramente deslumbrado — quando, de repente, escutamos alguém chamar minha mãe:

— Mercedes! Mercedes! A Paraíba invade Paris!

Era o Chatô, sacolejando ao som do baião.

Quando minha mãe estava em Paris, eu ia encontrá-la. Com o tempo, nossa cumplicidade só aumentava. Eu aprendia muito sobre a França com ela e ela se divertia muito com a minha visão das coisas. Ela me levou para conhecer — já em decadência, a bem da verdade — o Grand Guignol, o clássico entretenimento de horror francês. Fomos assistir também a um espetáculo em que havia uma mesa espírita. Em determinado momento, aparece um personagem no palco. Aquilo acendeu minha curiosidade. Grudei os olhos nele, pensando: "E agora, como é que esse cara vai desaparecer de cena?". Ele levantou, se dirigiu a uma estante de livros no fundo do palco e ficou ali, lendo. De repente, começou a sumir aos poucos. Foi ficando transparente, até que desapareceu. Intrigado, perguntei a mamãe:

— Puxa, como é que ele conseguiu sumir daquele jeito? Eu tenho que descobrir como funciona esse truque!

— Zezinho, como assim, você tem que descobrir? Ele não vai desaparecer de novo só pra você.

— Você vai comigo até lá, vou dizer que eu estudo teatro e que eu quero saber como se faz aquele efeito.

— Você não estuda teatro.

— Não, mas vou estudar. Eu quero saber como fizeram o cara sumir.

No final da peça, fomos até a coxia. A produção achou divertido o fato de um jovem brasileiro querer saber como se fazia para um personagem desaparecer no palco. Eles me mostraram tudo. Na frente da estante de livros, havia um véu com a estante pintada nele. Por meio de um jogo de luzes projetadas sobre o véu, o ator vai desaparecendo aos poucos, até sumir. Fiquei alucinado com aquilo e, em 2002, usei o mesmo truque na minha montagem da comédia gótica *Frankensteins*, do cubano naturalizado francês Eduardo Manet, com Bete Coelho, Mika Lins, Clara Carvalho e Paulo Gorgulho. A ilusão criada pelas luzes no véu pintado é realmente impressionante, você vê o ator sumindo progressivamente da cena.

Eu já sentia uma atração muito grande pelo teatro, achava fascinante aquele mundo de representações, que fugia da repetição cotidiana da realidade, e minha mãe me apoiava, levando-me aos espetáculos em Paris, alimentando meus sonhos de adolescente. Eu também tinha verdadeira paixão pelo mundo misterioso das coxias, das engrenagens, das pessoas que trabalham atrás das cortinas, e pelo palco como um lugar onde se pode ser tudo.

No inverno, a turma do Jaccard ia praticar os esportes da estação em Zermatt, ao pé do famoso monte Matterhorn. Em frente ao hotel em que nos hospedávamos, havia outro, o mais importante da cidade, onde funcionava uma boate com música ao vivo — era assim que acontecia nas boates da época —, tocada por uma banda muito boa. Um dia, vi um hóspede se aproximar dos músicos e pedir para tocar com eles. Os músicos consentiram; o homem abriu uma bolsa, tirou um bongô lá de dentro e se pôs a acompanhar o ritmo da banda. Fiquei encafifado, pensando: "Eu consigo tocar esse instrumento".

Passei a prestar atenção no bongô — um instrumento bem popular nos anos 1950 — em toda música que ouvia, especialmente nas gravações de canções latino-americanas.

Tempos depois, houve em Lausanne um concerto de um ótimo *bongocero* cubano cujo nome não recordo. Fui descobrindo quem eram os grandes do instrumento inventado no lado oriental da ilha de Cuba e divulgado pelo mundo todo com o sucesso da salsa. Resolvi estudar o genial percussionista Chano Pozo (ele tocava também a conga, que igualmente se percute com as mãos mas tem um tambor só; o bongô tem dois, um maior, *la hembra*, e outro menor, *el macho*), companheiro de Dizzy Gillespie em gravações memoráveis. O bongô machuca muito as mãos, faz feridas bastante doloridas nos dedos. Eu desenvolvi uma técnica para tocar bem rápido e de maneira mais suave, a fim de preservar as mãos. Os cubanos batiam pra valer, por isso tinham uma calosidade aparente nos dedos.

Quando eu ia passar as férias na casa do meu amigo na Itália, entre Portofino e Santa Margherita havia um piano-bar, o Barracuda, no Grand Hotel Miramare, um lugar lindo sobre um rochedo, frequentado pela garotada. Ali se apresentava um quinteto liderado pelo Bruno Martino (alguns anos mais tarde, o maestro Enrico Simonetti me disse que tocara com esse músico na Itália). Claro que fui pedir para dar uma palhinha com eles. No início, ficaram sem jeito de dizer não a um menino, mas, à medida que comecei a me entrosar ritmicamente, foram se tornando mais amigáveis. Passei a levar o bongô nas viagens à capital francesa, onde havia um lugar chamado Le Ringside (a partir de 1958, transformou-se no Blue Note parisiense), no número 27 da Rue d'Artois, que fora fundado pelo campeão americano de boxe Sugar Ray Robinson, um verdadeiro bailarino no ringue. Depois de seus shows nos clubes da cidade, os músicos de jazz iam para lá fazer jam sessions ("jam" é acrônimo de *jazz after midnight*) até o dia raiar.

Em 1953, o vibrafonista Lionel Hampton, numa de suas idas anuais a Paris, fez um concerto que punha fogo na plateia de terno e gravata: no último número, ele e os músicos atravessavam os corredores do auditório tocando "Flying Home" (composta com Benny Goodman) e terminavam o show na calçada em frente ao teatro. Faziam parte da orquestra o trompetista Clifford Brown e o pianista Quincy Jones. Eletrizante. Depois do segundo set (normalmente, eram duas apresentações por dia), iam ao Ringside para encontrar outros colegas, tocar uma música mais de alma, mais intimista, e fazer jam sessions. Moleque atrevido como eu era, sem me importar com as caras feias iniciais, sentava-me ao lado dos músicos, punha meu bongô no meio das pernas e viajava naquele sonho de improvisação coletiva. Agora levava o bongô a todos os lugares. Em Paris, a gente ficava no hotel Claridge, onde o Stéphane Grappelli tocava com o Hot Club de France e eu ia ver. Foi nos chás da tarde do Claridge, antes da Segunda Guerra, que o violinista se encontrou com o violonista Django Reinhardt — uma das paixões de Woody Allen — para reinventarem o jazz com sotaque francês, criando uma banda só de cordas. Django era um cigano autêntico, que quase morreu num incêndio na sua caravana quando tinha dezoito anos. Com as mãos totalmente queimadas, teve que conceber uma maneira própria de tocar guitarra.

Uma ocasião, em Lausanne, mamãe se hospedou num dos excelentes hotéis da cidade e eu me mudei para lá a fim de ficar com ela. Estava no lobby certa tarde, quando ouvi um som de piano maravilhoso vindo de uma sala. Fui até lá e vi o Oscar Peterson estudando. Ele me disse que estudava oito horas por dia; no dia seguinte ao que deixasse de estudar por oito horas, haveria um pianista melhor do que ele na cena jazzística. Eu pedi se podia tocar um pouquinho com ele, Oscar achou graça. Subi ao quarto para buscar o bongô e, durante uns quinze minutos, foi como se estivesse em algum reino encantado. Uma emoção. Oscar foi simpaticíssimo. Ele ficaria muito ligado ao Brasil por causa da amizade com a Sabine Lovatelli — fundadora do Mozarteum, que o trouxe várias vezes ao país —, para quem compôs a música "The Contessa", em 1998. Eu ainda não sabia que o bongô seria o instrumento mágico que dali a pouco tempo me abriria as primeiras portas para o mundo artístico.

De certa maneira, nós estávamos na Europa com a cabeça totalmente voltada para determinados aspectos da cultura americana, para o jazz, para o Harlem, para o cinema de sucesso de bilheteria e igualmente para o chamado cinema *noir*, que atraiu muito a atenção dos franceses no calor do momento. Na década de 1950, todos os grandes nomes do jazz iam tocar em Paris e passavam pela Suíça, onde havia um público fanático por música clássica e pelo jazz. Graças a esse ambiente, também comecei a tomar lições de trompete, mas logo percebi que só daria para eu ser um diletante. Mesmo assim, fizemos um grupo dos alunos que estudavam em Lausanne e dele saiu um músico profissional, o saxofonista James Hunt, que era de Barbados. Havia uma boa loja de instrumentos musicais na cidade. Uma vez fui comprar um bocal e o vendedor me aplicou um golpe: me vendeu um gravador que ainda funcionava a fio de arame, quando já estavam sendo lançados no mercado os gravadores de fita. Ele argumentou que o registro no arame tinha mais qualidade e que, quando o fio arrebentasse, podia-se fazer uma emenda, o que não era possível no caso da fita. Caí como um patinho no conto do gravador.

O Jaccard era um colégio muito liberal, e Lausanne, embora pequena, era muito rica em termos de atrações culturais. Eu podia sair todo sábado à noite porque dizia à diretora que ia assistir a um concerto. Ela elogiava meu interesse pela música, até o dia em que descobriu que eu não ia assistir aos concertos de música erudita, e sim a apresentações de jazz. Quando veio me pedir explicações, mostrei-lhe um anúncio que divulgava um *jazz concert* e disse:

— Está vendo? É concerto.

O professor de geografia, Hans Walter, gigantesco, ex-campeão olímpico de remo, sabia desse meu grande interesse por música. Depois de uma aula, ele me chamou, disse que tinha dois ingressos para uma ópera naquela noite mas não poderia ir, e perguntou se eu não queria um. A possibilidade de sair do colégio à noite me animou bastante; peguei o ingresso sem nem olhar qual seria a ópera. Chegando ao teatro, descubro, para a minha total alegria, que se tratava de *Porgy and Bess*, de George Gershwin, com letras de Ira Gershwin e DuBose Heyward. Uma montagem espetacular, um cenário impactante, me deixou embevecido. Fiquei impressionado com a cena de briga em que um dos caras atirava pra valer uma faca no Sportin' Life (personagem mafioso e traficante) e este se defendia com um banquinho do cenário. O efeito da faca se cravando no banco era muito forte. Além de tudo, havia as canções das canções, "Summertime", "Ain't Necessarily So" etc. Graças ao professor Walter, tive uma noite inesquecível. Nos anos 1990, animadíssimo, levei a Flavinha para ver uma montagem de *Porgy and Bess* no Metropolitan Opera House, em Nova

York. In-su-por-tá-vel. Quiseram fazer uma produção moderna, com um cenário cinza-escuro e com impostação de ópera europeia clássica, mas não tinha o menor suingue... enfim, era a destruição do espírito do Gershwin. Fiquei devendo à Flavinha uma boa montagem de *Porgy and Bess*.

A vida ia muito bem na Europa. Comecei a me preparar para realizar os exames de admissão nas mais importantes universidades inglesas, Oxford e Cambridge. Os exames eram feitos na Suíça mesmo. Me inscrevi para fazer história e francês, língua que eu adorava e que, tinha certeza, seria uma porta de entrada mais fácil para mim. Não deixava de ser contraditório: sair da Suíça para aperfeiçoar o francês com os ingleses. Estava com dezoito anos, já estava pronto para ir para a Inglaterra, quando recebi um telefonema de papai que mudaria novamente tudo em minha vida:

— Zezinho, infelizmente você precisa voltar para o Brasil. Os meus negócios estão indo muito mal, e não tenho mais condições de manter você estudando na Europa. Sinto muito.

VII

Em 1951, eu havia saído de um Brasil dividido com o retorno de Getúlio Vargas ao poder, depois da época pálida que foi o governo do general Dutra. Um Brasil que acabou com o suicídio de Vargas, em 1954. Dois anos depois, eu desembarcava do navio *Giulio Cesare* — voltei com mamãe, nos divertimos muito, sobretudo na festa a fantasia do batismo equatorial, um costume antigo dos marinheiros, que acontece quando a embarcação passa pela linha do equador — para encontrar um Rio encantador, otimista, desenvolvimentista, com muita vida cultural e intelectual, com a Bossa Nova pubescendo e com múltiplos sorrisos do presidente Juscelino Kubitschek. Fui Zezinho para os Estados Unidos; voltei "Joe" da Suíça. Era assim que os meus colegas do liceu me chamavam — em parte porque era o diminutivo de Joseph (José, em inglês); em parte porque um dos hits musicais internacionais de 1953 foi a canção "Hey, Joe", gravada por Frankie Laine. Eu chegava e eles me saudavam: "*Hey, Joe!*". Meus certificados de aprovação nos exames de admissão para Cambridge e Oxford estão pendurados na parede até hoje. Eu ainda conservava a esperança de pelo menos fazer o Instituto Rio Branco e ir para o Itamaraty. Mas não tinha ideia de que a minha carreira profissional seria definida já nos anos seguintes, sem que eu tivesse planejado nada.

Papai e mamãe me deram uma nova lição: ele perdeu tudo, mas isso não mudou o humor do casal, aquele joie de vivre, aquela maneira otimista de encarar a existência. Eu teria de suspender a vida privilegiada que levara, de menino que conviveu com alguns dos garotos mais ricos do mundo na Suíça, mas não fiquei ressentido por isso; reproduzi a atitude de meus pais, que não ficaram reclamando e se lamentando. As grandes heranças que eles me deixaram foram a formação cultural — estudei nos melhores colégios, aprendi línguas, viajei — e, a meu ver, uma profunda noção do que é certo e do que é errado. Some-se a tudo isso o bom humor que herdei deles. Enquanto pôde, papai viveu com muito conforto. Sempre foi mão-aberta, generoso com as pessoas, quando viajava trazia relógios valiosíssimos de presente para os amigos. Nunca poupou, não fez investimento em imóveis, essas coisas. Até fazia brincadeiras com a sua situação. Chegava em casa e dizia:

— O dinheiro pra amanhã eu já ganhei, amanhã vou atrás do de depois de amanhã.

Nunca vi nem o Garoupa nem a Mêcha tristes por terem sido obrigados a mudar radicalmente de padrão de vida.

Procurando negócios para sobreviver, meu pai descobriu uma empresa suíça interessada em participar de uma das concorrências na construção da barragem de Três Marias, no rio São Francisco, um dos grandes projetos de infraestrutura do governo Juscelino. A certa altura, o dono da construtora europeia, homem elegantíssimo cujo nome vou me permitir omitir, disse a papai:

— Orlando, nós temos de levar uma mala de dinheiro, senão vamos perder essa concorrência.

Aliás, me lembro bem dele devido a um detalhe curioso: usava um aparelho para surdez — na época eram ainda enormes — com uma pequena caixa pendurada no cinto. O Garoupa não topou o esquema da mala. Não me esqueço de quando contou a mamãe e a mim a discussão que tivera com o suíço, presidente da empreiteira:

— O país mudou. Não é uma republiqueta das bananas, não se faz mais negócio da mala de dinheiro.

O suíço bem que insistiu:

— Orlando, nós vamos perder um grande negócio!

— Não dá pra perder, a nossa proposta é indiscutivelmente a melhor, a mais conveniente, a que tem melhor custo — retrucou meu pai.

Garoupa achava que o suíço era ingênuo, mas quem estava sendo ingênuo era ele. Perderam a concorrência. Eu me recordo bem de papai, em seu quarto, sentando na cama e dizendo:

— Ai, que alívio! Agora eu vou voltar a dormir.

Incrível. Ele havia perdido uma boa oportunidade de se reerguer, tinha dívidas, mas o que realmente importava era a sua alma limpa, a cabeça tranquila no travesseiro. Trinta anos depois, saiu o livro de memórias do Samuel Wainer, no qual ele afirma que "não é possível escrever a história da imprensa brasileira sem dedicar um vasto capítulo aos empreiteiros". Samuca confessa explicitamente que foi o homem da mala entre empreiteiros e políticos em grandes concorrências de obras públicas. Chega a dizer que o famoso comício em frente à Central do Brasil, no Rio de Janeiro, ocorrido em 13 de março de 1964 (que para muita gente apressou o golpe militar de 1º de abril), onde, ao lado da linda Maria Thereza, Jango Goulart anunciou as célebres reformas de base, foi pago por um grupo de empreiteiros.

No momento em que escrevo estas lembranças, o Brasil vive uma oportunidade incrível de renovar suas instituições e criar mecanismos para se proteger da sanha dos corruptores — uma vez que a humanidade não vai mesmo se livrar deles. Pelo amor que tenho ao Brasil e pela memória do Garoupa, que continuou com problemas financeiros até o fim da vida mas não se locupletou de forma ilícita, torço para que o país encontre o rumo certo.

Quem eu vi várias vezes abrindo a porta dos apartamentos das mulheres mais cobiçadas que estavam no Anexo do Copacabana Palace foi o Jorginho Guinle. Era uma pessoa educadíssima. Nunca o ouvi falar mal de ninguém. Tratava todo mundo com lhaneza, incrivelmente delicado e gentil. Investiu todo o dinheiro que teve — e que não era pouco — numa única causa: viver bem. Fez cursos de filosofia na Sorbonne, gostava de falar sobre os filósofos Heidegger e Wittgenstein, de citar o grande historiador britânico Eric Hobsbawm (a quem entrevistei no meu programa, em 1995) e, algo que sempre achei fantástico, se dizia socialista e marxista! Logo ele, que não trabalhou nem por um minuto sequer a vida inteira! Jorginho e o irmão Carlinhos tiveram uma preceptora suíço-alemã, dona Emmy (Emma Wacker), cujo irmão fora companheiro de Lênin quando este se achava exilado na Suíça. Ela os educou, levou aos museus e ensinou-lhes que a humanidade precisa ser igualitária. Seja qual for o conceito de igualdade que Jorginho tinha realmente como valor, uma coisa é certa: ele não se preocupou em dividir com ninguém — pelo contrário, procurou acumular o máximo que pôde — mulheres bonitas debaixo dos lençóis.

Quando viajo, adoro conversar com os motoristas de táxi das cidades aonde vou. Eles sempre acabam dando alguma informação interessante. Voltando a Los Angeles, dessa vez acompanhado da Flavinha, peguei um táxi para visitar um amigo que estava hospedado num dos bangalôs do Beverly Hills Hotel (aliás, foi num desses bangalôs que, em 1967, Tom Jobim escreveu os arranjos com o maestro Claus Ogerman para o antológico disco que gravaria com Frank Sinatra). O motorista era já um senhor, muito amável, e, quando me despedi da Flávia em português, ele perguntou:

— *Brazilian?*

— *Yes!*

Aí me contou:

— Tive um cliente brasileiro maravilhoso, uma grande figura, Mister Jorge Guinle. Todo mundo o chamava de *Georguinho* — disse, tentando imitar um brasileiro. — Ele era um homem educado e gentil, dava gorjetas fantásticas. Vou contar uma coisa pro senhor: ele era um homem pequeno, bem pequenininho, mas era um garanhão. Não parava de pensar em sexo. Uma vez levei ele e a Jayne Mansfield de volta pro hotel. Ele começou a beijá-la e a querer fazer sexo com ela dentro do táxi mesmo. Ela dizia pra ele se acalmar um pouco, já estavam chegando, e ele respondia que, quando chegassem no quarto, fariam de novo.

Achei muito divertido esse episódio, mas o curioso é que, no seu livro de memórias, *Um século de boa vida*, escrito com o jornalista Mylton Severiano da Silva (Myltainho), Jorginho conta a história de outro ângulo: era a Jayne Mansfield, a quem chamava de "gulosa", que o atacava nos bancos traseiros dos táxis, muitas vezes para fazer sexo oral. Quando a atriz veio passar o Carnaval no Brasil, em 1959, no concorridíssimo Baile do Copa, seus seios de 103 cm também resolveram curtir a folia: a alça do vestido não aguentou e eles saltaram para fora. Foi uma das maiores alegrias que já tiveram os paparazzi brasileiros.

Um dia, numa festa no apartamento de Jorginho, um músico e bailarino pegou alguns discos da fantástica coleção de jazz que ele tinha e, aproveitando que ninguém o observava, pôs os lps debaixo do paletó. Na hora de sair, foi dar um passo de dança para fazer uma gracinha, se descuidou e deixou cair aquelas relíquias. O dono da casa, sempre elegante, fingiu que não viu a cena que todos viram. Era polido demais para ofender um convidado. Em 1982, o *New York Times* publicou uma matéria com o título "Playboy brasileiro: o último de uma raça", dizendo que a estirpe internacional dos Jorginhos Guinle estava acabando. O texto foi escrito pelo então correspondente do jornal no Rio de Janeiro, Warren Hoge, que depois se tornaria um dos editores da Velha Senhora Grisalha, como o periódico era chamado. A matéria refletia bem quem era Jorginho, que dizia que nunca soube ganhar dinheiro, só gastar. Infelizmente, ele errou no cálculo da própria previdência: viveu mais tempo do que sua herança poderia prover e passou de bolso vazio o final da vida, ajudado pela fidelidade de alguns amigos. Almoçava de favor no Copa. O hotel a essa altura já fora vendido pela família Guinle ao grupo internacional Orient-Express, que, em gesto digníssimo, atendeu ao seu último desejo: morrer na suíte 153, a sua preferida. Ele se encontrava hospitalizado em estado grave, com um aneurisma na aorta abdominal, quando foi transportado para o Copacabana Palace — idealizado e construído por seu tio Octávio. Pouco antes de falecer, pediu um dos clássicos do restaurante do Copa: sorvete de baunilha com calda de chocolate quente, que adorava. Jorginho acabou junto com o sorvete. Aos 88 anos, saía de cena o príncipe do hedonismo brasileiro.

Todas as noites eu atravessava a cozinha do Copacabana Palace, a qual fazia a ligação entre o Anexo e o hotel. Uma noite de abril de 1956, vejo uma mulher pequena, frágil, de chinelos, sendo amparada por dois homens. Quando passaram por mim, reconheci a Édith Piaf, que voltava para o quarto depois da estreia do seu show no Golden Room (na época dirigido pelo Oscar Ornstein), numa das grandes noites daquele ano no Rio. A dada altura do espetáculo, ela pegou um papelzinho e começou a cantar "La Vie en rose" em português, para delírio do *high society* da ainda Capital Federal. Terminado o show, Piaf tirava os sapatos, punha os chinelinhos e era praticamente carregada para o quarto do hotel, fazendo sempre o mesmo percurso. Aos 41 anos incompletos, aparentava oitenta. Essa cena da Piaf sendo amparada é reproduzida com perfeição no filme sobre sua vida, numa interpretação memorável da atriz Marion Cotillard. Quando vi o filme, me senti viajando numa máquina do tempo. Foi emocionante e assustador. O cinema, às vezes, nos transmite essa sensação. Piaf teve uma vida sofrida e curta (morreu aos 47 anos, em 1963): perdeu a grande paixão, o pugilista francês, campeão mundial dos meios-pesados, Marcel Cerdan, em desastre aéreo, quando ia ao seu encontro. O avião caiu nos

Açores portugueses, por incrível que pareça, num lugar chamado pico da Vara.

Piaf precisava tomar muita morfina por causa de uma poliartrite aguda, e bebia além da conta. Minha estimadíssima Abigail "Bibi" Ferreira — que, nos dias em que escrevo este livro, tem 95 anos e continua atuando nos palcos — deu um presente aos brasileiros: mantém vivo, há mais de trinta anos, o fervor de Édith Piaf, que só ela é capaz de acender. Na noite de fim de março de 2017 em que fui receber o prêmio Faz Diferença, do jornal *O Globo*, não consegui conter a emoção e meus olhos se encheram de lágrimas quando atravessei a cozinha do Copacabana Palace, que tinha sido a extensão da minha casa cinquenta anos antes.

Houve visitas internacionais no Copa que me impressionaram muito. Uma delas, no Carnaval de 1957, foi a ex-miss Suécia Anita Ekberg, uma pinup de verdade, que devia ter uns dois metros de altura e uns seios que chegavam meia hora antes dela. Anita tinha feito algumas comédias com a dupla Jerry Lewis-Dean Martin, mas seu grande papel seria em *La dolce vita*, de Fellini, em 1960. Vi que ela ia pegar o elevador no lobby do hotel, corri atrás e entrei junto. Ali, naquela proximidade, fiquei tenso, suando. O decote mostrava metade dos seios. Ela era branca, branca, branca. Dava para ver as veias azuis na transparência da pele alva, o que eu achava (e ainda acho) muito excitante. Estava tão extasiado que Anita olhou para mim e perguntou:

— Você gosta de mim?

— Muito!

Ela então disse:

— Darling…

E me deu dois beijinhos na bochecha. Aquilo foi presente de um anjo.

Quando Errol Flynn esteve pela segunda vez no Copacabana Palace, em 1954, eu estava na Suíça, mas o ator teve um breve encontro com minha mãe. Nascido na Tasmânia, Austrália, Flynn era um dos melhores amigos do Jorginho Guinle em Los Angeles e um dos atores mais controvertidos de Hollywood. Ele foi padrinho do primeiro casamento do playboy, com a americana Dolores Sherwood. Os dois davam festas de arromba e, segundo Jorginho, uma vez o ator recebeu em casa, se masturbando, umas garotas mais recatadas, apenas para chocá-las. Flynn tinha um cassino completo, com roletas e tudo, na sua residência, e uma grande coleção de arte, com Van Gogh, Manet e Gauguin nas paredes — com seu amigo de farras, o pintor John Decker, chegou a ser dono de uma galeria de arte na mítica Sunset Boulevard. Flynn era culto e gostava muito de ler, uma raridade nos grandes estúdios de cinema. Talvez fosse o galã sexualmente mais ativo de sua geração (diziam que só perdia para Frank Sinatra, que, no entanto, era mais cantor do que ator). Em 1943, o acusaram de molestar sexualmente duas adolescentes, mas foi absolvido. Ao contrário do que ocorrera com muitos artistas, as acusações e o escândalo aumentaram a bilheteria de seus filmes, e até se criou uma expressão para a sua extensa carreira nos leitos: "in like Flynn" ("dentro como Flynn", sem a rima que tem na língua original). Flynn atingira o topo do estrelato fazendo papel de herói em filmes do gênero "capa e espada" (*swashbuckler*, em inglês) nos anos 1930, e ainda ostenta a reputação de melhor Robin Hood do cinema. Dizia-se que Bette Davis achava que ele não passava de um canastrão e que a atriz comia alho antes de beijá-lo nas filmagens de *Meu reino por um amor*, de 1939, dirigido por Michael Curtiz.

Flynn era ativo na política internacional. Em 1937, foi, como muitos escritores e artistas, ver in loco a Guerra Civil Espanhola, levando junto uma equipe de filmagem. Ele espalhou para agências de notícias que havia sido ferido num combate, mas logo se descobriu tratar-se de uma farsa. Ficou para sempre a suspeita de que tinha se encontrado com pilotos alemães nazistas que atuaram clandestinamente ao lado das forças do Generalíssimo Franco — o qual viria a ser ditador na Espanha por quase cinco décadas. Flynn ainda fez um filme sobre Cuba: em 1958, decidiu filmar a guerrilha de Fidel Castro, já próxima da vitória sobre o ditador Fulgencio Batista. É claro que, com esse currículo acidentado, sua vida foi acompanhada intimamente pelo FBI durante anos. Seu dossiê com recortes de jornais, telegramas secretos e outros papéis é um dos maiores no serviço de inteligência americano. Essa ampla documentação menciona desde casos de prostituição até alcoolismo e drogas — sobretudo morfina, inicialmente para aliviar as dores de hemorroida aguda, depois por vício mesmo.

Além de Jorginho Guinle, o Brasil aparece mais vezes na vida de Errol Flynn. No ótimo site O Obscuro Fichário dos Artistas Mundanos, que publica as fichas dedicadas aos artistas pelo Dops pernambucano, há um prontuário, de número 1031, a respeito do ator nascido na Tasmânia. Em 4 de julho de 1940, o chefão da polícia política de Getúlio Vargas, major Filinto Müller, de tantas más lembranças, pede informações ao secretário da Segurança Pública de Pernambuco, Etelvino Lins, sobre a passagem de Flynn pelo Recife. Müller queria saber se ele teria tido contato com pilotos alemães que participaram da Guerra Civil Espanhola. Preparando-se para fazer o filme *A estrada de Santa Fé*, Errol Flynn resolvera, no mês anterior, viajar em férias pela América do Sul. Na escala do voo da Pan Am de Miami para o Rio, ele havia pernoitado no Grande Hotel, na capital pernambucana. Nessa mesma noite, três alemães, funcionários da companhia aérea Lufthansa, sendo um deles o piloto, dormiram nesse hotel. Estavam em trânsito para a Europa. Se houve o encontro dele com os alemães em solo brasileiro, não se sabe, permanece como mais um mistério da vida atribuladíssima do ator, que no Rio, onde chegou no dia 7 de junho de 1940, se hospedou na maior suíte do Copa. Um de seus programas por aqui foi visitar a paradisíaca chácara do empresário Darke Bhering de Matos, na ilha de Paquetá, onde disse ter deparado com uma das garotas mais bonitas que já vira, com a qual não teve, no entanto, nenhuma chance, porque, nas palavras dele, a competição com o homem romântico latino-americano era muito difícil.

Também vinda de Miami, no mesmo voo de Errol Flynn estava Palmarina Sarmanho, mulher do adido comercial do Brasil em Cuba, Walder Sarmanho, irmão da primeira-dama Darcy Sarmanho Vargas. Ela vinha acompanhada de sua filha, Regina, que, dali a alguns dias, segundo as colunas de fofocas de Hollywood, ensinaria Flynn a dançar samba. Enquanto esteve no Rio, o ator foi recebido por Getúlio Vargas. O ditador era naqueles tempos uma grande incógnita para o governo americano, não estava clara a posição que tomaria em relação aos países do Eixo (Alemanha, Itália e Japão), na Segunda Guerra. Antes de deixar o Brasil, no dia 15, Errol Flynn escreveu ao presidente dos EUA, Franklin Delano Roosevelt, dizendo estar convencido de que Getúlio seria favorável a uma aliança pan-americana. Seria Flynn um espião? Teria vindo à América do Sul em alguma missão oficial? Ou era apenas um aventureiro que gostava de apimentar sua vida com atuações em áreas de conflito político? Difícil saber.

Em 4 de maio de 1953, Flynn participou de um jantar concorrido, organizado por Jorginho no Grand Ballroom do Beverly Hills Hotel e oferecido pelo mandachuva do estúdio Warner Brothers, Jack Warner, para o então governador do Rio de Janeiro, Amaral Peixoto, e sua mulher, Alzirinha Vargas. Em fevereiro de 1954, estava no grupo de artistas americanos (entre eles, Edward G. Robinson, Mary Pickford, Ann Miller, Walter Pidgeon e Glenn Ford) que veio passar o Carnaval no Rio com passagens gratuitamente oferecidas pela Varig, com os quartos cedidos graciosamente pelo Copacabana Palace e... com mais uma graninha que o poder público pingou para financiar o convescote carnavalesco hollywoodiano em Copacabana. Jorginho Guinle disse que pediu a Getúlio, o qual "solicitou" ao ministro da Fazenda, Horácio Lafer, que liberasse a verbinha e ele liberou uns trocados dos contribuintes brasileiros para a folia das celebridades cinematográficas internacionais. Pronto! Uma das bocas-livres mais estreladas da história do nosso Carnaval aconteceu — e o Brasil ficou se achando muito importante.

Naquele Carnaval, um dos concierges do Copa ligou para minha mãe e perguntou:

— Dona Mercedes, a senhora tem uma balança de precisão aí, né? — Diante da resposta afirmativa, continuou: — É o seguinte: quem está hospedado no hotel é o Errol Flynn, e ele queria muito se pesar numa balança de precisão. Ele está se preparando prum filme e quer saber como tá o peso. Será que ele podia ir aí se pesar?

Mêcha, fã de cinema e ótima anfitriã, ficou animada:

— Claro, com o maior prazer.

Pouco depois, minha mãe abriu a porta para o Errol Flynn, que entrou vestindo um robe atoalhado, passou direto por ela, sem cumprimentar, se pesou e foi embora. Incapaz de um boa-tarde, de falar "muito obrigado", de dizer "até logo". Aquele ar de gentleman escondia uma personalidade arrogante e mal-educada, conhecida nos sets dos filmes de que participava. Quando mamãe me contou a história no telefonema que ela e meu pai faziam para Lausanne todo domingo, achei um absurdo, o cúmulo da grosseria. Quanto mais famosa, mais obrigação a pessoa tem de tratar bem os outros, que são a razão de existir tal fama. Mesmo que seja num país que, para essa pessoa, não signifique coisa nenhuma.

Na mesma época, como é de praxe, correu o boato de que Flynn era bissexual e que tivera um breve caso com o Tyrone Power, também bi. Fofoca. Para mim, o máximo que pode ter acontecido é que, um dia, depois de terem transado com todas as mulheres que quiseram, por puro fastio resolveram comer um ao outro.

Em *Um estadista no Império*, Joaquim Nabuco diz que a palavra "cafajeste" era usada em Coimbra para designar aqueles que tentavam se passar por alunos da universidade mais importante de Portugal. A expressão teria migrado para Olinda, onde foi adaptada para os falsos alunos de uma das primeiras faculdades de Direito no Brasil. Carlos de Laet, um dos fundadores da Academia Brasileira de Letras, indisposto com algumas atitudes de Osório Duque-Estrada, o da letra do Hino Nacional, propôs que se incluísse no regimento interno da casa a seguinte frase: "Não se admitem cafajestes".

Na década de 1940, um grupo de cariocas se autodenominou Clube dos Cafajestes. Era uma turma que radicalizava o espírito boêmio dos farristas da geração de meu pai. Boa parte dos autodenominados cafajestes pertenciam a famílias ricas e/ou de classe média alta, embora o tamanho da conta bancária dos genitores não fosse requisito obrigatório para ser membro do Clube. Sem compromisso com nada e sem responsabilidades, gostavam de se reunir para quebrar convenções, chocar as pessoas mais conservadoras, criar situações bastante constrangedoras para os amigos e até para desconhecidos, e, sobretudo, para namorar uma garota diferente por dia. O ponto de encontro do Clube dos Cafajestes era a Confeitaria Alvear, na avenida Atlântica esquina com a República do Peru, com mesas ao ar livre. Uma de suas principais atividades era fazer festas de arromba em casas vazias ou abandonadas em Copacabana.

Entre os principais nomes do Clube dos Cafajestes estavam Carlinhos Niemeyer, que viria a criar o Canal 100 e as mais belas imagens do futebol brasileiro; o comandante Edu (Eduardo Henrique Martins de Oliveira), piloto da Panair, que faleceu muito jovem em desastre aéreo; Mariozinho de Oliveira, o mais famoso da turma; o filho de italianos paulistas Mário Saladini; o jogador de futebol Heleno de Freitas, do Botafogo; o futuro colunista social Ibrahim Sued; e o futuro jornalista Sérgio Porto — que, na pele de seu personagem Stanislaw Ponte Preta, faria de Ibrahim uma das vítimas preferidas de seus textos mordazes e muito bem escritos.

Mais tarde, em 1962, a palavra ganharia uma conotação mais pesada, que se refletiu no filme *Os cafajestes*, de Ruy Guerra, com a sua primeira cena de nu frontal do cinema nacional, imortalizada pela deusa Norma Bengell. Essa coisa de rapazes se reunirem para desafiar as convenções foi algo típico do pós-guerra, muito bem captada pelo cinema, que retratou desde os garotos vestidos com *perfectos* (os casacos de couro preto dos motoqueiros, com um zíper transversal) e cabelos gomalizados até os mais líricos e romantizados, como os *vitelloni* italianos.

Quando voltei a morar no Anexo, vindo da Europa, o Clube dos Cafajestes já não existia como grupo, porém suas histórias — como a de colocarem gelo no biquíni de coristas do Golden Room ou de, durante uma visita de um importante cardeal ao Rio, vestirem batinas e irem até o Palácio Episcopal avisar ao religioso que a data do bacanal para o qual ele estava convidado fora alterada — eram lembradas diariamente nas rodas de rapazes de Copacabana. O Mariozinho de Oliveira continuava a frequentar a piscina do Copa. Uma tarde, só de calção, tamancos e com um copo de uísque na mão, me chama (tinha um cacoete: emitia um som enquanto falava, estalando a língua no palato):

— Ô Garoupinha (*estalos*), ô Garoupeta (*estalos*), vem cá! (*estalos*) Vem comigo até a cidade (*estalos*), preciso falar com um cara (*estalos*).

Ele me chamava assim porque seu pai, um rico industrial, também era amigo de meu pai. Fomos até o Palácio Tiradentes, na praça xv, onde funcionava o Congresso Nacional. Quando chegamos, ele saltou do carro — de calção e tamancos, levando seu copo de uísque. O sentinela da porta quis barrar a sua entrada, e o Mariozinho imediatamente bradou:

— Sentido!

O soldado ficou tão perplexo que sua reação, sem pestanejar, foi a de bater continência para aquele maluco.

— Soldado! Vai me chamar o fulano de tal. Diga a ele que é o doutor Mário de Oliveira.

O sentinela, percebendo firmeza na voz de seu inusitado interlocutor, preferiu não pagar pra ver: entrou e logo voltou com o cara. Depois que eles conversam, o sujeito retorna ao palácio e o Mariozinho se vira para o soldado e ordena:

— Descansar!

Para que se possa ter uma ideia da loucura que era o Mariozinho: ele morava no Leme, numa grande cobertura do Edifício Estoril (diz a lenda que tinha um fio de telefone de um quilômetro de extensão, para poder receber ligações em sua barraca na praia, numa época em que não existiam telefones sem fio). Exatamente embaixo do seu apartamento, morava o maestro de uma orquestra de músicas cubanas, Ruy Rey. Mariozinho dava mais uma de suas intermináveis baladas, nessa ocasião tão barulhenta, a zorra era tão grande, que o maestro chamou a radiopatrulha pela enésima vez desde que eram vizinhos. O ex-integrante do Clube dos Cafajestes ficou furioso com a presença da polícia em sua casa e, como sempre fazia nessas situações, desceu pela escada para bater na cozinha do apartamento do Ruy Rey. Este, que sabia da fama de briguento do vizinho de cima, o esperava de revólver na mão. Disparou uns tiros "apenas pra assustar", mas um deles atingiu a perna do dono da cobertura.

— Não aguento mais! Não aguento mais — ouviram Rey gritar.

Imagine a zona que se fazia no apê do Mariozinho para levar um cara acostumado com o som alto da sua orquestra de rumbas e mambos a não suportar mais o barulho que vinha da cobertura do prédio.

Mariozinho de Oliveira foi casado com aquele espanto de beleza (ninguém conseguia olhar para ela sem arregalar os olhos, nem mesmo as mulheres) que era a Ilka Soares. Um dia, ele achou que a Ilka andava muito nervosa e a levou para uma clínica de sonoterapia perto de Teresópolis, coisa que se usava muito na época. O médico examinou-a e disse:

— Precisamos de um período de internação de quinze dias.

E o Mariozinho respondeu:

— Então (*estalos*), depois eu (*estalos*) venho buscá-la (*estalos*).

— Não, ela não! — falou o médico. — É o senhor! O senhor é que precisa de sonoterapia. O senhor é muito ansioso, não para um segundo sequer! Sem falar nesse cacoete com a língua que já está me deixando louco!

Em 1949, Ilka havia feito o papel da índia Iracema no filme dirigido pela dupla Vittorio Cardinali e Gino Talamo, numa péssima adaptação do romance de José de Alencar. Ela ainda era solteira, se casaria logo depois com o ator Anselmo Duarte. O compositor de "Aquarela do Brasil", Ary Barroso, ficou interessadíssimo em Ilka. Um dia, perguntou a ela:

— Você tem piano em sua casa?

— Tenho, sim, seu Ary.

O "seu" já revelava o distanciamento que queria dele.

— Ótimo, me dê o endereço de sua casa, vou até lá tirar o seu tom e compor uma música pra você — disse o compositor de "O tabuleiro da baiana", que era também radialista e louco pelo Flamengo.

Ilka assentiu.

No dia marcado, o compositor de "Camisa amarela" tocou a campainha no apartamento da mulher mais bonita do Rio de Janeiro e... quem abre a porta? A mãe dela. Dois a zero pra Ilka, antes mesmo de o jogo começar. Sentindo que daquele mato não sairia coelho, o compositor de "Na Baixa do Sapateiro" disse, com a sua famosa voz esganiçada:

— Bem, vamos logo tirar o seu tom porque tenho um compromisso depois.

Mal sentara-se ao piano, foi acometido por uma violenta dor de barriga.

— Não toco piano sem antes lavar as mãos. Onde é o banheiro, por favor?

Lá chegando, baixou a calça, mas não conseguiu segurar: um jato forte sujou o chão e a parede ladrilhada. Para aumentar o desespero do compositor de "Os quindins de iaiá", só havia um resto de papel higiênico. Ele pensou rápido, tirou a cueca samba-canção e rasgou no meio, transformando-a em dois grandes panos de chão. Muito aplicado, em poucos minutos havia limpado o banheiro. Só que agora ele tinha um novo problema. O que fazer com aquelas tiras de tecido imundo? O compositor de "Foi ela" não teve dúvida: jogou aquilo pela janela basculante. Já ia destrancando a porta, quando sua intuição lhe disse para se virar, fazer o caminho de volta e checar para onde dava a janela basculante. Pra quê? Ele subiu no banquinho do banheiro, espiou e viu o bolo fétido caído em cima do fogão da cozinha de Ilka. Era o primeiro suflê de cocô da história. O compositor de "No rancho fundo" saiu do banheiro, e se despediu de Ilka e da mãe sem muita explicação:

— Boa noite, Ilka, boa noite, minha senhora. Estou muito atrasado.

E lá se foi, sem cueca, o compositor de "Morena Boca de Ouro".

Uma novidade na imprensa carioca, quando voltei ao país, foi a presença do colunismo nos jornais. Havia colunas para todos os gostos nas duas dezenas de diários que circulavam pela ainda Capital Federal: de cinema, de teatro, de rádio, da noite e até da nascente televisão, sem falar do colunismo social propriamente dito. Como eram tantas as colunas e nem tantos os leitores, alguns colunistas, antecipando o clipping com notícias de jornais que se tornaria prática décadas depois, recortavam as páginas dos diários onde saíam pessoas de destaque e as enviavam para estas com o bilhete: "Como eu sei que você não assina este jornal, aí vai minha coluna". Está certo que o inventor do moderno colunismo de notas sociais no Rio, Jacinto de Thormes, o Homem do Cachimbo, que ficou conhecido pela citação no samba de Miguel Gustavo cantado por Jorge Veiga ("Café-soçaite", de 1955, mais especificamente dedicado ao colunista Ibrahim Sued), já estava pendurando sua caneta — ele nunca escreveu à máquina. Nascido Manuel Antonio Bernardez Müller, o Maneco, era um dos únicos cronistas do café-soçaite carioca que poderia ser assunto da sua própria coluna. Ele adotou para a sua persona jornalística no *Diario Carioca*, a qual durou uma década, o nome do célebre personagem do romance *A cidade e as serras*, do escritor português Eça de Queirós. Jacinto "Maneco" de Thormes tirou a cartola e o colarinho engomado das colunas, apresentando um estilo de escrever simples, direto, com a autoridade de quem sabia do que estava falando. Quando ele se aposentou de vez, a "Reportagem social" de Ibrahim Sued, em *O Globo*, passou a ganhar prestígio, mesmo com toda a dificuldade que Sued tinha para escrever. Um pouco mais tarde, já na década de 1960, Zózimo Barroso do Amaral criaria, no *Jornal do Brasil*, um novo estilo para o colunismo, com notas cheias de ironia e muito bem escritas. Conhecido como Boy, o pai de Zózimo frequentava algumas das rodas boêmias que meu pai também frequentava, e aprontava muito. Certa vez, deu um tiro para o alto no banheiro da boate Vogue só para ver o playboy internacional Ali Khan sair correndo com as calças arriadas pela pista de dança.

Tão importantes eram as colunas que mereceram uma reflexão do poeta Carlos Drummond de Andrade, em 1955, na sua crônica no *Correio da Manhã*:

> Maneco [Müller], Ibrahim [Sued] e seus colegas mais recentes têm a responsabilidade do espelho, que reflete a vida; quem acusaria um espelho? Por outro lado, o mérito desses rapazes, e não despiciendo, consiste em trazer para o serão pequeno-burguês, e até para os lares mais pobres, a visão de sítios e personagens que de outro modo estariam vedados à contemplação (e à análise).

Uma das colunas diárias mais divertidas nesse oceano de palavras sobre a vida dos outros era a de Jeff Thomas, o Homem do Gelot, no vespertino *A Noite*. Gelot era a marca de um chapéu de fabricação francesa muito usado nos anos 1950, mas no Brasil passou a designar qualquer tipo de chapéu masculino. O jornalista encerrava suas colunas com o bordão: "O Gelot está em cima", uma espécie de advertência ao café-soçaite de que nada escaparia ao seu radar. O nome dele na certidão de nascimento é Francisco de Assis D'Veras. Veio ao mundo na capital do Rio Grande do Norte ("por acidente", como costuma dizer), mas, só porque passou uma temporada em Londres, se acha no direito de falar um português mesclado de palavras da língua inglesa. Mariozinho de Oliveira adorava aprontar com Jeff Thomas, o "príncipe dos colunistas aborígenes", como o chamava Sérgio Porto. Ele sacaneava: "O Jeff Thomas foi quem nos fez tomar consciência de que nem tudo tem dois lados. Por exemplo, a avenida Atlântica não tem dois lados, porque do outro lado é o mar". Certa vez, entrevistando o Jeff na sua coluna, perguntou:

— Jeff, você também fala francês?

— *Oui*.

— E inglês?

— *Yes*.

— Então, já que fala várias línguas, você é um verdadeiro troglodita.

— *Of course*.

Quando o colunista ia lançar seu livro de estreia, o Mariozinho convidou:

— Vamos fazer o lançamento da obra do Jeff Thomas lá em casa.

Ele comprou toda a edição, fez uma pilha enorme com os exemplares no centro da sala e, quando chegou a hora, gritou:

— Vamos lançar o livro do Jeff Thomas!

Todos os convidados passaram a lançar os livros da cobertura do Mariozinho na calçada do Leme. Aí o Sérgio Porto colocou na sua coluna: "Esgotada no lançamento a primeira edição do livro do colunista Jeff Thomas".

Na capa da obra *Apagão no society*, além, é claro, da foto de Jeff de chapéu, há um retrato da rainha Elizabeth II. O autor encontra-se assim identificado: *"by* Jeff Thomas". Há também um selo com os dizeres: "Candidato à Academia Brasileira de Letras". Todas as vezes que um "imortal" morria, ele postulava sua candidatura à ABL. Certa ocasião, abriu um processo contra o Zózimo porque ele publicou no *JB* que a sua candidatura à Academia só poderia ser uma piada em desrespeito à imortalidade de tantos escritores brasileiros. Levei Jeff Thomas três vezes ao meu talk show. Na última vez, no *Programa do Jô*, chegou acompanhado de uma negra muito bonita que, segundo ele, era uma princesa etíope.

— *My sweetheart… she is a black princess from Africa. Beautiful, beautiful!*

Ela era realmente uma princesa linda… mas brasileiríssima.

No Copacabana Palace havia uma piscina semiolímpica para os adultos e outra, ao lado, para crianças. Umas janelas serviam de comunicação entre as duas, debaixo d'água. É lógico que o criação aqui, com todo o seu corpinho, tinha a tentação de passar por aquelas janelas — coisa que os garotos faziam o tempo todo. O medo de ficar entalado era enorme, mas a vocação suicida era maior. Peguei uma mangueira de jardim bem grossa, para poder respirar pela boca, passei óleo no corpo e pedi ajuda ao Bob Zagury (que, como já mencionei, levei para jogar no grande time de basquete do Flamengo dirigido pelo meu tio Kanela), cujo hobby era a pesca submarina, e a um amigo dele, o francês Marc Elliot. Os dois, que eram malucos, me acharam mais maluco ainda; ficaram do lado da piscina infantil, que dava pé, para ter como se apoiar em caso de necessidade. Foi o caso de necessidade. Se eles não estivessem lá para me puxar pelos braços, eu teria ficado entalado. Até hoje me pergunto por que um cara de dezoito anos, que era a minha idade então, faz uma maluquice dessas.

Muito charmoso, Bob Zagury conquistava corações e vendia gravatas. No calor danado do Rio de Janeiro, ele saía de terno com uma mala cheia de gravatas, pegava um lotação e ia para o centro da cidade, onde estava sua freguesia. Mas sua vida verdadeira era a de jogador profissional de pôquer. Também a do Marc Elliot. Eu já morava em São Paulo — me mudei para a capital paulista em 1960 — quando, no verão (europeu) de 1963, o Bob Zagury foi a La Madrague, a casa de Brigitte Bardot, em Saint Tropez, na Côte d'Azur, sul da França. Ele era amigo de Jicky Dussart, uma das pessoas mais próximas a BB. Com 28 anos, no auge da forma, Brigitte estava num momento delicado da sua relação com o ator Sami Frey, com quem contracenou na película *A verdade* (1960), dirigida por Henri-Georges Clouzot, tendo como corroteirista sua mulher, Véra, a filha do Gilberto Amado, já citada. Nesse filme, Bardot fez um de seus melhores papéis — embora o diretor a tenha humilhado e até lhe desferido umas bofetadas no set. Depois, atuou em dupla com Michel Piccoli num filme dirigido por Jean--Luc Godard, baseado no romance do escritor italiano Alberto Moravia. *O desprezo* é cultuado por cinemaníacos do mundo todo, mas BB não gostou nada de trabalhar com Godard ("Ele era de esquerda e eu de direita"), nem do resultado do longa. Em suas memórias, ela diz que junto com Zagury, que era sempre muito animado, a casa da praia foi invadida pela Bossa Nova, pelo violão de Jorge Ben, e por "toda a vida, a alegria e a despreocupação do Brasil". E completa: "Bob dança como um deus, tinha um olhar de veludo, dentes brancos e grandes…". Bob ganhou a cartada em cima de Sami Frey, apesar da oposição da família da atriz pelo fato de ele ser considerado um aventureiro, um gigolô, um jogador profissional. Uma coisa que me impressionou nas memórias de Brigitte Bardot (*Iniciais BB*, de 1998) foi que, além da conhecida paixão por animais, ela adorava carros e cita todos os modelos de automóvel em que andou durante as seiscentas páginas do livro! Só no período de três anos — um tempo e tanto se tratando de BB — em que ficou oficialmente com o Bob, encomendou em Londres um exclusivo Morgan conversível de duas portas, verde, feito à mão, que era cópia de um modelo clássico dos Bugatti, e comprou um Rolls-Royce Silver Cloud cinza-metálico, com todos os acessórios, incluindo um bar e garrafas de cristal.

Brigitte Bardot foi toda uma era. Talvez não fosse a atriz mais bonita (mas era muito), nem a mais sexy (mas era muito), nem a melhor (mas acabou sendo uma boa atriz) e nem a mais inteligente (nem de longe). Mas foi a musa do seu tempo, desde que apareceu em *E Deus criou a mulher*, dirigido por Roger Vadim, em 1956. No filme em que fiz minha primeira aparição digna de nota no cinema, *O homem do Sputnik*, de 1959, Norma Bengell arrasou imitando BB (voltarei a essa história mais à frente). Se Brigitte parava Londres, Roma, Lisboa ou qualquer outra cidade que visitava, imaginem o que aconteceu no Rio quando ela chegou aqui, na primeira vez que atravessou o Atlântico, para passar o verão (janeiro de 1964) ao lado de Bob Zagury. Seus primeiros dias foram uma tortura — ficou sem poder sair do apartamento do Afraninho Nabuco, onde Bob morava, na avenida Atlântica, sitiada por fotógrafos e fãs —, e só pôde se divertir realmente quando foi para Búzios, então uma vila de pescadores, no litoral fluminense. Ela e Bob voltariam ao Brasil no fim do ano, quando Brigitte se preparava para ir ao México filmar um dos seus maiores sucessos, *Viva Maria!*, ao lado de Jeanne Moreau. Na segunda vez, gostou mais do Rio — Jorge Ben foi tocar para ela no apartamento do Bob —, mas não se sentiu bem ao ver um ritual de macumba. Ficou uns dias em Angra, voltou a Búzios e depois voou para o México. BB deixou um bonitinho souvenir da sua *saison* brasileira, um disco cantando direitinho a bossa-nova "Maria Ninguém" em português. Para a minha geração, que a teve como símbolo da mulher libertária, o destino da Brigitte Bardot é muito estranho: depois que se retirou do cinema, passou a se dedicar à ecologia e aos animais, mas se tornou racista e militante da extrema direita francesa.

Quando voltei a Paris pela primeira vez, em 1968 — ano das barricadas dos estudantes e do "é proibido proibir" —, soube que

Bob Zagury, que me recebeu muitíssimo bem, ganhou um bom dinheiro vendendo um show da Brigitte Bardot para a televisão, embora já não estivessem juntos. Saímos bastante; ele, que não me deixava pagar nada, me levou para conhecer o mítico Castel, o restaurante privê, do qual depois abriram uma filial no Rio. O curioso é que ficou bem amigo do músico Sacha Distel, outro ex-bb. Como na época Bob estava produzindo filmes, mostrei-lhe o roteiro que escrevia de *O pai do povo*. Levou-me então para conversar sobre o filme com um diretor — este, quando acabei de contar o *plot*, não disse nada, apenas olhou para o Bob e fez uma cara de "não tem nada a ver". No escritório do meu amigo, na Champs-Élysées, cheio de mulheres lindíssimas, tinha uma pata de elefante (detalhe: na época estavam na moda as calças de boca larga, chamadas na França de *patte d'éléphant*). Fiquei cismado com aquilo. Ele me perguntou:

— Você gostou?

— Muito — respondi.

— Mas pata de elefante não se dá, ela tem que ser roubada para dar sorte — explicou. E então propôs: — Eu vou ao banheiro. Enquanto eu estiver lá, você rouba a pata de elefante, ok?

A pata de elefante está na minha sala, nela coloco revistas, jornais etc. Teve uma moça que me disse:

— Coitadinho do elefante, ele ficou andando na selva só com três patas?

Uma das pessoas mais fáceis e mais difíceis de ser amigo no Rio era o Ronald Russel Wallace de Chevalier, um ano mais velho do que eu, nascido em Manaus. Apesar do nome classudo, ele ficaria conhecido como Roniquito — apelido que sempre detestei, pois há nele algo de pejorativo, lembra "faniquito". Ronald foi ao mesmo tempo um dos caras mais doces, leitor de poesia, frequentador das salas de cinema, grande humor, bom de conversa, e um dos caras mais agressivos, desafiador, cri-cri e briguento que já conheci. Ser amigo dele era ser amigo de todo o pacote. Devo ser um dos poucos que guardam mais a imagem do Ronald poeta, do admirador de Guimarães Rosa, do companheiro divertido — sem lado B. Ele sabia coisas que ninguém sabia: Thomaz Souto Corrêa, que o conheceu adolescente, passando férias no Rio na casa do primo e grande companheiro de Ronald, Bebeto Almeida (Carlos Alberto Magalhães de Almeida, futuro chefe de gabinete do ministro Mário Henrique Simonsen), lembra-se de Roniquito ter sido a pessoa que lhe falou sobre a existência da Olympia Press, a editora parisiense que percebeu haver espaço para publicar, em inglês, os livros que estavam sendo proibidos nos EUA e na Grã-Bretanha. Assim, a Olympia Press foi a primeira a publicar *Lolita*, de Vladimir Nabokov, e *Almoço nu*, de William S. Burroughs, entre outros clássicos da literatura de alta voltagem erótica.

A casa de seu pai, dr. Ramayana, na rua Dias da Rocha, era ponto da rapaziada. Ele adorava contar histórias da Amazônia, dava conferências fantásticas sobre a região, e escreveu um livro, *No circo sem teto da Amazônia: O drama social dos seringais*. Seus filhos se chamavam Stanley Emerson Carlyle, Ronald e Scarlet Moon. De repente, nasce mais uma e ele a chama de Bárbara. Aí eu chegava na casa deles e brincava:

— Mas, doutor Ramayana [seu primeiro nome era Walmiki], me explique uma coisa: por que, depois de colocar nomes tão comuns nos filhos mais velhos, o senhor foi pôr na sua caçula um nome tão estranho como Bárbara?

Por intermédio do Ronald, conheci o Walter Clark Bueno, que, a partir de 1965, seria um dos principais construtores da Rede Globo. Muito criativo, inteligente, ambicioso e atilado, Walter Clark logo começou a trabalhar em publicidade, indo depois para a televisão, como diretor comercial da TV Rio, que ficava no Posto 6, em Copacabana. Ele foi um dos grandes responsáveis pela disciplina na veiculação de anúncios e pelo aumento da receita publicitária na televisão brasileira — graças ao seu empenho, a televisão pôde se tornar um negócio formidável em nosso país. Ronald e eu adorávamos vagabundear pela TV Rio: enquanto o Walter trabalhava, nós olhávamos. Logo se juntou a nós o José Otávio de Castro Neves, o qual iria trabalhar na Globo com o Walter, e formamos uma turma que se encontrava constantemente.

Certa ocasião, fomos a uma festa perto da casa do dr. Ramayana. O jovem aniversariante era conhecido pelos versos horríveis que perpetrava. Em homenagem ao bardo juvenil, sua mãe escreveu, com chantilly, versos da lavra dele em cima do bolo repleto de chocolate:

> *Porque lugar tão bacana,*
> *só ti, Copacabana.*

Ronald não teve dúvida. Depois de todo mundo cantar os parabéns, pediu a palavra, agradeceu a festa, saudou os pais do precoce versejador, apontou para o bolo e soltou o panegírico:

— Quero elogiar este jovem poeta, que, antes mesmo de atingir as elites, já conseguiu atingir as massas.

Pode parecer inverossímil, mas quase sessenta anos depois da nossa convivência, ainda sei de cor alguns poemas de Ronald de Chevalier. Uma poesia desconcertante, nonsense, aparentemente simples, mas bem complexa — e nunca editada. Ele preferia declamar seus poemas a publicá-los. Eis um trecho de "Pseudossolução":

> *Se entre o dedo que aponta*
> *E o ser apontado*
> *Se interpuser a sombra tonta*
> *De um boi-almiscarado,*
> *Então sim.*
> *Era a pseudossolução.*

A forma de insulto intelectual praticada por Ronald de Chevalier não poupou ninguém, nem Tom Jobim ("Antônio Carlos Brasileiro de Almeida Jobim, 'fotografei você na minha Rolleiflex' é foda!"), nem Fernando Sabino ("Fernando Sabino, quem é melhor, você ou Nelson Rodrigues?"), nem Antônio Callado ("Antônio Callado, perto do Faulkner você é um merda. Cala-te, Callado"), nem Paulo Francis ("Custou mas confessou o seu homossexualismo, hein?", a propósito de uma crítica de Paulo sobre o filme *Teorema*, do Pasolini) — todas essas, pessoas às quais admirava. Acho que o único amigo que ele não atacava era o escritor e cronista mineiro Lúcio Cardoso. Quando Ronald morreu, em janeiro de 1983, seu grande companheiro de copo e papo no Antonio's, Tarso de Castro — outro que viveu se autodestruindo, portanto podia conhecer o Ronald muito bem —, escreveu na sua coluna da *Folha de S.Paulo* que ele tinha "uma relação tão na base do berro com a vida que nunca viria a ser entendido pela covardia". Uma das melhores definições de Ronald veio de nosso amigo em comum Nelson Corrêa, que dizia ter ele "uma vocação abissal". Na biografia que fez de Sérgio Porto (*Dupla exposição: Stanislaw Sérgio Ponte Porto Preta*, 1998), Renato Sérgio diz: "Roniquito não dá pra explicar, quem conheceu pode dizer que teve acesso ao imponderável em pessoa". Assim foi, assim se foi (muito cedo) Ronald de Chevalier.

Aos dezoito anos, em vez de entrar em alguma faculdade, como estava fazendo a maioria dos rapazes de classe média, tive de procurar emprego. O contrato feito por meu pai com o Copacabana Palace permitia que morássemos mais um tempo no Anexo, e, durante um período, ficamos nesta situação: duros e vivendo no hotel mais luxuoso do Brasil — ainda que, com o fim dos cassinos, o Copa também passasse por grandes dificuldades. Uma tarde, ouvi dona Mariazinha, a viúva de Octávio Guinle, mandar reduzir o número de melões que seria servido no café da manhã do dia seguinte, porque havia poucos hóspedes no hotel.

Papai arrumou para mim um trabalho no centro, no escritório de exportação de café do José Mendes de Sousa. Comecei praticamente como office boy, ia buscar guias de exportação, fazia pequenos serviços. Mas boa parte do tempo eu ficava divertindo os funcionários, contando histórias da Europa e fazendo imitações. Havia um senhorzinho muito magro, esquálido, que era o provador de café. Ele sentava, ao lado de um balde, a uma mesa do tipo da dos Cavaleiros da Távola Redonda, com a borda repleta de xícaras. A mesa ia girando, ele punha a xícara na boca, bochechava o líquido, cuspia no balde o que degustara e depois qualificava o café ("tipo seis", "tipo americano", "exportação"). Na hora do almoço, as pessoas do escritório iam comer naqueles restaurantes populares que servem um prato por dia da semana e me pediam que imitasse o dr. Juca (o José Mendes de Sousa). Não precisavam insistir muito, porque já havia aquela verve dentro de mim querendo sair. Era uma caricatura relativamente fácil de fazer, ele falava com o cachimbo na boca e nem sabia as coisas elementares do dia a dia do escritório. Certa vez, fiz uma pergunta bem boba para ele:

— Seu Juca, o que é que é saldo?

E ele me respondeu, por entre os dentes para o cachimbo não cair:

— Saldo? Saldo é saldo.

Eu o imitava me respondendo e o pessoal rolava de rir. Mas sabia que não tinha muito que fazer na exportadora e fiquei ali por pouco tempo.

Comecei a frequentar a noite, a procurar os pontos de encontro de artistas. Descobri o restaurante Gôndola, em Copacabana. Fazia o número dos sapatinhos na mesa — agora mais sofisticado, com passos de cancã, tango argentino, dança dos cossacos e mambo —, contava histórias, fazia imitações, fiquei conhecido no pedaço. Uma noite, fui apresentado ao Fernando Bôscoli, que era primo do ator Jardel Filho e do jornalista e compositor Ronaldo Bôscoli, que viria a ser marido da Elis Regina. Ronaldo era irmão de uma mulher marcante da época, a Lila, uma das muitas que se casaram com o Vinicius de Moraes. Vinicius dizia que a vida é a arte do encontro, e este dele com a Lila, bisneta da Chiquinha Gonzaga, entrou para a antologia das grandes paixões cariocas. Rubem Braga, que os apresentou, disse:

— Lila, este é Vinicius, Vinicius, esta é Lila. E seja o que Deus quiser.

O Fernando Bôscoli era sócio do Walter Fonseca Saraiva numa renomada agência de turismo chamada Castelo. Ele me arrumou uma posição lá, onde trabalhei cerca de um ano, mas a única coisa que consegui nesse período foi vender duas passagens. De trem. Para Belo Horizonte. Fui um fracasso como agente de turismo. Na agência eu era conhecido como "o Joe da Castelo".

O Walter Fonseca, apelido Tauê, abriu uma boate, a Top Club, na praça do Lido, em Copacabana, e trouxe de volta à noite carioca o Barão von Stuckart, aquele mesmo que dirigiu o Golden Room nos seus anos realmente dourados (a Top Club era muito badalada pelo Ibrahim Sued em sua coluna; depois, descobriu-se que o colunista era sócio oculto da boate). O sogro do Walter tinha dinheiro e, no começo da agência, o Tauê tinha que recorrer a ele para saldar uns ou outros compromissos. Ele usava o expediente de dar carona para o pai da mulher e, no meio do caminho, pedia a graninha de que necessitava. Um dia, insinuou que precisava de uma quantia tão grande que o sogro falou:

— Olha, pode me deixar no Aterro mesmo, eu me esqueci que tenho um compromisso importante aqui.

— Mas no Aterro? Não tem nada aqui!

— Tem, sim! Tem, sim! No Aterro. Pode me deixar que eu salto aqui.

E caiu fora do carro.

Como passei a frequentar as noites cariocas, que eram de uma sedução incrível naqueles tempos, acabei ficando amigo de pessoas bem mais velhas do que eu. Entre elas, estavam o Aloysio Salles e o Nelson Baptista, que eram inseparáveis, amigos do meu pai e se tornaram meus amigos também. Aloysio e Nelson eram tão próximos que os chamavam de dupla Ouro e Prata: os dois intermediavam negócios entre empresas — e entre empresas e poder público —, os dois eram diretores do Museu de Arte Moderna (MAM), os dois eram bons papos, os dois eram charmosos, os dois iam ao Country Club diariamente, os dois juravam que tinham visto um disco voador nos céus do Rio e os dois participavam de empresas jornalísticas. Nelson Baptista era diretor do *Jornal do Brasil*, enquanto Aloysio Salles foi sócio da empresa Érica — que detinha a gráfica do *Diario Carioca*, a qual foi vendida em 1951 para Samuel Wainer imprimir a sua *Última Hora* — e, em 1957, se tornou sócio do *Jornal do Commercio*, junto com o San Tiago Dantas, advogado importantíssimo e deputado pelo Partido Trabalhista Brasileiro (PTB). Aloysio, considerado um dos homens mais elegantes da Capital Federal, tinha em seu currículo de glórias noturnas a condecoração de ter sido escolhido por ninguém mais ninguém menos que Ginger Rogers, a mais famosa parceira de Fred Astaire, como um dos dez melhores parceiros (não profissionais) com quem ela havia dançado. Ele era uma referência no café-soçaite carioca e desenvolveu uma filosofia do saber conviver. Adorava estar com os mais jovens, entre eles o colunista Zózimo Barroso do Amaral, de quem foi uma espécie de mentor. O Aloysio Salles era um exímio bebedor de uísque. O médico disse a ele que estava muito preocupado com o estado do seu fígado, pois este poderia estar muito afetado pela bebida. Aloysio, então, respondeu-lhe:

— Eu bebo, mas no dia seguinte eu vou à sauna e queimo tudo que eu bebi.

— Mas isso é pior ainda — retrucou o médico —, pois, quando o senhor vai à sauna, o senhor transpira, sai a água mas o malte continua concentrado em seu organismo.

Rapidamente, o Aloysio Salles perguntou:

— Quer dizer que eu fico *on the rocks*?

Ele costumava dizer que as três melhores coisas do mundo são: em primeiro lugar, uísque escocês; em segundo, uísque brasileiro; e, em terceiro, uísque falsificado.

Certa vez, o Aloysio Salles estava em Paris numa época chuvosa. Conseguir um táxi na capital francesa normalmente era muito difícil, imaginem num dia de chuva. Já fazia um tempo que ele se molhava todo na calçada, quando apareceu um táxi livre. Aloysio acenou para o chofer, o táxi ia parando diante dele, mas um cara, mais rápido, salta à frente, abre a porta do carro e, quando estava prestes a entrar, o Aloysio segura o seu braço e diz num francês impecável:

— Aonde o senhor pensa que vai, Monsieur? O senhor está passando na frente de um paraquedista que saltou sobre a Normandia, no Dia D [ação que é considerada o marco do fim da Segunda Guerra].

O cara ficou morrendo de vergonha, pediu desculpas, abriu o caminho e disse que o táxi era dele. Com todo o respeito.

O primeiro espetáculo que vi quando voltei da Europa foi o *É de xurupito*, no Teatro Recreio Dramático, perto da praça Tiradentes. Sem que eu pudesse imaginar naquele momento, ali estavam dois dos meus futuros companheiros de trabalho, que se tornaram também dois dos meus melhores amigos: Max Nunes, um dos autores que deu inclusive o nome do espetáculo de teatro de revista, e o Othelo Zeloni, que fazia um Juscelino Kubitschek perfeito! "É de xurupito" era uma expressão que queria dizer "é ótimo", "é espetacular" — ficou tão popular que no Jockey tinha até um cavalo chamado Xurupito. O diretor da revista era o Walter Pinto, um dos reis da noite no Rio. Ele adorava colocar muito texto e muita informação nos anúncios de seus espetáculos, e recomendava aos artistas gráficos:

— Coloquem bastante, muitos adjetivos: Rir! Rir! Rir!

Uma das coisas divertidas eram os emplumados desfiles de fantasias, que recebiam páginas e páginas de cobertura das principais revistas da época, *O Cruzeiro* e *Manchete*. Os mais luxuosos aconteciam no Teatro Municipal, no Hotel Glória, no Copacabana Palace e no Clube Monte Líbano. Mas havia também alguns paupérrimos. Os artistas Ferdy Carneiro, um perfeito carioca de Ubá (MG) como Ary Barroso, e José Henrique Belo, dois dos fundadores da Banda de Ipanema, eram convidados para ser jurados desses desfiles, e a turma ia com eles. Bem antes de existirem as paradas de orgulho gay, os desfiles de fantasia do Carnaval — assim como os bailes de Carnaval gays que começaram depois — eram a passarela para a liberação das fantasias de lantejoulas e pedrarias de homossexuais e travestis do Brasil inteiro. O fundador desse tipo de concurso, em 1937, inspirado nas máscaras do Carnaval de Veneza, o museólogo e carnavalesco Clóvis Bornay, virou celebridade e uma atração do Carnaval carioca. Num dos desfiles a que fomos, um cara se fantasiou de Rei Sol (os nomes das fantasias eram compridos, só me lembro do início deste), ia aparecer piscando como uma árvore de Natal. Ia, porque, no momento em que o companheiro dele ligou os fios na tomada, deu-se uma explosão seguida de um forte cheiro de queimado. Houve um corre-corre para socorrer o Rei Sol, e na confusão só se ouvia a voz dele gritando para o companheiro:

— Eu falei que aqui eram 220 volts e não 110, eu te falei!

Em outro desfile desses mais precários, o Ferdy não era jurado e, só para aprontar, se inscreveu como candidato. Ele se apresentou fantasiado de Seu Miguel, o "caça-gazeteiros", um bedel que perseguia quem estivesse cabulando aula, personagem coadjuvante das histórias em quadrinhos da Luluzinha e do Bolinha, os maiores sucessos entre a garotada. Little Lulu e o Tubby, nomes originais dos personagens, foram criados pela chargista americana Marge Henderson Buell em 1935, mas só viraram gibi dez anos depois, com desenhos e roteiros de John Stanley. Seu Miguel andava de chapéu-coco e terno xadrez, uma fantasia extremamente frugal e apenas caricaturesca para um concurso em que se competia pelo brilho, pelo exotismo e pela imaginação fastuosa manifestados em fantasias que chegavam a pesar setenta quilos — tanto que o prêmio mais cobiçado era o da "categoria luxo". Quando o júri anunciou que o vencedor do desfile era o Seu Miguel do Ferdy Carneiro, houve uma verdadeira revolta de plumas, pedras e miçangas contra a pobreza da fantasia que ganhou o concurso. Nos divertimos à beça nessa tarde carnavalesca.

Sem muito dinheiro para ficar na Capital Federal, fomos viver uns tempos em Petrópolis. Eu pensava que o apartamento em que íamos passar o verão — como faziam as famílias ricas e de classe média alta — era de nossa propriedade, mas não, era alugado. Papai não possuía nenhum bem de raiz. Embora a família do meu avô morasse no Rio, mamãe nascera em Petrópolis. Tirando o período internado no Colégio São José, eu tinha ótimas recordações dali. Não havia muito que fazer, eu estava inteiramente disponível para conhecer os personagens da cidade pequena, suas histórias, suas loucuras. Podia-se ficar o dia inteiro, até altas horas da madrugada, apenas conversando, rindo, contando casos, observando alguns tipos estranhos. Nas cidades menores, os anjos e os demônios de cada um acabam sendo conhecidos publicamente; nas conversas das esquinas, dos cafés e até dos chás da tarde das senhoras, havia uma atmosfera onde ficção parecia estar na realidade (lá, eu sentia que nunca foi tão verdadeiro o trocadilho criado por Oswald de Andrade que dizia que "a gente escreve o que ouve — nunca o que houve". Nas rodas de conversa da Cidade Imperial, tomava foros de verdade a boutade clássica entre os jornalistas: se a versão é melhor do que o fato, imprima-se a versão). Isso sempre me fascinou, Petrópolis era uma fonte inesgotável de histórias que provocavam a minha imaginação. De certa maneira, toda cidade pequena — embora Petrópolis não fosse tão pequena assim — é um pouco fantástica como a Macondo de

Cem anos de solidão, para mim o maior romance da segunda metade do século XX. E, se a cidade, além de não ser muito grande, tem um passado histórico, mais realismo mágico ainda.

Foi em Petrópolis que conheci pessoalmente o golpista — no sentido de aplicar golpes nas pessoas, e não golpes de Estado, no Brasil é sempre bom esclarecer essas coisas — Edson Monteverde, o baronete de Manchester. Ele costumava se vestir com o figurino tradicional dos banqueiros ingleses: calças cinza listradas, paletó, gravata e colete pretos. Andava com uma pasta de couro na mão e só pagava suas contas com notas promissórias. Impostando a voz, dizia:

— Bom dia, cavalheiro, conhece o general Carnaúba? Eu sou assessor direto do general. Nunca ouviu falar do general Carnaúba? Ele é o encarregado de levantar recursos pra Brasília, ele é o encarregado das obrigações reajustáveis do governo de Brasília, as ações mais valorizadas do país. Se o cavalheiro estiver interessado, posso ver se ainda consigo algumas, elas estão muito disputadas pelos investidores que realmente entendem desse assunto.

O baronete de Manchester fingia ser muito amigo do presidente Juscelino e mostrava documentos timbrados com o brasão do governo federal. Teve uma época em que passou a dar o golpe do telefone. Naquele tempo, ter um telefone não era fácil nem barato, e era cena comezinha as pessoas irem à casa de quem o possuía para usar o aparelho. Alguns anos depois, quando vim para São Paulo, onde morava numa casa pequena na alameda Jauaperi, rua que ainda nem havia sido asfaltada, cheguei a propor ao meu vizinho, pagar sua conta de telefone se ele me desse uma extensão. O baronete vendia telefones bem baratinho, dizia que ia fazer o possível para instalá-los em breve, usaria para isso até um apelo do general Carnaúba, a fila era muito longa mas ele ia ver se conseguia furá-la especialmente para o cliente. No dia seguinte, chegava na casa do comprador e falava:

— Parabéns, consegui seu telefone rapidamente, o senhor tem sorte!

Levava seu "assistente", um cavalheiro de macacão que instalava o telefone na parede. E dizia:

— Um momentinho, por favor, que vou ligar pra central para que se complete a instalação. — Tirava o fone do gancho e conversava com ninguém: — Alô, aqui é o Edson Monteverde, baronete de Manchester, só pra saber se o telefone já está funcionando. Tá funcionando? Ok, obrigado. — Aí completava: — É o seguinte, o senhor tem que esperar 24 horas pro telefone funcionar pelo Ky0, que é o código da instalação de privilégio. Por isso, só vai me pagar 50% agora. Amanhã, quando o telefone já estiver funcionando, eu passo para receber a outra metade.

O baronete ia embora feliz, o incauto ficava 24 horas feliz, sonhando com seu telefone.

Mas o golpe mais interessante era o da parada de bonde, que dava um lucro extraordinário. No Rio, o sinalizador das paradas de bonde era um poste branco. Para um dono de botequim ou de padaria, ter um poste branco em frente ao seu estabelecimento equivalia a ter uma árvore que dá dinheiro: o movimento mais do que triplicava. Edson Monteverde chegava no boteco, escolhia uma boa mesa, chamava o dono e se apresentava:

— Sinta aqui! — Ele gostava de usar essa expressão. — Sou o baronete de Manchester, assessor do general Carnaúba, de Brasília, conhece? E, aqui no Rio, do doutor Gallotti, presidente da Light, conhece?

Quer o dono do botequim, geralmente português, conhecesse, quer não, ele partia para o segundo momento do embuste:

— Eu estou encarregado de mapear lugares para novas paradas de bonde, e aqui me parece um bom local. Vai prejudicar vosso negócio?

O dono do botequim, de olho no aumento de vendas de cachaça e do cafezinho com o crescimento do fluxo de pessoas que a parada traria, respondia rapidamente:

— Não, não prejudica nada.

— Perfeito, então nós vamos combinar. Claro que há um pequeno custo nisso, não pra mim, mas tem o pessoal da Light, que sempre quer um dinheirinho por fora pra liberar os novos pontos de bonde. Eu preciso de um dinheiro pra distribuir pra essa canalha, mas, infelizmente, sem a autorização deles não dá pra colocar o ponto aqui. O ponto aqui não vai custar nada pro senhor, não há nenhum imposto a mais.

Para dar mais credibilidade à sua operação, ele dizia que primeiro iria conseguir a instalação do ponto e só depois passaria para pegar o dinheiro. Durante a noite, seu "assessor de sempre" pintava o poste de branco, os bondes paravam, as pessoas saltavam, outras começavam a esperar o bonde no ponto e o movimento do botequim triplicava. Era a hora exata de o baronete aparecer para cobrar a sua parte. Enquanto isso, na Light, empresa responsável pelos bondes do Rio de Janeiro, havia uma verdadeira caçada ao golpista. Cada veículo que chegava informava da nova parada. O golpe já era conhecido. O fiscal dizia:

— Pronto. É o canalha vendendo a parada do bonde de novo.

E mandava repintar o poste. A alegria do português dono do boteco durava 24 horas.

O baronete de Manchester chegava num restaurante, instalava-se a uma mesa e pedia que chamassem o gerente. Quando este aparecia, falava:

— Sinta aqui! Sou o baronete de Manchester, assistente do general Carnaúba, de Brasília, conhece? — Enquanto isso, passava ao gerente o seu cartão com o brasão da República.

— Não, não, ainda não conheço.

— Ótimo, o senhor vai ter o privilégio de conhecê-lo hoje à noite. Ele virá jantar aqui com mais seis pessoas e me mandou vir examinar as condições de higiene do restaurante e avaliar o serviço. Vamos lá olhar a cozinha e os banheiros.

O gerente o levava para uma inspeção. Durante a visita, o baronete indagava qual era a especialidade da casa e mandava preparar o prato para ele experimentar e depois contar ao general Carnaúba se o aprovara. Terminava de comer e dizia:

— Muito bem, a comida foi aprovada. Reserve aquela mesa ali do canto para hoje à noite. O general precisa de sossego. Sete pessoas. Ah, antes que eu me esqueça, eu preciso passar em revista os garçons também, para saber se eles estão asseados e limpos. O general Carnaúba faz questão da limpeza das pessoas que o servem.

Aí ele mandava os garçons se perfilarem, examinava-os, e encerrava a visita dando o segundo golpe:

— Xi... estou sem trocado. Preciso pegar um táxi para esperar o general Carnaúba. Por favor, me empreste uns trocados, pode incluí-los na conta de hoje à noite.

Enquanto o gerente, meio desconfiado, pegava o dinheiro, o baronete de Manchester dizia:

— Não se esqueça, às sete horas, o general gosta de comer bem cedo. Naquela mesa do canto.

Embolsava o dinheiro do táxi e sumia para sempre.

Em Petrópolis, houve um crime que chocou a cidade. Um homem encontrou sua mulher nos braços de um vigilante rodoviário, se desentenderam, e o policial o matou. Deu seis tiros, recarregou a arma, e deu mais seis — o chamado tiro de misericórdia aplicado seis vezes, o ápice da generosidade humana. Seu advogado de defesa, dr. A. Gamboa Vizeu, alegou legítima defesa putativa — a que ocorre, por exemplo, quando o homem traído leva a mão ao bolso para pegar um lenço e enxugar as lágrimas, e o amante da mulher, achando que ele vai pegar uma arma, o mata. Esse não era nem de longe o caso. Doze tiros, como poderia ser legítima defesa putativa? Não teve jeito, o guarda rodoviário foi condenado à pena máxima, trinta anos. Dr. Vizeu se pronunciou e disse que iria recorrer. O condenado retrucou:

— Não, pelo amor de Deus, deixa assim que está muito bom.

Tinha medo de que a coisa ficasse pior ainda para ele.

Também na cidade, uma professora chamada Esther se casara com um certo Mr. Williams, professor de inglês, assim se tornando Esther Williams — o mesmo nome da linda nadadora que virou estrela de cinema e que esteve no hotel e cassino Quitandinha, em 1944. Esther Williams, a petropolitana, tinha uma voz gutural de baixo profundo e todos em Petrópolis haviam sido seus alunos. Durante o julgamento do vigilante rodoviário, ela chegou ao fórum e sentou-se no banco dos jurados, dizendo:

— *Dura lex sed lex, dura lex sed lex*. Eu sou a oitava jurada, eu sou a oitava jurada. [No Brasil, os jurados são sete.]

Houve um constrangimento geral, pois a professora era muito querida por todos. O juiz pediu-lhe que se retirasse, pois estava atrapalhando o julgamento. A sra. Williams respondeu, duramente:

— Cala a boca, menino, que eu te conheci de calça curta.

Esther Williams adorava ir ao cinema. Quando as projeções do cine Petrópolis começavam a escurecer, gritava:

— Põe carvão, Valdemar! Põe carvão!

Quando ela morreu, a cidade inteira foi ao enterro. Mr. Williams, seu marido, adorava beber cerveja, e dava cerveja, num balde, para o seu burro. O professor de inglês, bêbado, esquecia o caminho de volta, mas o burro, mesmo bêbado, levava direitinho seu dono para casa.

O Presidente era outra criatura maravilhosa de Petrópolis, um preto velho, daqueles retratados nos tempos das pinturas figurativas clássicas brasileiras. Cabelo branco de algodão, cigarrinho aceso na boca, a brasa avermelhada na ponta do cigarro, o homem cismou que era o presidente da República. Ele fazia discursos na praça Dom Pedro, em frente à Casa D'Angelo, que tem mais de cem anos. Os rapazes levavam as namoradas para passear na praça — ainda havia footing — e se aproximavam para ouvir o pronunciamento que o Presidente "fazia à nação". A dada altura, ele passava a discorrer sobre o principal problema do país, as doenças sexualmente transmissíveis. Mal começava a falar no assunto ("As

doenças venéreas são graves, são a gonorreia, o cancro, a sífilis…"),
os rapazes inventavam uma desculpa e saíam dali com as namoradas. Havia uma debandada geral. E o Presidente, coitado, ficava
sem audiência num tema que era de vital importância para ele.

Houve um dia terrível. Chovia muito, e o Presidente continuava na praça, falando, falando, falando. A turma não aguentou
de aflição e um deles foi lá tentar tirá-lo da chuva:

— Presidente, Presidente, não tem ninguém aqui ouvindo,
não está vendo? Olha a chuva, vamos sair da chuva.

— Não, meu filho, é engano seu. Tá vendo essas árvores todas? Em cada folhinha dessas tem um microfone transmitindo pro
mundo todo, então eu não posso parar.

Quando o Rio era a capital do país, os chefes da nação costumavam passar o verão em Petrópolis — uma cidade com ares
europeus, pois foi construída por alemães. Consta que o imperador
d. Pedro ii passou em torno de quarenta verões por lá — e, como
era ele que mandava, seus verões podiam chegar a durar cinco
meses. Getúlio Vargas também gostava muito de Petrópolis —
em 1952, a Agência Nacional promoveu um filme dele, baixinho,
empinadinho, risonho, caminhando por cerca de uma hora pela
cidade; são imagens incríveis, nas quais dá para ver a figura do seu
segurança pessoal, Gregório Fortunato, o Anjo Negro, andando
alguns passos atrás do patrão. Certa vez, curioso para conhecer o
personagem famoso, Getúlio recebeu o Presidente no Palácio
Rio Negro, residência de verão da Presidência. O presidente oficial perguntou:

— Então, o senhor é o Presidente?

— Sou, sim, senhor. O senhor está ocupando o meu lugar,
sim, senhor, he, he, he… Eu acho que agora já chega, he, he, he…

O Presidente era educadíssimo. Não gostava de contrariar
ninguém. Mesmo quando discordava, dizia:

— He, he, he… pois é, é mas não é…

Bem-humorado, Getúlio respondeu:

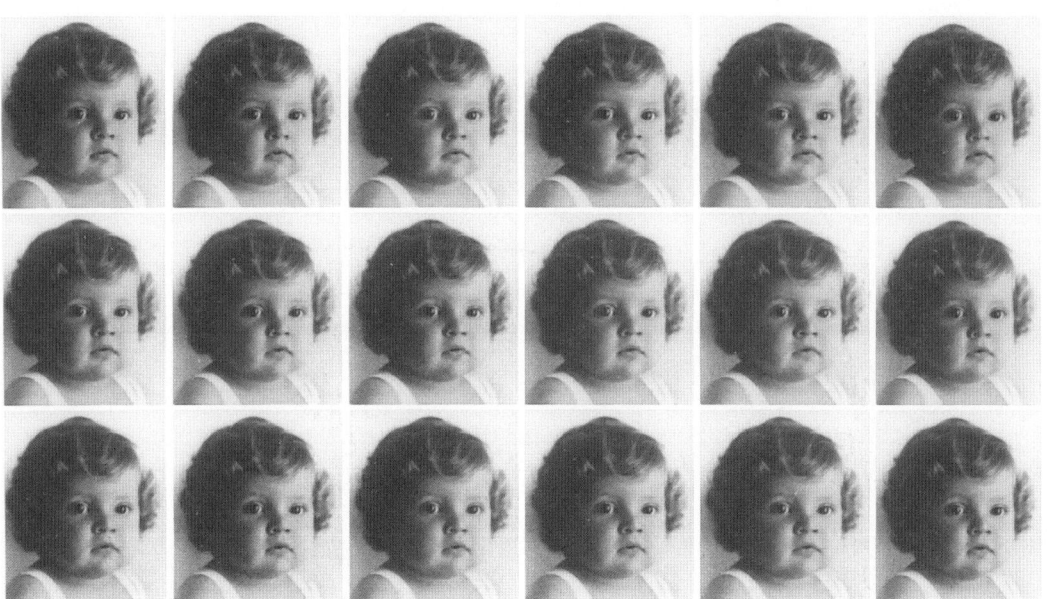

Minha foto com um ano de idade, que uso no meu crachá da Rede Globo.

◀ Meu avô materno, Carlos
  Leal; ele era o presidente
  da seguradora Equitable e
  renunciou ao cargo quando
  Getúlio Vargas nacionalizou
  esse tipo de empresa.

Minha avó materna, ▶
Heloisa Loureiro de Leal,
uma das fundadoras, em
1914, da Cruz Vermelha
no Brasil, embrião da
nossa primeira faculdade
de enfermagem.

Minha mãe, Mercedes (Mêcha), aos quarenta anos, na fazenda da Jureia; ela estava grávida sem saber.

Com mamãe, antes de completar um ano de vida: férias da família
em Poços de Caldas (MG).

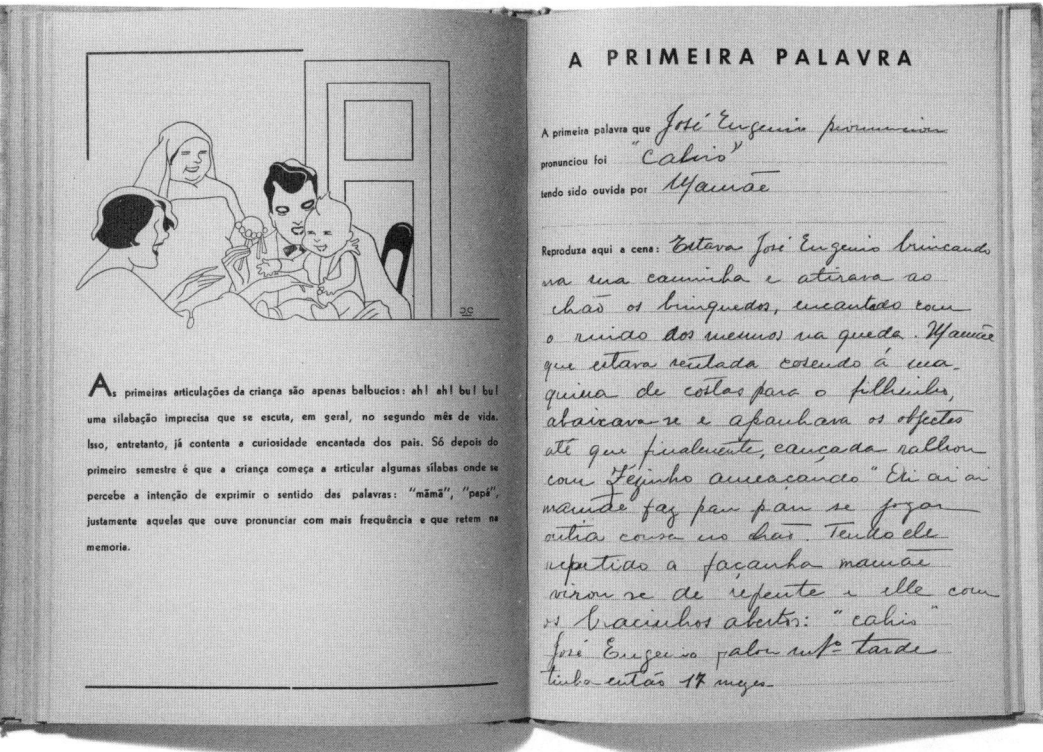

As primeiras articulações da criança são apenas balbucios: ah! ah! bu! bu! uma silabação imprecisa que se escuta, em geral, no segundo mês de vida. Isso, entretanto, já contenta a curiosidade encantada dos pais. Só depois do primeiro semestre é que a criança começa a articular algumas sílabas onde se percebe a intenção de exprimir o sentido das palavras: "mãmã", "pápá", justamente aqueles que ouve pronunciar com mais frequência e que retem na memoria.

A PRIMEIRA PALAVRA

A primeira palavra que *José Eugenio pronunciou* pronunciou foi *"cahio"*

tendo sido ouvida por *Mamãe*

Reproduza aqui a cena: *Estava José Eugenio brincando na sua caminha e atirava ao chão os brinquedos, encantado com o ruído dos mesmos na queda. Mamãe que estava sentada cosendo á sua quina de costas para o filhinho, abaixava-se e apanhava os objectos até que finalmente, cançada ralhou com Jejinho ameaçando "Ei ai ai mamãe faz pau pau se fizer outra cousa no chão. Tendo ele repetido a façanha mamãe virou-se de repente e elle com os bracinhos abertos: "cahio" José Eugenio falou mto tarde tinha então 14 mezes*

Demorei muito a falar, e mamãe anotou as circunstâncias em que disse a minha primeira palavra: "cahio" (caiu).

De cabelos claros, cacheados,
no quintal da nossa primeira
casa, na rua Constante Ramos,
em Copacabana.

Aos três anos, na fazenda da Jureia, com um dos macacões que Mêcha costurava para mim — com eles eu podia me esbaldar à vontade.

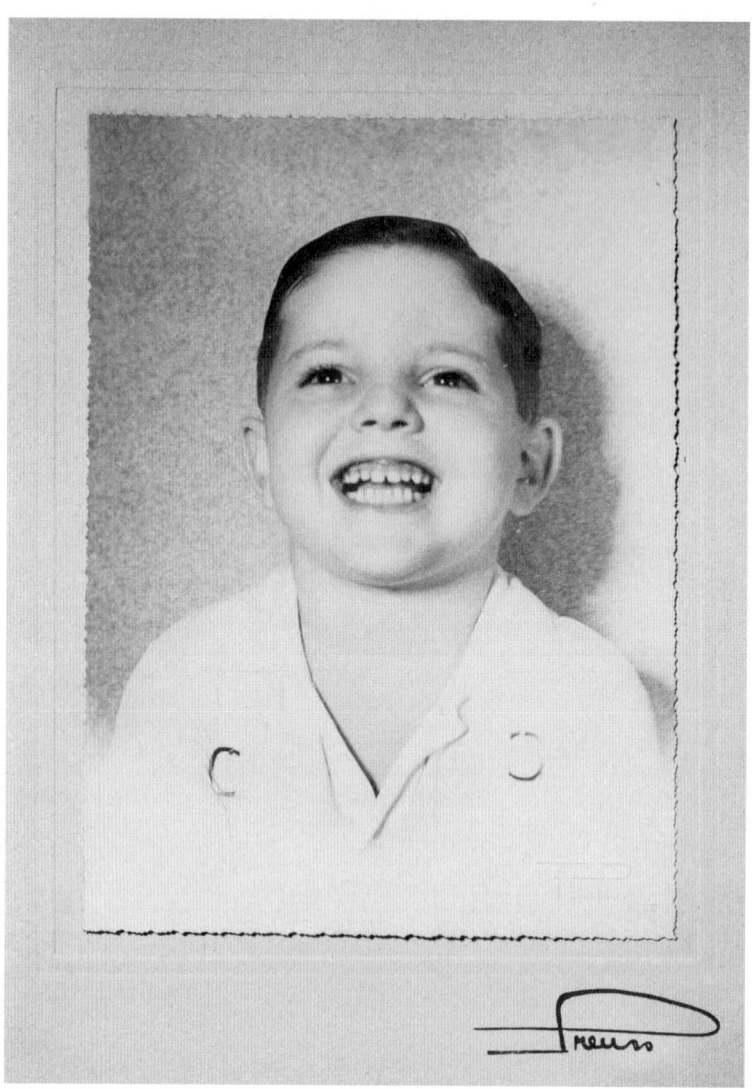

Com quatro anos, Zezinho era só alegria!

LEMBRANÇA

da

1.ª COMUNHÃO

de

José Eugenio Soares

feita no

COLEGIO SÃO BENTO

Rio, 15 de Setembro de

1946

O santinho da minha primeira comunhão,
realizada no Colégio São Bento.

Vestido de cozinheiro, no aniversário de quatro anos; ao meu lado, vestida de camareira, a futura atriz e jornalista Joana Fomm.

◄ Como eu era seu filho único — e tardio —, mamãe adorava me vestir a caráter (vejam o detalhe da boina); talvez venha daí o meu cuidado com os detalhes das roupas dos personagens que vivi e que dirigi.

◀ No Jockey Club, aos quatro anos, vestido com o uniforme do Eton College, da Inglaterra, onde vovô Leal havia estudado.

Papai, apelidado de Garoupa, era elegantíssimo; de sapato
bicolor, no centro do Rio.

◀ Mamãe, numa das visitas que me fez em Zermatt, quando eu estudava na Suíça.

Papai desembarcando em Nova York, em 1951, onde se
encontrou comigo e com mamãe — de lá fomos para a Europa.

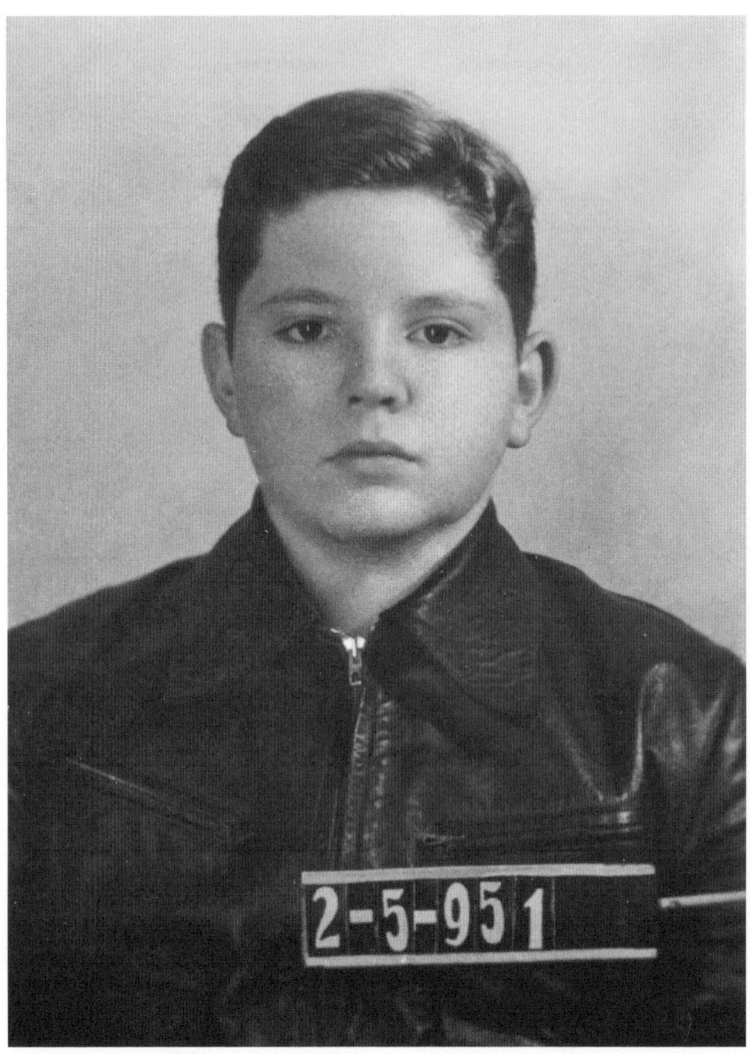

Minha foto para o passaporte da primeira viagem internacional, aos treze anos.

— O senhor tem toda a razão. Peço-lhe licença para propor o seguinte: eu preciso do fim de semana para tirar as minhas coisas e colocar os papéis em ordem. Na segunda-feira o senhor vem e assume. Fica bem assim para o senhor?

— Tá, tá perfeito — concordou o Presidente, e foi se retirando. Quando chegou à porta, virou-se e falou:

— Mas segunda-feira sem falta!

Nos fins de semana, o Presidente descia para o Rio de Janeiro, onde ficava discursando na praça da rodoviária. Trabalhava mais do que qualquer político brasileiro. E sem remuneração. Um dia, durante a viagem, ele começou a dizer que era o diabo:

— Eu sou o demônio, o demônio tá nesse ônibus, esse ônibus vai virar, vai morrer todo mundo, vou levar todo mundo pro inferno.

Na primeira curva o pessoal riu, na segunda riu um pouco menos, na terceira curva, que foi uma curva muito fechada, pararam o ônibus e botaram ele pra fora. Na dúvida, ninguém queria se arriscar. O enterro dele, assim como o da Esther Williams, foi muito concorrido.

A galeria dos tipos inesquecíveis de Petrópolis é infindável. Lembro-me do Crescêncio, um cara que dizia ser o papa. De um personagem conhecido como Bem-Te-Vi, que ficava furioso quando o chamavam pelo apelido. Alguém dizia:

— Bem-Te-Vi!

E ele xingava de volta:

— Filho da puta! Vai pra puta que pariu!

Recordo-me ainda de outro, o Papa-Ovo, que também odiava o apelido. Ele passava, a turma gritava:

— Papa-Ovo!

E ele respondia:

— Ô veado!

Meus dois grandes amigos em Petrópolis eram o Fernando Sá Pereira, o Gambá, apelido que era o inverso do que ele era na verdade, pois andava sempre cheiroso (e arrumado), e o Renato

Macedo, o Macedinho. Eu vivia grudado neles, ambos muito inteligentes e engraçados. O Fernando herdou um cartório do pai. Ele mandava imprimir uma Carteira de Maluco e a entregava aos tipos bizarros da cidade. No documento, lia-se: "Esta Carteira de Maluco autoriza, mediante apresentação, fulano de tal, mais conhecido como…, a entrar gratuitamente nos cinemas e a não pagar pelo transporte em ônibus". O curioso é que os funcionários dos cinemas e dos transportes aceitavam a carteira, davam passe livre para os malucos.

Uma das coisas que meus amigos petropolitanos gostavam de fazer era passar o "trote do Pedro", dia e noite. Todos tinham o número do telefone de uma determinada casa. Eles se reuniam, a cada vez um ligava para aquele número e, quando alguém atendia, perguntava com extrema polidez e delicadeza:

— Boa tarde. Por favor, se não for incômodo, eu poderia, por gentileza, falar com o Pedro?

Aí, o cara que tinha discado, tirava o fone do ouvido e tapava o bocal, para que todos pudessem ouvir a resposta. Do outro lado da linha, alguém respondia, no início muito educadamente, mas só no início:

— Olha, infelizmente, o Pedro não vai poder atender, porque o Pedro está… comendo o cu da puta que te pariu, seu filho da puta! Vai ligar pro cu da sua mãe!

E batia o telefone.

Não havia Pedro nenhum na casa. Era realmente de perder as estribeiras, um monte de gente ligando sem parar e perguntando por uma pessoa que não existia. Coisas do interior. Coisas dos *Vitelloni*, para mim um dos filmes mais geniais do Fellini.

Na época, meu pai descia diariamente de Petrópolis para o Rio, a fim de procurar novos negócios, e voltava à noite. Havia uma mulher muito bonita, nos seus quarenta anos, jornalista, que fazia o mesmo percurso dia sim, outro também. Eles fizeram camaradagem e ficavam conversando durante o trajeto. Nessas conversas, papai veio a saber que ela era filha do casal do Pedro, da casa dos trotes:

— É, ficam ligando lá pra casa, um absurdo o que fazem com os velhos. Qualquer hora papai vai ter um troço...

Uma noite, subindo de volta para Petrópolis, ela estava cansada e desabafou com meu pai:

— Sabe, seu Orlando, essa vida de jornalista não é fácil, às vezes a gente passa por situações muito desagradáveis.

Papai perguntou o que havia ocorrido.

— Eu fui entrevistar o João Goulart. — Na época Jango era o vice-presidente do Juscelino. — Imagine o senhor, seu Orlando, que ele botou a mão na minha coxa. Quando ele fez isso, eu não tive dúvidas: peguei um cinzeiro de cristal que tinha na mesa em frente e sapequei nos colhões dele. Pode ser vice-presidente, ser o que for, mas não vai ficar metendo a mão na minha coxa. Peguei aquele cinzeiro, sabe aqueles cinzeiros de cristal grandes, pesados? Sabe? Peguei e joguei nos colhões dele. Não fiz bem?

Papai respondeu:

— A senhora fez muitíssimo bem.

Um dia, os donos da "casa do Pedro" convidaram meu pai para jantar lá. A mãe da jornalista começou a mostrar a casa a ele, dizendo:

— No futuro, eu penso em abrir uma porta de comunicação entre essa sala e a outra.

O marido, superneurastênico, interrompia:

— Quem? Quem vai mexer aqui? Quem vai abrir uma porta? Só quero ver! Você aqui não põe um prego na parede sem que eu queira! Você não põe nada! Você não pendura um quadro! Experimenta só pra você ver! Experimenta!

Foram até a cozinha, e a dona da casa dizendo:

— Futuramente eu gostaria de reformar a cozinha e ampliá-la, ela está muito pequena.

O marido não a deixava terminar e falava:

— Vai reformar o quê? Você não vai reformar nada! A cozinha está muito boa! Você aqui não manda nada! Não mexe em nada! Nem depois que eu morrer! Quer me deixar louco?

O jantar foi todo nesse clima. Depois da sobremesa, a filha do casal começou a servir o cafezinho com açúcar. Quando chegou a vez do pai, ela disse, com muito carinho:

— Pro papai não, porque papai é diabético.

O pai deu um pulo da cadeira, um soco na mesa e falou bem alto:

— Eu não sou diabético! Eu já falei que não sou diabético! Que mania de dizer que eu sou diabético! Eu nããão sou diabéético!

Aí, pegou o açucareiro, entupiu a sua xícara de açúcar e continuou gritando, colérico:

— Elas querem me levar à loucura, seu Orlando! Essas duas querem me enlouquecer! Mãe e filha! Ficam dizendo que eu sou diabético! Eu não sou diabético! EU NÃO SOU DIABÉÉTICO!

Aí meu pai entendeu por que quando ligavam para a casa do homem e perguntavam pelo Pedro sua reação era tão forte.

Num dos carnavais de Petrópolis, uma escola de samba da cidade desfilava pela avenida xv. Chegando perto do D'Angelo, teve de interromper o desfile porque, no sentido contrário, vinha atravessando um cortejo fúnebre. Pensem na broxada que foi: a bateria parou, alguns figurantes tiraram os adereços da cabeça em sinal de respeito. De repente, abre-se a tampa do caixão e dali de dentro pula o Mariozinho de Oliveira. As meninas que estavam vestidas de freiras e beatas eram todas passistas de agremiações do Rio que o Mariozinho tinha levado para lá. A pobre da escola de samba petropolitana perdeu a evolução do desfile, ensaiado por meses, por causa da encenação do Mariozinho. Mas, como ele era a animação em pessoa, a escola e o séquito se confraternizaram, e aquele Carnaval ganhou uma dose extraordinária de alegria e energia regadas a bebida e lança-perfume.

Em Petrópolis, uma casa lotérica transmitia, pelo rádio, as corridas de cavalo do Brasil, uma por noite. Ali havia guichês de apostas, uma coisa muito parecida com os bookmakers americanos, aqueles que aparecem em filmes como *Golpe de mestre*, com Paul Newman e Robert Redford. Uma das corridas que eram acompanhadas na casa lotérica acontecia no hipódromo de Corrêas, ao lado de Petrópolis. As corridas lá eram armadas. Não tinha iluminação, o último páreo era disputado praticamente no escuro; ficava difícil de comprovar que o locutor dava o resultado para o cavalo que preferisse — ou que já estivesse combinado, na maioria dos casos. Diziam que o quase imbatível cavalo argentino Gualicho, que dominou as principais provas brasileiras em 1953 e 1954, foi fazer uma corrida de exibição em Corrêas e perdeu. Havia páreos em que todos os cavalos pertenciam ao mesmo haras, então o dono escolhia quem iria ganhar. Com tudo isso, o prado não pôde continuar suas atividades.

Esse hipódromo apresentava uma peculiaridade: sua pista era muito curta. Para um páreo de 1500 metros, os cavalos tinham de dar duas voltas na pista. Ao lado de uma das curvas, havia um bambuzal onde, logo que anoitecia, alguns jóqueis paravam seus cavalos e ficavam esperando, para assim dar apenas uma volta na pista. Esse truque acabou quando um cavalo foi picado por uma cobra ali e morreu. O prado de Corrêas já fora fechado nesse período que passei em Petrópolis, mas suas histórias continuavam vivas — o que dava no mesmo para mim, uma vez que muitas histórias são mais interessantes do que os fatos. Havia um cara que ia apostar todas as noites na lotérica mas não ganhava nada. O coitado era alvo de gozação. Numa corrida, um cavalo largou na frente e disparou, não tinha mais como perder. O cara começou a mostrar sua aposta para todas as pessoas, tinha colocado todo o seu dinheirinho no cavalo e se pôs a falar alto:

— Vamos, essa eu não perco mais! Eu não perco mais!

Ele estava eufórico, já comemorando, quando na última curva o cavalo, que se chamava Geleia, diminui a velocidade, vai parando, para... cai e morre. Seu coração explodiu de tanto esforço físico. O apostador ficou desolado, perdeu mais uma. Mas ganhou um apelido: Geleia. A cidade inteira passou a chamá-lo pelo nome do cavalo.

No final da década de 1950, ir ao Hipódromo da Gávea continuava sendo um ótimo programa de fim de semana no Rio de Janeiro. Comparecer ao Jockey Club era tão importante, que os atores e atrizes de peças em cartaz na cidade costumavam ir à pista entregar os prêmios aos vencedores dos páreos, como uma maneira de divulgar seus espetáculos. Fazia parte da vida dos bem-nascidos frequentar a ala social do Jockey. Nunca fui viciado em apostas, mas gostava muito de visitar o prado. Até ocorreu uma história engraçada comigo. Um dos meus primeiros trabalhos na televisão foi escrever textos para o programa *Câmera Um*, da TV Tupi do Rio. Em 1959, uma peça chamada *A barbada*, criada por mim, foi ao ar às vésperas do Grande Prêmio Brasil, a prova máxima do turfe sul-americano. Na peça, que faz referência ao universo do turfe, o cavalo vencedor é o número 7. Pois o Narvik, o cavalo que venceu o GP Brasil dias depois, correu com o número 7. Já imaginaram se eu fosse apostador e seguisse o meu próprio palpite? Teria ganhado muito dinheiro ali — e na época eu precisava muito.

Um dos frequentadores, famoso entre os turfistas, era o Luís Eduardo, um tipo britânico, cabelo engomado, colarinhos altos, sempre elegante. Pertencia a uma família riquíssima, mas a sua mãe, viúva, não lhe dava um tostão, porque ele gastava tudo no prado. Luís Eduardo procurava os páreos com poucos cavalos na disputa — em páreos com doze ou dez cavalos ficava muito complicado para ele aplicar seu golpe. Se o páreo era de cinco cavalos, ele tinha dinheiro suficiente para dar o palpite em, no máximo, dois. Depois das suas apostas, dava uma olhada nos apostadores, escolhia alguns com jeito de incautos, encostava neles e os convencia a jogar nos outros três cavalos do páreo em que ele não havia apostado. Muito cavalheiro, dizia educadamente que tinha informação de cocheira, que conhecia o dono do cavalo etc., que o apostador não precisava dar nada pela dica, apenas se o cavalo ganhasse, que ele se lembrasse de quem deu a dica e lhe desse uma comissão pelo prêmio. Assim, não importava qual dos cinco cavalos cruzasse o disco em primeiro lugar, ele ganharia uma graninha, seja da sua aposta, seja da comissão de outro apostador. Um dia, Luís Eduardo se aproxima de um português que parecia cheio de dinheiro e de vontade de apostar, e diz, falando baixinho:

— Olha, tenho uma dica quentíssima. Quem vai ganhar este páreo é o número 2. Pode jogar nele. Nem quero que o senhor me dê nada pela dica. Depois, na hora que o cavalo ganhar, porque ele vai ganhar, aí o senhor me dá uma comissão.

— Me desculpe, não estou interessado — respondeu o apostador.

— Confie em mim, todo mundo me conhece por aqui como um catedrático, como um grande conhecedor dos cavalos. Pode apostar, que é barbada — insistiu o Luís Eduardo.

— Não, muito obrigado. Eu já tenho uma informação de que quem ganha esse páreo é o número 5, já está tudo acertado, eu tenho informação de cocheira que vai ganhar o número 5.

— Bem, então, eu sou obrigado a abrir o jogo com o senhor — quase sussurrava o Luís Eduardo. — Quem ia ganhar era realmente o número 5, já estava tudo acertado mesmo.

E pedia ao apostador:

— Vamos nos afastar um pouquinho, ninguém pode ouvir essa nossa conversa.

Puxava o incauto para um canto e prosseguia:

— Já estava tudo certo, o número 5 ia ganhar, mas hoje ele não comeu, recusou a ração. É sinal que o bicho não está bem...

O apostador, interrompendo:

— Eu sei, eu sei, quando o cavalo recusa a ração é porque ele não está se sentindo bem.

— Já vi que o senhor entende muito bem de cavalos, parabéns.

— Claro, desde criança eu já gostava de corrida de cavalos.

Luís Eduardo continuou:

— Então, foram obrigados a trocar o 5 pelo 2. Tiveram que mudar a aposta, estão todos derramados no número 2. O senhor não precisa me dar nada por essa dica. Quando o cavalo ganhar, o senhor me dá uma comissão.

Aí teve início a corrida. O número 5 largou na ponta e começou a se distanciar. Entraram na curva… e o cavalo número 2 foi parando, parando, parando, quando acabou a curva ele estava em último lugar. O 5 continuava disparado na ponta e, o pior, aumentava a distância em relação aos outros. À medida que eles foram saindo da curva, o Luís Eduardo também foi, de mansinho, se afastando do apostador. Quando o incauto viu que o cavalo em que ele apostara, o 2, estava muito devagar, na última posição, e aquele em que ele deveria ter apostado, o 5, estava disparado à frente com três corpos de vantagem, se pôs a procurar o cara que lhe dera a dica, entre aspas.

— Onde está ele? Onde se meteu o desgraçado?

Viu o Luís Eduardo tentando fugir. Furioso com o prejuízo, se sentindo um miserável, começou a urrar:

— Não comeu, é? Não comeu? Comeu a ração dele e a dos outros! Filho da puta! Desgraçado! Não comeu, é? Não comeu? Comeu a dele e a dos outros!

E o Luís Eduardo, se retirando, dizia:

— Isso aqui está cada vez pior, deixam entrar qualquer um aqui na social. Que coisa horrorosa, deviam barrar essas pessoas que não sabem se comportar no Jockey.

Outro tipo que conheci no prado da Gávea foi o Vargas, um alto funcionário da alfândega. Houve uma época em que os sócios apostadores, em vez de apostar ali nos guichês, pegavam os telefones do Jockey para ligar e apostar com os bookmakers. Aí veio uma ordem da diretoria do clube proibindo que se apostasse pelo telefone, porque isso não alterava a cotação dos cavalos no próprio Jockey. Muito esperto, o Vargas ligava para seu bookmaker e dizia:

— Boa tarde, aqui é o doutor Vargas. Como é que estão os pacientes do primeiro andar? Sei... E aqueles dois pacientes do terceiro andar? Entendi... E aquele paciente do quinto andar? Como, morreram todos? Todos?

No seu código médico-hospitalar, isso queria dizer que ele não tinha acertado nenhuma aposta. Uma vez, encontrei-me com o Vargas na alfândega, um cara quis revistar a minha mala mas ele não deixou. Estávamos os dois conversando quando um dos funcionários se aproximou e lhe disse que uma senhora portuguesa queria entrar no país com queijos da serra da Estrela, o que era proibido então. O Vargas foi falar com ela e ouviu:

— Eu venho aqui visitar minha família, então eu trouxe uns queijos da serra, que todo mundo adora.

Ele olhou, viu que eram três queijos magníficos, e respondeu:

— Minha senhora, eu vou lhe dizer uma coisa. Esaú se vendeu por um prato de ervilhas. Eu vou me vender por um queijo da serra da Estrela. Um vai ficar comigo, mas a senhora pode entrar com os outros dois.

Nos meus últimos tempos de Anexo do Copacabana Palace, conheci tipos curiosos — sempre que penso nas pessoas curiosas que encontrei em minha vida, me lembro da maravilhosa seção da revista *Seleções do Reader's Digest*, que era muito popular nos anos 1950, intitulada "Meu tipo inesquecível". Paulinho Pouca-Roupa — o nome já tinha uma sonoridade incrível — foi um deles. Nunca o viram com algo sobre o corpo além do short de praia, camiseta e tamancos, o guarda-roupa mais barato do mundo. Na época, o coquetel de camarão servido em volta da piscina do Copa era um sonho, com camarões-pistola gigantescos. Certa tarde, um turista americano, de chapéu e câmera fotográfica, mergulhava o camarão no molho rosé e dava para um gatinho que estava ao seu lado. E o Paulinho, sem dinheiro, com água na boca, olhava os camarões. De repente, ele não se conteve: foi engatinhando até a mesa do turista, ajoelhou-se e, numa imitação perfeita, fez:

— Miau, miau...

O americano morreu de rir e mandou servir um coquetel de camarão para ele.

Outra figura era o Jorge Maré — Maré vinha de "maresia", porque Jorge não saía da praia. Até que resolveu trabalhar. Começou a vender anúncios para as Páginas Amarelas, as listas telefônicas de estabelecimentos comerciais que geravam uma fortuna em faturamento. Ele se revelou um grande talento como vendedor, acabou virando diretor das Páginas Amarelas. Era simpaticíssimo e competente, disciplinou o negócio. Antes do Jorge Maré — acho que eu nunca soube seu sobrenome verdadeiro —, era comum os vendedores ludibriarem os anunciantes com o truque do Pormes. Pagavam-se os anúncios em mensalidades, mas, para não assustar os fregueses — a imensa maioria composta de pequenos comerciantes, sem a menor ideia da mecânica do negócio —, o vendedor não esclarecia que o valor escrito no recibo correspondia apenas ao da primeira parcela de um total de doze. Ele dizia que o seu nome era Pormes e que o comerciante devia colocar esse nome ao lado do valor, para que as Páginas Amarelas tivessem certeza de que ele, Pormes, é que vendera o anúncio. Depois, o vendedor acrescentava o acento circunflexo em cima da letra "e" e entregava o recibo nas Páginas Amarelas: "Pormês". Em algumas regiões de pequenos negócios do Rio, o nome Pormes chegou a ser muito conhecido.

Ainda sobre a turma da praia de Copacabana: lembro-me com saudades do Pombo-Correio, que passava o dia inteiro indo do Posto 0 ao Posto 6, e voltando. Ia e voltava, ia e voltava (entre os dois havia 121 postes; o Antônio Maria contou). Uma resistência incrível. Tinha gente que o usava para enviar recados:

— Ah, quando você passar no Posto 4, fala pro fulano que nós já estamos aqui.

— Pode deixar, pode deixar — ele respondia, sem parar, como o coelho de *Alice no País das Maravilhas*.

Havia ainda muitas figuras extraordinárias que faziam parte do fascínio daqueles anos mágicos do Rio de Janeiro, mas é difícil se lembrar de todas. "Vai, lembrança, me espana a cabeça; quem mais?", escreveu o grande repórter Joel Silveira, tentando se lembrar dos amigos no livro cujo lindo título é *Memórias de alegria*. Aqueles tipos desocupados, que pareciam criados para dar vida permanente à beleza da paisagem do Rio, como se vivessem num outro mundo, fora da realidade, numa época mais inocente, tinham seu encanto. O menino grande Antônio Maria escreveu uma crônica magistral, quase nostálgica — parece que antevia que o país pioraria nesse aspecto —, sobre eles:

> Minha admiração pelos homens que passam os dias inteiros na praia. São homens honrados. Não fazem negócios escusos, não emprestam dinheiro a 4% nem ganham comissões nas empreitadas do governo. Ficam na praia, que é de graça, expostos às graças do sol, adquirindo a pigmentação necessária a essa vida úmida dos trópicos. Gosto mais dessa gente, dessa humanidade que não ajuda mas também não atrapalha. [...] E são estes, os da praia de Copacabana, que passam óleo nas costas, nos braços, no rosto e nos maus pensamentos.

Deixo consignada aqui a minha homenagem aos tipos que a memória me impede de lembrar mas sem os quais eu não teria sido o que sou e com os quais me diverti muito nos meus anos no auge de Copacabana.

Nas tardes na piscina e na pérgula do Copa, nas noites às mesas do Gôndola, fazendo meus números, imitando pessoas, contando meus casos, falando várias línguas, convivendo cada vez mais com artistas, jornalistas, boêmios, músicos, empresários artísticos, eu me ambientava e me tornava conhecido. O Rio se aproximava de seu ano dourado, 1958, e eu estava por ali, gordíssimo de tantas possibilidades mas sem nada concreto ainda para fazer. Eu me divertia divertindo os outros, mas dinheiro que é bom, nada. Mesmo assim, havia muitas promessas de luz e, sempre que podia, eu dava um jeitinho de dar uma canja com o meu instrumento. Começava a aparecer um novo personagem na cena carioca: o "Joe" Bongô.

VIII

No domingo 27 de outubro de 1957, o "Roteiro da Noite" do *Diario Carioca*, que modernizou a linguagem do jornalismo brasileiro sob o comando do Prudente de Morais, neto, do Danton Jobim e do Pompeu de Sousa, dando um tom mais coloquial às suas matérias, noticiava que o piano de Valdir Calmon poderia ser ouvido no Arpège, que Ivon Curi levava sua peruca e sua voz para o Au Bon Gourmet, que toda a dor de cotovelo de Dolores Duran era derramada no Bacará, que a malandragem fanhosa de Jorge Veiga sambava no Clube 36, que a dupla Tito Madi e seu violão se abraçavam no Little Club, que o Night and Day apresentava o espetáculo *Mister Samba*, que o maestro Cipó e o pianista Sacha Rubin (toda vez que ele começava a tocar "I Love Paris", de Cole Porter, os frequentadores sabiam que a deslumbrante Carmen Mayrink Veiga entrava na boate) exalavam boa música no Sacha's, onde também cantava o Murilinho de Almeida, um dos queridinhos das noites cariocas. O Rio era todo música ao vivo.

Falando do Murilinho, um gay extremamente macho (era gaúcho de fronteira, capataz de fazenda, valente como poucos, comandava os vaqueiros com chibata), uma ocasião uma senhora se aproximou dele e disse:

— Me desculpe, mas eu tenho observado o senhor há duas horas e acho que o senhor é veado. Não é?

— Duas horas? Quanto tempo! Pois, na hora que a senhora entrou, eu já percebi que a senhora era puta...

Outra do Murilinho:

— Eu cheguei à conclusão que existem pelo menos dez coisas que são melhores do que trepar. Pra citar só uma: você chega em casa às três horas da manhã, você mora no décimo e o elevador está no térreo. Não é muito melhor do que trepar?

Uma das atrações das páginas de variedades do *Diario Carioca* eram as matérias assinadas por Mister Eco, que ficou conhecido nacionalmente por participar como jurado do programa *Um Instante, Maestro!*, de Flávio Cavalcanti, emigrado da Rádio Nacional para a TV Tupi do Rio naquele ano. O programa ficaria no ar por dois anos, sairia de cena e voltaria, agora para todo o Brasil, em 1965. O tom moralista do polêmico apresentador e o sensacionalismo — por exemplo, em determinado momento Flávio Cavalcanti quebrava um disco pelo fato de este supostamente desonrar a qualidade da música brasileira —, além do domínio perfeito que tinha do veículo, com o tempo preciso, o uso técnico das ênfases e das pausas, se encaixaram plenamente no clima de radicalização política do país, após o golpe de 1964. Ele tirava e punha os óculos diante da câmera o tempo todo. Se necessário, chorava. Criou o bordão "Nossos comerciais, por favor" e também "Um instante, maestro!", com o qual interrompia a apresentação da orquestra do programa quando queria comunicar alguma coisa importante. Como repórter, havia conseguido um furo imenso para a TV Rio: entrevistou o presidente americano John Kennedy na Casa Branca — sem falar uma palavra em inglês. No dia 1º de abril de 1964, como a emissora ficava no Posto 6, em frente ao forte de Copacabana, o repórter Flávio Cavalcanti — amigo e sósia de Carlos Lacerda, apoiador do golpe — fez uma cobertura ao vivo do forte sendo ocupado pelo coronel César Montagna (eu tinha passado na emissora para falar com o Walter Clark e pude assistir de cima a boa parte da movimentação militar por ali, uma cena que jamais poderei esquecer).

Certa vez Flávio Cavalcanti, cujo programa, em seu auge, chegou a ter 72% da audiência, andava furioso com meu querido Antônio Maria, compositor, jornalista, cronista, narrador de jogos de futebol, profissional da dor de cotovelo. No ar, o apresentador chama a câmera para fechar em si próprio e, com tom gravíssimo, sua boca pequena diz:

— Tenho algo muito importante a dizer. Tirem as crianças da sala. Vou dar um minuto para que todos os pais possam ter tempo para tirar as crianças da sala.

Ficou um minuto em silêncio no ar, olhando para o relógio, o que aumentou a tensão. Terminados os sessenta segundos, ele levanta a cabeça, dirige o olhar lívido para a câmera e diz com a voz firme:

— Antônio Maria, você é um… mulato!

Maria não respondeu diretamente a Flávio Cavalcanti, mas, divertindo-se muito, disse depois do programa:

— Claro que eu sou mulato. Como 99 por cento da população. Mulato não é insulto, é constatação. Mas foi ótima a provocação, porque me veio a ideia de um bom apelido para ele: BOCA JÚNIOR.

O apelido pegou.

Foi Flávio Cavalcanti quem colocou um júri em programas de televisão no país. Na sua bancada, estavam figuras como o compositor Fernando Lobo, pai do Edu Lobo, Nelsinho Motta, que causou uma grande confusão porque disse no programa que o Hino Nacional era cafona (palavra muito usada então), e Sérgio Bittencourt (filho do Jacob do Bandolim), além do jornalista baiano Mister Eco, cujo nome era Eustórgio Antônio de Carvalho Jr. Naquele domingo de 1957, encimando o "Roteiro da Noite", lia-se a manchete no alto da página 5 da Revista dos Espetáculos, caderno dominical do *Diario Carioca*: "Mr. Eco denuncia: 'Joe': um artista nato". A foto principal da página era um retrato do meu rosto, tirado na Suíça, no qual simulo ser Marlon Brando, com o cabelo caído na testa, no papel de Napoleão Bonaparte em *Désirée*, filme de 1954, com Jean Simmons como a paixão da mocidade do imperador francês. Para quem, até então, jamais havia feito uma apresentação profissional, uma página num periódico importante, escrita por um dos mais populares jornalistas cariocas dedicados a cobrir os bastidores do mundo dos espetáculos, era como ter o nome anunciado nas faixas daqueles aviõezinhos que passam pela orla do Rio em domingos de tempo bom. Comecei a ficar conhecido além da piscina do Copa, onde ainda morava.

Na reportagem, Mister Eco dizia que eu pretendia estudar direito (nem eu me lembrava disso!).

Porém, vendo as demonstrações artísticas de "Joe" Soares [Mr. Eco], não resistiu em denunciá-lo aos nossos produtores de televisão — em especial — e aos do teatro de revista — desde que não seja da praça Tiradentes, já se vê — porque "Joe" Soares antes de chegar a ser advogado precisa ser visto e mostrado ao respeitável público. E talvez — quem sabe? — assim se evite mais um advogado frustrado na praça.

Na época, aos dezenove anos, eu adaptava números de outros artistas e criava imitação de atores em cenas de filmes. Uma adaptação era a piada da vela (dois velhinhos num hotel sem luz tentando apagar uma vela), que tirei do maravilhoso comediante francês, rei dos sketches, Fernand Raynaud — um número que o Zé Vasconcelos fazia muito bem no teatro e repetiu numa das vezes em que o entrevistei no meu talk show. Anos depois descobri que, ao contrário do que eu pensava, o número da vela era criação do próprio Zé Vasconcelos e que Fernand Raynaud o vira em Buenos Aires, num dos vários shows que meu querido Zé havia feito com tremendo sucesso na capital argentina.

Num desses espetáculos, Zé, ao improvisar num quadro em que um funcionário da saúde pública borrifava com uma bomba um produto para matar mosquitos, disse:

— *Eché un polvo*.

O teatro veio abaixo e o Zé não entendeu por quê. Na gíria argentina, essa expressão queria dizer: "Dei uma gozada". Claro que ele continuou usando o caco — uma gíria do teatro que significa a incorporação de algo que aconteceu num improviso, algo que aconteceu por acaso, e deu certo.

A Dercy Gonçalves contava que uma vez estava contracenando com um jovem ator gordo e ele deu uma tremida. Todo mundo riu, achando que aquilo fazia parte da peça. Aí ela falou:

— Nossa, parece um liquidificador vivo.

Todo mundo riu novamente. Quando terminou a apresentação, Dercy disse ao ator:

— A partir de agora, todas as noites você dá aquela tremidinha.

Pronto. Mais um caco para o teatro nacional.

No entanto, nem todos os atores se dão bem improvisando — e, com frequência, mesmo os que se dão bem preferem contar com a segurança de haver um texto camuflado em algum lugar do palco que os espectadores não possam enxergar. No jargão do teatro, esse texto é uma "dália". Certa ocasião, no ensaio de um *Grande Teatro* que iria ser transmitido ao vivo pela Tupi, o extraordinário ator Fregolente colocou praticamente todo o seu texto entre as folhas de um vaso de dálias que enfeitava a mesa no centro da sala. Ele circulava em torno da mesa, olhando dissimuladamente para suas falas escondidas entre as flores. Depois do ensaio, o diretor deu uma última olhada no cenário, chamou o contrarregra e mandou:

— Tira aquele vaso com as dálias. Não tem nada a ver com o resto da sala.

A luz vermelha do "gravando" se acende, começa a transmissão ao vivo do teleteatro. Na sua primeira fala, o Fregolente, que não tinha percebido a mudança no cenário, procura e não encontra o vaso. Ele se põe a dar voltas na mesa e a gritar: Onde estão as minhas dálias!? Eu amo as minhas dálias! Sem as dálias não sou ninguém.

Na sequência, havia um longo diálogo entre dois atores, as câmeras ficavam fechadas no rosto deles, e o contrarregra aproveitou esse momento para rapidamente recolocar o vaso de dálias sobre a mesa.

Palavra puxa palavra, história puxa história, casos puxam casos... E, no mundo do teatro, eles não acabam nunca. Mencionando o Fregolente, por exemplo, lembrei que certa vez ele foi gravar um anúncio político do Partido Trabalhista Brasileiro, o PTB, que era muito forte naquele tempo. Ele apareceria sem roupa nem sapato, vestido apenas com uma barrica, e simbolizaria a situação do trabalhador brasileiro antes da existência do PTB. No outro lado do quadro, apareceria um cara todo bem-vestido, elegante, que simbolizaria o trabalhador brasileiro depois do nascimento do PTB. Fregolente leu o texto, olhou a barrica, o estúdio, o ator bem--vestido, e disse:

— Isso é ridículo, eu não vou me sujeitar a fazer este papel...

— Você tem de fazer, tá no contrato, como é que não vai fazer?

A publicidade, na época, era toda ao vivo. Ele tirou a roupa, vestiu a barrica, entrou no estúdio e, quando o diretor avisou que estava no ar, falou:

— Senhoras e senhores, meu nome é Fregolente, no teatro eu já fiz Shakespeare, Brecht, Pirandello, e agora estou aqui fazendo este papel ridículo na televisão, pelado dentro de um barril, para simbolizar o trabalhador brasileiro antes do PTB. Agora eu vou explicar para as senhoras e os senhores o que é isto. Isto é o resultado de um contrato mal assinado!

Seu nome completo era Ambrósio Fregolente, e ele nasceu em São Paulo. Considerado um dos grandes atores das peças de Nelson Rodrigues — estava, por exemplo, na montagem de *Bonitinha, mas ordinária*, em 1962 —, participou de mais de cem filmes e peças, uma marca considerável para um ator brasileiro. Já cinquentão, se formou em medicina, especializando-se em psiquiatria. Algum tempo depois, Nelson Rodrigues contaria numa crônica no *Globo* como recebeu a notícia da formatura do ator:

> Imaginem vocês que há uns três anos eu estava na redação escrevendo o meu romance *O casamento*. Nisto bate o telefone. Era o Fregolente, que eu não via há séculos. E agora quero que o leitor se comova como eu: o Fregolente vinha me comunicar que, aos 53 anos, estava se formando em medicina, era médico. [...] Que coisa deslumbrante o riso do Fregolente, e repito: o som do riso do Fregolente. Berrava no telefone: "na idade em que o sujeito só pensa em morrer, eu só penso em curar!". Explodia em gargalhadas ao dizer isso.

Fregolente participou de um espetáculo que foi um dos maiores desastres do teatro mundial. Era a montagem do musical *Independência ou morte*, com texto do ótimo teatrólogo Hélio Bloch e música do meu inesquecível amigo Zé Rodrix — que na época era bem riponga, cabelinho todo encaracolado, brinco na orelha. Ele tinha alcançado êxito na banda Sá, Rodrix e Guarabyra com um gênero chamado de "rock rural", cujo grande sucesso foi a canção "Casa no campo", gravada por Elis Regina. Para mim, a música mais fantástica do grupo foi "Mestre Jonas", que começava assim:

> *Dentro da baleia mora mestre Jonas,*
> *Desde que completou a maioridade,*
> *A baleia é sua casa, sua cidade,*
> *Dentro dela guarda suas gravatas, seus ternos de linho.*

Independência ou morte tinha tudo para dar certo. No auge do Milagre Brasileiro do regime militar, em 1972, não foram poupados recursos para realizar uma superprodução épica, com orquestra, coral e bailarinos, além de atores de primeira linha, tudo para comemorar o Sesquicentenário da Independência do país.

Infelizmente, a tragédia começou cedo, logo na escolha do ator que faria d. Pedro I, Nestor de Montemar. Eu conheci Nestor no elenco de *O homem do Sputnik*. Ele interpretava um dos americanos que me acompanhavam nas investigações sobre onde estaria o *Sputnik*. Carlos Manga, craquíssimo em acertar o tom de humor das chanchadas, cismou, não sei por quê, que Nestor era a cara do Jerry Lewis. Não era. Nestor se matava tentando ficar parecido com ele. Não conseguia. Por sinal, Montemar era ótimo ator, como demonstrou na peça *Greta Garbo, quem diria, acabou no Irajá*, de Fernando Mello. Mas certamente não tinha o physique du rôle nem para Jerry Lewis nem para Pedro de Alcântara de Bragança e Bourbon. Poderia representar vários personagens da nossa história, menos d. Pedro I, cuja efígie está gravada no subconsciente de todos os brasileiros. Para compensar esse "pequeno" erro de escalação, o elenco contava com nomes como o da extraordinária Arlete Salles, no papel da imperatriz Leopoldina, Fregolente, Francisco Milani, Isabel Ribeiro, atores e atrizes de grande talento. Só que Nestor conseguira todos os recursos para a montagem do espetáculo, tarefa quase que impossível naquela época, então ninguém tinha coragem de contestar o fato de ser ele o protagonista. Outros problemas graves da montagem apareceram já nos ensaios. Havia muitos efeitos cenográficos, o teatro não estava preparado para isso, e uns carrinhos que entravam e saíam do palco transportando os personagens, sacolejavam demais.

A peça tinha patrocínio do governo do estado da Guanabara e, no horário marcado, 21h, o governador Chagas Freitas tomou seu assento no camarote oficial do Teatro João Caetano. A expectativa era a maior possível, a casa estava lotada. Às 21h15, em noite de estreia, ninguém se incomodou com o fato de que a campainha indicando o início do espetáculo não havia tocado; 21h30, idem. Às 21h45 já dava para ver no rosto de algumas pessoas certo ar de preocupação. Às 22h, começou um burburinho. Às 22h30, espocaram, aqui e ali, assovios e vaias tímidas. Às 22h45, Chagas Freitas não aguentou mais e sussurrou para o assessor:

— Vai lá dentro e manda começar esta merrrda de qualquerrr maneira.

Pelo tom do recado, percebia-se que o governador estava ligeiramente abespinhado.

O problema era que boa parte dos figurinos não havia chegado, eram muitos os atores e bailarinos. As costureiras não conseguiram entregar no prazo os trajes de época. Mas não teve jeito: ordens do governador eram ordens do governador. A orquestra começou o espetáculo. Subiram as cortinas, o cenário era muito bem bolado, tinha uma escadaria por trás, os atores iam subindo a escada e o público os via aparecer aos poucos: primeiro as sombrinhas de renda, depois as perucas do período do Império, depois os rostos, depois os ombros dos fardões nos homens e os ombros nus das mulheres, depois... bem, depois vinha a continuação do desastre: o Fregolente, que fazia o d. João VI, vai surgindo, magnífico, peruca empoada, gravata de renda, fardão majestoso, ele segue subindo e finalmente aparece de corpo inteiro. Estava de jeans e tênis. Só a parte de cima do seu figurino havia ficado pronta. Aliás, era um jaleco de fazer inveja a qualquer membro da Academia. Uma superprodução, caprichada, pena que a parte de baixo não viera. Na plateia, ouviam-se as primeiras risadas, por enquanto abafadas...

Chegou a vez de entrar o meu queridíssimo amigo e fantástico ator Francisco Milani. Ele vinha vestido de menestrel, nas mãos um alaúde cheio de fitas, contaria a história da peça em versos, cantando. Vestia um collant branco, quase transparente, deixando à mostra suas pernas finas e peludas. Pareciam gambitos atacados por aranhas. A plateia já começava a rir à socapa. Imaginem a tortura do ator sabendo que essa entrada, sacolejando em cima de uma carreta, iria se repetir dezenas de vezes, até o final da peça, fazendo a passagem entre todas as cenas. Os versos eram uma parte bonita e sensível, escritos com o fantástico talento do Hélio, mas as pernas do Milani eram irresistíveis. Os risos disfarçados começaram a virar gargalhadas: o Milani tinha mais pelos que o Toni Ramos, com o collant quase transparente, ficava aquele monte de pelo espremido... Nos ensaios, os collants ainda não haviam chegado, então foi impossível testá-los com a luz de cena. Ele, profissional maravilhoso que era, seguia cantando com ares de *troubadour* medieval. Às 23h30, metade do teatro já estava vazia. Acho que só os sacanas como eu, que queriam ver onde tudo aquilo ia parar, é que foram ficando. Os atores conseguiram, ufa!, chegar ao fim do primeiro ato e, na hora em que a cortina desceu, arrancou a peruca da Arlete Salles, que estava tentando sair do palco. A atriz não tinha outra de reserva. Ficou a peruca presa como uma borboleta loura, enredada na imensa teia que era a cortina do João Caetano.

Terminou o primeiro ato e os músicos da orquestra se levantaram e começaram a recolher os instrumentos. Questionados pelo diretor de cena, eles explicaram:

— Acabou o nosso tempo, agora nós temos que ir para o Night and Day tocar, porque à meia-noite começa a nossa participação no show do Carlos Machado.

O Night and Day era o clube noturno do Hotel Serrador, que ficava ali do lado.

— Como assim? Vocês têm de ir mesmo?

— Sim, está no nosso contrato. Nosso tempo aqui é das oito às onze e meia. Não dá para ficar nem um minuto a mais.

E foram embora.

Ninguém cuidara de ler o contrato e ninguém esperava que o atraso fosse tão grande. As músicas estavam todas ensaiadas com os atores e os bailarinos, uma nova tragédia se anunciava. Subiu a cortina, a Arlete Salles entrou para abrir o segundo ato sem saber de nada. A abertura seria toda orquestrada, mas ela escutava apenas um assovio. Olhou para o poço da orquestra e, para seu desespero, viu somente o Zé Rodrix, vestido de riponga, com seu brinco brilhante, gesticulando sua vareta de maestro e assoviando, impassível, a música da cena. A um sinal do Zé, ela começou a cantar a música do seu número. Ficou uma cena linda e patética, Arlete, sem peruca, cantando à capela, sendo regida pelo Zé Rodrix, que ao mesmo tempo assoviava a trilha sonora. Nessa altura, devia ter umas quinze pessoas no teatro. Foram mais uns 45 minutos de agonia, mas o espetáculo chegou ao final. Terminava com a morte do d. Pedro i. Estava lá o nosso primeiro imperador, de collant, com a bundinha arrebitada para cima, mortinho no centro do palco. A cortina começou a baixar lentamente. Só que alguém errou na marcação dos atores e a cortina ia fechar bem em cima do d. Pedro morto (aquelas cortinas imensas têm o peso de um hipopótamo). Ela ia decepar d. Pedro pela bunda. Aí, já morto, o nosso imperador deu uma pirueta para dentro do palco e, ufa!, se salvou da guilhotina da cortina. Fim...

... bem, não totalmente. Como não há desgraça que nunca acabe, anos depois eu estou entrevistando o Zé Rodrix no meu talk show, nós demos gargalhadas com a história do fiasco do musical, quando eu vi um olhar frio, cortante, de uma pessoa sentada na primeira fileira da plateia: era o Hélio Bloch — o autor do texto de *Independência ou morte* —, que eu iria entrevistar também naquele dia de gravação mas havia esquecido completamente.

O fracasso na estreia é o grande pavor de uma montagem, do produtor ao cara que faz a luz. Uma vez, o Flávio Rangel disse que a montagem de *Almas mortas*, que dirigira, tinha sido o pior fracasso da história do teatro brasileiro. Era um exagero, mas ele dizia:

— É um espetáculo que já fracassou no ensaio geral, ali já deveria ter fechado as cortinas para não abrir nunca mais.

Depois da estreia, o Antunes Filho foi falar com ele no camarim. Arrasado, o Flávio lhe perguntou:

— Que é que você achou?

— Olha, tem umas coisas que eu não gostei...

— O quê, por exemplo?

— Tudo.

Você abre o escaninho e algumas lembranças malucas vão aparecendo. É o caso das galharufas. Havia uma tradição que, infelizmente, o teatro perdeu. Era uma espécie de rito de passagem, de batismo de fogo para os atores que fariam a sua primeira peça. Quando o ator principiante ia estrear e já estava extremamente nervoso, alguém do elenco, como quem não queria nada, soltava:

— Você já providenciou as galharufas?

O estreante, quase se borrando:

— As galha o quê?!

— As galharufas, claro. Cada ator que inicia na carreira tem que estar com as galharufas. Vai me dizer que você não sabia?

— Sabia, claro! Só que não deu tempo de providenciar.

— Ih, rapaz! Não deixa ninguém saber disso. Vai logo atrás de uma galharufa.

— Como é que eu consigo?

— Eu acho que o Paulo Autran guarda sempre a dele no camarim. Vai lá no teatro dele e pede emprestada.

O pobre coitado, apreensivo pela estreia, passando o texto na cabeça, vai correndo até o teatro onde Paulo Autran estava em plena temporada. Bate à porta do camarim:

— Seu Paulo, eu sei que é muito em cima da hora, mas eu estreio hoje, teatro sempre foi o sonho da minha vida, e imagina o senhor que eu estou sem galharufa. Será que o senhor pode me emprestar a sua?

— Claro, meu filho, claro. Mas cuidado. A minha galharufa eu herdei do grande Leopoldo Fróes.

— Pode deixar, seu Paulo. Eu juro que eu guardo como a minha própria vida — diz o iniciante, ao mesmo tempo emocionado e aliviado.

O Paulo continua:

— Está ali no armário. Pode pegar.

O coitadinho abre o armário:

— Seu Paulo, não tem nada aqui.

— Como, não tem nada?

Paulo, continuando a encenação:

— Ah, claro! Agora me lembro. Eu emprestei pruma menina que está estreando com o Walmor Chagas. Vai lá e diz que eu mandei te entregar. Depois não esquece de me trazer de volta.

O jovem iniciante já suando por todos os poros, agradece e vai no encalço da famosa galharufa que pertenceu ao extraordinário Leopoldo Fróes, aliás, autor da famosa frase: "Família? Só em fotografia".

Essa romaria obriga o infeliz estreante a percorrer vários teatros, procurando em porões e urdimentos, até que uma alma caridosa diz a frase sensacional que eu ouvi do meu querido amigo Jairo Arco e Flexa: "Meu filho, galharufa não se compra, não se vende e não se empresta. Ou seja: fodeu".

Nas imitações de atores em cenas de filmes, além do Rod Steiger, que mencionei acima, eu fazia, entre outros: o Peter Ustinov (que ganhou dois Oscars de ator coadjuvante e virou Sir Peter na sua Inglaterra) em *Veneno de cobra*, filme dirigido por Michael Curtiz, em 1955, que também tinha Humphrey Bogart no elenco; Paul Newman fazendo o papel do lutador Rocky Graziano em *Marcado pela sarjeta* (*Somebody Up There Likes Me*), filme de 1956; e Gregory Peck como o capitão Ahab em *Moby Dick*, também de 1956. Imitava ainda caubóis, um mexicano jogando pôquer em Las Vegas e fazia números de ficção científica — uma paixão de vida — que eu próprio criava, como *O abacaxi que invadiu Nova York*. Tudo isso em rodas de amigos e em apresentações amadoras de espetáculos beneficentes.

No dia 24 de outubro, no *Diario Carioca*, em pequeno texto na coluna "Notas e notas", o mesmo Mister Eco já havia feito uma referência a mim, que dizia o seguinte:

"Joe" Soares é apenas um garotão. Não daqueles enxutos como o Luís Leopoldo [quem será?, eu me pergunto hoje]. Garotão bem nutrido, bem-nascido e bem vivido. A sua intuição artística constitui excelente número de variedades para qualquer espetáculo. "Joe" Soares, além de tocar bongô como poucos profissionais, faz difíceis imitações com grande poder de observação, canta e dança, e, com os dedos das mãos, "calçados e vestidos", reproduz em miniatura os mais diversos malabarismos coreográficos. "Joe" Soares foi o dono da tarde de sábado no Jirau.

Que diabos eu estava fazendo naquele sábado de outubro na boate Jirau, na praça do Lido, perto do Copa? Ao escrever estas lembranças, nem sempre precisas, repletas de lapsos, fico a cismar se consegui agradecer ao Mister Eco pela generosidade de abrir tanto espaço para este gordo espaçoso, que na época ainda não tinha rumo na vida. *Merci*, Mister Eco.

No ano anterior, o tal do "Joe" Soares havia sido mencionado brevemente na coluna "Música popular", de *O Jornal* — um dos periódicos da grande cadeia de jornais, revistas, rádios e tvs de Assis Chateaubriand. Paulo Santos era crítico de jazz e um dos animadores das jam sessions — encontro de instrumentistas sem roteiro definido, com muita improvisação, a verdadeira essência da liberdade da alma do músico e do tocar simplesmente porque é impossível viver sem tocar — no Rio. A coluna anunciava o lançamento de um long-play (o LP ou elepê, um disco de longa duração gravado em vinil, que roda em 33 1/3 rotações por minuto, tendo em torno de quarenta minutos de música gravada, dividida em faixas) intitulado *Em tempo de jazz*, pelo selo Sinter. A nota de *O Jornal* dizia que se tratava do "primeiro 'long-playing' de jazz especialmente gravado e editado no Brasil" e que "nossos músicos [...] podem falar linguagem jazzística, perfeitamente entendível em todos os quadrantes". Do disco participavam cobras como Cipó, Moacir Silva, Luizinho Eça, Donato (sim, o João), Paulo

Moura, entre muitos outros. Na faixa "Scarlett's Gone", uma adaptação da música do filme ... *E o vento levou* feita pelo próprio Paulo Santos, a escalação dos músicos era a seguinte: Marcos Szpilman, no sax-tenor; Bebeto, no sax-alto; Ronaldo Vilela, no piano; Marinho, no contrabaixo, e "Joe" Soares no bongô.

Onze anos depois, em 1967, eu — só que agora como Jô — e meu bongô voltaríamos a aparecer na ficha técnica da faixa de um LP. A gravação aconteceu no Teatro Paramount, em São Paulo, e eu acompanho o quinteto do pianista Luís Loy. É a faixa número quatro, com a música "Cruz de cinza, cruz de sal", de Tereza Souza e Walter Santos, um casal que depois da Bossa Nova se especializou em jingles e viria a fundar um selo independente na capital paulista, o Som da Gente. Os cantores eram Elis Regina e Jair Rodrigues, e o nome do vinil, *Dois na Bossa número 3*, que encerrava uma das parcerias entre cantores mais felizes dos anos 1960. Eu havia feito um show, junto com Elis, dividido em duas partes: primeiro eu entrava, fazia 45 minutos de humor, depois vinha ela com aquela voz divina e os braços que giravam, por isso foi chamada de "eliscóptero". Fizemos esse espetáculo em vários ginásios, empresados pelo Valdomiro Saad. Pouca gente sabe, mas Valdomiro foi o primeiro agente — ainda não se usava essa palavra por aqui, na época — a trabalhar com Elis.

Anos depois, ela, superfamosa, gravava seu programa com Jair Rodrigues no Teatro Paramount. Não me lembro o que eu estava fazendo por lá — normalmente, o local de gravação dos programas da emissora era o Teatro Record —, a Elis passou e me convidou para dar uma canja no show dela e do Jair. Não precisou repetir o convite. Logo depois, lá estava eu no palco, com o bongô abraçado pelos meus dois joelhos.

Voltando no tempo, eu havia começado a frequentar a turma de músicos no Rio assim que retornei da Europa. Em Paris, o Joãozinho Proença me falou que havia uma jam session todas as segundas-feiras na boate do Hotel Plaza (Plaza Hi-Fi Bar), na avenida Prado Júnior, em Copacabana — onde eu viria a morar em breve. Logo na primeira segunda-feira no Brasil, passei a mão no bongô — no qual havia as minhas iniciais, como a marca que os grandes bateristas colocavam na face do bumbo que ficava virada para a plateia — e fui para lá. Um dos amigos que fiz nessas jams foi o então estudante de medicina e futuro cirurgião plástico Marcos Szpilman, o saxofonista que aparece comigo na gravação de "Scarlett's Gone". Chegamos a montar um sexteto que se apresentou algumas vezes na TV Rio, num programa de jazz que o Walter Clark tinha criado para as noites de sábado, e fizemos um concerto no Teatro João Caetano, o municipal de Niterói. Ele era completado por Iko Castro Neves (que já fazia sucesso no grupo do irmão, Oscar, com quem se apresentaria na famosa noite da Bossa Nova no Carnegie Hall, de 1962) no contrabaixo, Nelsinho Dó Maior (ele sempre queria tocar nesse tom) ao piano, um ótimo guitarrista, o Dinarte Rodrigues, e, no trompete, o Aloysio Campos da Paz Jr., outra pessoa fantástica, criador, em Brasília, da Rede Sarah de hospitais públicos. Em 2008, cerca de quarenta anos depois das nossas canjas musicais, fiz uma entrevista com o Marcos Szpilman no *Programa do Jô* que me deixou muito feliz. Ele trouxe toda a Rio Jazz Orchestra, incluindo sua filha cantora, Taryn. O avô de Marcos tinha uma orquestra na Polônia, o pai teve orquestra no Rio (era primo do Wladyslaw Szpilman, retratado no filme *O pianista*, do Roman Polanski), e ele, com a carreira de cirurgião já estabelecida, fez também a sua bela orquestra.

Foi nessa época de aproximação com os músicos que conheci o Dick Farney, que, poucos anos depois, seria o responsável por mais uma mudança em minha vida. O Dick me adotou e logo fiquei amigo também de seu irmão, o galã Cyll Farney. Eles usavam nomes artísticos, o Dick se chamava Farnésio e o Cyll, Cylleno. Eram filhos do dono dos laboratórios Dutra, que ficou muito rico com o produto Matricária Dutra, um medicamento para passar nas gengivas do bebê quando os dentes começam a nascer, cuja fórmula seria usada por mais de cem anos. Os músicos se reuniam na casa da família dos dois irmãos, na rua Dr. Júlio Otoni, em Santa Teresa. Um dos que apareciam de vez em quando por lá era o João Gilberto, que gostava de conversar com a mãe deles, uma senhora gorducha, com o cabelo bem preto, os olhos arregalados. O João contava histórias e ela ouvia, calada. Eles se entendiam muito bem. João comentava com o Cyll:

— Sua mãe é a mulher mais inteligente que eu conheço.

Claro. Ele falava e ela ouvia.

Durante um tempo ainda fiquei conhecido nas rodas artísticas como o cara que fazia números no Copacabana Palace (a coluna "Gatos pardos", assinada por Chuck no *Correio da Manhã*, se referiu a mim como "a figura mais simpática da piscina do Copacabana"). Mas eu já dava os meus primeiros pitacos em apresentações amadoras e em festas beneficentes, que eram bem comuns naqueles anos. Não ganhava dinheiro, mas ganhava em experiência, em domínio do público, testava se um número funcionava ou não — e, além disso, não economizava esforços para me exibir. Em março de 1958, Jorginho Guinle deu uma recepção em homenagem a Ilka Soares, recheada das modelos cariocas mais bonitas, como Adalgisa Colombo, oportunidade badalada para eu fazer o número do *Abacaxi que invadiu Nova York* e a imitação de um costureiro francês.

Um parêntese: eu ouvia, pelo rádio, o concurso de miss Universo. Adalgisa era uma candidata importante. Quando chegou sua vez de falar, ela disse no mais perfeito inglês:

— Em 1492, Colombo descobriu a América. Agora, eu espero que a América descubra Colombo.

A plateia veio abaixo.

Naqueles dias, ou melhor, naquelas noites, ainda fiz números no jantar de noivado do humorista Leon Eliachar e Diva Oliveira. Em junho, fui um padre na encenação de *O noivado de Sinhá-Moça*, no evento beneficente Uma Noite Brasileira no Século XIX, organizado pela embaixatriz Ema Negrão de Lima. Em agosto de 1958, me apresentei num jantar dançante no exclusivíssimo Country Club, em evento promovido por Vera e Eloísa Dolabella, duas locomotivas do grand monde carioca. Não tenho a menor recordação do que fiz naquela noite. Outra apresentação — esta de triste memória — foi na sede do Botafogo, em General Severiano. Foi meu primeiro número para um público que não me conhecia. Eu havia sido apresentado no Gôndola ao Jorge Ileli, que foi diretor do filme *Amei um bicheiro*, um marco no cinema brasileiro com roteiro do grande ator Jorge Dória. Ele me disse: "Sobe no palco, faça um número seu. Simples assim". Eu resolvi fazer um número para brincar com a maneira como o Jaci Campos apresentava o programa *Câmera Um*, um grande sucesso da TV. Jacy gaguejava. Subi ao palco e comecei:

— Eu vou pedir para vocês não rirem porque senão eu vou ficar muito nervoso. É que eu sou gago.

Todo mundo levou a sério, ninguém riu de nada. As pessoas acharam que eu era gago mesmo e ficaram constrangidas. Desastre total. Saí do palco arrasado, achando que aquilo não era para mim. O irmão do Gene Kelly, Fred, estava no Rio e foi levado pela turma para ver o show beneficente. Sabendo que era a primeira vez que eu me apresentava em público, ele se aproximou e disse:

— O público não riu. Mas te respeitou muito.

Coitado, não havia entendido nada, tudo que eu queria era que a audiência não ficasse em silêncio. Saí de lá deprimido e disposto a terminar a carreira que nem começara ainda. Mas, apesar desse desastre, eu começava a conquistar um certo público. Numa edição do *Jornal dos Sports*, de setembro de 1958, o colunista Nei Machado escreveu a seguinte nota:

Senhores empresários de revistas [de teatro], tomem nota deste nome: "Joe" Soares. O rapaz (que fez rápidas passagens pela televisão, em papéis completamente estranhos ao seu gênero, diga-se de passagem) é um novo José Vasconcelos. Ele mesmo cria histórias, vive os tipos, faz sozinho todo o espetáculo. Tem tiradas de "humour noir" jamais vistas em cômicos brasileiros. Anotem este nome: "Joe" Soares.

Quando tivemos de deixar o Anexo, aluguei um quarto, nada mais do que um quarto, num apartamento de um velho prédio no final da avenida Prado Júnior, o qual dava para os fundos da boate do Ritz. Fiz a mudança em grande estilo e da maneira mais barata: aluguei o que no Rio se chamava de burro sem rabo, um carrinho de mão que era puxado por uma pessoa, para levar as minhas malas e a minha cama desmontada. Vesti minha melhor roupa, um terno do grande alfaiate De Cicco, traje que tinha sido do meu pai e fora ajustado para mim, coloquei uma gravata-borboleta, enfiei um cigarro turco da marca Abdullah na ponta de uma piteira Dunhill, elementos que haviam sobrado dos bons tempos, e fui caminhando, todo elegante, ao lado do burro sem rabo, até a minha nova vida de inquilino sem dinheiro no bolso. Eu não tinha a menor ideia do que iria ser na vida: não estava em nenhuma faculdade, tinha certeza de que, se prestasse o exame para o Itamaraty, não iria passar... Cheguei até a pensar em ser motorista de táxi.

Havia três latino-americanos que também alugavam quartos ali. Dois deles estudavam na Academia Militar. Um era do Panamá, outro da Costa Rica, e o terceiro da República Dominicana. Não me recordo se existia algum acordo entre o governo brasileiro e os daqueles países para eles estudarem aqui, mas acho que sim. Vinham para cá, se formavam e eram obrigados a retornar à sua terra. Como eu já falava bem espanhol, ficamos batendo papo. Um dia surgiu a conversa sobre o serviço militar obrigatório e perguntei ao panamenho se ele já tinha servido:

— *No, no, mi papa pagou, entoces yo no precisei hacer.*

— Pagou quanto, uns mil dólares americanos?

— *No, no! pagó unos cien dólares, si paga mil dólares me hacian general.*

Um deles estava meio exilado, fugido do país, e era o que não estava na Academia Militar. Ele dizia assim:

— *Dizem que yo hablo mal de mi país, una calumnia, una mentira. Por que yo perderia tiempo hablando mal de un país de mierda como aquele?*

Eva Todor sempre foi uma atriz fantástica. Ela era uma grande estrela. Nascida na Hungria, de origem judaica, quando tinha quatro anos o pai a matriculou como bailarina na Ópera Real Húngara. Com muitas dificuldades financeiras, a família, em 1929, resolveu tentar a sorte em São Paulo, onde havia uma comunidade húngara. O pai do Vianinha, Oduvaldo, a viu dançar ainda menina e a convidou para uma apresentação no Teatro Municipal. Logo depois, foi contratada por Francisco Serrador, dono de um dos maiores circuitos de cinema do país, para se apresentar depois dos filmes. A família se mudou para o Rio, ela foi estudar dança com a famosa Maria Olenewa, se interessou pelo teatro e — apesar da barreira da língua — aos doze anos começou a participar de burletas (teatro musicado) no Recreio. Ela conheceu o dramaturgo Luís Iglesias e se casou com ele aos catorze anos. Na Companhia do marido, muito jovem, fez um enorme sucesso com a peça *Feia*, de Paulo Magalhães.

Anos antes, foi o escritor Paulo Magalhães — uma figura encantadora, autor de *O imperador galante* e marido da Heloísa Helena — quem modificou o nome dela. Ele era o mestre de cerimônias e iria anunciar, num espetáculo beneficente, o número de Eva como bailarina — Paulo não largava seu charutão nem na hora de fazer as apresentações. Na coxia, ela na ponta dos pés, já pronta para entrar, ele pergunta:

— Como é seu nome, menina?

— Eva Fodor.

— Fodor? Não pode, você não pode ser Fodor.

Aí ele vai para o microfone na frente do palco e anuncia:

— E agora, com vocês, esta menina que é uma grande revelação, Eva Todor.

Foi assim que nasceu o nome de uma das grandes atrizes dos nossos palcos.

Paulo Magalhães morou um tempo em Nova York como adido cultural. Tinham uma enorme dificuldade de falar o seu nome nos Estados Unidos. Magalhães. Um dia, Paulo cansou-se das maneiras esdrúxulas como pronunciavam seu nome, Majalas, Magilus etc., abriu um mapa e procurou: estreito de Magalhães. Lá estava: *Strait of Magellan*. Imediatamente, passou a se chamar Paul Magellan. Nunca mais erraram seu nome.

Uma das coisas importantes que o homem de teatro Luís Iglesias fez, foi adaptar textos de humor de peças judaico-húngaras. Foi da tradição do humor húngaro que saíram grandes comediantes como Mel Brooks e Woody Allen. Algumas das melhores linhas do humor americano são reinterpretações do humor judaico-húngaro. Uma delas foi adaptada para o cinema no Brasil pelo diretor Francisco Eichhorn, com roteiro do José Cajado Filho — que é também o roteirista de *O homem do Sputnik*. Há várias versões da história para teatro e para cinema, algumas com doze cadeiras, outras com treze, como é o caso da fita brasileira intitulada, simplesmente, *Treze cadeiras*. A história é a seguinte: alguém deixa como herança apenas treze cadeiras. Um dos estofamentos contém um tesouro, mas ninguém sabe em qual delas. As cadeiras foram vendidas para treze pessoas diferentes, e um dos herdeiros, necessitando muito de dinheiro, resolve sair à procura da fortuna. Com enorme dificuldade ele consegue achar todas elas, mas, caso típico de ironia judaica, a fortuna que estava no estofamento era falsa. É essa tradição de um humor específico, que é o humor sofrido, que ironiza a má sorte e o sofrimento.

Há um filme maravilhoso chamado *Trem da vida*, de 1998, dirigido pelo franco-romeno Radu Mihăileanu, em que esse tipo de humor aparece bem exemplificado. Se não me engano, baseia-se numa história real. São uns judeus que conseguem fugir, num trem, de um vilarejo que está prestes a ser tomado pelos nazistas, mas, para não ter problemas durante a fuga, metade vai vestida de nazista e a outra metade, de presos judeus. A dada altura do filme, um dos judeus diz assim:

— Mas eu não posso me vestir de oficial nazista, eu não falo alemão.

Ao lado dele, outro responde:

— Ah, é tão fácil você falar alemão: é iídiche sem humor.

Eva Todor fez do Teatro Serrador o QG de sua companhia, a Eva e Seus Artistas, que, com suas comédias leves, revelou atores como Herval Rossano, Jorge Dória e Jardel Filho. Lembro que durante a Copa na Suécia, em 1958, quando o Brasil se sagraria campeão mundial pela primeira vez, a Eva Todor estava fazendo uma adaptação do Iglesias chamada *Timbira*, com o Jardel Filho. O enredo era o seguinte: um avião caiu numa selva e a única sobrevivente é a personagem da Eva, que acaba se encontrando com Timbira, o personagem representado pelo Jardel. Imaginem ele, com a pele branca, o cabelo ruivo e os olhos azuis, sendo o índio da peça. Na época, a Eva Todor tinha me convidado para fazer um espetáculo infantil, projeto que não se concretizou. Eu não havia atuado ainda em teatro, seria um desafio muito grande para mim. A gente começou os ensaios, o meu personagem seria o do Pedrinho, criado pelos lobos. Eu ia à tarde ao Serrador para ensaiar com ela e lembro que o Jardel chegava pontualmente às 14h, para que desse tempo de pintarem seu corpo de marrom abraseado. Com o corpo extraordinário que tinha, ele aparecia de tanga, portanto era preciso pintar tudo. Eram horas e horas de trabalho: Jardel ficava sentado, tranquilo, com uma paciência que só um profissional do seu gabarito poderia ter; o maquiador passava a tinta até ele virar índio. Aí, o Jardel botava uma peruca com franjinha.

Antes do ensaio, eu adorava ficar no camarim do Jardel Filho para ouvir suas histórias. Ele tinha um senso de humor maravilhoso, um sorriso encantador e sabia muita coisa sobre a vida. Jardel, geralmente de uma doçura rara, quando bebia se tornava brigador, um perigo porque ele era muito forte. Achava ridícula a pintura no seu corpo, mas era bem pago para fazer aquilo. Quando ele estava pronto, era sensacional: um homem vestido de índio, de tanga, a pele vermelha, com uma peruca de cabelo escorrido negro como a asa da graúna e... com uns puta olhos azuis!

Lembro que, num dos dias em que fui ao ensaio, a Seleção voltara da Suécia e passou num carro aberto, do Corpo de Bombeiros, pela Cinelândia. Éramos campeões do mundo. Pelé, Garrincha, Bellini, Zagallo... A taça Jules Rimet... Eu tinha vinte anos. Fiquei estático, vendo meus ídolos acenando para o povo. Chorei como a criança que nunca deixei de ser.

Não sei por que razão a peça infantil não deu certo. Durante anos, quando encontrava com a Eva Todor — inclusive nas ocasiões em que a entrevistei —, ela dizia:

— Pedrinho, que pena...

Pois é, que pena... para ela. Eu me salvei dessa. O Pedrinho poderia ter sido a minha estreia no teatro — e eu queria ser comediante, não queria ficar conhecido como ator de teatro infantil, sem nenhum menosprezo por esse riquíssimo gênero teatral.

No dia 9 de maio de 1959, um sábado à noite, eu estava no Gôndola e no dia seguinte haveria um clássico entre Botafogo e o meu Fluminense, pelo antigo Torneio Rio-São Paulo. O Ivan Lessa, botafoguense fanático, que era muito amigo do Ronald Chevalier, me convidou para ir ao Maracanã com ele. Era impossível deixar de assistir a um jogo daquele time da Estrela Solitária, que tinha Manga, Nilton Santos, Garrincha, Didi e Amarildo, entre outros. O time do Flu era mais modesto — com Castilho, Altair, Maurinho, Telê Santana e Escurinho —, mas sagrou-se campeão carioca daquele ano. Eu queria muito ir ao jogo, mas tive de confessar que estava duríssimo, sem dinheiro para pagar o ingresso. O Ivan me disse que tinha um sobrando e que passaria na Prado Júnior para me pegar.

Esperei até a hora do jogo, e o Ivan não apareceu. Fiquei chateado, mas no final das contas foi bom. Em primeiro lugar, porque o Fluminense perdeu por 1 a 0, e, em segundo — e muito mais importante —, porque naquela noite tive a chance de conhecer uma pessoa que seria muito especial na minha vida. Como não tinha dinheiro nem para ir ao cinema, a alternativa era ir a algum teatro onde conseguiria entrar de graça. Eu conhecia da noite o ator, diretor e produtor Aurimar Rocha, e ele gostava muito dos meus números. Sempre me convidava para ir ao Teatro de Bolso, em Ipanema, que ele dirigia, então eu fui. A peça que estava em cartaz era *Pedro Mico*, do dramaturgo, romancista e jornalista Antônio Callado, naqueles tempos editor-chefe do *Correio da Manhã*. Ao trazer o mundo das favelas para o palco, a comédia em um ato de Callado tematizava uma realidade nova na dramaturgia brasileira, inaugurando aquele que seria chamado ciclo do "teatro negro" do autor.

Pedro Mico havia sido um dos grandes acontecimentos nos palcos do Rio em 1957, ano em que estreou, pelo Teatro Nacional de Comédia, com direção do então crítico de teatro Paulo Francis e com cenário de Oscar Niemeyer, já então debruçado nos projetos de Brasília (por falar nisso, até o presidente JK foi a essa estreia). A peça foi alvo de intensos debates, um sucesso de público e um marco no teatro naqueles anos culturalmente muito agitados do país. Tônia Carrero, que ao lado de Adolfo Celi e Paulo Autran compunha a importantíssima companhia CTCA, disse que, se tivesse música, *Pedro Mico* seria o nosso *Porgy and Bess*. O então arcebispo-auxiliar do Rio de Janeiro, d. Hélder Câmara, de quem eu ficaria muito próximo nos anos seguintes, protestou contra o momento talvez mais contundente da peça, quando a personagem Aparecida, vivida pela atriz Beyla Genauer, nascida na Polônia, diz:

— Se o Zumbi quisesse, esse morro inteiro baixava com ele e tomava as casas da Lagoa.

O arcebispo-auxiliar tomou a frase como se fosse realidade — embora ela aludisse a um personagem do nosso século XVII — e afirmou em entrevista ao jornal *O Globo* que Callado estava colocando "tochas acesas nas mãos de 500 mil favelados" e que era "inconcebível [...] que órgãos oficiais [o TNC era bancado por verba pública do Serviço Nacional de Teatro, do Ministério da Educação e Cultura] se mostrem tão solícitos em divulgar o apelo para o levante geral das favelas". Chegaram a acusar a peça de comunista. Paulo Francis, o crítico mais implacável da época, entrou na polêmica defendendo veementemente o trabalho de Antônio Callado.

O neto de alemães Franz Paulo Trannin da Matta Heilborn ficaria conhecido nacionalmente como Paulo Francis com o lançamento do hebdomadário *O Pasquim*, em 26 de junho de 1969 — depois ele escreveria na *Folha de S.Paulo*, no *Estado de S. Paulo*, seria colunista da Rede Globo e membro da mesa do programa *Manhattan Connection*, no canal fechado GNT. Mas, durante a década de 1950, sua vida foi intensamente ligada ao teatro carioca. Como ator iniciante, fez parte da excursão pelo Norte e Nordeste com o Teatro do Estudante, de Paschoal Carlos Magno, que teve grande repercussão; participou das montagens do grupo amador Teatro da Semana, que se apresentava às segundas-feiras no Teatro Copacabana, e, em 1953, da montagem da peça *A mulher sem alma*, de George Kelly, com Henriette Morineau e Jardel Filho. Sobre a sua atuação, Paschoal Carlos Magno observou que "o sr. Paulo Francis precisa urgentemente cuidar de sua articulação e evitar o cacoete da boca aberta", conselho que Francis parece ter desprezado, uma vez que a dicção ainda seria seu problema — e sua marca pessoal — nos comentários que passaria a fazer na televisão brasileira a partir dos anos 1980.

Para quem conheceu a ranzinzice de Paulo Francis, que não teve filhos mas como pessoa era extremamente doce, é difícil imaginar que ele dirigiu peças infantis e chegou a ser diretor da Comissão de Teatro Infantil do MEC. Em 1954, foi estudar com Eric Bentley na Universidade Columbia, em Nova York, cujo curso de teatro era considerado o mais importante daquele momento. No ano seguinte, foi bem-sucedido dirigindo profissionalmente, no Teatro de Bolso, Nicette Bruno e Paulo Goulart em *Bife, bebida e sexo* — uma péssima adaptação do título original da peça que era *The Moon is Blue*, de Hugh Herbert. Em 1956, no palco da Maison de France, em comemoração ao centenário de George Bernard Shaw, dirigiu *O dilema do médico*, com figurinos e cenários de Athos Bulcão. Em junho de 1957, Francis se tornou o feroz e temido crítico de teatro do *Diario Carioca* — como diria Stanislaw Ponte Preta, ele era "o intimorato crítico da imprensa saudável" —, onde também fez reportagens e entrevistas, mas não deixou os palcos. Em 1959, juntou-se ao jornalista Nahum Sirotsky para criar a revista *Senhor* — e, com a mulher de Nahum, Beyla Genauer, montou a companhia Teatro de Hoje, que encenou, no Teatro do Leme, *Uma mulher em três atos*, de Millôr Fernandes, e depois *Luta até o amanhecer*, de Ugo Betti.

Em 1960, ele passou a fazer críticas das estreias teatrais na *Última Hora*: naquela época, dava tempo de Paulo Francis sair da estreia, voltar à redação e escrever a crítica para o jornal do dia seguinte. Ele dizia coisas assim:

Estreou ontem no Dulcina *Sangue no domingo*, de Walter George Durst, com o elenco de alunos da Fundação Brasileira de Teatro (acrescido de alguns profissionais), sob a direção de Ziembinski. O espetáculo demora três horas e meia. É tempo perdido para o espectador.

Ou assim:

Hoje, e por mais sete semanas, o Teatro da Maison de France apresentará *Tout Belacap*, o espetáculo de mímica da Cia. Ricardo Bandeira, de São Paulo, onde ganhou o diploma honorífico da Associação de Críticos Teatrais. Pelo visto ontem, é o caso de se perguntar por quê.

Ou ainda:

Em homenagem à União Brasileira de Escritores, o Teatro do Rio fez estrear ontem, no São Jorge, *O prodígio do mundo ocidental*, de J.M. Synge, em tradução de Millôr Fernandes, dirigida por Ivan Albuquerque, com cenários e figurinos de Anísio Medeiros. A peça é uma obra-prima. O espetáculo não é.

Para manter a sua fama de mau, Paulo Francis implicou inclusive com Nelson Rodrigues. Não gostou da peça *Perdoa-me por me traíres* e disse que Nelson era um ignorante. Segundo Ruy Castro, Nelson reagiu com bom humor e disse que já tinha lido mais livros inteiros do que o Francis: "Ele pula de um livro para o outro como uma gazela". Mas críticas ao teatro nos anos 1950 eram levadas a sério — e até mais do que isso. Houve, por exemplo, intensos boatos dizendo que atores e diretores iriam em conjunto vaiar Paulo Francis na noite de estreia da sua montagem de *Pedro Mico*. Ele acabaria sofrendo na pele as consequências de sua agressividade verbal. Na terça-feira 12 de novembro de 1957, Francis estava no saguão do Teatro República, aguardando o começo da peça *A bela madame Vargas*, quando dez sujeitos em mangas de camisa invadiram o recinto e partiram para cima dele. Eram liderados pelo tenente Galo, da Marinha, enfurecido por causa da crítica de Francis à montagem de *Paixão da Terra*. O tenente fazia uma ponta como ator naquela peça. No final de *A bela madame Vargas*, uma senhora identificada como Carolina Souto Mayor, que dizia ter três diplomas superiores, insultava e tentava agredir Paulo Francis, também pela crítica à peça em que trabalhava o oficial da Marinha. No dia 17 de outubro de 1958, o marido de Tônia Carrero, Adolfo Celi, procurou Paulo Francis, que dirigia um ensaio no Teatro do Leme. O ator Rubens Correia e o cenógrafo Napoleão Muniz Freire, sem entenderem direito o que se passava, viram Celi partir pra cima do Francis dizendo:

— Tira os óculos! Tira os óculos!

E o Francis tentando acalmá-lo:

— Deixa eu explicar, deixa eu explicar...

Tomou um murro do Adolfo Celi, que era muito forte, e desabou. Paulo Francis declarou em sua coluna que houve empate técnico, que eles trocaram murros, e que ninguém bateu em ninguém. Na verdade, não houve troca de socos, houve um soco só, com knockout.

Desde que a CTCA anunciou que levaria ao palco do Teatro Mesbla a peça *Negócios de Estado*, de Louis Verneuil, Paulo Francis vinha dando notinhas mal-humoradas sobre a montagem. Finalmente, a peça estreia em outubro de 1958 e, no sábado dia 11, sob o título "Negócios", Francis publica, no *Diario Carioca*, sua crítica ao espetáculo. Por mais incrível que possa parecer, no texto Paulo Francis trocou o nome do autor, Verneuil, pelo do poeta Verlaine. Não foi de propósito: ele se desculpa na coluna seguinte. Embora demonstre que não gosta nem do texto nem da montagem, sua crítica não tem a contundência habitual. Sobre Tônia, Francis diz:

Quanto à Tônia, o motivo de tudo isso, há muito tempo que não a víamos tão à vontade. Ela é cheia de contrastes chiques. Possui uma voz grossa que, por vezes, sugere um disco tocado em rotação abaixo do normal e, ao mesmo tempo, comporta-se como a nossa Marilyn Monroe. É toda sexo, um símbolo quase. Apesar de esconder-se no primeiro ato, nos outros não deixa passar um segundo sem aquele olhar convidativo que parece vir das profundezas do seu ser, não importa o que esteja fazendo ou dizendo.

Até aí, as coisas entre Tônia-Celi-Autran e Paulo Francis, que haviam sido amigos, continuaram apenas no mesmo nível ruim. Na terça 14, lia-se na coluna (que tinha o ótimo nome de "Mesa de pista") de Antônio Maria, em *O Globo*: "Numa roda, Tônia Carrero conversava sobre teatro e dizia: 'Paulo Francis é o crítico teatral mais "sexy" do Brasil'. O cronista não entendeu, mas todos em volta, que eram pessoas enfronhadas em teatro, riram muitíssimo".

Se fosse hoje, apesar de injusta, a observação de Tônia Carrero seria motivo de orgulho para Francis. Mas, naqueles dias, "sexy" podia significar "gay", e o crítico ficava fulo da vida se mexessem com sua sexualidade. Para piorar as coisas, num programa da TV Tupi Rio que discutia a crítica teatral, Tônia disse que Paulo Francis sofria do fígado e não gostava de teatro. Espumando de ódio, na quinta-feira 16 de outubro, Francis entregou sua coluna na redação do *Diario* com o título de "Tônia sem peruca". Nela, ele a chamou de "atrizinha como existem por aí às dúzias, um fantoche manejado por Adolfo Celi", disse que nunca havia dormido com ela para que pudesse fazer comentários sobre sua sexualidade, e ameaçou publicar alguns dossiês sobre a atriz ("O que sei sobre sua vida privada caberia num romance do tamanho de *As mulheres fatais*, de Cláudio de Sousa"). Dias depois, Paulo Autran viu Paulo Francis assistindo a uma peça em que atuava, terminou a sua parte no palco, foi ao camarim, trocou de roupa e correu para a plateia; chegou a tempo de ver Francis se retirando. Chamou-o, ele se virou… e recebeu uma cusparada na cara. Paulo Autran sempre disse — e ficou assim para a história — que Francis havia iniciado sua crítica com a frase "Nunca dormi com Tônia Carrero porque não costumo dormir com mulheres da idade da minha mãe", porém, embora ele aludisse no texto à cruel passagem do tempo para a atriz, a frase não está na coluna.

Faltava ainda um quinto elemento da história. Em mais uma coluna com ótimo título, "O romance policial de Copacabana", totalmente apropriada para o tema, Antônio Maria fez uma defesa firme de Tônia Carrero e disse que Paulo Francis, pela violência do ataque, não podia gostar de mulher. Francis revidou no mesmo tom, acusando Maria de armar toda a confusão ao publicar as críticas de Tônia Carrero à sua pessoa e de, depois da escaramuça, publicar a versão de Adolfo Celi dizendo que o havia surrado. Disse mais: "Considero o sr. Maria um verme, um sanguessuga do prestígio alheio, um reles colunista de mexericos. Não citei seu nome aqui, no artigo sobre Tônia Carrero, a fim de não conspurcar as páginas deste jornal". Francis chamou Maria para a briga, mas sabia muito bem da fama de bom brigador do pernambucano. Passou uns tempos ensaiando uns golpes, em caso de necessidade. Tanto Francis como Maria eram useiros e vezeiros em escrever ataques violentíssimos e rapidamente mudar o juízo sobre as pessoas atacadas. Um dia se encontraram e, em vez de tapas, trocaram juras de amizade, e tudo acabou em uísque.

Abrindo um parêntese: uma das coisas que me levaram a ser conhecido no meio teatral foi a imitação que eu fazia de Adolfo Celi. Um dia, numa festa na casa da Tônia Carrero — a quem devo muito, me deu apoio desde o início —, ela me pediu que imitasse o andar do Celi, na frente do ator e diretor. Graças ao bom Deus, riram muito, inclusive o imitado. Meses antes da crise com o Paulo Francis, eu havia adaptado para Celi, que dera nova vida ao *TV Mistério*, na tv Rio, a peça *O matador*, de R. M. Chester. Eu também fazia uma ponta no elenco.

Com todo o barulho em torno de *Pedro Mico*, era natural que a peça fosse reencenada, e ela atravessou 1958 e 1959 em cartaz no Teatro de Bolso, mantendo por um período Milton Morais — premiado como o melhor ator de comédias em 1957 pelo seu Pedro Mico. Milton foi substituído por Jece Valadão, que, inicialmente, não queria se pintar de preto para viver o personagem; isso levantou também a questão da presença de atores negros no teatro brasileiro. Milton havia feito tão bem o Pedro Mico, que durante um tempo as pessoas grudaram o personagem nele. Quando aparecia uma notinha no jornal, ela vinha assim: "O ator Milton Morais, o Pedro Mico…". Aliás, o Milton Morais teve também um apelido: Galã de Galocha. Na época, muitos atores ganhavam um papel porque tinham o traje adequado para o personagem. Teatro em país pobre é assim. Um dia, o homem de grande importância para o nosso teatro, Jaime Costa — que introduziu Pirandello, Eugene O'Neill e Arthur Miller nos palcos nacionais —, hoje infelizmente muito pouco lembrado, precisava de um ator que tivesse um smoking. O Milton tinha, ia ser a chance da vida dele. Um dia, nos ensaios, ele procura o Jaime e diz:

— Só tem uma coisinha, seu Jaime. Eu não tenho sapato preto.

O Jaime coçou a cabeça, era mais uma despesa, mas disse ao Milton para procurar o produtor, que ele liberaria a verba para o sapato. O Milton Morais pegou a graninha e, em vez de comprar o sapato, foi jogar no Jockey, para ver se dobrava o dinheiro que tinha no bolso. Perdeu tudo. Ele vasculhou os armários e o porão da sua casa e achou um par de galochas. Como eram pretas, da plateia ninguém notaria que se tratava de galochas; então Milton as calçou por cima do sapato marrom, o único que tinha. Quando ele saiu do camarim de smoking e galochas, o Jaime Costa imediatamente anunciou alto nas coxias:

— Chegou o nosso galã de galochas!

O apelido pegou.

Para sua montagem do *Pedro Mico*, o Aurimar Rocha chegou a contratar Grande Otelo, que era uma ótima solução — saudada por Antônio Callado —, mas houve um desentendimento com ele nos ensaios. No final, Jece Valadão passou a se pintar de negro todas as noites no camarim antes de colocar uma camisa de seda, um sapato verde e branco e o panamá *bois-de-rosé*, o figurino que compunha o personagem.

Quando terminou a peça, fui encontrar o Aurimar nas coxias e ele ficou me exibindo para os atores:

— Imita o capitão do submarino. Agora faz aquele número do abacaxi que invadiu Nova York...

Naquela época, eu frequentava muito a casa do José Alberto Gueiros, então jornalista de *O Cruzeiro*. Ele era filho do Nehemias Gueiros, advogado de Assis Chateaubriand e um dos caras que mais entendiam de Shakespeare no Brasil. Nos anos 1960, Zezinho Gueiros iria dirigir a Editora Monterrey, especializada em *pulp fiction*, que venderia milhões de exemplares no país. Ele mesmo escreveu, com a ajuda do vizinho, o poeta Augusto Frederico Schmidt, *Giselle, a espiã nua que abalou Paris*, baseado num folhetim que David Nasser havia criado para o *Diario da Noite*. Nos encontros na casa do Zezinho, eu concebi alguns dos meus melhores números. Uma noite ele me pediu que fizesse algo de ficção científica, e eu inventei, na hora, a sátira do abacaxi que invadiu Nova York: um abacaxi que, graças a uma experiência malfadada com radiatividade, foi se tornando gigantesco, adquiriu vida, criando um cérebro, cérebro de abacaxi, é claro, e cujo suco, devido à radiação, era alcoolizado. Assim, ele passou a aterrorizar Manhattan; um monstro terrível, que afogava todo mundo em batida de abacaxi.

Voltando àquele domingo de maio de 1959 no Teatro de Bolso, o elenco riu muito e, na hora de ir embora, uma das atrizes me pegou pela mão e disse:
— Vamos lá fora conversar mais um pouco.
Sentamos num banco na praça General Osório, em frente ao teatro, e ficamos conversando por horas — eu não tinha dinheiro para levá-la a nenhum bar ou restaurante. Ela havia pegado na minha mão, na mão de um moleque gordo, cinco anos mais novo do que ela, ela era uma atriz completa, reconhecida pelo público e pela crítica. E ficou batendo papo comigo debaixo da lua e das estrelas... Tudo aquilo me comoveu. No caminho de volta para casa eu conti-

nuava duro, sem saber o que fazer da vida, mas naquele estado de felicidade de colocar as mãos no bolso, assoviar e sair chutando pedrinhas. Eu tinha 21 anos. O nome dela era Theresinha.

Pouco mencionado hoje em dia, o médico Antônio Austregésilo Rodrigues Lima, nascido no Recife, era um homem excepcional. Muito garoto, começou a demonstrar o seu interesse pela literatura e ligou-se a Tobias Barreto e à Escola do Recife. Aos dezesseis anos, foi estudar medicina no Rio de Janeiro, mas, apesar do talento promissor, encontrou inicialmente muitas dificuldades para se estabelecer na vida acadêmica, por não ter padrinhos, ser pobre, mulato, e por gaguejar. Interessou-se desde cedo pelas doenças mentais e ficou reconhecido internacionalmente como o pai dos estudos neurológicos no Brasil — publicando trabalhos nas mais importantes revistas médicas do mundo e sendo membro de várias academias médicas em outros países. Com seus livros *Pequenos males* (1916), *Cura dos nervosos* (1919) e *Psiconeurose e sexualidade* (1921), ele foi um dos precursores na divulgação das ideias de Freud e Jung no Brasil.

Antônio Austregésilo chegou a presidente da Academia Nacional de Medicina; entrou na Academia Brasileira de Letras em 1914, tornando-se presidente da casa em 1930. Entre 1922 e 1930, um período especialmente conturbado da vida parlamentar brasileira, foi deputado federal por Pernambuco. Ele foi o grande patrocinador da entrada do sobrinho e jornalista Austregésilo de Athayde na Academia — e Athayde foi o mais longevo presidente da casa de escritores, tendo-a dirigido por 35 anos. O jornalista pernambucano era famoso por ser feio mas casado com uma mulher linda — Maria José (Jujuca), que dizia a minha mãe, sua amiga: "A beleza passa, a essência fica". Na sua longa gestão à frente da ABL, ele construiu o mausoléu dos imortais. Num chá das cinco, das quintas-feiras, convidou os colegas de fardão a fazerem uma visita às obras no Cemitério de São João Batista:

— Está ficando muito bonito, vistoso, com mármore branco, espaçoso e agradável.

Antônio Austregésilo acolheu, na clínica de neurologia que chefiava no Hospital da Praia Vermelha, a Nise da Silveira, futura criadora do Museu do Inconsciente e nossa grande estudiosa das relações entre arte e psicanálise. Nise deixou a rua do Curvelo, em Santa Teresa, onde morava em frente à casa do poeta Manuel Bandeira, para ser residente no hospital — ali acabaria sendo detida pelo Dops, denunciada por ter livros marxistas em seu quarto. Na prisão, faria uma amizade profunda com Graciliano Ramos.

Meu futuro sogro criou a fórmula de um calmante, o Benal, que era anunciado nos jornais da Capital Federal nos anos 1940, num reclame que terminava com a frase: "Benal é uma fórmula do eminente neurólogo, professor A. Austregésilo. É melhor prevenir do que remediar". Antônio se casou duas vezes. No segundo casamento, com Mary Milet, teve dois filhos: um homem, chamado Henrique, e uma mulher, Theresinha Milet Austregésilo, nascida em 25 de setembro de 1933.

Em junho de 1948, aos quinze anos, Theresinha participou, ao lado de Danuza Leão e de mais 22 adolescentes, do famoso baile ("Foi *o* baile de 1948", dizia-se, chancelado pela opinião de Jacinto de Thormes no *Diario Carioca*) de debutantes no Golden Room do Copa, promovido pela revista *Sombra* — uma publicação muito sofisticada para a época, dedicada à moda e ao colunismo social, e que tem como grande realização o fato de ter sido a primeira a publicar desenhos do genial Saul Steinberg, antes mesmo de ele sair na *New Yorker* e se tornar um dos mais famosos artistas gráficos do mundo. Millôr Fernandes o adorava. Theresinha cantava e dançava muito bem, e estava destinada a trabalhar no teatro. (Durante o baile, foi sorteada entre as debutantes uma passagem da Panair para Paris. Quem ganhou foi a Danuza.)

Menina ainda, Theresinha começou como contrarregra e como ponto — aquela pessoa que, na época, ficava enfiada numa caixa na frente do palco, oculta do público, passando aos atores as falas do texto. Hoje em dia, graças à tecnologia, o ponto tornou-se eletrônico. Lembra um minúsculo aparelho de surdez colocado no ouvido do ator, e o ator que faz o ponto fica na cabine de som acompanhando as falas. Já trazendo em si a vaidade inata do ator, Theresa criou para si um figurino de contrarregra que consistia numa jardineira com um lencinho pendurado no bolso traseiro e o símbolo do teatro, as máscaras da tragédia e da comédia, bordado na frente.

Ainda sobre o ponto. Silveira Sampaio me disse que uma vez contratou um ponto gago:

— Gago? Por quê, Sampaio?

— Fiquei com pena. Eu não precisava de ponto e ele precisava de emprego.

A peça acabava e o ponto ainda estava na metade do primeiro ato...

Theresinha começou no grupo Duse, que funcionava num teatrinho de cem lugares em Santa Teresa, o primeiro laboratório de teatro no Brasil, dirigido pelo inesgotável agitador Paschoal Carlos Magno. Formou-se na mesma turma do Agildo Ribeiro, ator e comediante fora de série, juntamente com Paulo Silvino os dois comediantes que mais me fizeram rir nos palcos e fora deles. Em 1953, no mesmo Duse, ela fez sua estreia como atriz na montagem da peça *A volta*, do psicanalista Cláudio de Araújo Lima — também um estreante —, com direção de Ester Leão.

O autor, ator, diretor e empresário de teatro Silveira Sampaio era famoso por farejar novos talentos. Silveira era médico, um pediatra dedicado. (Só para quem estiver interessado: para mim, o Silveira tinha o mesmo porte elegante do ator americano Louis Calhern. Em *Asfalto selvagem*, o personagem de Calhern se enreda no crime por causa de sua amante no filme, a estreante Marilyn Monroe.) Ele mesmo me contava:

— Quando completei quarenta anos, fechei os prontuários e disse: "Tarefa cumprida. Agora vou me dedicar a fazer só o que eu amo".

Ele convidou Theresinha para entrar em sua Companhia e, em abril daquele mesmo ano, ela aparecia em duas produções no Teatro de Bolso: *1900* e *O cavaleiro sem camélias*. A atuação nesta última começou a chamar a atenção da crítica. Além de tudo, Silveira achava que Theresinha captava perfeitamente seu estilo pessoal e original de interpretar. Na revista *O Cruzeiro*, do império de Chateaubriand, A. Accioly Neto disse que "uma menção especial merece Theresa Austregésilo, que faz sua estreia no teatro profissional, atuando com versatilidade digna de aplausos". O mesmo crítico a escolheu como a revelação dos palcos cariocas em 1953.

Ainda nesse ano, Silveira Sampaio levou sua companhia para um teatro maior, o Serrador, inaugurado com Procópio Ferreira em 1940, na rua Senador Dantas, 13, no centro do Rio. Lá montaram a comédia *Deu Freud contra*. Na época, fazia-se muito o chamado teatro de boate — em geral comédias musicais. Além de representar bem, Theresinha era uma ótima cantora, tinha uma voz linda — e essa possibilidade de fazer várias coisas no palco era fundamental para as atrizes do teatro de revista. Levada por Sampaio, ela foi para a Casablanca, boate que ficava na praia Vermelha, para, ao lado de Dorival Caymmi (uma das canções tinha letra de Theresa e música do compositor baiano) e Ângela Maria, atuar na revista *Acontece que eu sou baiano*, com roteiro de Antônio Maria e direção do Rei da Noite, Carlos Machado.

Na mesma Casablanca, ela atuou na revista seguinte, *Esta vida é um Carnaval* — que aproveitava a proximidade do verão para inaugurar a *saison* carnavalesca de 1954 —, com Grande Otelo, Ataulfo Alves, Russo do Pandeiro e "comissões e porta-estandartes das escolas Portela, Mangueira e Império Serrano". A direção era de Carlos Machado. A ideia de levar as escolas de samba para os palcos de uma boate era, claro, do Sampaio. Comentando a revista, Stanislaw Ponte Preta, o personagem criado por Sérgio Porto, escreveu: "Stanislaw [...] aplaude a menina Theresa Austregésilo, que defende a parte mais difícil do texto". Em dezembro de 1953, na coluna "A noite é grande", no *Diario Carioca*, Antônio Maria escreveu:

> De Theresa Austregésilo, deve dizer-se o que de melhor se aplicaria a uma revelação do teatro brasileiro; frisando-se, porém, que o teatro de boate a perde entre quase uma centena de figurantes, não lhe dando aquele lugar de que precisa, para mostrar o seu inteiro talento, capaz de provocar risos, lágrimas e — quem sabe? — delíquios na plateia. No entanto, existem palavras para ela falar... e ela as fala melhor do que ninguém. Existe uma pista para ela caminhar... e ela caminha melhor do que ninguém.

Stanislaw ainda fez uma ótima entrevista no formato pingue-pongue (perguntas e respostas rápidas; diz a lenda que o nome do tipo de entrevista, que perdura até hoje nas redações, foi criado por Paulo Mendes Campos) para a *Revista da Semana*, que dá bem ideia da inteligência, vivacidade e senso de humor de Theresinha:

> P. Quais os dez piores partidos do Brasil?
> R. Rubem Braga, Lúcio Schiller, Bombonati, Roberto Liberal, Fernando Ferreira, Renato Wilman, Paschoal Carlos Magno, Carlos Peixoto, Zé da Zilda e você.
> [...]
> P. Qual o homem ideal?
> R. O homem scratch teria: o físico de Marlon Brando, a cara de Laurence Olivier, a elegância de Evaldo Rui, a doçura de Vinicius de Moraes, a voz de Luís Jatobá, a verve de Antônio Maria, o desprendimento de Clóvis Graciano, a fortuna de Aga Khan, a pobreza de Augusto Frederico Schmidt, a experiência de Hemingway, a inteligência de Jean Cocteau, a bondade de São Francisco de Assis e teria que me declarar amor em italiano.

Eu costumo brincar que, todas as vezes que leio esta última resposta, fico achando que, com exceção da fortuna do Aga Khan, ela está me descrevendo...

Em 1954, Theresinha foi trabalhar como primeira atriz na Companhia Jaime Costa, na montagem de *Os cinco fugitivos do Juízo Final*, de Dias Gomes, no Teatro Glória. No elenco também estavam Nathalia Timberg e Maurício Sherman — com o qual eu trabalharia na Globo, décadas mais tarde —, com direção de Bibi Ferreira. Em 1956, voltando ao Teatro de Bolso, ela fez quatro papéis diferentes na comédia *Três à meia-luz*, do espanhol Miguel Mihura. Aproveitando que havia, ao lado do teatro, na Galeria Oca, uma exposição de Augusto Rodrigues, o poeta Manuel Bandeira escreveu uma crônica no *Jornal do Brasil* intitulada "Augusto e Theresinha". Depois de falar sobre os desenhos do artista que regressava de Londres, o poeta pernambucano diz:

> Theresa Austregésilo está representando com [André] Villon e [Mário] Brasini no Teatro de Bolso (Carlos Drummond de Andrade diz que é bolso de colete) uma comédia muito divertida de Mihura, excelentemente traduzida e adaptada por Ruggero Jacobbi e Giovannini. Ando tão pouco a par das coisas de teatro que era a primeira vez que via Theresinha em cena. Para começar, foi bem, pois não vi uma Theresinha só: vi quatro Theresinhas, e tão diferentes, todas ótimas, mas a Theresinha-Marilu ainda melhor que as outras. Essa comédia *Três à meia-luz* até parece um teste para se decidir da aptidão de uma atriz. Theresinha saiu-se galhardamente do teste. Estampa encantadora, naturalidade de dicção e gesto, graça espontânea, tudo tem a jovem artista para estrelar na dura carreira.

Theresinha fez ainda uma série de espetáculos até chegar ao *Pedro Mico*, incluindo *Adorável Júlia*, de Sauvajon, uma montagem importante, porque era a despedida de Cacilda Becker do Teatro

Brasileiro de Comédia. Em 1956, em Manaus, uniu-se, numa igreja batista, ao poeta Thiago de Mello. Ela me disse que, enquanto foram casados, todos os dias ele chegava em casa e lhe entregava uma rosa. Demonstração da alma do grande poeta que é o Thiago. Infelizmente, nunca tive essa ideia. Morro de inveja! Em 1958, Theresa passou um ano em Paris, fazendo um curso de teatro com René Simon, e voltou ainda melhor como atriz.

Em 1959, quando começamos a sair juntos, ela me levou para conhecer o dr. Antônio Austregésilo. Muito velhinho, ele estava com Alzheimer, não falava, não saía da cama, e morreria no ano seguinte. Incrível, um homem cheio de energia intelectual e física, que a Theresinha lembrava de ver já na idade avançada dando os passos exaustivos da *kalinka*, a dança tradicional russa, estava reduzido a uma criancinha. Sua cama foi transformada em berço. O mais interessante é que ele previu tudo o que iria acontecer. Reuniu a mulher e os filhos e disse:

— Eu estou com uma doença neurológica e vai se passar o seguinte: primeiro eu vou começar a não lembrar mais das coisas, depois não vou mais reconhecer as pessoas, depois vou perder a habilidade de me vestir sozinho, de me alimentar, e isso vai se deteriorando.

Antônio Austregésilo descreveu com precisão seus últimos anos de vida e de que forma morreria. Como médico, era famoso por seus diagnósticos corretos, habilidade muito importante na época, quando exames detalhados, radiografias, ressonâncias etc. praticamente não existiam. Certa vez, já com mais de setenta anos, ele foi visitar a Theresinha, que estava hospitalizada. Ela havia recebido o diagnóstico de malária — estivera numa fazenda — e tratavam-na com quinino. Dr. Antônio chegou, examinou-a, viu-a toda amarela e começou a gritar:

— Vocês vão matar minha filha, ela está com hepatite, ela está com hepatite!

De fato, ela estava com hepatite.

Quando escrevia, o professor Austregésilo não conseguia deixar de lado a influência retórica do movimento simbolista, que marcou sua literatura. Apparício Torelly, o Barão de Itararé, gostava de fazer brincadeiras com o estilo dele. Dizia que, "para complicar um texto, o Austregésilo é capaz de escrever: A mentira é apenasmente a negança da verdez". Fiz uma homenagem a esse grande brasileiro colocando-o como um personagem importante no meu romance *Assassinatos na Academia Brasileira de Letras*.

Embora os dois sejam muito diferentes, sempre que penso no Antônio Austregésilo me vem à cabeça a imagem do meu grande amigo Drauzio Varella: pelo fato de ambos terem dignificado a medicina, pela correção moral, pela militância em prol das boas causas, e pelo gosto por ler e escrever.

A mãe da Theresa, Mary, adorava jogar pif-paf. Uma ocasião ela foi a um velório e, quando voltou, a Theresa perguntou:

— E aí, mamãe, tinha muita gente?

— Ah, dava para umas oito mesas, mais ou menos.

Ela contava as pessoas pelo número de mesas para jogar pif-paf.

O pif-paf, um jogo de baralho que é uma mistura de pôquer com o buraco, era uma verdadeira mania nacional. Minha mãe adorava jogar. O Millôr Fernandes tinha uma seção no *Cruzeiro* chamada "Pif-Paf", e depois lançou uma revista com esse nome. O grande boêmio de São Paulo, o Zé do Pé, dizia que o pif-paf era o jogo que fazia mudo falar. Aliás, o nome dele era José Paulo Freire, ele pertencia a uma família tradicional. Como era rico, ficou com o apelido de Zé do Petróleo. Depois que perdeu tudo, ele mesmo passou a se chamar de Zé do Pé. Mas eu não gosto desse apelido, era autodepreciativo, não faz jus à pessoa maravilhosa que ele era. O Zé jogava numa roda em que havia uma pessoa com deficiência de fala e outra que, todas as vezes que batia, cantarolava:

— Eh, eh, eh, São Paaulo, eh, São Paaulo, São Paaulo da garoa, São Paaulo, que terra boa...

Ele batia cantando os versos da música da dupla Alvarenga e Ranchinho, que fazia muito sucesso também com uma música chamada "Romance de uma caveira". Depois de anos jogando juntos, um dia o mudo bateu, levantou-se e começou a cantar, para espanto de todos à mesa:

— Eh, eh, eh, São Paulo...

Batia-se no pif-paf com três trincas combinadas, mas a maneira mais bonita era quando se tinha uma décima carta que se encaixava em alguma das trincas. Daí se popularizou a expressão "bateu com as dez", quando alguém morria. Muitos anos depois, já separado da Theresinha, tive um breve caso com uma moça de São Paulo cuja mãe, viciada em pif-paf, morreu logo após bater com as dez. Bateu com as dez duas vezes.

Sem nada realmente firme para trabalhar, eu me virava como podia. Em 1958, ainda como "Joe", fiz uma ponta minúscula, com uma pequena fala, na chanchada *Pé na tábua*, com a dupla Ankito e Grande Otelo, escrita e dirigida por Vítor Lima (com a colaboração de Chico Anysio no roteiro), produzida pelo Herbert Richers. Uma das coisas boas dessa produção foi que fiquei conhecendo a Renata Fronzi, que dali a alguns anos faria comigo a *Família Trapo*, na tv Record. O Carlos Imperial, que sempre queria um destaque para si, também faz uma pequena ponta no filme. Ele ficava o tempo todo perguntando ao diretor de fotografia, o italiano Amleto Daissé, como estava a luz para ele. O Amleto, já cheio, respondia:

— Não tem luz nenhuma pra você, figurante não tem luz.

Em 1959, eu teria um papel escrito para mim pelo jornalista, poeta e roteirista Van Jafa no filme *Aí vêm os cadetes*, que foi dirigido por Luís de Barros, e tinha Adriano Reis e Agildo Ribeiro no elenco. Ainda não havia a censura política que a ditadura militar instalaria anos depois, mas o Exército vetou o meu personagem alegando que não existiam militares gordos no Exército brasileiro. Seria a minha primeira escaramuça com a censura e o Exército.

Outras viriam. O chato é que aquela era a minha grande chance de aparecer para o mundo artístico. O Van Jafa, um homem extremamente bonito — se parecia com o Laurence Olivier —, escrevia muito bem e era gay, numa época em que não era fácil se assumir publicamente. Certa vez, ele foi atacado pelo Paulo Francis. Muito polido, Jafa — que eu imitava muito bem — não respondeu de imediato. Mais de um ano depois, numa coluna intitulada "Romance de um pobre moço", ele escreveu: "Todas as pessoas têm telhado de vidro; quando não têm o telhado inteiro, sempre possuem uma claraboia. O caso de Paulo Francis é o mais grave: o moço é todo de vidro".

O diretor do filme, Luís de Barros, Lulu, como o chamávamos, era uma das figuras mais fantásticas do cinema brasileiro. Ao longo da carreira, ele fez cerca de oitenta filmes como ator, diretor, roteirista, produtor e montador. Um homem nascido no século XIX, tinha um nome tão comprido quanto o de um príncipe da nobreza europeia: Luiz Moretzsohn da Cunha e Figueiredo da Fonseca de Almeida e Barros Castelo Branco Teixeira de, ufa!, Barros, novamente. Em 1929, ele dirigiu aquele que seria considerado o primeiro filme sonoro brasileiro, a chanchada caipira *Acabaram-se os otários*. Luís de Barros fez um estágio nos estúdios da Gaumont, na França, e lá descobriu o playback: os atores representavam seus papéis em frente às câmeras, enquanto um gramofone reproduzia o som de suas falas gravadas antecipadamente.

Ele não repetia take, era como se o cinema fosse ao vivo: todo mundo tinha de acertar de primeira. Tem uma história maravilhosa dele: um dia, durante as filmagens, a vedete que teria as pernas filmadas não apareceu. Lulu não teve dúvidas: depilou as próprias pernas, vestiu as meias tipo arrastão, subiu numa mesa, pediu ao cameraman que se deitasse no chão e filmasse de baixo para cima, pediu silêncio, começou a dançar como uma bailarina de cancã e gritou:

— Ação!

Depois da ponta no *Pé na tábua*, em 1959 surgiu uma ótima oportunidade: um papel mais relevante na película de Carlos Manga para a saudosa Atlântida, *O homem do Sputnik*, considerado pela Associação Brasileira de Críticos de Cinema, em 2016, um dos cem mais importantes filmes brasileiros. Quem me indicou para o papel foi o Cyll Farney, que era o galã e produtor do filme. Manga foi de tudo na Atlântida, de assistente de carpintaria a contrarregra, antes de virar um de seus principais diretores. *O homem do Sputnik* era uma produção caprichada e com um elenco de primeira: como protagonistas, estavam Ankito, a engraçadíssima Zezé Macedo, e ainda tinha a Heloísa Helena, o Fregolente e a Neide Aparecida, uma das principais garotas-propagandas da tv daqueles dias, e Norma Bengell fazendo a inesquecível paródia de Brigitte Bardot, como já mencionei aqui. Aliás, quase ia me esquecendo de contar a versão divertida que Norma dá para sua atuação nesse filme. Em seu livro de memórias, ela diz que o Manga queria porque queria que ela, em sua estreia no cinema, incorporasse a bb. O diretor chegou a levá-la diversas vezes ao cinema para que aprendesse a fazer o biquinho de Brigitte. Durante as filmagens, ele ficava atrás das câmeras fazendo caras e bocas de Brigitte Bardot para ela lembrar como era a original francesa. Norma Bengell não teve dúvida:

— Em vez de imitar a bb, imitei o Carlos Manga imitando a Brigitte Bardot.

Deu certíssimo.

A parte musical de *O homem do Sputnik* ficou por conta do grande maestro do cinema brasileiro da época, o gaúcho Radamés Gnattali. Uma das boas inovações do filme é o ótimo design artístico da ficha técnica, em linguagem pop, com grafismos que lembram as colunas do Palácio da Alvorada, em Brasília, então em construção. Infelizmente não me recordo quem criou aquela fantástica arte para os créditos da abertura do filme. Uma nota nostálgica é que parte do filme foi rodada no Copacabana Palace, a casa da qual eu estava me despedindo — felizmente, não para sempre.

Sputnik, em sentido amplo, era o nome do programa de satélites artificiais da União Soviética, nos momentos mais calorosos da Guerra chamada de Fria; popularmente, Sputnik se referia ao primeiro dos satélites lançados pelos soviéticos, em 1957, que sugeria ao mundo que os comunistas estavam à frente dos americanos na corrida espacial. Na chanchada, um objeto cai no galinheiro de um sítio e o casal de caipiras acha que é o Sputnik 1. A notícia se espalha e desperta o interesse dos serviços de informações da União Soviética, da França e dos EUA. Ainda como "Joe" Soares, eu faço o papel de espião americano que vem ao Brasil para pegar o Sputnik. O filme foi um megassucesso, com 15 milhões de espectadores (!) e o Carlos Manga perdeu uma bolsa para fazer um estágio nos EUA por causa do meu papel como espião americano...

A Guerra Fria não tinha humor.

Em 1960, entrei no elenco de *Vai que é mole*, comédia dirigida por J. B. Tanko, cujo nome era Josip Bogoslaw Tanko. Ele tinha uma história de vida incrível: croata de Sisak, trabalhou com cinema em Viena e Berlim. Chegou a participar da equipe da Wien-Film criada por Joseph Goebbels, o ministro da Propaganda nazista. Mudando-se para Belgrado, filmou o bombardeio alemão sobre a cidade sérvia. Depois da guerra, sem família, resolveu emigrar e, a partir de 1948, passa a morar no Rio de Janeiro. Ele se uniu ao produtor Herbert Richers para fazer comédias com a impagável dupla Ankito e Grande Otelo — sempre pimpão desde que Orson Welles disse que ele era o melhor ator do mundo —, e também com os geniais Zé Trindade e Ronald Golias. No final da vida, Tanko foi o responsável pelos filmes dos Trapalhões, que bateram os recordes de bilheteria do cinema nacional.

Quando ainda estava no roteiro, o filme chamava-se *Os três ladrões*, mas para chanchada não dava, né? Assim, passou a se chamar *Vai que é mole*. Meu papel, o mais importante que fiz no cinema até aquele momento, é o de comparsa de uma dupla de ladrões vivida por Ankito e Otelo. O meu personagem se chamava... bem, vá lá, Bolinha. Na primeira aparição do trio, cantamos uma gostosa marchinha, composta por Otelo e Ankito:

Nós somos ladrões no duro
No passado, no presente e no futuro
Eu roubo do claro, eu roubo do escuro
Nós somos ladrões,
Ladrões de corações

Ladrão que rouba ladrão
Tem cem anos de perdão
É sempre bom, não faz mal a ninguém
Roubar o coração de alguém.

Um dia, nos intervalos das filmagens, eu comecei a fazer a dança dos dedinhos. O Ankito viu e adorou. Como era a estrela da chanchada, ele chamou o Tanko e disse:

— Veja isso que ele faz. Você deveria filmar e colocar no filme.

O Tanko não gostou nada, mas não iria contrariar o Ankito. Ficou uma cena singela, simples e linda: Grande Otelo de um lado, Ankito do outro, dois símbolos do cinema brasileiro batucando na mesa enquanto eu faço os dedinhos sambarem. Acho que são as únicas imagens que restam daquele número que foi meu carro-chefe durante os anos de formação. Mas o curioso é que — jamais saberemos se o Tanko fez de propósito — há um erro de continuidade: os dedinhos começam dançando apenas com sapatinhos, corta para o Otelo, corta para o Ankito, e, quando volta para os dedinhos, eles estão com saias, além dos sapatinhos. Fiquei muito agradecido ao Ankito, e especialmente feliz quando consegui entrevistá-lo no *Jô Soares Onze e Meia*. Apresentei também o número dos dedinhos num programa de humor da tv, e ele funcionou muito bem.

No set de filmagens, teve uma história muito engraçada. Nós éramos seis figurantes fazendo fundo para uma cena do Ankito. Daí o Carlos Imperial, que também era figurante, se vira para mim e diz:

— Isso vai dar problema. Eu me esqueci que nesta cena eu uso outra camisa, vai dar problema de continuidade.

Então ele se dirige ao J. B. Tanko:

— Seu Tanko, tem um problema aqui. Eu mudei a camisa e vai dar um erro de continuidade.

O Tanko era um ótimo diretor, mas era muito mal-educado e, sobretudo, rude com o elenco de apoio. Muito bravo, o que fazia o sotaque dele ficar ainda mais forte, ele respondeu ao Imperial:

— Mas o que é que você está fazendo aí? Você não está escalado para essa cena!

O Imperial, que não perdia oportunidade para aparecer:

— Não custa nada a gente fazer um trabalhinho a mais para aparecer...

O Tanko, mais resignado:

— Tá bom, tá bom... vai trocar a camisa.

O Imperial, um pouco encabulado:

— Só que a camisa está lá em casa.

Os estúdios Herbert Richers ficavam no Alto da Tijuca e o Imperial morava em Copacabana. Eram dez e meia da manhã. O Tanko fez uma cara de decepção, mas não tinha muita alternativa.

— Tá bom, vamos parar as filmagens até depois do almoço.

Todo o set ficou parado, comendo alguma coisa e esperando o Carlos Imperial voltar com a camisa certa. Ele chegou, o Tanko gritou:

— Tá na hora, tá na hora, filmando!

Voltamos todos para as nossas marcações. Nós estávamos no fundo, nossa participação não tinha a menor importância, mas o

Tanko era cuidadoso nos detalhes. De repente, com a sua costumeira grosseria, o Imperial se vira para mim e diz:

— Major — desde as filmagens de *Pé na tábua* que ele me chamava de Major, nunca soube por quê —, avisa aí o Tanko que eu vou ali soltar um barro e volto já.

Fiquei chocado com aquela grossura, nunca tinha ouvido aquela expressão. Nesse momento, escuto a voz do Tanko:

— Vamos filmar, vamos filmar! Onde está o Imperial?

Eu fiquei com vergonha de dizer o que ele foi fazer e respondi:

— Ele voltou até a casa dele, porque esqueceu o sapato que estava usando na cena...

O Tanko só faltou engolir a câmera. Estava possesso:

— Por que ele estava nesta cena? Não era para ele estar nesta cena. Nããão era! E pra que o sapato? O sapato não vai aparecer, o sapato não vai aparecer!

Para nossa sorte, antes que o Tanko tivesse um ataque cardíaco, o Imperial voltou, com cara de aliviado.

Nesse filme, trabalhei pela primeira vez com aquele que seria um dos meus melhores amigos e parceiros: Othelo Zeloni, que também seria do elenco da *Família Trapo*. Na descida dos estúdios Herbert Richers, eu pegava carona com o Zeloni. Ele tinha um daqueles carrões importados velhos, um conversível branco. Um dia, chovendo muito, capota levantada, descíamos rumo à avenida Niemeyer. De repente, havia uma poça d'água cobrindo a via toda, tanto para quem ia quanto para quem voltava. Ele se vira para mim e diz:

— Gordo, não vai dar pra passar.

Eu respondi:

— Dá, dá, sim, pra passar. É só você acelerar o tempo todo, não deixar de acelerar, senão a água entra pelo cano de escapamento e aí o carro afoga. Continua acelerando.

Mas já era tarde. Ele tinha tirado o pé do acelerador. O carro morreu e ficamos debaixo da chuva, sem poder sair dali. Passamos muitos anos discutindo, às vezes com alguma veemência, sobre quem seria o culpado pela operação desastrosa. Ele dizia:

— Você me obrigou a passar, por isso ficamos entalados.

Eu retrucava:

— O que eu falei foi pra você não tirar o pé do acelerador. Você tirou e o carro afogou.

Ele:

— Eu não tirei nada, você está maluco.

Eu:

— Tirou, sim, que eu vi!

A discussão — como o carro dele que morreu na água — não chegava a lugar nenhum.

Em 1960, eu ainda participei de outra comédia dos estúdios Herbert Richers, *Tudo legal*, com direção de Vítor Lima, que também era roteirista e ator. Depois de fazer um filme com a Renata Fronzi e outro com o Zeloni, eu me encontraria com mais um dos comediantes da *Família Trapo*: Ronald Golias, que, curiosamente, fazia um personagem no filme com o nome de Anastácio Bronco, e Bronco seria o seu nome na casa dos Trapo.

Sempre que dava, me metia a fazer algum bico na televisão. Felizmente, o teledrama — como era chamado nos EUA — foi um dos pratos de resistência dos canais de televisão no Rio, e eu pude viver esse momento. Em setembro de 1958, participei na TV Rio da montagem de *Um chapéu cheio de chuva*, de Michael Vicente Gazzo, com tradução de Fernando Sabino e Tati de Moraes, a mulher do Vinicius. No elenco estava o Daniel Filho, também começando a sua carreira. Em abril de 1959, participei no *Teatro de Equipe*, da Tupi Rio, que ia ao ar aos domingos às 22h30, da adaptação do filme *O quinteto da morte* feita por Hélio Porto. Um cara que na época tinha um olhar diferenciado e um jeito mais sofisticado de fazer televisão era o Jaci Campos, que também passou pelo Teatro do Estudante do Paschoal Carlos Magno e viveu nos EUA. Nascido em 1919, em Bela Vista, hoje Mato Grosso do Sul, ele era piloto de aviação formado e estagiou nas grandes redes de TV americanas, passando também pelo Actors Studio. Baseado no que viu nos EUA, ele criou uma teledramaturgia especial: o *Câmera Um*, que ia ao ar na TV Tupi do Rio de Janeiro. A história toda era narrada por uma só câmera, sem edição. Era um desafio imenso para os atores e para os redatores das histórias. Com a câmera solitária focada nele, Jaci fazia a abertura ("Hoje nós mostraremos a história...") e as transições ("Então, no dia seguinte, nosso personagem foi..."); terminada a sua fala, ele saía de cena, deixando a câmera única para os atores. Usava um anel grande, de ouro, com uma pedra de ônix, e, às vezes, o corte da câmera era para o anel dele. Os momentos da intervenção do Jaci Campos eram usados pelos atores para trocar os figurinos e pela produção pra mudar alguma coisa no cenário. Tudo muito rápido, com ótimos efeitos na telinha.

Como eu gostava de escrever, acabei criando histórias e fazendo várias adaptações para o *Câmera Um*, a partir de junho de 1959. Foi por causa desses textos que comecei a ganhar o meu primeiro dinheirinho com direitos autorais na Sbat (Sociedade Brasileira de Autores Teatrais). Em 26 de junho, a dupla de atores Carlos Duval e Ricardo Mayer foi a escolhida por Jaci para atuar num texto meu, *A broca*. Eu mencionei, no capítulo anterior, que fiz para o *Câmera Um* um drama chamado *A barbada*, que versa sobre uma corrida de cavalos, que foi ao ar em 31 de julho daquele mesmo ano. Pois bem, a peça ganhou um prêmio teatral, não me lembro direito qual era. Na cerimônia de entrega do prêmio, fazia-se uma pequena encenação de trechos dos espetáculos premiados. Sem a presença do Jaci Campos, que não podia ir à cerimônia, ficava muito difícil fazer algo inteligível de *A barbada*, porque ele fazia a ligação entre as cenas e dava sentido à história. Quem ia receber o prêmio era o casal Paulo Porto e Yoná Magalhães, que eram namorados e haviam participado do episódio do *Câmera Um*. Eu perguntei como eles iriam fazer. Eles disseram que iriam improvisar. Na hora da entrega do prêmio, fizeram uma cena de amor que não tinha nada, mas nada mesmo, a ver com o texto premiado.

Mas eu não estava trabalhando apenas em teledramas na televisão. Comecei a fazer aparições humorísticas — nem sempre bem recebidas, alguns críticos me consideravam "verde" — no *Noites Cariocas*, um dos programas mais importantes da grade da TV Rio. Não posso deixar de agradecer ao amigo Walter Clark, que fez um contrato de não exclusividade para mim na TV Rio, o que me dava oportunidade de trabalhar em outros canais. Assim, eu aparecia no papel do Frei Tuck, na TV Tupi, no *Robin Hood contra o Falcão Negro*. E, na TV Continental, fiz um programa chamado *Entrevistas Absurdas*, com o Macedo Neto, que era marido da Dolores Duran. O Luís Carlos Miele era contrarregra na Continental. Todos éramos duros, não ganhávamos muito; então, quando havia comida na gravação de algum teleteatro, a turma devorava tudo. Um dia, tinha um frango muito bonito e eu sabia que o Miele ia atacá-lo depois da gravação. Fui lá e enchi o frango de pimenta. Ele nunca se esqueceu disso.

Passei a ir quase todos os dias ao Teatro de Bolso. Eu levava um presentinho e um gibi do Bolinha para a Theresa (mal tínhamos começado a namorar e já éramos chamados por alguns de Luluzinha e Bolinha). Participamos juntos de duas telemontagens no *Grande Teatro*, um dos mais importantes veículos para diretores e atores naqueles tempos. Logo no início do namoro, em junho de 1959, estivemos na montagem de *Mayerling*, adaptado por Sérgio Brito (que também estava no elenco). Entre os atores, estavam Fernanda Montenegro, Nathalia Timberg, Ítalo Rossi, Theresinha e eu, além de bailarinos, do violonista Fafá Lemos e da cantora Ghyta Yanblowsky. A direção de TV era de Mário Provenzano. Em julho, participamos de outra telemontagem do *Grande Teatro*, a adaptação de *O castelo do homem sem alma*, feita novamente por Sérgio Brito. Fernanda Montenegro, Ítalo Rossi e nós continuamos no elenco. Theresa já era uma atriz mais conhecida na Capital Federal que se despedia do Rio, mas para mim essas foram oportunidades de ouro para aprendizado e amadurecimento como ator e como diretor.

Theresa e eu nos casamos na igreja da Paz, em 28 de setembro de 1959. Um dos convidados do casamento era o Rubem Braga, que, na recepção após a cerimônia, fazia um número muito engraçado. As senhoras o cumprimentavam:

— Que prazer conhecê-lo, o senhor é o meu cronista favorito.

E ele, com a sua conhecida cara de mau humor, respondia pra dentro, como se estivesse falando pra si mesmo:

— Foda-se, minha senhora!

Entre os nossos padrinhos estavam o Max Nunes e o Jece Valadão. Conheci o Max por meio da Theresa — os dois foram do teatro de revista. Na época do casamento, ele preparava um espetáculo inovador, que ficava entre a revista e a comédia musical — tinha um fio condutor, não era apenas uma sucessão de quadros como eram as revistas típicas. *De Cabral a JK* recontava a história do Brasil com uma pegada política forte, o Max Nunes adorava o humor político. Ele convidou a Theresa para ser a estrela do novo espetáculo. Quem tinha dezesseis anos então e convenceu o pai a deixá-la participar da peça foi a Marília Pera. Além disso, para me ajudar, o Max Nunes arrumou para mim um papel num quadro do programa da Tupi Rio, *Boite do Ali Babá*, que era um sucesso esmagador. Ele escreveu um personagem dificílimo de fazer. Era um cara que tinha mania de repetir as palavras que ouvia e, na sequência, ia dizendo todos os sinônimos daquela palavra. Exemplo:

— O senhor está contente?

— Não só contente, mas feliz, alegre, satisfeito...

Para mim era um pavor, porque eu sempre me esquecia do último sinônimo. Ficava nervoso e esquecia mesmo — e o quadro não era editado. Então, antes da última palavra, eu dizia uns "e... e... e..." hesitantes, tentando me lembrar do sinônimo, e esses "es" passaram a fazer parte do personagem, uma espécie de bordão. Funcionou sem que eu tivesse intenção de fazer funcionar, era pura hesitação mesmo. Quem dirigia o programa era o J. Maia, que também trabalhava com o Max no *De Cabral a JK*.

Quando surgiu uma ótima oportunidade nos palcos, eu, inicialmente, não queria aceitar. Apesar de duro, era metido e queria um papel maior, mas a Theresinha me disse:

— Você não vai começar nunca com esse papo.

A peça não poderia ser melhor: *A Compadecida* (*Auto da Compadecida*), da figura inesquecível que era o paraibano Ariano Suassuna. O auto havia sido a sensação do I Festival de Amadores Nacionais ao ser apresentado pelo Teatro Adolescente do Recife, em 1957. Em montagem profissional, a peça estreou no Rio em outubro daquele mesmo ano, no Teatro Jardel, com direção de Hermilo Borba Filho, tendo o fantástico Agildo Ribeiro no papel de João Grilo e a Consuelo Leandro como a Mulher do Padeiro. A peça foi um imenso sucesso de público e ficou muito tempo em cartaz. Foi para o Teatro Dulcina e depois para o Teatro de Bolso, quando entrei no elenco, no papel do bispo. Quem fazia o Cristo Negro era o Haroldo Costa, que era um homem negro muito bonito e fazia um Cristo maravilhoso. Porém, ele teve de sair do elenco, e quem o substituiu no papel do Cristo Negro? O Jorge Loredo. Ninguém fora do mundo do teatro se lembra do seu nome, mas o personagem humorístico Zé Bonitinho grudou de tal maneira nele, que ele nunca mais o abandonou. O Jorge se pintava de negro e, cada vez que ele entrava, o Agildo e eu ajoelhávamos... e o Agildo começava a imitar o Al Jolson (o cantor e ator lituano-americano que cantava com a cara pintada de negro e fez o primeiro filme falado, e cantado, da história do cinema):

— Oh, Mammy...

Eu dizia baixinho:

— Para, Agildo, para, pelo amor de Deus, eu não vou aguentar e vou cair na risada.

E o Agildo, seríssimo:

— Oh, Mammy…

O Teatro de Bolso era mínimo, a peça tinha muitos atores, era um congestionamento no palco e nas coxias. Um dia ele começou a pegar fogo. Os camarins eram embaixo do palco, eu voltei para buscar a minha carteira. Todo mundo gritava: "Não vá, não vá", e eu correndo em direção ao fogo, vestido de bispo. Em frente ao teatro, na praça General Osório, os atores estavam todos com as roupas de seus personagens. O Aurimar Rocha, que fazia o papel do palhaço, um dos mais importantes da peça, era também dono do teatro; totalmente fora de si, dizia aos atores:

— Ninguém vai embora, quando acabar o incêndio a gente faz o terceiro ato em cima das cinzas.

Sua mulher, vendo que ele estava muito nervoso, foi até um bar próximo e pegou um copo de água com açúcar. Entregou ao Aurimar, dizendo:

— Toma, meu bem.

Ele disse:

— Muito obrigado.

E, *pá*, jogou a água com açúcar no fogo, num esforço deliran-te para apagar o incêndio.

Na quinta-feira 28 de julho de 1960, ainda morando no Rio de Janeiro, eu estava no elenco na estreia de *Passeio sob o arco-íris*, de Guilherme Figueiredo, uma peça que Paulo Francis, em sua crítica da estreia, disse ser "colegial, às vezes descambando para o grosseiro". E assim ele analisou o trabalho de ator por ator:

Íris Bruzzi seria engraçada se estivesse parodiando Tônia Carrero. Mas está apenas imitando, o que não fica bem. Yoná Magalhães re-presenta numa clave só, a da rispidez, e sem projetá-la com fluên-cia, pois está quase sempre com os músculos contraídos. "Joe" Soares denota incapacidade de concentração no papel, cônscio que está de si próprio, como a maioria dos principiantes. Paulo Porto, depois de longa ausência, retorna com vícios que um diretor limparia com facilidade. É o mais animado dos intérpretes e parece passível de direção, embora tudo que faça seja superficial ou impostado de fora para dentro. Elsa Gomes, Paulo Gonçalves, Joel Jardim e Luís Mazzei passam rapidamente. São inofensivos, dentro de uma brincadeira primária.

O vaudeville do Guilherme Figueiredo era uma bobagem, mas tinha seus momentos engraçados. Os personagens mudavam de sexo quando passavam debaixo do arco-íris. No dia da estreia, não sei por quê, a Dulcina (de Morais, uma das lendas do teatro brasileiro), que dirigia a peça, cismou que eu e o Paulo Porto não poderíamos virar mulher. Ficou pior, ficamos parecendo caricaturas de gays enlouquecidos. Imaginem que o meu personagem vendia um bombom que se chamava Love is a Many Splendored Thing. Depois da noite inaugural, ela se convenceu de que era melhor seguir o texto original do Guilherme Figueiredo.

O Zico Ribeiro era um dos grandes produtores do teatro de revista do Rio. Em janeiro de 1960, ele convidou a Theresinha para fazer um show na Festa da Mocidade, evento de massa que realizava todos os anos, até 1968, no parque Treze de Maio, no Recife. Ela disse que não poderia ir, estava recém-casada, queria ficar com o marido. Aí o Zico perguntou:
— O que o seu marido faz?
— Ele toca bongô.
— Então, ele vai com você na trupe.
Fomos para Recife. Eu acompanharia o Fúlvio Stefanini, que iniciava a carreira dele, na canção "Babalú", da cubana Margarita Lecuona. Era uma coisa horrível, dois caras bem claros como Fúlvio e eu, vestidos de cubanos e entoando "babalúúú". Aliás, sobre essa canção há uma história muito boa. Um dos cubanos que ficaram famosos internacionalmente cantando a música de Margarita

Lecuona foi o Miguelito Valdés, que, não por acaso, ficou conhecido como *El mister Babalú*. Certa noite ele estava cantando num show na Colômbia, começa a passar mal, pega o microfone e diz:

— *Señoras y señores, perdón, perdón...*

E caiu morto. Miguelito Valdés levava o show business a sério.

Voltando a Recife: eu não queria perder a chance e pedi para fazer uns números. O Zico Ribeiro topou. Era um teste de fogo para mim, a primeira apresentação para um público de 2 mil pessoas. Fiz o *Abacaxi que invadiu Nova York* e o do sargento Montana no desembarque de fuzileiros navais numa ilha do Pacífico. Passei no teste. Aquela apresentação é um marco para mim.

Theresinha me sustentou por dois anos. Sempre com alegria e otimismo sobre o nosso futuro. Eu dizia a ela que havia dado o golpe do baú e ela respondia:

— Tadinho, ainda não sabe que quem deu o golpe do baú fui eu.

Ela me levaria a tomar duas decisões importantíssimas. A primeira foi a de tirar o "e" do meu nome e ficar só com o Jô. É menos americanizado e soa melhor, combina mais comigo. Acabou o "Joe". Ponto pra ela. A segunda, a de nos mudarmos para São Paulo, porque ela achava que eu teria mais oportunidades na capital paulista. Outro ponto pra ela.

IX

Chegamos a São Paulo em 1960, eu estava com 22 anos e — acreditem! — ainda não conhecia a capital paulista, que arregaçava as mangas para se tornar a primeira cidade do país. A Capital Federal mudava-se para Brasília, gerando um processo de esvaziamento do Rio, e o título de capital cultural do Brasil pegava a ponte aérea para São Paulo — num processo que se consolidaria a partir dos anos 1980. Eu conhecia as metrópoles mais importantes da civilização ocidental, mas nunca tinha posto os pés no lugar onde viveria por mais tempo, e onde vivo atualmente. Theresinha e eu éramos cariocas verdadeiros, ambos filhos de pai nordestino, e São Paulo foi para nós amor à primeira vista. Mais uma vez — e mais uma vez por pura obra do acaso — eu dava a sorte de estar no lugar certo na hora certa. Viemos para São Paulo com a coragem, o bom humor e a esperança, que segundo Antônio Maria era (nem sei se ainda é) a profissão do brasileiro.

Para nos mudarmos, a Theresa renunciou a uma carreira que estava consolidada no teatro carioca. Naquele momento, ela era uma atriz chamada para os primeiros papéis femininos nas peças, revista e teledramas, tinha o respeito da classe artística e era bem apreciada pelos críticos. São Paulo e Rio ainda ficavam muito distantes — basta lembrar que a programação de TV das duas cidades era totalmente diferente, e os programas eram transmitidos nas duas praças em dias e horários distintos. Quando saía uma convocação para a Seleção Brasileira de futebol, a primeira providência da imprensa esportiva das duas capitais era contar o número de convocados cariocas e o número de paulistas. Sim, a história de Theresinha nos palcos do Rio seria levada em consideração, mas ela era completamente desconhecida da plateia paulista. Além da televisão, minha mulher achava que o mercado de shows humorísticos em São Paulo seria maior, o que poderia facilitar a vida para mim. Qual um cão pointer inglês de excelente linhagem — eles conseguem "ver" com o nariz coisas que a visão de ninguém pode alcançar —, farejei que aquela vivacidade e efervescência que eu sentia em São Paulo entre as pessoas de teatro e de televisão — a qual começava o seu domínio sobre a audiência brasileira — era plena de boas promessas. Viemos para o ver-como-é-que-é-pra--decidir-como-é-que-fica... e ficamos por doze anos.

Chegando à cidade, fizemos a ronda dos espetáculos em cartaz. O mercado era muito pequeno, todo mundo se conhecia. Fomos muito bem recebidos no geral — com poucas exceções que não vale a pena mencionar. Lembro-me bem, e com carinho, de que o Fernando Torres, um ator extraordinário e marido da querida Fernanda Montenegro, foi uma das pessoas mais acolhedoras e uma das que me deram maior apoio. Nós já conhecíamos o Paulo Autran, a Theresinha já tinha trabalhado com o Flávio Rangel, ficamos conhecendo o Juca de Oliveira, enfim, nada concreto em termos de trabalho, mas pelo menos começamos a fazer muitas amizades queridas.

Quem me conheceu já fazendo sucesso, acha que todas as portas e todos os palcos sempre estiveram abertos para mim. Mas não foi assim. Nos primeiros tempos de São Paulo continuei batalhando, como fazia no Rio, atrás do papel certo para decolar. Como toda carreira precisava de uma apresentação para abrir portas, meus primeiros empurrõezinhos vieram de pessoas amigas como o Cyll e o Dick Farney, dois excepcionais artistas nas suas áreas de atuação. Vim a São Paulo para escrever e atuar no *Dick Farney Show*, na TV Record, canal 7. Engraçado é que por causa de canções maravilhosas como "Copacabana" (de Braguinha e Alberto Ribeiro) e "Tereza da praia" (de Tom Jobim e Billy Blanco), Dick Farney é hoje totalmente identificado com o Rio de Janeiro, mas ele passou um bom período trabalhando em São Paulo, onde foi proprietário das casas Farney's e Farney's Inn. Na década de 1970, fez também temporadas na boate Régine's.

Uma das canções que viraram marca registrada do Dick Farney foi composta, vejam bem, pelo magnífico humorista José Vasconcelos, o último homem que se imaginaria escrevendo uma canção de dor de cotovelo, em parceria com o violonista Garoto. Ela começa falando de um pequeno piano-bar que havia em São Paulo, o Nick Bar, que ficava na rua Major Diogo, ao lado do Teatro Brasileiro de Comédia — aliás, era tão íntimo do TBC que uma passagem interna ligava o teatro ao bar. O Nick foi inaugurado em dezembro de 1949 por um boêmio de boa cepa, o americano Joe Kantor. O nome do bar veio de uma peça do americano William Saroyan chamada *The Time of Your Life*. Dirigida por Adolfo Celi, com Cacilda Becker e Abílio Pereira de Almeida no elenco, foi o primeiro grande sucesso do TBC. A peça foi traduzida por Gustavo Nonnenberg, que também era um dos atores. Pasmem: o título dado por Gustavo para *The Time of Your Life* foi: *Nick-Bar, álcool, brinquedos, ambições*.

Durante um período, a atração do Nick Bar foi um pianista recém-chegado da Itália, Enrico Simonetti, de quem vou falar (muito bem) daqui a pouquinho. O Joe Kantor, que também foi produtor de teatro, era bem amigo do Zé Vasconcelos. Um dia ele contou ao humorista a piada do italiano que compra um Cadillac zerinho, resolve testar o carro descendo a via Anchieta, quando está no meio do caminho fura o pneu e o Cadillac não tem macaco. O Zé disse:

— Não dá, esta piada não tem graça nenhuma.

E o Kantor, com seu sotaque:

— Pode colocar no show que vai dar certo. Vai por mim.

O Zé colocou. Fez tanto sucesso que acabou virando seu carro-chefe. O número do Cadillac sem macaco chegou a ocupar sete minutos do espetáculo. Isso é muito comum: a história toda é uma banalidade, mas a maneira como é construída, o timing entre as falas e os intervalos, as boas imitações de tipos característicos, as repetições das frases e de gestos, e o final totalmente inesperado (a *punchline*, como se diz em inglês) fazem o sucesso de um número. Outro fantástico era o do casal de velhinhos que vai se hospedar num hotel e as luzes se apagam no momento em que pegam a chave. O gerente do hotel dá uma vela para eles, e o velhinho e a velhinha, segurando a velinha, sobem para o quarto. Na hora de dormir, precisavam apagar a vela. Aí há uma verdadeira epopeia, porque os velhinhos têm a boca torta, cada um para um lado. O sopro sai sempre errado. Quem salva os velhinhos no fim do número é o gerente, apagando a vela com os dedos. Como já disse, cheguei até a pensar que o Zé Vasconcelos tinha aproveitado esse número do ótimo comediante francês Fernand Raynaud, mas ocorrera o contrário: o Raynaud, quando o viu, gostou tanto que também o usou. O Zé já vinha desenvolvendo o número, um dia faltou luz no teatro onde apresentava o espetáculo e ele aproveitou a escuridão para testar o número da vela — a única coisa com luz no teatro. Foi outro momento de sucesso.

O Fernand Raynaud foi um dos melhores comediantes do mundo, e ponto-final. Era um gênio, um extraordinário one-man show. Influenciou profundamente a minha carreira de showman. Apresentava-se no Crazy Horse, em Paris, cujas atrações mais fortes, no começo, foram os números de comediantes entremeados pelos stripteases, como ocorreu também no início dos saloons americanos. As pessoas hoje em dia confundem o one-man show com o stand-up comedy, que tem origem nos music halls britânicos dos séculos XVIII e XIX e depois viaja para os EUA, onde se desenvolve nos chamados *comedy clubs*. O stand-up é a habilidade para fazer um monólogo com histórias divertidas por algo em torno de vinte minutos. O one-man show é uma espécie de espetáculo de variedades, em geral com música, mudanças de cenário, figurinos, imitações, e é mais longo. Meus espetáculos chegaram a ter uma hora e 45 minutos de duração. Os primeiros, como as peças de teatro, se dividiam em dois atos. Fiz, até agora: *Todos amam um homem gordo* (1969), *Ame um gordo antes que acabe* (1972), *Viva o gordo e abaixo o regime* (1978), *Um gordoidão no país da inflação* (1983), *O gordo ao vivo* (1988), *Um gordo em concerto* (1993), *Um gordo mais seis* (com o sexteto do *Jô Soares Onze e Meia*, 1999), *Na mira do gordo* (2003; em Portugal, 2003, 2004 e 2005), e *Remix em Pessoa* (2007, e, em Portugal, 2010).

Outro comediante francês que me influenciou muito foi o Alex Métayer, que também fazia números de humor no que chamava de concertos. O curioso é que o Métayer, até o fim da vida, contribuía para uma organização trotskista internacional. Só soube agora, e acho que isso engrandece a sua biografia. Tamanha foi a influência dele no meu trabalho, que cheguei a pegar um voo da Varig — com a qual tinha permuta graças a uma série de comerciais que fiz para a empresa —, durante a semana, quando gravava o *Viva o Gordo*, para assistir a um "concerto" que o comediante realizou em Paris. Peguei o voo de segunda-feira depois da gravação, assisti ao espetáculo na quinta-feira e voltei na sexta, morrendo de medo de que acontecesse alguma coisa com os voos — tempestade, aeroporto fechando etc. —, mas, graças a Deus, deu tudo certo.

Em *Na mira do gordo*, o cenário era só uma cadeira de metal que virava carrinho de supermercado, de aeroporto. Em alguns momentos, eu ficava simplesmente sentado. Não eram números de stand-up, apesar de eu estar sozinho no palco. Não digo isso por menosprezar o stand-up, muito ao contrário, há standuppers excepcionais, melhores até do que muitos espetáculos que são superproduções. Alguns dos bons atores americanos que ganharam Oscar em interpretações dramáticas, como Tom Hanks e Robin Williams, começaram em pé, diante de um microfone. Como sempre, tudo depende do talento da pessoa que está ali, sozinha, em frente à plateia.

Chico Anysio, Agildo Ribeiro, Ary Toledo, Tom Cavalcante, toda a garotada do stand-up e eu devemos tudo ao cidadão acreano José Tomás da Cunha Vasconcelos Neto. Com seu inacreditável talento, o *Eu sou o espetáculo* ficou, com lotações esgotadíssimas, em duas sessões por dia durante a semana, três nos fins de semana, por vários anos no Teatro Paramount, que tinha por volta de 2500 lugares, abrindo um novo gênero e um novo canal de trabalho para os humoristas brasileiros. Era ele sozinho no palco e 25 músicos da orquestra no fosso. A maluquice é que a orquestra era absolutamente dispensável. O vinil de *Eu sou o espetáculo* vendeu mais de 1 milhão de cópias, um número astronômico para a indústria do disco. Aliás, ainda hoje, é um número que agradaria até ao Roberto Carlos.

O Zé Vasconcelos também foi o pioneiro dos shows humorísticos na tv, com *A Toca do Zé*, em 1952, na tv Tupi de São Paulo. Era primo distante da Theresinha, mas os dois conviveram bastante na juventude; ela se lembrava bem do Zé ainda rapazinho, amador, fazendo números e procurando um lugar para trabalhar no rádio. Theresinha criou um número que ele levaria para os shows profissionais e executaria magistralmente: sete pessoas falando, em sete línguas diferentes, os primeiros versos dos *Lusíadas*, de Camões. O Zé era sobrinho de um general acreano cujo nome não recordo, conhecido por seu gênio horroroso. Ficava louco da vida quando alguém o chamava pelo apelido do colégio. Quando passava, os rapazes que estudavam no colégio militar e sabiam que ele tinha pavio curto, se escondiam e gritavam da calçada em frente:

— Su-ru-cu-cuuuuuu!

Ele ficava tão possesso que puxava o revólver e dava tiros para o alto. Uma vez, o tio Kanela, ainda mocinho, o vê passando e grita:

— Su-ru-cu-cuuuuuu!

O tio do Zé Vasconcelos, endoidecido, saiu correndo atrás dos rapazes que estavam com tio Kanela. Meu tio parou e falou para ele:

— Calma, general! Eu sou sobrinho de um amigo seu, o general Ivo Soares, e venho prestar solidariedade ao senhor. Esses moleques são uns cafajestes!

E o general, para tio Kanela:

— Eu estou vendo que você não é igual a eles, você é um rapaz educado.

Eu comentava essa história com o Zé Vasconcelos e ele dizia:

— Este meu tio era um perigo. Qualquer coisinha, saía atirando. Sendo um general, ninguém falava nada.

Na intimidade, o Zé também era muito engraçado. Foi um dos maiores hipocondríacos que conheci — e olhem que conheci verdadeiros profissionais no gênero. Um dia, cheguei para ele e disse:

— Zé, está tendo um surto de esquistossomose no Alto da Boa Vista.

A resposta foi:

— Eu sei. Já me inscrevi.

Devo à sua generosidade a minha primeira apresentação na televisão quando cheguei a São Paulo. Ele deu um jeitinho de me encaixar num programa de cujo nome não me lembro, e eu fiz o número que era conhecido no Rio, *O abacaxi que invadiu Nova York*. O número chamou a atenção do Renato Corte Real, já um nomão na TV. Renato escreveu na revista *Intervalo* que finalmente aparecia alguém fazendo algo diferente na televisão.

José Vasconcelos ficou riquíssimo. Em 1964, foi para Los Angeles e voltou obcecado pela ideia de fazer uma Vasconcelândia em São Paulo. Ele conseguiu um terreno de 1 milhão de metros quadrados em Guarulhos. Tentou de todas as maneiras levantar o negócio sem recursos oficiais, mas aquilo era um sorvedouro de dinheiro. Zé praticamente faliu com o empreendimento. Um dia, levou o Zeloni para visitar as obras; na volta o italiano me disse:

— Gordo, só tem uma roda-gigante e uma bica d'água.

Infelizmente, ele perdeu não só muito dinheiro, mas também o foco na carreira de humorista. Parece que ganhara aquela área de um grupo que contava com a valorização dos terrenos em torno. O que ele gastou com terraplanagem era irrecuperável. Foi-se toda a grana que obteve com *Eu sou o espetáculo*. As pessoas pensam que a Vasconcelândia foi inspirada na Disneylândia. Engano. A ideia surgiu numa visita que o Zé fez à Knott's Berry Farm, na Califórnia. Numa pequena localidade que servia tortas tradicionais, foi reconstruída a cidade típica de vaqueiros com saloons iguais aos da época dos westerns, apresentando shows com dançarinas e duelos entre caubóis. Quando Zé Vasconcelos me contou isso, numa das entrevistas que fiz com ele, assim que terminou, Flavinha, muito animada, me disse:

— Eu estive lá! Ainda existe e é sensacional!

Logo a seguir, o Zé Vasconcelos produziu o espetáculo que fazia junto com Othelo Zeloni e Walter D'Ávila chamado *No país dos bilhetinhos*. Era uma alusão ao presidente Jânio Quadros, que tinha o hábito de mandar bilhetinhos para os ministros e secretários. Foi a peça certa no momento errado: pouco tempo depois da estreia o Jânio renunciou, o espetáculo perdeu o sentido e o Zé perdeu mais dinheiro. Uma verdadeira pena, o Jânio Quadros não ter cumprido o mandato inteiro: seriam mais três anos de pratos transbordantes para os humoristas.

Foi Cyll Farney quem me indicou para escrever e participar no *Dick Farney Show* em São Paulo. O programa era gravado num cenário de posto de gasolina, onde eu fazia o frentista. O pessoal chegava de carro, eu atendia, e daí eles faziam seus números. O primeiro que atendi foi o João Gilberto. Falando nele, me lembro de uma conversa que tivemos um dia, João reclamando que o filho não falava com ele. Perguntei quantos anos tinha a criança.

— Três meses — disse.

O João estava triste porque ela não falava com ele! Aliás, uma coisa que é pouco mencionada hoje em dia é que o João Gilberto, entre o final da década de 1950 e o começo da de 1960, fazia muitas aparições na televisão. Para quem se acostumou, nos anos subsequentes, com a imagem dele como um cara totalmente recluso, essa informação pode ser uma surpresa. Infelizmente, não restaram imagens dessas aparições, assim como de muita coisa importante do início da televisão brasileira. O programa do Dick Farney acabou não durando muito, mas o pontapé inicial da minha vida profissional em São Paulo foi dado. O diretor musical do *Dick Farney Show* era aquele jovem pianista italiano do Nick Bar, Enrico Simonetti. Simonetti criou uma orquestra que se tornara disputadíssima nos bailes de clubes e formaturas de São Paulo.

Em 1960, o Álvaro de Moya — amigo, conhecedor de cinema como poucos e especialista em histórias em quadrinhos, que infelizmente faleceu enquanto eu escrevia estas memórias — vinha fazendo uma revolução na TV Excelsior, canal 9 de São Paulo. O único cara autorizado pela Walt Disney Corporation para fazer a assinatura do Walt Disney, que aparecia em todos os seus empreendimentos, no Brasil era o Moya. Quando se pensa na história da nossa televisão, todo mundo se lembra da Globo, da Record e da Tupi, mas se esquece de duas precursoras fantásticas, a Excelsior dos tempos do Álvaro de Moya e a TV Rio, dos tempos do Walter Clark. O Álvaro conhecia bem as novidades que estavam acontecendo na televisão americana e era muito criativo. Convidou o maestro Simonetti, contratado da gravadora RGE, para fazer um programa com a sua orquestra no canal 9. Nessa época, o Boni estava muito ligado ao grupo que lançou a gravadora RGE — no início, a Rádio Gravações Especializadas foi apenas um estúdio para gravar comerciais, uma das especialidades do Bonifácio — e eles sugeriram que o futuro diretor-superintendente da Rede Globo escrevesse e dirigisse o programa. O Boni, com seu toque de gênio, achou que um programa só com a orquestra tocando, por mais que ela tivesse seu público, acabaria ficando chato. Assim, passou a escrever quadros de humor que seriam executados pelos próprios músicos. Bonifácio conta que chegou a aparecer vestido de cangaceiro no programa de estreia. A atração ia ao ar em São Paulo todas as sextas, às 21h, com ótima audiência. Nos quadros de humor participavam alguns músicos, entre eles o guitarrista Edgar, o baixista Capacete, o trompetista Juquinha, que era sempre escalado para papéis femininos, que fazia muito bem, e uma vez entrou de domadora de animais e piteira (não sei por quê), e o ótimo saxofonista argentino Hector Costita, que havia tocado com Lalo Schifrin quando ainda tinha dezoito anos. Hector fazia um tipo que achava que tudo que vinha da Argentina seria melhor. Qualquer coisa. Por exemplo, o Simonetti dizia:

— Você foi beber água?

— *Sí, pero agua argentina!*

E saía dançando tango. Difícil reproduzir quão engraçado era ver os músicos interpretando quadros de humor. Mas era.

Certo dia, o Boni recebeu um convite para assumir a direção de uma importante agência de propaganda. Proposta irrecusável, mas não poderia mais escrever e dirigir o *Simonetti Show*. O maestro levou várias pessoas para serem aprovadas pelo Bonifácio, mas ninguém o agradou. Então, o Simonetti, que havia sido o diretor musical do programa do Dick Farney, resolveu me levar na casa do Boni. Ele estava com uma gripe fortíssima e nos recebeu deitado, de pijama. Uma imagem inesquecível, porque o pijama de listras era horroroso. Até hoje eu costumo brincar dizendo que minha carreira foi facilitada porque eu conheci o Boni na cama.

O Boni me pediu para ver alguns números de humor e eu fiz uns dois ou três. Um deles, eu tinha inventado alguns anos antes, totalmente de improviso, na casa do Zezinho Gueiros, que sempre me provocava dando um tema para eu criar um número na hora. O célebre pianista Jacques Klein estava jantando com outros convidados na casa do Zezinho, que na época era casado com a atriz Marilu Bueno, quando, a dada altura da noitada, a turma começou:

— Jacques, toca uma música pra gente! Jacques, só uma. Só uma canja. Vai, Jacques, toca...

Sem ter como escapar de tantos apelos, ele sentou-se ao piano de cauda e deu um pequeno concerto magnífico. Ao terminar, estava todo mundo aplaudindo, maravilhado, quando um gaiato pergunta:

— Jô, você não toca piano?

Eu respondi na hora:

— Claro.

Respondi sem pensar nas consequências, apenas pela volúpia de aparecer. Apesar de ser ainda um jovem artista amador, eu já exibia autoconfiança porque era, sou e continuo sendo muito exibido. Essa é uma característica fundamental do ator e do performer: ele tem que atuar para as pessoas, tem que aparecer.

— Você toca piano?

— Toco, sim, e de uma forma magistral. Inclusive tenho um número famoso sobre o quanto é importante a música no cinema americano.

Aí, me sentei ao piano e comecei a improvisar, a inventar na hora, a história de *Mathilde e o monstro*:

"Oito horas da noite, a água bate de encontro às rochas..." Aí eu fazia *bluuuuuur* com a boca. "Enquanto anoitece, Mathilde está na sala de música do castelo, no alto da montanha. Na sala de música Mathilde estuda sua lição de piano." Aí eu fazia no teclado aquela coisa clássica de primeiros estudos de piano, que é a escala musical ascendendo e descendendo: *dó, ré, mi, fá, sol, lá, si, dóóóó... Dó, si, lá, sol, fá, mi, ré, dóóóó*. Eu ficava repetindo: "Ela precisava estudar muito, porque no dia seguinte teria provas na Academia de Música, então ela estudava muito: *dó, ré, mi, fá, sol, lá, si, dóóóó...*

Dó, si, lá, sol, fá, mi, ré, dóóóó… Ela tocava, tocava, e não sabia que embaixo das rochas, apenas saída da água, uma tragédia estava pra acontecer". Aí fazia aqueles acordes sinistros de cinema no teclado, com acordes cacheados e ameaçadores: *tchan, tchan, tchan, tchaaaannn.* "O monstro escalava pesadamente as rochas da montanha…": *tchan, tchan, tchan, tchaaaannn!* "Mathilde não ouvia nada, e continuava estudando…": *dó, ré, mi, fá, sol, lá, si, dóóóó… Dó, si, lá, sol, fá, mi, ré, dóóóó…* "O monstro seguia subindo pelas rochas, se aproximando do castelo…": *tchan, tchan, tchan, tchaaan!* "E Mathilde estudando a lição": *dó, ré, mi, fá, sol, lá, si, dóóóó… Dó, si, lá, sol, fá, mi, ré, dóóóó…* "De repente, o monstro arromba a porta da sala de música": *tchannnnnn!* "Mathilde era surda": *dó, ré, mi, fá, sol, lá, si, dóóóó… Dó, si, lá, sol, fá, mi, ré, dóóóó…* "Aí o monstro faz a volta, contorna o piano, com as mãos ameaçadoras encara Mathilde bem nos olhos": *tchannnnnn!* "Mathilde era cega": *dó, ré, mi, fá, sol, lá, si, dóóóó… Dó, si, lá, sol, fá, mi, ré, dóóóó…* "E aí o monstro finalmente agarra violentamente Mathilde." Eu dava um grito estarrecedor e… atacava os acordes iniciais da "Marcha nupcial"! "E os dois foram felizes para sempre!"

Foi um número que deu certo e o incluí no show *Viva o gordo e abaixo o regime*, de 1978. O maestro gostou tanto do número que, anos depois, quando se preparava para voltar para a Itália, me confessou que iria roubá-lo e usar em seus shows (ele devia fazer muito melhor do que eu, porque era um músico extraordinário e também sabia ser comediante). Então o Bonifácio disse para o Simonetti:

— É ele, vamos ficar com ele.

O que eu não sabia é que, além de estar gripado, o Boni já tinha decidido o novo passo da sua carreira profissional: iria trabalhar na Lynx Filmes, onde criou os comerciais da Varig que marcaram época. Eu passaria a ser o redator definitivo do programa e a carreira do Boni decolaria como um daqueles fantásticos Boeings que anunciava.

O *Simonetti Show* foi uma pequena amostra do talento criativo do Boni, uma vez que não havia precedentes no gênero: uma ótima orquestra que, além dos musicais, fazia bons números de humor. Uma das coisas que introduzimos depois que entrei para o programa foi o número de uma secretária do maestro Simonetti (feita por Lolita Rodrigues, conhecida por ser cantora de músicas espanholas) que estava louca para iniciar a carreira de cantora mas que jamais conseguia cantar: todas as vezes que ela estava prestes a soltar a voz, acontecia um imprevisto divertido que a impedia. Dado seu sucesso na capital paulista, o programa passou a ser exibido também, aos sábados, pela TV Rio (como não existiam condições técnicas para exibir programas em rede, eles eram gravados e as fitas viajavam para o Rio de Janeiro, para serem exibidas no dia seguinte). Apesar de ser um programa paulista, com uma orquestra só conhecida nos bailes de São Paulo, acabou agradando também no Rio de Janeiro.

Guardo até hoje, com imenso carinho, em cópia feita em mimeógrafo a álcool, o script do *Simonetti Show* do dia 4 de abril de 1962. Mais do que com os próprios diálogos, fico abismado com a quantidade de coisas que eu pedia para o cenário e para os números de humor (o enredo daquele programa era baseado numa máquina do tempo que levava as pessoas para o futuro):

32 túnicas do planeta desconhecido com 2 olhos desenhados perto dos ombros, 32 sandálias, 1 máquina estranha de viajar no espaço onde caibam 2 pessoas, 2 tabuleiros com várias bugigangas, figas etc., 1 cavalete de desenho para o concurso, 1 par de óculos de madeira bem grande que sirvam para ser colocados em um corpo, as lentes na frente do peito, as hastes por cima dos ombros, 1 maleta cheia de vidrinhos cheios de pílulas para se comer, 1 ferro elétrico, 1 martelo, 1 mala vazia, 2 roupas iguais — de inventor e do assistente —, 1 machado, 1 roupa de Sherlock Holmes completa, 1 telescópio de madeira com a parte de cima pronta para cair na cabeça

de quem olhar, 1 fole furado, 2 roupas de caipiras completas, 2 ca-
beleiras de caipiras, 2 violões, 2 roupas de playboys completas, 2
roupas de garotas da *Playboy* completas e bem espalhafatosas, 2 ca-
beleiras bem compridas de mulher, 4 vassouras.

Meu Deus, eu já pedia tudo isso numa época em que a televisão ainda funcionava a lenha e os recursos eram minguadíssimos!

Naquele tempo, eu precisava tanto trabalhar que cheguei a
fazer um quadro de graça para a Excelsior, a pedido do Álvaro
de Moya. No mundo da TV, se você faz alguma coisa de graça, é
porque realmente você está a fim de mostrar o seu trabalho. Não
lembro mais em que programa o quadro entrava, mas foi aquele
negócio de fazer uma dublagem totalmente nonsense de uma
cena clássica do cinema americano. Havia apenas uma diferença
dos quadros de hoje em dia, e essa diferença tornava o número
muito difícil de ser feito: como não existia videoteipe ainda, a
dublagem era feita ao vivo — e carecia de ser engraçada. Qualquer errinho de palavra ou mudança no timing das falas — mais
lentas ou mais rápidas do que o movimento da boca dos atores
nos filmes — estragava o quadro. Tinha um filme em que o Randolph Scott fazia dois papéis. O chefe da tribo dos índios manda
matar um dos personagens e o texto que eu dizia na fala do índio era este:

— Você aguentar um Randolph Scott ser possível, mas dois
nem índio aguenta.

Ou: o índio apache se aproxima do comandante da cavalaria
montada, e este pergunta:

— Onde você cortou o seu cabelo?

Noutra vez, numa cena do filme *O conde de Monte Cristo*,
quando o cara que ainda estava com barba preta encontra o que já
está de barba branca, ele pergunta:

— Por que a sua barba ficou mais branca do que a minha?

— Porque a minha eu lavo com Omo.

Um dos comerciais mais famosos de então dizia: "Omo lava mais branco". O Ziraldo fazia algo parecido com fotografias que era engraçadíssimo, as fotopotocas publicadas na revista *O Cruzeiro*. Mas fazer na TV, ao vivo, era fogo. Eu chegava de tarde, ficava olhando um monte de cenas para escolher alguma que rendesse uma dublagem engraçada, daí eu ia para o palco, rodavam a cena e eu fazia a dublagem na hora. E eu fazia tudo isso de graça...

Naquela época, a empresa que mais vendia aparelhos de televisão no Brasil era a Westinghouse; tratava-se de autênticos armários de madeira, com portas que se fechavam sobre a tela quando não havia ninguém assistindo. Eles achavam — com razão — que, quanto melhor a programação da televisão, mais aparelhos venderiam. Só erraram no tipo de programa que resolveram patrocinar. Deixaram de apoiar o show do Zé Vasconcelos porque o consideravam muito popular. Lançaram outro no lugar, *Westinghouse em Quatro Tempos*, um programa de música clássica que eu passei a apresentar, com participação da orquestra do Simonetti. Mas erraram de novo, só que agora do lado oposto: sofisticaram demais, elitizaram demais. Não tinha como dar certo porque era um programa metido a besta, faltava espectador no país para esse tipo de programa. A única coisa que o *Westinghouse em Quatro Tempos* conseguiu foi que, por um período, o Zé Vasconcelos ficasse chateado comigo, por causa do cancelamento do seu show, mas depois entendeu que eu não tinha nada a ver com a decisão e o pequeno mal-estar entre nós passou. Resultado: o Zé foi imediatamente contratado pela TV Tupi, levou o Othelo Zeloni junto, e o programa deles foi um arraso de audiência.

O Enrico Simonetti, o francês Jacques Netter (muito ligado ao Boni, também sócio da RGE) e o Reinaldo Zangrandi, um empresário de sucesso, fundaram uma empresa para produzir espetáculos, a RJS. O Reinaldo era uma figura deliciosa e me ajudou muito quando cheguei a São Paulo. Ele contava que, certa vez, estava saindo de seu escritório, olhou para a calçada e viu um anel de brilhante no chão. Quando ia pegar o anel, um cara se aproximou e disse:

— Opa, eu vi também. Então o anel é dos dois, o anel é nosso.

O Reinaldo percebeu na hora o cheiro de conto do vigário e deu papo pro sujeito:

— É verdade, ele é nosso. Como é que vamos fazer?

O "sócio" propôs:

— Ah, vamos vender o anel, a gente racha o dinheiro.

O Reinaldo:

— Mas quanto será que vale esse anel?

O "sócio":

— Não sei, a gente tem que achar alguém que entenda pra avaliar.

Aí, o "sócio" do anel aponta para um sujeito encostado num poste, lendo jornal, e diz:

— Vamos perguntar praquele cavalheiro ali. Ele parece bem distinto e tem cara de quem entende de joias preciosas.

Os dois vão até o "cavalheiro" que está de terno cinza e colete, com um cravo na lapela. O "sócio" do Reinaldo fala:

— Perdão por atrapalhar a leitura do seu periódico, cavalheiro, mas, por acaso, o senhor entende de joias?

O "cavalheiro" interrompe a leitura, olha bem para os dois, e responde:

— Um pouco.

O "sócio", rapidamente:

— Puxa, que extraordinária coincidência! Achamos a pessoa certa! Será que o senhor poderia, por favor, fazer a fineza de nos dizer quanto valeria, aproximadamente, um anel de brilhante como este?

O "cavalheiro" dobra o jornal, coloca no bolso do paletó, e tira do bolsinho do colete uma lente de joalheiro. Prende a lente no olho, numa postura superprofissional, pega o anel, examina cuidadosamente e devolve na mão do "sócio", dizendo, emocionado:

— Meu Deus! É um diamante valiosíssimo! Em trinta anos como joalheiro nunca vi uma pedra tão perfeita! Lapidação Amsterdam de várias facetas! É difícil dar um preço assim, na rua, sem olhar as cotações internacionais, mas eu garanto que isso vale pelo menos centenas de milhares de dólares!

O "sócio", com a maior cara de espanto:

— Puxa, que sorte a nossa! Encontrar logo um joalheiro! Muito obrigado pela sua atenção!

— Sempre às ordens.

O "cavalheiro" retoma a leitura do seu vespertino. O "sócio" volta-se para o Reinaldo e pergunta:

— E agora, o que é que a gente faz?

O Reinaldo responde:

— Ué, a gente tem que dividir isso, vamos vender e dividir.

Nesse momento, o "sócio" faz uma cara de desconsolo e diz:

— Infelizmente não vai dar porque… imagine o senhor, que falta de sorte a minha. Nós encontramos uma joia caríssima como esta e, no entanto, eu tenho que ir pro interior de São Paulo. A minha mãe está muito doente e eu tenho que pegar o trem agora, então, infelizmente eu não vou poder ficar para vendê-lo junto com o senhor. Vamos fazer o seguinte? O senhor fica com o anel todo, e me dá o que o senhor puder dar pela minha parte… paciência… quanto é que o senhor tem aí no bolso?

O Reinaldo:

— Eu tenho uns 500 mil cruzeiros. (A moeda da época era o cruzeiro.)

O "sócio", com cara de arrasado:

— Bom, paciência. Então tá bom. O senhor me dá os 500 mil e fica com o anel todo. Eu levo esse prejuízo, não tenho como resolver de outra maneira agora, estou com muita pressa. Tadinha da minha mãe…

Reinaldo:

— Por mim, tudo certo.

Bota a mão no bolso, pega os 500 mil cruzeiros e, quando vai entregar ao "sócio", fala:

— Não… Espera um instante. Quanto é que você tem no bolso?

O "sócio", ressabiado, responde:

— Eu? Só tenho uns cem cruzeiros. Fora o dinheiro da passagem...

E o Reinaldo, rapidinho:

— Fiquei com pena de você. Faz o seguinte: me dá os cem cruzeiros e fica com o anel pra você. Você precisa mais do que eu. Depois, você pode vender pra ajudar no tratamento da sua mãe.

Pausa.

O "sócio", furioso, olha para ele, não diz nada, guarda o anel no bolso e vai se retirando. Passa pelo "cavalheiro", que retomou sua leitura encostado no poste, e diz:

— Vamos embora que este cara tá a fim de sacanear. O filho da puta não respeita nem quem está trabalhando.

O único ativo da RJS até aquele momento era o *Simonetti Show*. Uma tarde, eu chego lá para entregar o texto do próximo programa e vejo um argentino sentado, barba de dois dias, com um calhamaço embaixo do braço. Ele perguntou:

— O senhor trabalha aqui?

Respondi:

— Não, eu escrevo um programa para a empresa.

E ele:

— Eu queria apresentar um trabalho.

(Esse argentino é um pouco a inspiração do personagem Gardelón, que eu lançaria no programa *Viva o Gordo*, da Globo, com um bordão que pegou: "*Muy amigo*".)

Eu respondi:

— Um instante que eu vou avisar os diretores da empresa.

Entrei na sala, avisei-os do argentino na sala de espera. Quando foi chamado, falou:

— *Yo represento a Joaquín Pibernat, yo soy muy amigo querido, muy amigo de Perón, muy amigo de Isabelita Perón. Y tengo un espectáculo para Semana Santa, una cosa fantástica, la vida de Cristo.*

Aí ele mostrou um álbum com as fotos da montagem ao ar livre da vida de Cristo na Argentina. Milhares de pessoas assistindo, uma coisa gigantesca também. Tinha Cristo com os apóstolos, Maria Madalena, todo mundo... Todos os atores eram do grupo do Pibernat. Aí o Jacques Netter, que era o cara mais entusiasmado do mundo, disse:

— Maravilha, vamos trazer.

O Simonetti, um pouco mais cético, falou:

— Jacques, é melhor ir lá ver se funciona mesmo. O que estamos vendo aqui é um álbum de fotos muito antigas, vamos ver como ele está agora.

— Eu vou, mas acho que não tem problema.

E foi com sua namorada. Ficou lá um fim de semana, conheceu o cara, e, quando voltou, a gente foi jantar: Reinaldo, Simonetti, Jacques, a namorada e eu. Aí o Simonetti perguntou como tinha sido. O Jacques respondeu:

— Seu receio não tem nada a ver, ele é uma figura estupenda.

A namorada do Jacques só dizia:

— Hum...

O Simonetti comentou:

— Parece que sua namorada não ficou tão entusiasmada...

E o Jacques Netter:

— Ficou, sim. Você tem que levar em conta que é teatro. Quem faz o Cristo é o próprio Joaquín Pibernat, um ator extraordinário. O único probleminha é que ele está um pouco gordo.

— Mas um pouco gordo como?

— Ah, como o Jô, mais ou menos.

— Como o Jô!?

(Na época eu pesava uns 130 quilos.)

— Mas ele usa uma túnica, assim não aparece.

O Simonetti perguntou o óbvio:

— E pra subir na cruz?

— Ele tem um dublê que é magro. Ele faz só a cena da cruz.

O Jacques continuou:

— Ele é um ator fantástico. É careca.

— O Cristo? É careca!? — Simonetti, quase desmaiando.

— Mas usa peruca, não tem problema.

A conversa era muito engraçada: o Netter com sotaque francês, o Simonetti com o sotaque italianíssimo. Ele pergunta:

— Deixa eu ver se entendi, o Cristo é gordo e careca. E quantos anos tem o nosso Cristo?

— Tem 65, mas está muito bem, aparenta menos.

O Reinaldo, o Simonetti e eu exclamamos juntos:

— Pô, um Cristo com 65 anos!!!

Apesar de todas as resistências dos sócios, o Jacques Netter os convenceu a trazer a montagem da Paixão de Cristo. Afinal, ele já havia assinado o contrato em Buenos Aires. A temporada foi marcada para o ginásio do Pacaembu, com farta divulgação. No dia da apresentação, na Semana Santa, o ginásio estava lotado. Abre-se a cortina e o cenário não parece à altura do espetáculo. Isso porque o fundo, que representava o céu, era pintado e perdia um pouco da sua imponência, já que a rotunda representando o céu viera dobrada. Então, o céu e as nuvens ficaram quadriculados devido aos muitos anos de transporte pelos pampas argentinos. A iluminação não escondia as quebras do cenário pintado. A primeira entrada do Cristo se passa no Domingo de Ramos. Entra Pibernat: era realmente uma figura monumental com seu manto sagrado de fartas dobras e sua peruca de largos cachos ruivos. A voz é imponente. É óbvio que o ator é excelente, como são todos os atores argentinos. Provavelmente, há trinta anos, Pibernat devia fazer um Cristo sensacional. Ele ergue o cajado e diz numa voz tonitruante:

— *¡Vamos a Jerusalén pues!*

Dá um passo à frente e desaparece. Parecia um efeito cênico de tirar o fôlego. Ainda tenho tempo de pensar: "Puxa, que truque espetacular!". Meu pensamento é seguido por um urro terrível e a cortina se fecha.

Corremos para ver o que aconteceu. No meio do palco havia um imenso buraco coberto por uma tábua que não resistiu ao peso do Cristo. "Claro, não é fácil carregar todos os pecados do mundo", pensei maldosamente. Olhamos pelo vão aberto e lá embaixo, a uns três metros de profundidade, vemos o famoso Pibernat despencado no buraco, inteiramente estropiado. Quebrou um braço e uma perna, não podia se locomover. Numa terrível ironia, sua posição formava uma perfeita cruz suástica. Sua esposa, que fazia o papel de Maria, mãe de Cristo, urrava desesperada:

— *¡Yo sabía! ¡Yo non quería venir! ¡Non quería venir!*

Um velhinho magérrimo, que fazia Caifás, fumava uma guimba enquanto dizia:

— *¡No és nada... le gusta exagerar... non le den atención que es peor! ¡Álzate Joaquín!*

O prejuízo só não foi total porque conseguiram vender um especial para a TV Record. Quem fez o milagre foi o Nilton Travesso, na direção da adaptação. Ele arrumou um ator lindo, que tinha o perfil clássico das ilustrações que fazem de Jesus. O ator fazia Jesus Cristo sem abrir a boca. Só gesticulava. Nilton direcionou um canhão de luz, que ficou qual uma auréola, banhando a cabeça do ator. Na sala de cortes, sentado numa cadeira de rodas, Joaquín Pibernat dizia o texto com a sua voz linda e grave reverberando pelo estúdio. Nosso Cristo argentino havia ressuscitado.

Aliás, no rádio, no teatro, na televisão, as histórias de problemas nas representações de Cristo são um clássico. Certa vez, o Procópio Ferreira fazia o Cristo e o André Villon fazia o apóstolo Pedro, no momento da distribuição dos pães. Uma noite, só para sacanear, o Villon pegou um pão velho, de três dias, e passou para o Procópio parti-lo e dividi-lo. O pão estava um cimento de tão duro. André entrega o pão:

— Senhor, para nossa redenção

É hora de partir o pão.

O texto era todo rimado, comportando poucos cacos e improvisos. O Procópio tentou cortar o pão com as mãos uma vez, não conseguiu. Tentou a segunda, e não conseguiu de novo. Os apóstolos todos, que sabiam o que Villon aprontara, disfarçavam o riso. Procópio não se apertou: depois da terceira tentativa fracassada, ele devolve o pão para o Pedro-Villon e diz:

— Homessa! Este pão tem pevide,
Toma tu, Pedro, e divide.

Diziam também que, em outra montagem, Jesus estava no monte das Oliveiras com os apóstolos, chega um centurião e diz:

— É mist(é)r que prendamos esse homem!

O ator que fazia o soldado, um novato, entrou e disse, com sotaque inglês, o melhor que as suas aulas de impostação de voz permitiam:

— Ééé m(í)ster que prendamos esse homem!

E o Procópio responde imediatamente:

— *Right! Let's go everybody!!!*

Escrevendo agora sobre o Procópio Ferreira, me vem à cabeça uma imagem muito forte. Eu me lembro claramente que vi o Amácio Mazzaropi no programa de humor apresentado pelo Procópio, na TV Excelsior, fazendo o número de um sujeito encarregado de limpar a casa. Era só ele com uma vassoura. Mas tinha uma qualidade plástica, uma sofisticação e um humor chapliniano. E nós pensávamos que Mazzaropi só dava conta de fazer aquele personagem caricatural do caipira. O programa do Procópio foi conseguido por sua filha, Bibi Ferreira, na época estrela de uma das maiores atrações da nossa televisão: o *Brasil 60*, também na TV Excelsior (o programa fazia tanto sucesso que durou vários anos, trocando de nome a cada ano: *Brasil 61*, *Brasil 62*, *Brasil 63*...). Abigail fez a sugestão ao Álvaro de Moya, que, claro, topou na hora. Cheguei a ver alguns números inesquecíveis, como um jogo de pôquer surrealista do qual participava o Solano Ribeiro. Excelente como comediante, Solano era um talento que ficou totalmente escondido. Não me lembro dos outros três jogadores, mas o quadro era genial. Apesar da excelência do programa, algumas pessoas comentavam:

— Esse programa não vale nada. O Procópio não serve como apresentador. Isso só existe pra atender a um pedido da Bibi, claro!

Só fiz esse comentário para confirmar o velho ditado: realmente, *a inveja é uma merda...* Também me lembro do Moya, diretor com todos os poderes na Excelsior, nos contando, enquanto dava boas risadas:

— Vinha vindo pra cá de bonde, como sempre, quando ouvi uma buzinada e alguém me chamando. Era o Paulinho de Carvalho, um dos donos e diretor da TV Record, a bordo da sua Mercedes, e eu, no estribo do meu bonde.

Bem, depois dessa digressão, retornemos aos casos das representações de Cristo. Max Nunes, meu padrinho duas vezes (foi padrinho nos meus dois casamentos), foi médico cardiologista e deu plantão até quase os oitenta anos de idade. Ele foi um gênio dos programas de rádio. Chegou a escrever oito por semana, todos de imenso sucesso, como o *Balança Mas Não Cai*. Max contava uma história clássica que aconteceu numa Semana Santa:

A primeira transmissão da *Vida de Nosso Senhor Jesus Cristo* ocorreu no dia 27 de março de 1959, na Sexta-Feira da Paixão, pela Rádio Nacional do Rio de Janeiro. O melhor elenco foi escalado para esse momento importante do radioteatro. A produção de Giuseppe Ghiaroni foi dividida em quatro sequências: a primeira, a partir das 11h15; a segunda, às 12h30; a terceira, às 14h30; e a última, às 18h.

Na abertura, d. Hélder Câmara, que já havia abençoado todo o elenco antes das gravações, dirigiu uma breve saudação aos ouvintes. Sua "breve saudação" durou exatamente duas horas e 51 minutos, incluindo, no final, um terço com vozes femininas, sob a supervisão da Arquidiocese do Rio de Janeiro. Nunca houve um empreendimento semelhante no rádio brasileiro. Segundo os arquivos da Nacional, cerca de quatrocentas emissoras de várias regiões do país retransmitiram o programa.

Ele foi gravado como se fosse ao vivo e impressionou pelo profissionalismo. Floriano Faissal, ator e diretor artístico da emissora, além de dirigir o superespetáculo, reservou para si o papel de Deus. Algumas gravações eram realizadas tarde da noite, para aproveitar a ociosidade do estúdio de radioteatro. Mas, para a gravação das cenas do julgamento e da crucificação, que exigiam a presença "de um clamor da multidão", Floriano não dispensou ninguém, os radiatores tinham ordem de permanecer no estúdio, aguardando. Embora aquele fosse um dos mais amplos estúdios do nosso rádio, ele não comportou todo o imenso elenco de extras. As portas ficaram abertas e vozes chegavam projetadas de fora para dentro, dos corredores para o interior do estúdio, criando o ambiente ideal para simular a presença de uma multidão nas ruas.

Floriano dirigia a algaravia da massa, os extras que gritavam e urravam, nas ruas, durante os episódios do julgamento em frente ao palácio de Pôncio Pilatos, do calvário, da crucificação e da morte de Jesus Cristo. A dada altura, Pilatos pergunta à turba representada pelo coro de extras:

— E então, o que faço com este homem?

As vozes respondem:

— Ele é réu de morte!

— Crucificai-o!

— Apedrejem-no!

— Devemos açoitá-lo!

— Cuspam-lhe na cara!

Muitos insultos, registrando o momento em que Jesus é apedrejado e humilhado, todos colaborando com os gritos da multidão no estúdio.

Faissal ficou muito satisfeito e entusiasmado com o resultado. Na sexta-feira, orgulhoso do seu trabalho, ele coloca toda a família, amigos e convidados na sala da sua casa, para ouvir o superespetáculo que dirigiu. No momento da gritaria, na cena das agressões e humilhações a Cristo — "Açoitem-no, cuspam-lhe na cara! Apedrejem-no!" —, por um desses mistérios que só acontecem no teatro, houve um pequeno instante de silêncio: todas as vozes que dirigiam ofensas ao Cristo pararam simultaneamente, tomando um pequeno fôlego, para recomeçar os impropérios dali a segundos. Mas não a tempo de cobrir uma voz que deu para ser ouvida nitidamente, naqueles poucos segundos de silêncio, berrando:

— Chuta o saco dele!

Silêncio total na mansão dos Faissal. Lívido, Floriano, cardíaco, desmaiou de ódio. Passou semanas investigando para ver se descobria o autor da infâmia. Claro, não conseguiu.

Participou dessas gravações quase a totalidade do elenco da pre-8, ou seja, cerca de 120 atores. Entre os mais conhecidos, alguns que depois ingressaram na televisão: Mário Lago, que fazia o papel de Herodes, Rodolfo Mayer, o de Satanás, e Roberto Faissal como Jesus, claro, uma vez que seu pai, Floriano, estava no papel de Deus.

Na televisão ao vivo também ocorriam coisas assim. Tem um caso famoso, só que dessa vez não era com a representação de Cristo: foi com uma teledramaturgia sobre a heroína francesa Joana d'Arc. Teatro sendo transmitido ao vivo, e o Manoel Carlos, autor do texto, resolveu fazer o papel de um lanceiro, para controlar sua obra de perto. O lanceiro ficava sempre próximo do bispo Cauchon, o clérigo infame que condena Joana d'Arc a morrer na fogueira. O papel do bispo era vivido pelo excelente ator Oscar Felipe, conhecido por, eventualmente, trocar as suas falas. Aí, na sentença final, o bispo Cauchon disse:

— Joana, fostes condenada. Levem-na para a forca!

Um suor frio corre pelas costas do Maneco. Iam enforcar Joana d'Arc e acabar com o seu texto. Uma revolução histórica. Maneco, ali vestido de lanceiro, com boa presença de espírito aproxima-se do bispo e diz à socapa no seu ouvido:

— Perdão por questionar vossa sentença, monsenhor, mas não seria melhor queimá-la?

— Tens razão, meu caro lanceiro. Queimem-na! Queimem-na!!!

Para aqueles que não conheciam a realidade histórica, quem teve a ideia de mandar Joana d'Arc para a fogueira foi um sacana de um lanceiro.

E, já que comecei a contar casos de teatro, são tantos e tão maravilhosos que não resisto à tentação de contar mais um. Era uma montagem de *Os três mosqueteiros*, do francês Alexandre Dumas, pai. Num duelo, um dos contendores dava uma punhalada no outro, bem no lugar onde tinha, por debaixo da camisa, na altura do coração, uma bexiga cheia de tinta vermelha, para simular o sangue que saía de seu ferimento. Realismo absoluto. Na estreia, o ator com o punhal errou o golpe, a lâmina cortou a camisa do oponente e a bexiga saiu pulando pelo palco. A plateia via aquela bexiga cheia de tinta vermelha saltando pelo proscênio: *ploft*, *ploft*, *ploft*... Aí o ator do punhal, com uma capacidade invejável de improvisação, saiu atrás da bexiga até que, *zás!*, acertou uma punhalada nela, o sangue jorrou, e ele gritou vitorioso como um galo de terreiro:

— Morre, consciência!

O Manoel Carlos fazia parte de um grupo conhecido como os Adoradores de Minerva, que começou a se reunir no final da década de 1940. Eles se encontravam todos os dias ao lado da imponente estátua dedicada à Leitura, de Caetano Fraccaroli, que dá solenidade pomposa ao saguão da Biblioteca Pública de São Paulo — mais tarde batizada de Mário de Andrade —, para discutir teatro, literatura, filosofia, política etc. Do grupo inicial, faziam parte, além do Maneco, o Cyro del Nero e o cultíssimo jornalista e publicitário Rudy Margheritto. Alguns anos depois, os jovens professores universitários Bento Prado, Roberto Schwarz e Maurício Tragtenberg passaram a frequentar o grupo e, numa terceira geração, o diretor Flávio Rangel e o casal de atores Fernando Torres e Fernanda Montenegro, que estavam morando em São Paulo.

Ao lado da biblioteca tinha uma árvore que crescia muito e um dos galhos começou a cobrir a bela cabeça do Mário de Andrade, feito pelo escultor Bruno Giorgi. O Maneco e o Cyro del Nero, ambos trabalhando na TV Excelsior, tentaram, mas não conseguiram, quebrar o galho que cobria a cabeça do escritor modernista paulistano. Um dia, em 1962, eles tiveram uma ideia maluca, para testar se as autoridades se importavam mesmo com a cabeça do Mário de Andrade. De madrugada, o Cyro encostou o carro ao lado da biblioteca, e junto com o Maneco e mais um assistente do Cyro chamado Tide arrancaram a cabeça do Mário de Andrade, botaram no porta-malas e levaram-na para a casa do Tide, onde a deixaram na garagem. No outro dia, o pai do assistente do Cyro, lendo o jornal perto dele, comentava:

— Roubaram a estátua da Mário de Andrade, era só o que faltava. Isso é coisa de arruaceiro. Desse jeito, onde é que a gente vai parar?

Alguns dias depois eles deixaram a cabeça do Mário num lugar bem visível da via Dutra. Pelo sim, pelo não, para evitar novos problemas com ela, a cabeça do Mário de Andrade foi levada para o interior da biblioteca, fica logo à direita de quem entra no prédio...

A partir de 1956, surgiu um novo grupo entre os frequentadores da Biblioteca Municipal, chamado Noite da Revisão, do qual o Rudy Margheritto foi um dos líderes. A ideia inicial era fazer uma revisão completa da Semana de Arte Moderna de 1922. No final, o grupo foi atacado por uma onda revisionista de tal ordem, que começaram a fazer revisão de tudo, inclusive dos clássicos da nossa literatura. Eles reescreviam poemas, romances, peças de teatro, era um delírio, uma loucura, mas um maravilhoso exercício de imaginação e de escrita, principalmente para quem lidava — como nós — com adaptações para rádio, teatro e cinema.

A saga de Mário Wallace Cochrane Simonsen, o maior exportador de café do Brasil, que tinha também participação na Panair, grande companhia aérea do país, além de meia centena de empresas espalhadas pelo mundo, com sede em Zurique, na Suíça, é impressionante. Tanto pela ascensão quanto pela queda. Ele era sobrinho do poderoso presidente da CNI e da Fiesp, um dos primeiros pensadores econômicos brasileiros, Roberto Simonsen, que ironicamente morreu na casa dos imorredouros: discursando no salão nobre da Academia Brasileira de Letras. Em Paris, seu filho Wallinho, verdadeiro representante da jeunesse dorée brasileira, era cobiçado por algumas das mais bonitas garotas francesas. O poder e a fortuna do Simonsen pai eram tamanhos, que Wallinho usava os aviões da Panair do Brasil para levar seus cavalos de polo para disputar os jogos na Europa. Quem se deu muito bem nessa época foi o José Lewgoy, ator de talento e homem de vasta cultura. Estava sem trabalho em Paris quando conheceu o herdeiro do Mário Simonsen e passou a dar assistência a ele e aos seus amigos brasileiros. Lewgoy foi nomeado diretor do escritório em Paris. Que Deus abençoe Wallace Cochrane Simonsen Neto por esse gesto. Graças ao dinheiro ganho, quando voltou ao Brasil, Lewgoy pôde comprar seu apartamento. É o primeiro sonho de todo ator. Eu adorava o José Lewgoy como ator e como pessoa.

Eu costumava brincar com o Wallinho dizendo que um dia ele chegou em casa e pediu ao pai que comprasse uma televisão. Em vez de comprar um aparelho de TV, o Mário Simonsen foi lá e comprou o canal Excelsior para o filho. Fazia parte da estratégia do Mário de ter sempre uma ligação forte com o poder, a propriedade de um canal de televisão de prestígio. A soma das incontidas ambições dele com o talento e o conhecimento de televisão do Álvaro de Moya, na direção artística, fez a Excelsior crescer rapidamente. O diretor comercial do canal era um rapaz chamado Saulo Ramos, que depois se tornaria advogado renomado e seria ministro da Justiça no governo de José Sarney. E, também integrando o time inicial, estava um nome importantíssimo para a história da televisão brasileira, o Manoel Carlos. O Maneco é tão bom profissional e tão bom de caráter que, quando, poucos anos depois, tiraram o Álvaro de Moya da direção artística ele recusou o seu cargo dizendo que o Moya era uma das poucas pessoas insubstituíveis da nossa televisão. Além do Simonetti, do Moya, do Maneco, estavam no time do canal 9 dois outros excelentes profissionais, que se tornaram muito meus amigos nos primeiros anos de São Paulo, o maior ator do período — tinha dois metros de altura —, Túlio de Lemos, e o cenógrafo Cyro del Nero, a melhor enciclopédia sobre o teatro grego que já conheci (um de seus livros, *Máquina para os deuses*, é, para mim, a melhor obra mundial sobre o teatro e as montagens das tragédias gregas). Enfim, muita gente boa junta para o canal não dar certo.

Além de comprar o canal, Simonsen enfiou um caminhão de dinheiro no empreendimento, desequilibrando completamente o sistema que vinha sendo mantido pela Tupi e pela Record. Elas haviam feito um acordo para que nenhuma roubasse funcionário da outra e para que nenhuma pagasse salários muito altos, a fim de não inflacionarem a folha de pagamento das duas. O Simonsen mandou o acordo às favas e passou a levar os artistas para a Excelsior a peso de ouro. Meu amigo de adolescência Walter Clark, que vinha, à custa de muito suor de cada dia, erguendo a TV Rio — coirmã da Record de São Paulo, mas totalmente independentes na gestão —, disse que "um único dia daquele maio de 1962 foi suficiente para a Excelsior saquear o fabuloso elenco da TV Rio". Ficou conhecida como a Noite de São Bartolomeu da televisão brasileira: numa só tacada o Edson Leite, que acabara de sair da TV Bandeirantes para ser o homem da mala preta na Excelsior, levou todos os humoristas da TV Rio, incluindo o Chico Anysio. Chegaram a pagar seis vezes mais do que os atores e humoristas recebiam nas outras emissoras, e ainda tripudiaram: a campanha publicitária que fizeram tinha a foto desses artistas recém-contratados com a legenda: "Eu estou na Excelsior".

Fazendo pose em frente ao hotel e cassino Quitandinha, em Petrópolis, onde passávamos as nossas férias de verão.

Tio Kanela, festejando o bicampeonato mundial de basquete,
em 1963, com o Maracanãzinho lotado por 25 mil pessoas.

Meu tio-avô Orris ▶
Soares, responsável
pela divulgação da obra
de Augusto dos Anjos
e autor do primeiro
dicionário de filosofia em
língua portuguesa.

Na noite de Nova York, em 1951 — um dos anos mais
esplendorosos da Capital do Século XX.

Photographed on board.
R.M.S. QUEEN ELIZABETH

Aos treze anos, vestindo um *summer jacket*, a bordo do *Queen Elizabeth* com mamãe, indo de Nova York para a Europa.

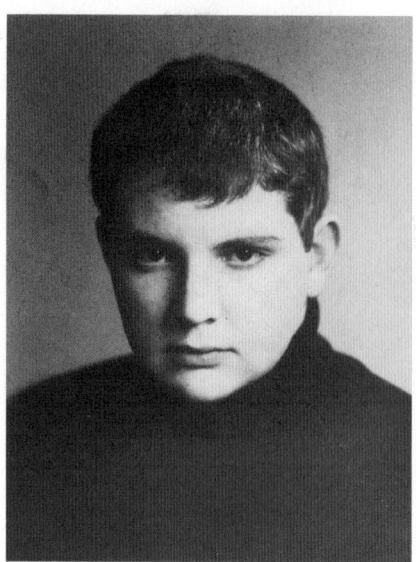

Com quinze anos, imitando
Marlon Brando, um dos meus
grandes ídolos, no papel de
Napoleão.

Em 1954, jogando hóquei, ▶
em Zermatt, na Suíça;
fui um exímio patinador,
ganhamos vários títulos
estudantis na modalidade.

◄ Na Suíça, durante a primavera, nós remávamos todos os dias logo cedinho — a motivação extra era remar até onde ficava o internato das meninas.

Os alunos só podiam tomar banho de banheira duas vezes por semana no colégio na Suíça, e eu aproveitava a ocasião para fazer pose. ▼

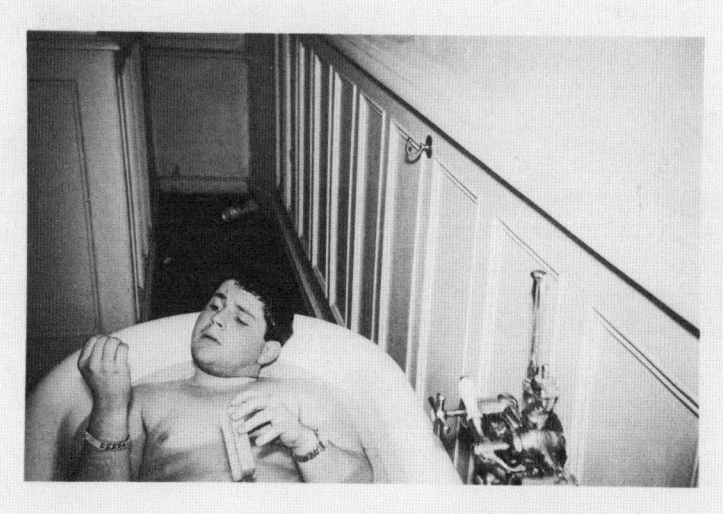

Com os engraçadíssimos gêmeos argentinos Félix e Martín
Gómez Alzaga, de férias em Paris.

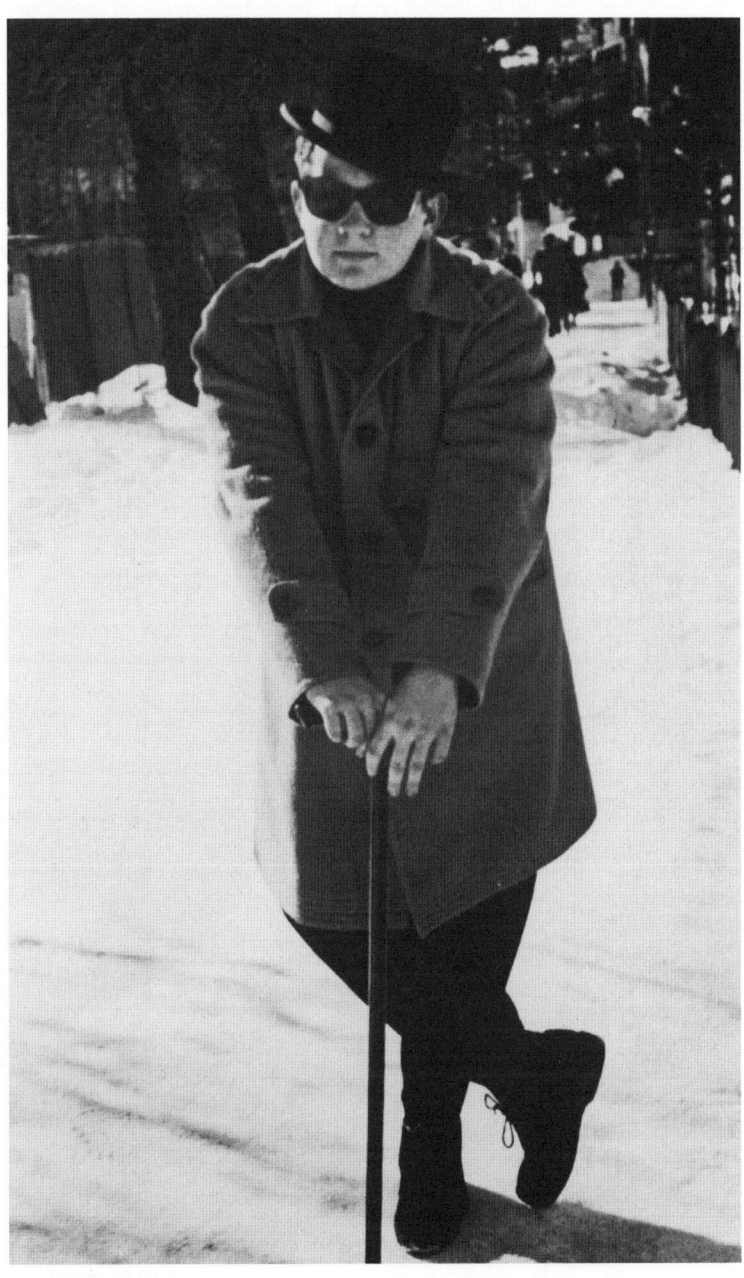

Fazendo pose de galã, com bengala e tudo mais, em Zermatt, para onde o colégio se transferia três meses por ano, por causa dos esportes de inverno.

◀ Tocando sax com
o grupo de alunos,
na Suíça; o clarinetista
da foto se tornou músico
profissional, e o pianista
me procuraria, décadas
depois, quando eu dava
um show em Santos (SP).

Eu, *el bongocero*, ▶
e Joãozinho Pessoa,
que teria um caso com
a vedete Virgínia Lane
e iria parar nas páginas
policiais cariocas.

Tocando bateria no Tea Room do hotel Claridge, em Paris, 1954,
um dos grandes pontos de encontro do jazz na França.

◀ Imitando o fantástico Jerry Lewis, que infelizmente faleceu enquanto eu escrevia estas memórias.

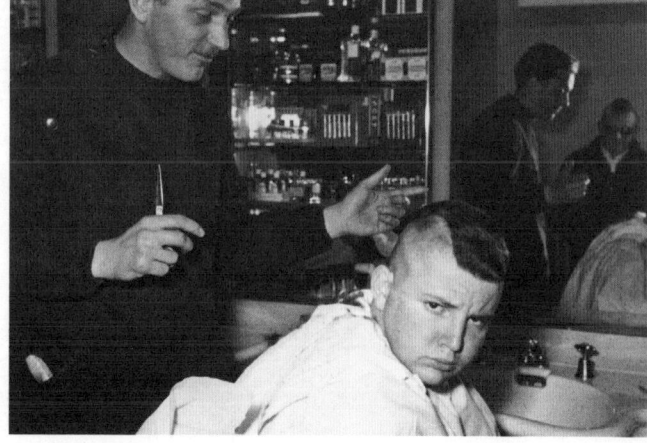

No barbeiro suíço, fazendo ▶ cara de mau e cortando o cabelo ao estilo punk, antes mesmo de existir o punk.

◄ No internato da Suíça, aprontando com o adorado professor de matemática (ele não sabia que estava sendo fotografado), em plena sala de aula; eu sou aquele que o ergue pelas pernas.

De cima para baixo, os ► estudantes na Suíça: eu, o italiano Alberto Pederzani, a paulista Ana Maria Ovalle, o paulista Eduardo Armando, a carioca Marialice Costa (depois Celidônio) e a lindíssima Arabella Árbenz, que teve uma vida trágica.

Em Munique, com a primeira namorada, que disputei com
um nobre russo: a linda e encantadora milionária alemã
Angela Munemann.

1955: será que eu estava adorando a minha vida na Suíça?

O certificado de admissão em Oxford e Cambridge; não pude ir para a Inglaterra por causa das dificuldades financeiras de meu pai.

OXFORD & CAMBRIDGE

SCHOOLS EXAMINATION BOARD

General Certificate Examination

THIS IS TO CERTIFY that SOARES, José
born 16 January 1938 attended Lycée Jaccard, Switzerland
and has satisfied the examiners in the following one subjects of the General Certificate Examination of the Oxford and Cambridge Schools Examination Board in July 1954:

ORDINARY LEVEL: FRENCH (written and oral).

Signed on behalf of the Oxford and Cambridge Schools Examination Board

VICE-CHANCELLOR OF OXFORD   VICE-CHANCELLOR OF CAMBRIDGE

SECRETARIES TO THE BOARD

THE MINISTRY OF EDUCATION accepts the Examination as reaching the approved standard.
Signed on behalf of the Ministry of Education

UNDER-SECRETARY

◀ Em 1959, aos 21 anos, no dia do casamento com a atriz Theresinha Austregésilo.

Nossa lua de mel foi fazer ▶ apresentações durante a Festa da Mocidade, no Recife. Na foto, Theresinha é a da esquerda e a atriz Consuelo Leandro está no centro.

O Edson Leite era muito conhecido como locutor de rádio esportivo. Ele inventara o bordão "Ôôô teeempo passa" nas narrações de futebol, que depois seria mantido pelo Fiori Gigliotti, o Locutor Poeta. O Fiori assim se referia ao Zagallo na Copa do Mundo de 1958:

— Lá vai Zagallo! A formiguinha laboriosa da nossa Seleção!

Ninguém sabe dizer exatamente quantos casamentos o Edson Leite teve, mas não estará longe da verdade quem disser que o número supera meia dúzia. Suas histórias com as mulheres eram incríveis. Certa vez, Edson se casou na Argentina e o pai da noiva exigiu o casamento no civil e a cerimônia religiosa. O Edson disse que a casa da família da noiva seria o lugar ideal para o casamento e contratou atores para fazerem o papel de padre, de juiz etc. Um domingo, chegou com a mulher argentina ao estacionamento da imprensa no estádio do Pacaembu para transmitir um jogo do Corinthians. A mulher o aguardaria na tribuna de honra do estádio enquanto transmitisse o jogo. Edson chega ao estacionamento e um funcionário da Rádio Bandeirantes, esbaforido, diz pra ele não subir às cabines, pois uma das suas outras mulheres o estava aguardando lá com um advogado para registrar o flagrante de adultério. A argentina não entendeu direito e perguntou o que o funcionário havia falado. Ele respondeu:

— *Que* eres *invitada a la tribuna de honor del Pacaembu.*

O encarregado de cuidar dos filmes e seriados enlatados na Excelsior era um rapaz chamado Pompeu, a gentileza em pessoa. Só andava de terno, gravata e colete, supereducado, se dava muito bem com a nossa turma. Tinha um queixo proeminente e uns cabelos longos sempre muito bem penteados. Um dia, ele recebe um telefonema do Edson Leite:

— Pompeu, aqui é o Edson. Eu quero ver alguns episódios desse seriado novo que nós compramos, o *Bat Masterson*. Toma nota do meu endereço.

Pompeu anotou o endereço e lá se foi, com um projetor de 16 milímetros e latas de filme embaixo do braço. Edson Leite abriu a porta de *robe de chambre*, apresentou filhos pequenos e sua esposa:

— Esse aqui é o Pompeu, meu amor. Um dos meus funcionários mais dedicados.

Sentaram-se na sala de visitas, o Pompeu instalou a estrovenga toda, e assistiram a alguns episódios da série *Bat Masterson*.

Duas semanas depois, liga o Edson Leite, novamente:

— Pompeu, chegou uma nova série que nós compramos, com o Richard Boone, o *Paladino do Oeste*. Traz aqui em casa pra nós assistirmos. Toma nota do endereço.

— Não precisa, seu Edson, eu já tenho o endereço.

Edson Leite insiste:

— Toma nota do endereço, Pompeu...

Pompeu anotou. A casa ficava em outro endereço. Ele chega, Edson está com outro *robe de chambre*, outra mulher, outros filhos.

Consta que o Manduca, um assessor homem de confiança do Edson Leite, era também encarregado de mapear os figurinos que o Edson usava ao sair e entrar nos diferentes domicílios, para não haver o que em cinema se chama de "erro de continuidade". Uma gravata errada poderia denunciar o nosso Henrique VIII para uma de suas mulheres.

Uma noite, eu jantava com o Rudy Margheritto no fino restaurante La Arcate, do Giovanni Cinque (que tinha duas filhas lindas), na rua Martinho Prado, perto da Excelsior, quando chega o Edson Leite com o Carlos Manga. Vieram até a nossa mesa e cumprimentei o Edson pela revolução que estava fazendo nos salários da televisão. Ele me respondeu com uma frase extraordinária:

— A minha vantagem é que, em vez de pensar com a cabeça, eu raciocino com a mentalidade.

Uma frase que, eu acho, só o Manga entendeu, porque disse:

— Exatamente.

Ficamos perplexos diante do que ele disse. O Rudy observou que aquela era a mais perfeita "antifrase" que escutara.

Um dia, eu estou saindo do Gigetto e, em frente à Excelsior, vejo o Boni dentro de um Volkswagen creme, do tipo caminhonete, zerinho, reluzente, com um pessoal que trabalhava com o Edson Leite. Vou até lá e pergunto ao Boni quem eram os assistentes que estavam lá com ele:

— Estão entregando a chave do meu carro novo. Acabei de ganhar de presente da Excelsior.

Parecia uma criança, todo sorridente. Ligou o automóvel, feliz, engatou a marcha a ré, manobrou o carro novo e foi dar uma volta pela noite de São Paulo. Fiquei com essa imagem para sempre na cabeça, era um mundo que a televisão poderia proporcionar. Na verdade, eu estava iludido: a Excelsior, depois do golpe de 1964, já se achava em dificuldades financeiras e não conseguia mais pagar os salários, então ela permutava objetos e oferecia aos funcionários. Terminou praticamente falida. Triste fim para uma televisão que chegou a representar, para nós, artistas, um movimento de libertação salarial, quebrando os acordos feitos pelas outras redes que dominavam o mercado.

Um parêntese: o Carlos Manga adorava o palco. Foi não só um ótimo diretor como também excelente ator. Certa vez, num *Show do Dia 7*, da Record, havia um musical programado como homenagem ao cinema falado. O número terminava com uma imitação do Al Jolson cantando "Swanee" e "Mammy". Manga reclamava que ninguém conseguia imitar o Al Jolson como devia ser. Andava de um lado para outro, semblante dramático, até que se pronunciou:

— Não adianta: vou ter que fazer eu mesmo.

De repente, surge no ensaio geral à tarde, já com o rosto pintado de preto, como se aquilo fosse o derradeiro sacrifício. Era tudo que ele queria. O número foi um sucesso, porque Manga era bom mesmo. Adorava se exibir, mas seu talento por trás das câmeras era maior ainda... e imprescindível.

Uma das contratações mais relevantes da tv Excelsior foi a do cantor e humorista Moacyr Franco. Ninguém obteve na televisão brasileira a audiência e a importância que ele conseguiu. Começou fazendo o mendigo na *Praça da Alegria* — sua marchinha "Me dá um dinheiro aí" foi um estouro — e, depois, seu show era dirigido pelo Bonifácio. Moacyr é um dos maiores talentos que conheci, além de ser extremamente generoso com seus colegas. Houve um momento em que o nome do Moacyr chegou a ser mais importante que o do Roberto Carlos. E, além de comediante, Moacyr tinha uma carreira de cantor. O *Moacyr Franco Show* fazia tanto sucesso que recebeu propostas da Record e da Tupi. Era um mineiro de extremo bom caráter, desses que ajudavam todo mundo, mas um pouco desligado na hora de fazer os negócios. Não conseguia dizer não. Mesmo tendo um contrato vigente com a Excelsior, assinou outro com a Record e fechou, de boca, que iria para as Associadas. Uma confusão danada. O Paulinho Machado de Carvalho dizia que quem iniciou a guerra das contratações de estrelas dos concorrentes foi o Edson Leite, portanto ele agora poderia levar para a Record quem quisesse — e já tinha um contrato assinado com o Moacyr Franco. A situação toda estava incomodando muito o Bonifácio, que deu uma intimada no Moacyr e o levou à sala do Paulinho. Aí o Moacyr Franco veio com uma conversa mole:

— Oi, Paulinho, eu não posso vir aqui para a Record porque a minha mãe teve um sonho que o número 7 [número do canal] não seria bom para mim.

E o Bonifácio, perdendo a paciência:

— Fala logo, Moacyr, fala que você renovou com a Excelsior e não vem para cá.

E o Moacyr Franco:

— Pois é, ela diz que ouve uma voz dizendo "nooove", "noooove", e passou a sonhar com o número 9 [o número da Excelsior].

O Boni já estava furioso com o Moacyr:

— Porra, Moacyr, não enrola, fala logo.

O Paulinho, que era muito bom negociador, pegou um recorte de jornal e mostrou para o Moacyr:

— O sonho da sua mãe não teria a ver com esse papel aqui?

Era o fac-símile do contrato dele renovado com a Excelsior, que um colunista de jornal publicara com exclusividade. Sem nenhuma saída, o Moacyr disse com o ar mais sincero do mundo:

— Sabe o que que é, Paulinho... é que eu não sei mentir.

Depois de um momento de espanto os três caíram na gargalhada. Mas a gargalhada não impediu o Paulinho de publicar um anúncio, dessa vez com o contrato que o Moacyr assinou com a Record, com a legenda: "Vejam quanto vale uma assinatura em um contrato".

O Moacyr dizia que o Bonifácio inaugurou o piso na televisão brasileira. Antes dele, os estúdios pareciam as calçadas de São Paulo; o piso era todo remendado, descolorido, sujo — e ninguém, nem o cara do cenário, nem o câmera, nem o diretor, ligava para isso. Ele transformou o piso do *Moacyr Franco Show* em algo tinindo, brilhando, sem nenhuma emenda, usando fórmica branca. Isso mudou completamente o aspecto dos shows televisados. Vejam vocês o que é o cara que realmente entende do que está fazendo, que nasceu para aquilo: com um pequeno detalhe ele muda o mundo.

A queda do império do Mário Simonsen começou com o golpe militar de 1º de abril de 1964. Três anos antes, quando o presidente Jânio da Silva Quadros renunciou, após sete meses de governo, seu vice-presidente constitucional, João Belchior Marques Goulart, se encontrava na China. Iniciou-se uma campanha de políticos civis e de militares para não deixar Jango tomar posse como presidente. Simonsen colocou um avião da Panair a sua disposição para voltar ao Brasil, e seu escritório em São Paulo passou a ser um dos núcleos nervosos da chamada Campanha da Legalidade, que trabalhava para que o sucessor de Jânio fosse o seu vice, como estava na Constituição. Esse fato pôs Simonsen na linha de tiro das forças que articularam o golpe de 1964. Já existia em andamento, comandada por Herbert Levy, o dono da *Gazeta Mercantil*, uma CPI para investigar as ligações da empresa Comal (Companhia Paulista Comercial de Café), de Simonsen, com o Instituto Brasileiro do Café (IBC), que controlava os preços da commodity. O famoso advogado Vicente Rao e o Saulo Ramos levaram os recursos ao Supremo Tribunal Federal, e conseguiram derrotar todas as acusações, uma a uma, de Levy contra o Simonsen. Mas não havia mais como recuperar a Comal. Em 1965, com uma canetada, o regime cassou as concessões de voos da Panair — que ficou na nossa memória apenas pela linda canção "Conversando no bar (Saudades dos aviões da Panair)", de Milton Nascimento e Fernando Brant, com um registro inesquecível de Elis Regina — e foi retirando toda e qualquer publicidade da TV Excelsior, asfixiando-a economicamente.

O endereço dos artistas, dos jornalistas e dos intelectuais — e dos candidatos a essas coisas —, em São Paulo, foi o restaurante Gigetto, fundado no ano em que nasci, 1938, mas desde 1949 instalado num casarão na rua Nestor Pestana, uma pequena viela que sai da praça Roosevelt e vai dar na rua da Consolação, em frente ao Teatro Cultura Artística, onde funcionou inicialmente o teatro da efervescente TV Excelsior. Era uma construção com dois alpendres ladeando a entrada da casa, cujo jardim foi transformado no mais caótico dos estacionamentos — lotado todas as noites. Como os artistas, jornalistas e pessoal de televisão etc. ficavam loucos para mostrar que estavam subindo na vida, ir olhar os carros na frente do Gigetto fazia parte do programa. Às vezes, a turma toda saía de uma mesa para ir espiar o carro novo de alguém e, depois de uma ampla discussão sobre o modelo, voltava para dentro do restaurante, porque a noite ainda era uma criança.

Um dos nomes lendários que ajudaram a construir a gastronomia de São Paulo — hoje reconhecida em todo o mundo — é o de um garçom que começou no Gigetto e virou símbolo da cozinha italiana no Brasil: Giovanni Bruno, que depois abriria suas próprias cantinas. O prato que marcou o Gigetto foi o Cappelletti alla Romanesca — com creme de leite, cogumelos, ervilhas e presunto. A receita migraria para outros restaurantes — como o Piolin, na rua Augusta, que também virou ponto de encontro boêmio dos artistas.

Todo mundo que teve o nome num cartaz, nos créditos de cinema ou da televisão, que teve seu nome falado no rádio ou escrito nos jornais e nas revistas, ia ao Gigetto, então seria inútil tentar fazer uma lista de frequentadores; mas, apenas para dar um pouco de sabor a estas memórias, entre os que iam lá na época estava um jovem casal, os dois professores na USP: a antropóloga Ruth e o sociólogo Fernando Henrique Cardoso. Não me lembro do casal no Gigetto, mas lembro-me bem de que, anos depois, os dois foram assistir a um show meu, fomos jantar, Fernando Henrique, Ruth, Flavinha e eu, na cantina C... Que Sabe!. Perguntei a Ruth — Fernando era então senador, se não me engano, no seu primeiro mandato — se ela não teria vontade de ingressar na política. Ruth, com sua sinceridade absoluta, respondeu:

— Acho aquilo tudo em Brasília um nojo.

Certa vez, o ator Milton Morais queria vender seu carro, que estava estacionado no pátio na frente do Gigetto, mas não encontrava comprador. Então ele vendeu só o motor, o restante do carro ficou por lá. Tempos depois, conseguiu vender o que sobrara. O Gigetto era mais do que um restaurante, era uma extensão da casa das pessoas. O escritor Ignácio de Loyola Brandão, também companheiro de mesa do Gigetto, lembra-se do dia em que o costureiro Dener, então o número um do Brasil, cantou uma ária de ópera diante da mesa de Cacilda Becker:

— Exibido, megalomaníaco, tremendo gozador, gênio, foi a única vez que vimos o geniozinho asmático no Gigetto.

Calunha, o gerente, de vez em quando abria a gaveta e rasgava contas antigas de gente que tinha certeza de que não voltaria ali. Era uma triagem mensal. Dizem que uma vez olhou para uma conta em que o suposto caloteiro havia rabiscado um desenho e assinado prometendo voltar. Calunha resmungou e rasgou a conta em dois pedaços, dizendo:

— Esse nunca mais apareceu.

O Rudy Margheritto olhou a conta destruída e leu sob o desenho estraçalhado: "Devo e não nego. Um dia volto pra pagar". Embaixo do rabisco estava escrito: Candinho. A garatuja e o desenho foram feitos por um moço chamado Cândido Portinari.

Perto do Gigetto ficava a sede de uma das veneráveis instituições da cidade, o jornal *O Estado de S. Paulo*, da família Mesquita. Muita gente ia até lá de madrugada para ver, pelas janelas do porão que davam para a calçada da rua Martins Fontes, o jornal sendo impresso, e para acompanhar as notícias que um painel de luzes passava acima da entrada do edifício. Entre os jornalistas do *Estadão* que saíam da redação todas as noites e iam para o Gigetto estavam dois que se tornaram alguns dos meus primeiros amigos de São Paulo: o futuro homem forte da editora Abril, Thomaz Souto Corrêa, e o jornalista, escritor e crítico literário Lívio Xavier.

Lívio era cearense e da heroica primeira geração dos trotskistas brasileiros — tinham de enfrentar, ao mesmo tempo, as forças repressoras da direita e a pressão do Partido Comunista. Com Mário Pedrosa, Fúlvio Abramo e o poeta surrealista francês Benjamin Péret, fundou a Liga Comunista. Amigo de André Breton, Péret morou no Rio de Janeiro com a sua mulher brasileira, a diva lírica Elsie Houston — autora de uma ampla pesquisa sobre as origens da música afro-brasileira. Em 1931, foram expulsos por Getúlio Vargas, pouco tempo depois de nascer o filho Geyser, que ficou no Brasil morando com a avó. A irmã de Elsie, Mary, era casada com Mário Pedrosa. Ao Mário e ao Lívio Xavier se atribui o primeiro estudo da história brasileira analisada sob a ótica marxista, *Esboço de uma análise da situação econômica e social do Brasil*, publicado em 1930.

Thomaz Souto Corrêa, que se tornaria um dos mais importantes especialistas em publicações de revistas do mundo, chegando a presidente da Fipp, a organização internacional dos editores de revistas, e o mestre Lívio Xavier, tradutor de Hegel, de Maquiavel, de Espinosa, eram colegas, na redação no *Estadão*, de outras figuras que se tornaram grandes amigos, como o Rudy Margheritto e o Bráulio Pedroso. Pouco tempo depois eu trabalharia com Thomaz no programa do Silveira Sampaio. Um dia, cometi uma gafe com o Lívio — uma pessoa mais velha, que tinha muito pouco a ver com o nosso mundo mas adorava sair conosco. Sempre tive uma inveja danada das pessoas que batiam à máquina usando todos os dedos, porque eu só conseguia escrever com os dois dedos indicadores. Uma noite, estávamos a uma mesa do Gigetto e eu pergunto ao Thomaz se usava os dez dedos para bater à máquina. Ele respondeu que usava dois ou três de cada mão. Aí eu pergunto ao Lívio:

— Mestre, e você, usa todos os dedos?

O Lívio teve um derrame quando jovem, com vinte e poucos anos. Vi fotos dele antes do episódio: foi um rapaz de uma beleza rara. Depois do derrame, ele passou a mancar de uma perna e ficou com um braço semiparalisado, por isso só conseguia bater à máquina com uma das mãos, ou melhor, apenas com o dedo indicador de uma delas:

— Não, só um.

Uma das histórias que corriam — histórias de redações nem sempre são verdadeiras, mas são ótimas — dizia que o Thomaz aprontara uma sacanagem com nosso mestre Lívio. Num tempo em que não existiam pesquisas na internet, o garimpo de informações biográficas nos jornais era muito precário. Assim, os jornalistas mais cultos — e naquela época havia verdadeiros sábios nas redações — ficavam requisitados para escrever os obituários mais importantes. O *Jornal do Brasil* recorria à erudição do memorialista Antônio Carlos Villaça para escrever seus necrológios de pessoas relevantes. No *New York Times*, o obituário era levado tão a sério que chegou a ser a seção mais lida do jornal. No *Estadão*, um luminar como Lívio Xavier ajudava a escrever sobre mortos ilustres. Quando, em novembro de 1963, o presidente americano John Fitzgerald Kennedy foi assassinado, o Lívio ficou até as três da manhã na redação, catando milho, tecla por tecla, só com o indicador de uma das mãos, para terminar o obituário. Quando ele arrumava as coisas para ir até o Gigetto comer alguma coisa, o Thomaz entra na redação, com cara de más notícias, e diz:

— Mestre, mestre, notícia quente saindo do telex: morreu o papa, morreu o papa.

O coitado do Lívio, um intelectual de peso, de brava militância política, estava tão exausto que perdeu de vez as estribeiras:

— Foo-da-se, foo-da-se... Hoje eu não faço mais obituário de ninguém! Nem do papa! Foo-da-se o paaapa!

Depois do Gigetto, nas ruas vazias da madrugada de São Paulo, nós íamos até a avenida Ipiranga com a São João para comprar jornais na única banca que ficava aberta a noite inteira. Isso era lá pelas três horas da manhã. Uma ocasião, descíamos pela avenida Ipiranga quando, de repente, o Lívio Xavier, mesmo puxando de uma perna, disparou na nossa frente e se escondeu na entrada de um prédio. O Rudi gritou:

— Mestre, o que que houve?

O Lívio, que nunca perdeu o sotaque nordestino, gritou:

— É o Fooda-se! Quando eu vejo o Fooda-se, eu perco a cabeça.

O Foda-se — além da expressão compungida do mestre Lívio naquela madrugada — era o nome que havíamos dado àqueles caminhões que passavam lavando as ruas da cidade de madrugada, espalhando fortes jatos d'água. O apelido saiu porque o pessoal dos caminhões não estava nem aí se havia alguém nas calçadas, metralhava água em cima de tudo, de todos, e foda-se. E o pobre do Lívio:

— Eu já tomei banho desse Fooda-se três vezes. Me deixou todo ensopado, até os sapatos. Por isso ele me leva à loucura. Não tomo mais banho do Fooda-se. Ele não me peeega mais!

O mestre Lívio Xavier também escrevia no Suplemento Literário do *Estado de S. Paulo*, um dos cadernos de cultura mais respeitados do país. O diretor do jornal, Júlio de Mesquita Filho, estava lançando um de seus livros. O Mesquita e o Lívio eram muito amigos, apesar da imensa diferença das crenças políticas de cada um. Nosso mestre fez uma resenha severíssima, cheia de senões ao livro do homem que mandava no jornal para o qual trabalhava. O Júlio de Mesquita Filho não o despediu, mas nunca mais falou com ele.

Em 1961, a Cacilda Becker — o nome de maior prestígio do teatro brasileiro da época — estava fazendo testes para montar o elenco da comédia *Oscar*, de Claude Magnier, que, lançada na França em 1958, fez um tremendo sucesso, com mais de seiscentas apresentações, Louis de Funès no papel principal. O teste era para um personagem bem importante, Christian Martin, que na estreia da peça em Paris foi vivido pelo Jean-Paul Belmondo — acho que foi o primeiro papel dele no teatro profissional. A direção seria da própria Cacilda, com o Walmor Chagas como pai da "mocinha". Os testes, as audições, são verdadeiras torturas para os atores. Nunca se sabe o que os diretores e produtores estão esperando do papel, é um desafio. Resolvi encarar o teste, subi ao palco com o texto, li, e a Cacilda falou:

— Está tudo errado, mas você vai fazer o papel genialmente bem. Vamos lá pra casa.

Fomos para a casa dela e Cacilda Becker ficou até as três horas da manhã me mostrando o que queria do papel. Ela me deu dicas e revelou segredos, revelações que só atores qualificados e experientes conseguem acumular. Ela me ensinou como dar vida ao personagem, como ligar as frases e intenções do subtexto. Coisas que não estão nos livros, segredos que eram só dela, de seu próprio aprendizado. Cacilda foi de uma generosidade incrível. A peça estreou em agosto de 1961, num teatro que ela utilizava muito, situado na Federação Paulista de Futebol, na rua Brigadeiro Luís Antônio. Estavam também no elenco a Cecília Carneiro, o Benjamin Cattan, a Nilda Maria e a Lélia Abramo, entre outros. *Oscar* foi importante porque a companhia vinha de um enorme prejuízo na montagem anterior. Além de estar fazendo o meu primeiro papel importante no teatro do mais alto nível no país, o meu trabalho começava a ser reconhecido. Um dos críticos mais influentes, Sábato Magaldi, escreveu que "*Oscar* revelava ao público paulista Jô Soares, um excelente comediante". Décio de Almeida Prado, crítico e historiador do nosso teatro, também me destacou como uma revelação. Pode parecer que coloco as palavras do Sábato e do Décio aqui neste livro de memórias apenas por vaidade: claro! Naqueles dias, como eu precisava delas! Se precisava!

Na época, a Cacilda ainda era casada com o Walmor Chagas, e a Theresinha e eu íamos semanalmente jantar na casa deles. Os dois adoravam minhas imitações. Na sequência, fui fazer com o Walmor a minha primeira experiência no teatro do absurdo, a peça *Rinocerontes*, do romeno Eugène Ionesco. A montagem foi no mesmo Teatro Federação, que depois seria chamado de Cacilda Becker. O Walmor Chagas dirigia e atuava; o Benjamin Cattan e o Benedito Corsi estavam no elenco. A Cecília Carneiro começou na peça, teve um problema e foi substituída pela Lélia Abramo. Era um teatro muito apertado, com uma coxia minúscula do lado esquerdo. Tem uma cena em que todos os homens estão virando rinocerontes e as mulheres começam também a virar rinocerontes. Monsieur Boeuf, um dos personagens, já tinha virado rinoceronte e Madame Boeuf começa a dizer que está com uma vontade danada de ir encontrar o marido e virar rinoceronte também. Então ela se atirava por uma janela que dava para a pequena coxia do lado esquerdo, gritando:

— Eu também vou, meu amor! Eu te amo!

A Cecília Carneiro já estava acostumada. Só que, quando ela pulava, o Walmor segurava e puxava a saia dela, que sumia de cena supostamente nua. Walmor ficava com a saia vermelha na mão. Parecia um toureiro segurando a capa depois de ter executado uma "verônica". Como já sabia disso, Cecília usava uma bermuda por baixo da saia. Então ela desaparecia na janela e Walmor gritava:

— Madame Boeuf! Não, Madame Boeuf!

Alguém dizia a seguinte fala:

— Tarde demais! Ela caiu montada em cima do Monsieur Boeuf e saíram a galope!

Seguiam-se mais três falas e acabava o primeiro ato. Depois que pulava, não havia escape daquele lado. A Cecília tinha que ficar ali, quieta, encostada na parede do outro lado do palco, espremida no muro, esperando o fim do ato para sair daquela coxia minúscula. Pois bem: ela foi substituída pela Lélia Abramo e ninguém se lembrou de avisá-la de que não teria saída daquele lado e que o Walmor arrancaria a saia dela quando ela pulasse pela janela. Ela teria que aguardar quietinha o final do ato.

Estreia da Lélia Abramo. Madame Boeuf usava um chapéu de flores do campo; na hora em que ela saltou, o Walmor puxou a saia e... Lélia estava apenas de calcinha de rendas. De calcinha delicada com o chapéu de flores na cabeça. O elenco todo não aguentou e caiu na gargalhada. Desceram a cortina. O Walmor, como era também diretor, ficou passando uma descompostura na gente:

— Vocês têm de ser profissionais, não podem dar uma gargalhada assim, em cena.

Aí eu disse:

— Mas, Walmor, você riu também.

E ele respondeu de maneira solene:

— Sim! Mas eu ri no personagem!

Aí é que nós não paramos mais de rir. Nem o Walmor.

Quando se começa a contar histórias do teatro, é difícil parar. Teve um ator gay, na estreia de uma peça sobre a Revolução Francesa no TBC, que tinha de chegar no alto da escada de uma taberna e gritar para todos os que estavam bebendo nas mesas:

— Nossos homens conquistaram toda Paris!

E os revolucionários, embaixo, levantavam as canecas de vinho e gritavam:

— Viva a Revolução!!!

Essa era a cena de abertura da peça. Na estreia, com todo mundo nervoso, o ator abre a porta da taberna, chega no alto da escada e grita:

— Conquistamos todos os homens de Paris!!!

Fecha a cortina. É claro que estava todo mundo morrendo de rir e a peça teve de começar novamente.

Um dos lugares que passei a frequentar em São Paulo foi o chamado Quadrilátero do Pecado, as também chamadas Bocas do Luxo e do Lixo no centro da cidade, pertinho da Cinelândia paulista, onde ficavam as maiores salas de cinema, na avenida São João. A prostituição convivia com o tráfico de drogas — que, verdade seja dita, era muito menor na época, não existia ainda o terrível crack —, luzes de neon das boates baratas e o mundo do cinema, não apenas as salas de exibição, mas também as produtoras, as distribuidoras, o pessoal que fazia manutenção e vendia equipamentos para filmar. Era uma zona mista de sonhos e devassidão, de histórias fantásticas, de corações solitários e, sobretudo, local de tipos humanos maravilhosos. Se morasse em São Paulo e não em Manhattan, o mestre do jornalismo literário, Gay Talese, certamente teria usado personagens e histórias das Bocas do Lixo e do Luxo no seu ótimo livro *A mulher do próximo*, que retrata a vida sexual do americano.

De tanto ir à região, acabei conhecendo aquele que, guardadas todas as proporções, poderia ser chamado de Louis B. Mayer do pedaço, o "produtor" da Boca. Era um homem de sorriso permanente, careca, rosto rechonchudo pontuado por um bigode, baixinho, gordo, com um eterno charuto cubano na boca. Tinha lábios muito vermelhos, polpudos e proeminentes, óculos grossos de aro de tartaruga, e estava sempre de terno preto, salpicado de cinzas do charuto. A história que ele contava de si mesmo era incrivelmente fantástica: Jaiment — peço licença para falar seu sobrenome um pouco mais à frente — se dizia cubano, um foragido da Revolução que Fidel Castro liderara na ilha. Em Havana, durante os anos de Fulgencio Batista no poder, Jaiment possuía cinemas que exibiam filmes pornográficos a cujo funcionamento o governo não opunha obstáculos. A cidade foi uma espécie de *caliente* cassino para os americanos e os cubanos ricos se fartarem. Por outro lado, as salas de projeção de Jaiment funcionavam como um atrativo para os menos abonados que queriam algo libidinoso para se divertirem também. Era extremamente fácil trazer filmes pornográficos dos EUA para Havana, naqueles anos de muito mambo, muito rum, muito charuto — e muito bongô também. Mas os cubanos ficavam moralmente constrangidos de serem vistos na imensa fila que se formava à porta das suas salas. Então, a gerência distribuía sacos de papel com buracos nos olhos, para poderem ver o filme, e no nariz, para poderem respirar durante as sessões. Os "cinéfilos" passaram a ficar na fila de espera com tranquilidade, já que os passantes não os reconheceriam. Jaiment mostrou a mim e ao Rudy Margheritto as fotos das pessoas na fila com os sacos de papel marrom enfiados na cabeça. Ele afirmava ter doado uma boa grana para a guerrilha conduzida por Fidel, Che Guevara e Camilo Cienfuegos. Mesmo assim, quando a Revolução venceu, seu nome estava nas primeiras listas de pessoas a serem levadas ao *paredón*.

Logo que o prenderam, foi abordado por um emissário da cúpula revolucionária:

— *¡Claro que tu actividad no puede ser perdonada! ¡Una vergüenza!*

Então o emissário faz uma pausa e sussurra baixinho, no seu ouvido:

— *Pero no tengas miedo. El Comandante no se olvida de quien nos ayudó.*

E o mensageiro lhe contou como tinham resolvido o problema. Fidel Castro era grato pela colaboração que ele dera durante o período da luta armada, mas não poderia deixar sem algum tipo exemplar de punição um dos símbolos da depravação e da corrupção dos costumes que reinavam na ilha pré-revolução. A nova Cuba precisava exorcizar seus demônios do passado. Jaiment seria preso, condenado ao *paredón*, só que sua execução seria uma farsa, com tiros de festim. Então se fingiria de morto, seu cadáver seria levado para um pequeno barco, e ele poderia fugir para a Flórida. No dia da execução, na frente do pelotão, dizia:

— *Me he cagado todo.*

E se a conversa do enviado do Fidel fosse mentira? E se fossem fuzilá-lo de verdade? "Eles vão me matar", era a única coisa que conseguia pensar — e Jaiment, com a autoridade de quem passou pela experiência do *paredón*, jurava que não existia macho na Terra que não sentisse a mesma paúra, se colocado no lugar dele.

Mas ocorreu tudo como o mensageiro havia combinado. Pegaram seu suposto cadáver e levaram para um barracão cheio de corpos de fuzilados, onde ficou por três dias, se fingindo de morto também. Na noite do terceiro dia, foi colocado num barco de borracha inflável, com um motorzinho de popa, e solto no mar do golfo do México. Jaiment mostrava fotos da sua chegada à Flórida: dos 140 quilos que pesava antes de ser preso, perdera mais de setenta. Ele contava que nunca mais deixou de ter pesadelos com aquele barracão de cadáveres.

Na Flórida, Jaiment tentou entrar no negócio de filmes pornográficos, mas viu que ali a competição seria difícil e a polícia não dava moleza para algo que era considerado fora da lei, então resolveu vir para a América do Sul. Primeiro foi para a Argentina, não conseguiu nada de importante; dali pulou para São Paulo, em 1960, cidade onde o negócio do pecado estava efervescendo. Rapidamente, tornou-se proprietário de duas salas pornô na Boca: o Apolo (depois Saci), na avenida São João, e o Líder, ali pertinho, na rua Conselheiro Nébias.

Quem morava na capital paulista na mesma época era o montador de filmes espanhol José Cañizares, que veio da Argentina para o Brasil em 1950, convidado pela Companhia Cinematográfica Maristela, do também espanhol Marinho Audrá. Houve duas gerações de diretores (entre eles, o surrealista Luis Buñuel), roteiristas, atores e atrizes, e técnicos de cinema que deixaram a Espanha após a instalação do regime do Generalíssimo Franco, dando origem a uma produção chamada "cinema espanhol no exílio".

Em 1951, Cañizares, que também era baixinho, bonitinho, pequeninho e bem-arrumadinho, parecia um bibelô, realizou o documentário *O cinema nacional em marcha*, sobre a Maristela, muito ativa na primeira metade da década de 1950, tendo vários filmes dirigidos por Alberto Cavalcanti. Mas a Maristela — como todas as outras produtoras da época — não conseguiu sobreviver ao sonho irrealizável da indústria cinematográfica brasileira. Cañizares resolveu ficar por aqui, contribuindo com os seus conhecimentos para a melhoria da técnica de montagem nos filmes nacionais. Foi então que seu caminho começou a cruzar com o do Jaiment, que não se conformava em ser apenas um exibidor de pornografia; ele sempre tivera a pretensão de alçar altos voos artísticos, e teve uma ideia incrível — que, pretensões artísticas de lado, também reduzia bastante os custos das novas atrações que precisava apresentar nas suas salas. Alugou uma garagem enorme em Pinheiros e montou ali um pequeno estúdio de filmagens.

Dirigindo uma velha Kombi, Jaiment passava pelo Quadrilátero do Pecado colocando no veículo quantas mulheres coubessem. Depois, levava-as para o estúdio precaríssimo e ficava lá o dia inteiro filmando takes de striptease, os mais vulgares e de baixa qualidade que possam ser imaginados. Reveladas as fitas com aqueles stripteases vagabundos, passava-as para o José Cañizares. O mestre espanhol editava as fitas e, depois, as inseria em meio aos fotogramas de alguns filmes considerados de alta qualidade artística. Ele pegava, por exemplo, a cena em que o Marcello Mastroianni entra numa boate e fecha os olhos no *A noite*, do celebrado Michelangelo Antonioni. Cortava aí. Na sequência, emendava uns fotogramas de efeito especial para parecer que o Mastroianni estava entrando num estado de transe. Na sequência do efeito especial, colava três sequências dos stripteases realizadas em Pinheiros — o que deixava o filme bem mais animado, porque, convenhamos, sem hipocrisia: o clássico do Antonioni é um filme chatíssimo de assistir. Põe "chatíssimo" nisso. Ah, e um detalhe importante: o filme era em preto e branco, mas as mulheres da Boca se despindo foram registradas em cores. Como o contexto criado pelas sequências juntas levava o espectador a crer que tudo não passava de um delírio do Mastroianni, a fusão de preto e branco com as cores não tinha a menor importância. Ao contrário, seria uma contribuição artística da maior relevância. Fico imaginando um crítico que nunca tivesse visto o original escrevendo: "Espantosa a ideia genial de Antonioni, quebrando a monotonia quase insuportável da narrativa em preto e branco". Com o filme pronto, mandava pintar aquele painel tosco que ficava na frente das salas. Em letras desenhadas e pintadas de várias cores, se lia o novo título do filme: *A noite* se transformava em *A grande noite de loucuras*, que os espectadores daquelas salas certamente achariam melhor do que o original.

Na cabeça do Jaiment, não havia contradição nenhuma entre os dois tipos de filme, os produzidos na Cinecittà — onde Antonioni, na juventude, estudou — e os rodados na sua garagem de Pinheiros. Além disso, a presença em suas salas de exibição de cenas de filmes cultuados como de alta qualidade servia como um jeitinho de contrabalançar as críticas que recebia por exibir pornografia. Ele aplicava em seus filmes a mesma ideia que norteou o falecido Hugh Hefner ao colocar nas páginas da revista *Playboy* aquelas imensas entrevistas com personalidades importantes que muito pouca gente lia: servia como desculpa para os homens comprarem uma revista cujo principal conteúdo eram as fotos explícitas de mulheres peladas. Jaiment inaugurou, em 15 de outubro de 1962, com o filme búlgaro *A lenda do amor* (1956), dirigido por Václav Krška, o Cine Bijou — ao lado do Baiuca, na praça Roosevelt, o bar-restaurante que tinha uma das melhores músicas das noites paulistanas. A sala, com ares de cineclube, foi promovida a João Sebastião Bar do Cinema, comparando-se a um dos outros endereços importantes da música ao vivo na cidade, uma espécie de sucursal paulistana da Bossa Nova (dizia-se que também foi no João, de propriedade do depois crítico gastronômico Paulo Cotrim, que se lançaram os primeiros "torpedos", os bilhetinhos que alguém mandava para outro alguém com uma cantada, ziguezagueando de mão em mão debaixo das mesas).

Antes que eu me esqueça: há um filme clássico do Fritz Lang, feito nos anos 1960, chamado *Os mil olhos do doutor Mabuse*, que é uma obra-prima. Vi duas vezes quando saiu. Anos depois, o filme foi anunciado no Bijou. Corri para assistir numa sessão da tarde. A parte mais impressionante do filme (atenção: aí vai um spoiler) é o final, quando se revela que o hotel onde se passa a história tem todos os quartos grampeados por câmeras e microfones disfarçados. Antes de chegar a essa parte, que estaria no último rolo do filme, as luzes se acendem e a sessão é dada por encerrada. Fui falar com o gerente.

— E o resto do filme? — perguntei.

— Que resto? Só tem isso. O que chegou foi só isso — disse o gerente, pondo um ponto-final na conversa.

Fazia parte do programa de inauguração da pequena sala uma seleção de poemas de Vinicius de Moraes, declamados pelo ator Carlos Zara, e uma seleção de músicas cantadas pelo grupo vocal Titulares do Ritmo, cujos integrantes eram todos cegos — hoje em dia, o politicamente correto seria chamá-los de deficientes visuais, mas, como diria meu amigo, o comediante cego Geraldo Magela, "não se preocupe, Jô. Nem eu nem eles leriam o livro". Ah, e é claro, o filme não poderia faltar num cinema desse tipo: entre as películas anunciadas para as semanas seguintes no Bijou estava *O encouraçado Potemkin*, do russo Sergei Eisenstein. A pequena sala de 130 lugares por algumas décadas foi o santuário dos filmes para cinemaníacos em São Paulo. Jaiment tinha dois cinemas para filmes pornô e um para filmes supercabeça. Qual seria a contradição entre os dois tipos de cinema mesmo?

No início da sua carreira na Espanha, o José Cañizares havia trabalhado com o Buñuel. Quando estavam na cabine vendo a versão final de *A grande noite de loucuras*, o Jaiment virou-se para o montador espanhol e, só de sacanagem, disse:

— Já pensaste? Se o Buñuel estivesse exilado no Brasil, ele iria ver nosso filme...

E o Cañizares, cabisbaixo, respondeu:

— *¡No digas eso! ¡Qué vergüenza del maestro, qué vergüenza del maestro! ¡Lo que hacemos para ganar la vida!*

Bem, essa é a história que o próprio Jaiment contava de si. Durante muito tempo, existia uma construção na avenida São João com uma placa dizendo: "Futuras instalações do cinema Jaiment". Ele prometia ser o mais moderno da cidade, e traria uma novidade que já era corrente nos EUA: começaria suas sessões todos os dias às nove horas da manhã e iria com sessões contínuas até a madrugada do dia seguinte, fechando às cinco horas da manhã. O cinema nunca abriu, mas na minha cabeça ficou para sempre a ideia de que o nome completo do Jaiment era Jaiment Jaiment. Eu poderia jurar que esse era seu nome.

Mas a história do Jaiment que as páginas dos jornais da época passaram a contar seria bem diferente. Em primeiro lugar, definitivamente, ele nunca foi Jaiment. Era Jaime Schvarzman Rotbart. Também não era cubano: seu prontuário no antigo Dops, de 28 de junho de 1971 — preenchido cerca de um mês depois de ter sido preso por razões nunca esclarecidas —, diz que era argentino, nascido em 1927, provavelmente filho de um casal de exilados judeus: Israel Schvarzman e Etka Rotbart. A ficha da prisão é lacônica: foi detido em 1º de junho, "para averiguações", e solto no dia 4. O prontuário não diz nada sobre sua eventual passagem por Cuba em 1959. Sua chegada ao Brasil é registrada pelos jornais de 1962: Rotbart seria o representante de uma empresa chamada Exitofilmes, especializada em "filmes de nudismo" ou "filmes naturalistas", e, melhor, estava com o bolso forrado de dinheiro. Em julho de 1963, uma nota policial do *Estadão* dizia que, segundo a Interpol (International Criminal Police Organization), Jaime Schvarzman Rotbart era procurado na Argentina e no Uruguai pelo comércio de "filmes imorais". O nobre vereador paulista Fernando Pereira Barreto fez um requerimento pedindo informações sobre ele à Interpol, alegando que fora expulso de Cuba e que "aqui em São Paulo vem explorando um tipo de cinema condenado pela moral e pelos próprios exibidores". A petição de Pereira Barreto prossegue afirmando que os filmes exibidos pelo Jaiment "contribuem para a formação de uma zona infrequentável em pleno centro da cidade, pois atraem degenerados e constituem, por outro lado, veneno para os espíritos jovens e fracos".

Aos poucos Rudy e eu fomos perdendo contato com o Jaiment ou Jaime — seu prenome talvez seja a única coisa comprovadamente verdadeira em toda a história. Sei que ele chegou a ter uma cadeia enorme de cinemas e, de vez em quando, o seu nome aparecia nos jornais envolvido em denúncias de estelionato. Anos mais tarde, conheci sua filha num jantar com o Aloizio Mercadante — então amigo constante —, e ela me disse que gostaria de escrever um livro sobre a vida do pai. Escrever memórias tem dessas coisas, a gente fica sempre numa zona nebulosa e incerta sobre o que foi que realmente aconteceu na vida das pessoas, sobre o que elas contavam sobre a sua própria vida, sobre o que os outros contavam sobre a vida dessa pessoa e sobre o que recordamos de todas essas versões, muitas vezes conflitantes. A diferença entre as memórias e o trabalho dos historiadores e dos biógrafos, que precisam comprovar o que realmente aconteceu — e o que realmente aconteceu pode permanecer escondido em algum desvão da história —, é que elas podem ser muito amplas, incluindo o fato e suas imensas possibilidades. Para mim, importa pouco quem foi o verdadeiro Jaime. O tesouro, no caso, está guardado nas possibilidades de fantasia que um tipo sorridente e vivaz como ele trouxe para o meu imaginário, como se fosse personagem de um filme B clássico, de uma peça inesquecível, de uma ótima série de televisão ou de um romance com personagens cativantes. Para mim, não existe nada mais profundamente humano do que a capacidade de fabular, mesmo que a fábula esteja entranhada na realidade. Só por isso resolvi contar as minhas memórias, porque elas são, muitas vezes, fantasias mais profundas do que qualquer realidade. Foi o memorialista Antônio Carlos Villaça que reclamou de que o livro de memórias de alguém pecava justamente por isso: pela falta de imaginação. No meu caso, devido aos meus 58 anos ininterruptos de profissão, na maioria das vezes posso dizer:

— Meninos, eu vi. Eu estava lá!

Túlio de Lemos, o paranaense de Ponta Grossa, já era um cinquentão quando o conheci em 1960, e tinha uma história. Como o Millôr Fernandes, foi um sujeito praticamente autodidata, pois só fez os quatro primeiros anos do que hoje equivaleria ao ensino fundamental. Quando menino, um maestro se encantou com a sua voz de baixo profundo, e ele seguiu a carreira de cantor de óperas. Vieram maestros da Itália para ouvir o seu famoso "dóóóó". Havia uma piada que dizia que Túlio era o "maior baixo" do mundo, porque ostentava portentosos 2,05 metros de altura. Um dia, teve uma hemoptise em cena, numa ópera. Estava tuberculoso. Foi internado em Campos do Jordão, mas a doença teve consequências ósseas para ele, que ficou com problemas em um dos braços. Mudando-se para São Paulo, conheceu o Oduvaldo Viana, que iniciava o radio-teatro de qualidade no Brasil, e sua voz e sua vocação para interpretar o tornaram um dos atores mais importantes no gênero. O Boni costuma dizer que, embora as rádios conhecidas no país fossem as do Rio — a Nacional, a Mayrink Veiga —, o rádio em São Paulo seria mais profissionalizado e mais estruturado. Das radionovelas da Tupi, Túlio, que era muito talentoso, foi para a televisão. Ali, ajudou a criar, em 1955, com o diretor de TV Tito Bianchini, aquele que é considerado o primeiro programa a ter audiência massiva no Brasil e o inaugurador do gênero conhecido como game show por aqui, *O Céu É o Limite*, que ia ao ar às sextas-feiras, na Tupi do Rio, apresentado por J. Silvestre, e, na de São Paulo, por Aurélio Campos. No programa, o concorrente tinha de responder acertadamente a perguntas sobre um determinado tema, aumentando o prêmio a cada acerto. O bordão dos apresentadores para respostas corretas, "Absolutamente certo", ficou tão popular que virou título de filme, do Anselmo Duarte, com a Dercy Gonçalves. Como era muito culto e lia muito, Túlio de Lemos ficava como o responsável pela elaboração das perguntas.

Segundo depoimento do Lima Duarte, a primeira pessoa de fora dos quadros artísticos a ter êxito na televisão brasileira foi um tipo nada popular que, além disso, falava com um sotaque francês fortíssimo sobre um tema cultural sofisticado. Ou seja, reunia todos os ingredientes para ser um completo fiasco. A lindíssima e refinada francesa Christiane Florence Perin respondia sobre Marcel Proust no *Céu É o Limite* e, contra todas as expectativas — menos as do Túlio de Lemos, que apostou nela desde o início —, fez um baita sucesso em 1953. Por onde ela passasse, alguém dizia: "Olha a mulher que é fera sobre Proust", "Olha lá a dona que sabe tudo de Proust", nessa linha. Ela havia sido Lacerda Soares, e era mãe do meu querido amigo Jean-Louis Lacerda, mas, quando começou a responder sobre Proust, usava o sobrenome Mendes Caldeira, de seu segundo marido — de quem já se separara também. Com aquela mulher belíssima, sofisticada e brilhando ao responder sobre o Proust, o Túlio estava liquidado, e não deu outra: se apaixonou perdidamente, ficou de quatro, como se dizia antigamente. Terminado o programa, ele ia para casa, ligava pra ela e ficavam conversando por horas, até de madrugada. Um dia ela lhe disse — tinha um sotaque bem firme de francesa, era uma mulher charmosíssima:

— Senhor Túlio, o que o senhor responderia se eu dissesse que eu estou loucamente apaixonada pelo senhor?

Ele bateu o telefone.

— Ela falou isso, eu bati o telefone porque eu estava louco por ela há muito, mas eu jamais podia imaginar que uma mulher belíssima daquelas pudesse ter qualquer interesse por mim — ele dizia, com aquela voz de baixo.

Em seguida, tomou coragem e ligou de volta:

— Perdão, meu amor, é que eu jamais podia supor que esse meu amor pudesse, de alguma forma, ser correspondido.

Ele dizia que foi um romance maravilhoso:

— Ela era uma mulher tão sofisticada que me convidava pra jantar e cada vez o jantar era servido num local diferente da casa.

A história toda era muito boa, ela charmosa e experiente, o Túlio, um garotão, batendo o telefone de pavor... e, além disso, ele era comunista de carteirinha, namorando uma francesa do high society. Muita confusão pra um roteiro só.

Infelizmente, pouquíssima gente se lembra do Túlio de Lemos hoje em dia. Na Tupi, junto com o Cassiano Gabus Mendes, o Walter George Durst e o Silas Roberg, o Túlio produziu um teleteatro de primeiríssima. Na Excelsior, o Boni dirigiu um programa que o Túlio, o Durst e o Roberto Palmari criaram, ainda no tempo em que o Álvaro de Moya estava por lá, chamado *Teatro 63*. Era a teatralização da vida de uma pessoa que contava sua história com uma máscara, para não ser identificada. O Walter Durst, que realizou adaptações maravilhosas para a TV — incluindo o *Grande sertão: veredas*, do Guimarães Rosa, com a ótima sacada da Bruna

Lombardi no papel de Diadorim —, declarou que esse foi o programa mais importante que ele fez na vida.

O Túlio de Lemos foi membro do Partido Comunista. Quando veio o golpe de 1964, foi uma loucura na Excelsior, porque teve gente que começou a entregar os companheiros de trabalho, e entregaram o Túlio, que foi detido para prestar esclarecimentos. O militar que o interrogava perguntou:

— O senhor tem alguma coisa a dizer?

Ele disse:

— Tenho, eu quero pedir um atestado de sanidade mental desse indivíduo que me denunciou. Eu nunca fui do Partido Comunista, não tenho nada a ver com a esquerda, muito pelo contrário.

Saindo dali, foi para casa, reuniu todo o material que ele possuía relativo ao Partido e ao comunismo. Fora convidado pelo governo para fazer uma visita à China, então guardava fotos, livros, cartazes de propaganda comunista em chinês (preservo comigo até hoje a foto daquele amigo gigante visitando a Grande Muralha). Recolheu tudo e tentou colocar numa enorme mala que guardava debaixo da cama. O Túlio contava que, quando abriu a mala, "tinha a bandeira do Partido sorrindo pra mim, aquela foice parecia um sorriso. Escondi aquilo tudo em 1946, quando o partido foi posto na ilegalidade. Não cabia mais nada na mala!".

Nesse período, Túlio de Lemos alugava o quarto nos fundos do jardim da casa de uma senhora, no Sumaré. Na época havia muito disso: uma construção independente da casa, com quarto e banheiro, que era alugada para terceiros. Ele esperou a madrugada, fez um buraco no terreno da senhora e enterrou tudo. Só que a senhora tinha um cão que ficava farejando o lugar onde escondera as suas relíquias da China. O Túlio dizia:

— O cachorro era entreguista! Ficava fuçando no quintal. Eu jogava pedras nele, pra se afastar. Quanto mais eu jogava, mais ele ia lá fuçar. Aquele foi um momento de pânico que passei, por causa do puto do cachorro.

O Túlio me levou para conhecer uma salada que dizia ser muito famosa em São Paulo, a Insalata al Brufolo. Era numa cantina escondidinha, no Brás. A *nonna* fazia pessoalmente a salada. Ela separava as folhas de alface, de rúcula, cortava os tomates e jogava tudo numa peneira. Depois enchia a boca com azeite, vinagre, sal e pimenta, bochechava bem durante uns quarenta segundos e, em seguida, regurgitava aquele molho em cima das verduras na peneira. E o dono do restaurante dizia:

— Não, como a da *nonna* não tem salada igual no Brasil. Só se encontra coisa tão boa na Sicília.

Outra coisa que o Túlio de Lemos adorava fazer era ficar na calçada da Ipiranga com a São João, no lado daquela faixa imensa de pedestres, esperando uma velhinha para ajudá-la a atravessar.

— Posso me oferecer para ajudar a madame a atravessar esta rua, que é tão perigosa?

— Sim, muito obrigada, o senhor é muito gentil.

— Não faço mais do que a minha obrigação. Por favor, me dê o braço.

E, aí, aquele gigante de 2,05 metros começava a atravessar a São João falando para a velhinha, que batia na cintura dele:

— Estou ajudando a senhora a atravessar pro outro lado porque, se eles percebem uma senhora desprotegida atravessando a rua, eles fodem com a senhora. Assim que avistarem a senhora sozinha, no meio da rua, eles são uns filhos da puta, eles vão em cima, minha senhora, e fodem com a senhora.

Aí a velhinha não sabia mais se deveria agradecer ou ficar horrorizada com o linguajar, ia logo tratando de dispensar a ajuda:

— O senhor foi muito gentil, fico muito agradecida…

— Muito gentil o caralho, isso é a minha obrigação como cavalheiro.

As pessoas cumprimentavam o Túlio de Lemos; ele dava a mão e falava baixinho, pra dentro, para que elas não ouvissem direito, com a cara mais cínica do mundo:

— Pro diabo!

Chegava outra pessoa, cumprimentava-o:

— Pro diabo!

E outra:

— Pro diabo!

Um dia, eu perguntei ao Túlio quantos filés do Moraes — aquele filé alto, com agrião, famoso em São Paulo — conseguia comer em uma refeição. Ele respondeu:

— Uma meia dúzia.

Certa vez, fazia um frio danado, o Vinicius de Moraes estava na cidade e nós fomos comer o filé do Moraes. O Vinicius adorava conversar com o Túlio. Na saída, a madrugada paulistana nos congelava e o Túlio, aquele gigante, emprestou seu sobretudo para o poeta. Ficou a coisa mais engraçada, nós andando pelas ruas e o Vinicius com o sobretudo quase arrastando no chão. E o Túlio carregando uma caixa de pêssegos comprada numa banca de frutas que havia ali no largo do Arouche. Ele enfiava um pêssego inteiro na boca, e então o Vinicius observou:

— O Túlio come um pêssego como nós comemos marrom-glacê.

O Jairo Arco e Flexa, o Rudy Margheritto e eu formávamos outra trinca no Gigetto. Fazíamos uma maluquice atrás da outra. O Jairo Arco e Flexa, que tinha esse nome de personagem de história medieval inglesa, participava intensamente dos dois grupos revolucionários de teatro da cidade, o Oficina e o Arena (embora as montagens fossem feitas nas duas cidades, de certa maneira o Rio exibia um teatro de alta qualidade, mas mais convencional, e em São Paulo se exploravam mais as novas possibilidades da linguagem teatral). Em 1965, ele teve, no Teatro Aliança Francesa, uma das melhores atuações que eu vi de um ator brasileiro, na montagem de *O caso Oppenheimer*, de Heinar Kipphardt, baseada na história de Robert Oppenheimer, o inventor da bomba atômica. Em 1967, o Jairo foi o diretor da estreia de *Navalha na carne*, uma das peças mais significativas do período, de autoria de Plínio Marcos — naquele ano, Plínio ganhou todos os prêmios importantes de melhor autor. Jairo ainda faria alguns papéis no cinema, um deles em *Anuska, manequim e mulher*, que tinha o Ignácio de Loyola Brandão como corroteirista. Houve uma época em que o Jairo, o Rudy Margheritto, o Thomaz Souto Corrêa e eu arrumamos um trabalho de tradutores para o cinema. O produtor italiano Giorgio Albani e sua mulher, Maria Basaglia, tiveram a brilhante ideia de investir na dublagem de longas-metragens no país e criaram a Odil Fono Brasil, no bairro do Sumaré. Como Albani vinha da Itália, achava que o futuro das telas de cinema brasileiras seria a dublagem — e não as legendas —, como se fazia por lá: todos os filmes estrangeiros que passavam nos cinemas italianos eram dublados. Se deu mal, naturalmente, mas nós nos divertimos muito. Vimos todas as comédias do italiano Totò ainda na moviola — e eu pude perceber que ele improvisava em muitas cenas, pois os outros atores não aguentavam e davam risadas. Teve um caso muito engraçado de um filme português que tinha um médico chamado dr. Sacana. Na época, isso era palavrão. Então, trocamos o nome dele para dr. Fontana. Não adiantou nada, porque nas imagens do filme aparecia sempre a placa do consultório do dr. Sacana. O Albani e sua mulher haviam sido fascistas. Ele dizia que um dia o Duce em pessoa reuniu todos os cineastas, colocou-se ao lado dele e perguntou:

— Quem é o melhor *regista* de toda a Itália?

E a comunidade cinematográfica em coro respondeu:

— Albani!

Estava claro que o negócio da Odil Fono não ia dar certo. Eu estava com o Rudy lá no dia em que o Giorgio foi dispensar todo mundo. Na sala dele, fumando de piteira, dizia:

— É uma pena, porque isso aqui ainda vai ser um negócio extraordinário. Mas no momento estamos passando por uma pequena dificuldade que logo será solucionada.

Enquanto falava, iam entrando os funcionários encarregados de retirar os móveis. Ele nem olhava para os caras da transportadora, continuava falando.

— Seu Albani, nós vamos levar o sofá, tudo bem?

— Sim, filho, pode levar. Mas vocês — e olhava para nós — ouviram o que eu disse: isso aqui vai ser um sucesso...

— Desculpe interromper o senhor, mas eu preciso levar sua mesa...

Levaram a mesa do Giorgio, que continuou firme, no seu sotaque italiano carregadíssimo:

— É uma pena, porque, assim como na Itália, o futuro próximo do cinema estrangeiro no Brasil é a dublagem...

— Senhores, as cadeiras, por favor.

Nós nos levantamos e os funcionários da transportadora retiraram as cadeiras.

— A dublagem tem infinitas vantagens, o mercado vai perceber isso logo logo, chegamos um pouco cedo...

— Seu Albani, a poltrona...

— O quê?

— A sua poltrona... precisamos levá-la.

Ele se levantou e continuou falando para nós, na sala vazia de móveis.

— A Odil Fono Brasil é um excelente negócio, vocês vão ver, é um excelente negócio... — dizia, sem nem sequer ter onde sentar.

Rodolfo "Rudy" Margheritto, que já foi mencionado várias vezes neste capítulo, jornalista e depois publicitário, infelizmente morreu muito cedo, com pouco mais de quarenta anos. Era filho do seu Henrique, um barbeiro. O Rudy tinha um talento incrível — mas não conseguia dirigi-lo para um canal específico — e escrevia muito bem. Ele traduziu o escritor americano William Faulkner e escreveu um conto, impublicável na época, que traz a história de um cara que ia ao Mappin para comprar um general. É um conto incrível. Vou tentar reproduzi-lo de memória:

Um homem chega ao Mappin, a loja de departamentos que existia em frente ao Teatro Municipal de São Paulo, para comprar um general. Ele pedia:

— Por favor, eu quero um general.

O vendedor respondia:

— General está em falta, mas temos um coronel muito bom, de muito boa qualidade.

— Não, não, eu preciso mesmo de um general.

Aí o vendedor fazia a cara de quem ia contar um segredo importante e dizia baixinho:

— Por favor, não diga que fui eu quem falou, mas a Mesbla tem general em estoque, no porão da loja. Eles estão escondendo para aumentar o preço dos generais.

O homem se dirige à Mesbla e pede:

— Por favor, eu queria um general.

O vendedor responde:

— Acabou o nosso estoque de generais.

— Eu tenho informações seguras de que o senhor tem generais no estoque da loja. Se o senhor não me vender, eu vou sair gritando na rua que vocês estão escondendo generais.

O vendedor, apavorado, diz baixinho:

— Por favor, não, não faça escândalo. Eu levo o senhor até o estoque para o senhor escolher um general.

Chegam ao porão onde ficava o estoque, estava tudo escuro, havia um barulho, um grunhido permanente, muito estranho. Aí o vendedor acende a luz do porão, e a meia dúzia de generais que estavam grunhindo, imediatamente começam a cantar:

— Ouviram do Ipiranga as margens plácidas…

O vendedor apagou a luz e, no mesmo instante, os generais passaram a emitir o grunhido. Acendeu a luz e eles, no ato:

— De um povo heroico o brado…

Quando a luz se apagava, viravam todos generais-feras. Quando a luz acendia, ficavam perfilados, cantando o Hino Nacional.

O vendedor diz:

— O senhor pode escolher qual general quer levar.

— Eu quero aquele bem bonito, reluzente, o segundo da direita para a esquerda.

Aí o homem vai até o general que escolheu e diz:

— Me diga alguma coisa para eu saber se o senhor é um bom general.

— Ou o Brasil acaba com as formigas ou as formigas acabam com o Brasil.

— Muito bem, general, me diga mais alguma coisa.

— Os pilares da sociedade são Deus, pátria e família.

O homem se vira para o vendedor e diz:

— Este general está ótimo, vou levá-lo.

Aí o homem começa a levar o general às festas e faz um enorme sucesso. Todo mundo queria ver o general falando aquelas obviedades patrióticas. Ele só não podia ser levado às festas de aniversário, porque, quando apagavam a luz, o general começava a grunhir.

Era um conto escrito sob o impacto do que estávamos vivendo, mas mantinha a ironia e o humor característicos do Rudy Margheritto. Ele foi trabalhar na Rino Publicidade, uma agência que empregou o Juca de Oliveira e o Gianfrancesco Guarnieri num período difícil da vida deles durante a ditadura militar. Eu chegava ao Gigetto, o Rudy e o Jairo já estavam a uma mesa. Assim que me viam, colocavam o polegar para cima e o indicador para a frente, fazendo um revólver com a mão, e fingiam que atiravam em mim. Eu rolava pelo chão, como se tivesse sido atingido por balas de verdade. Nós fazíamos uma paródia do filme *O ano passado em Marienbad* que se chamava *O ano passado em Poços de Caldas*. Criamos uma história sobre o enterro do Pato Donald. Fazíamos brincadeiras com traduções literais. Por exemplo, apresentávamos um número, em pleno restaurante, em que uma pessoa ia tirar uma fotografia e ela dizia "xisss" para imitar os americanos, que dizem "cheese", e nós dizíamos que não era "xisss" que ela devia dizer, e sim "queijo". Eu começava a gritar:

— Diga queijo, sua burra, é queijo que você tem de dizer quando tira uma foto. Queeeijo!

Certas noites, o Gigetto fechava e eu ficava no estacionamento fazendo os meus números até quase o dia nascer. Sempre juntava uma roda para ver aquelas maluquices. Encerrado o show ao ar livre, eu pedia o meu carro para o manobrista. Um dia ele se irritou:

— Mas, seu Jô, o senhor me desculpe, mas o senhor não tem carro.

— Pois é, mas um dia você me entrega um...

O Rudy tinha um parente — se não me engano, o nome dele era Mogadouro — que vendia sementes de uma marca chamada Simões com o Manoel Carlos (o Maneco é o melhor contador de casos de nós todos, chegávamos a passar mal de tanto rir com suas histórias). Eles estavam duros, então saíam pelo interior vendendo essas sementes. Como ninguém queria recebê-los, o Manoel Carlos inventou um truque: batiam palmas em frente à casa do possível freguês e diziam que eram do Sesi. Sendo o Sesi uma instituição respeitada, as pessoas abriam a porta, e aí eles se identificavam:

— Nós somos da Sesi, isto é, Sementes Simões...

O Mogadouro trabalhava num negócio de vender placas de autoajuda do gênero "Hei de vencer", "Deus ajuda quem cedo madruga" etc. O lugar era repleto de modelos diferentes dessas placas. Ocorre que, em meio a tantas frases que tentavam levantar as pessoas, o Mogadouro estava muito deprimido, ele não conseguia vender nada. O Rudy passou por lá para dar uma força. Levou-o para passear, foram à praça da Biblioteca. Lá, vendo o desânimo do Mogadouro, o Rudy deu a ele quatro comprimidos de Pervitin, o remédio que tomávamos para nos animar quando estávamos muito cansados (lembrem-se de que trabalhávamos muito e nos divertíamos muito também, então sempre dormíamos menos que o necessário). Aí o cara entrou na maior euforia e disse para o Rudy:

— Não sei por que eu estava deprimido. Obrigado, estou me sentindo muito bem agora. Vou vender as placas para todos os escritórios e botequins de São Paulo!

O Rudy continuou a incentivá-lo:

— Claro. E você vai vender muito daquela placa "Fiado só amanhã" também.

Aí foram tomar um café, animados; o Rudy se despediu, satisfeito de ter ajudado um parente e amigo. O Mogadouro voltou para o trabalho, olhou aquele monte de placas dizendo "Hei de vencer" e... caiu em depressão novamente.

Eu acho essa história tocante, é de filme italiano ou de filme da Grande Depressão americana; um cara deprimido num lugar que vende frases de otimismo e esperança. É uma pena que o Rudy não tenha deixado escritas suas histórias, ele era dotado de uma enorme capacidade de observação — e olhava tudo por um ângulo original, criativo, inteligente.

Em 3 de dezembro de 1963, comecei outra atividade em minha vida: a de colaborador de jornais e revistas. No Rio, Theresinha e eu éramos amigos do Samuel Wainer, nós inclusive frequentávamos um sítio que ele tinha. Na época, Samuca, depois de ter sido casado com a Danuza Leão, namorava outra mulher belíssima: a atriz Tânia Scher. Por falar em Danuza, me lembro de uma imagem marcante: eu estava na praia, em frente ao Copa, quando o Samuel encosta o carro conversível no calçadão da avenida Atlântica e toca a buzina. Danuza se levanta e vai até o carro. Parecia uma gazela, o andar apressado pela areia escaldante. Ela ia dar um beijo no Samuel, que aguardava em pé, no carro. Todos, homens e mulheres, ficaram morrendo de inveja.

Samuel era muito parecido com o Rubem Braga, o qual, por sua vez, o odiava. Uma noite, na boate Sucata, do Ricardo Amaral, o Wilson Simonal, no auge da carreira, fazia seu show quando vê, na mesa de frente, Rubem Braga sentado. Simonal diz:

— Hoje tenho uma plateia especial. Sentado bem à minha frente está o extraordinário jornalista Samuel Wainer, fundador da *Última Hora*. Grande Samuca! Obrigado por ter vindo! Ninguém me avisou que você vinha. Palmas pro Samuel! Aí, Samuca!

Simonal havia confundido o jornalista com o cronista, e o Rubem Braga, muito constrangido, teve que "agradecer" os elogios...

Samuel Wainer trabalhou para o Assis Chateaubriand em *O Jornal*, e ficou nos Diários e Emissoras Associados até fundar a *Última Hora*, em 1951. Ele me contou que um dia estava no elevador, o Chatô entrou e apresentou o Samuel para um grupo de americanos que o acompanhava, dizendo:

— *This boy is Vargas' brain trust.* [Numa tradução mais moderna e livre, seria como se tivesse dito: "Esse rapaz é quem faz a cabeça do Vargas".]

Por sugestão do Jorge Ileli, diretor do importante filme *Amei um bicheiro* (1952, com Cyll Farney e Eliana), ao Armindo Blanco, então diretor de redação da *Última Hora* de São Paulo, comecei a escrever uma coluna no jornal. Era um espaço de notas sobre o pessoal de teatro e de espetáculos, e também sobre a noite paulista, com o título "Show & Gente". Minha primeira coluna, uma tripa de alto a baixo da página, falava sobre a leitura de uma nova peça do Jorge Andrade pelo Teatro Cacilda Becker, que decidira montá-la, com direção do Antunes Filho e cenário da Maria Bonomi, que era casada com ele; uma "fotonotícia" do meu amigo Jairo Arco e Flexa, que estava ensaiando para substituir o Ednei Giovenazzi na peça *Cidade assassinada*; além disso, muita informação sobre as atividades do Zé Celso Martinez Corrêa, do Baden Powell em Paris, do Flávio Rangel estagiando em Nova York etc. Em meio a elas, uma nota tipicamente Jô Soares: "O Ferro's Bar continua sendo o lugar que reúne a fina flor dos intelectuais do Ferro's Bar".

Curiosamente, na última coluna que publiquei, em 13 de março de 1965, a nota de abertura falava sobre os desdobramentos da crise da querida TV Excelsior, de tantas saudades. Dizia o seguinte:

Está dependendo da decisão do marechal Castello Branco a transformação da TV Excelsior em fundação, passando todas as ações para os empregados e artistas. Representantes da Excelsior já estiveram reunidos com o marechal, que em princípio aceitou a ideia, mas prometeu estudar o caso. Segundo seus assessores, ainda esta semana ele marcará nova reunião com a diretoria da emissora, para comunicar sua decisão. Caso tudo seja resolvido, a TV Excelsior passará a pertencer a mais de 1200 funcionários das duas emissoras (Rio e São Paulo). As ações adquiridas pelos funcionários poderão ser pagas em cinco anos.

Apesar de já trabalhar com texto para teatro e televisão, eu não sabia nada de como funcionava um jornal. Agradeço sempre a ajuda do meu amigo Ignácio de Loyola Brandão, que me "copidescava", editava a página e fazia a coluna "Cine-ronda". O seu enorme talento e generosidade contribuíram, e muito, para o sucesso da minha coluna. No início, ele ficou um pouco ressabiado comigo — "O que este moleque gordo metido está fazendo em um jornal?", se perguntava —, mas aos poucos fomos descobrindo as nossas afinidades. Loyola arrumava os meus textos com imensa boa vontade e ficamos amigos até hoje. Uma vez, tentou fazer uma pequena sacanagem comigo: trocou a palavra "sexo", que eu tinha escrito na lauda que passei para ele, por "secso". Felizmente, os revisores de texto naquela época eram pessoas de muita autoridade nos jornais, e um deles impediu que o tremendo erro de grafia fosse impresso na minha coluna. Loyola ficou muito amigo da minha mãe, porque, quando eu viajava ou ia fazer uma gravação, sempre que estava em São Paulo dona Mercedes levava minha coluna à redação da *Última Hora*.

Havia uma turma muito boa na página de cultura da *Última Hora*: o Jean-Claude Bernardet, um dos importantes intelectuais que atuava na imprensa, escrevia sobre cinema; o Ricardo Amaral fazia a coluna social (uma curiosidade: o nome Jovem Guarda era da coluna dele, que autorizou a Record a usá-lo no programa do Roberto Carlos, Erasmo e Wanderléa). Aproveito estas memórias para dar uma informação que pouquíssima gente conhece: o Jean--Claude e eu escrevemos um roteiro para o que seria o primeiro filme do Roberto Carlos, com Erasmo e Wanderléa, a ser dirigido pelo Luís Sérgio Person. É impressionante como nos demos bem nessa colaboração. Gostaria de deixar registrado também que só tenho boas recordações do Jean-Claude. É uma pessoa de comportamento impecável. Pena que o veja tão pouco.

O Loyola — que agora é meu companheiro da Academia Paulista de Letras — via todos os filmes nacionais, inclusive os horrorosos, mas, mesmo nesses, ele sempre achava um detalhe, uma cena, um ator, um diálogo pelo qual valia a pena ter ido ver o filme. Exercia uma militância pelo cinema brasileiro que, no fundo, era uma coisa muito generosa. O Loyola, o Jairo, o Rudy e eu tínhamos algo em comum: éramos do fã-clube do José Mojica Marins, mais conhecido como Zé do Caixão. Nós vimos o *À meia-noite levarei sua alma* duas vezes seguidas, de tanto que nos divertimos com o filme. Numa das sessões estava o Zé Celso Martinez Corrêa. O Zé do Caixão tem fitas incríveis: o filme de caubói que fez, *A sina do aventureiro*, de 1958, seu primeiro longa sonoro, é sensacional. Foi batizado de "western feijoada". Nos figurinos, misturam-se roupas de vaqueiros nordestinos, de gaúchos e de mocinhos americanos. O chefe é assassinado pelos bandidos, mas, antes de morrer, chama o filho e diz:

— Meu filho, eu estou morrendo, mas, antes, quero que tu me jures uma coisa: tu jamais usarás uma arma!

E o filho responde:

— Meu pai, pode acreditar, cumprirei este juramento até a morte.

Criou-se um dilema terrível: ele prometeu ao pai, mas ficou pensando na maneira que encontraria para vingar a sua morte sem usar armas. O filho mata com as mãos a maioria dos assassinos do pai, mas tem uma das mortes que é genial: ele veste uma roupa estranhíssima, tipo extraterrestre, se esconde atrás da porta e, quando um dos assassinos do pai entra, ele grita:

— *Whoaaaa!*

E o bandido toma um susto imenso:

— *Ohhhh!*

O bandido era cardíaco. Morre de susto, uma solução maravilhosa. Ele cumprira a promessa feita ao pai. Os crimes no filme do Mojica são fichinha perto de um verdadeiro filme de caubói. Em vez de assaltar um trem ou uma carruagem, assalta-se uma velhinha. O vilão salta da charrete e assalta a velha. Rouba a bolsa dela, sobe na charrete de volta e dá no pé.

E outra coisa inesquecível desse filme são as sequências de perseguição a cavalo. Estão perseguindo o bandido. Todo o pessoal da cidade a cavalo, correndo atrás do vilão. O vilão segue fugindo. E aí tem uma cerca. Em qualquer filme de ação americano, ela seria facilmente pulada pelo fugitivo — e os que o estão perseguindo, pulariam a cerca também. Não no "western" do Zé do Caixão. Nesse filme, o bandido perde um tempo precioso, pois, quando chega à cerca, para, desce do cavalo, abre a porteira, passa, fecha a porteira, monta no cavalo e só aí vai embora. Sorte dele que os que o estão perseguindo, fazem a mesma coisa: param, abrem a porteira e o último a passar fecha a porteira.

O Mojica, além de ator e diretor, compôs todas as músicas que servem de narrativa para o filme. Mandava os alunos da sua academia de atores para a fila dos filmes mais concorridos e, na fila, eles ficavam falando:

— Ah, eu ouvi dizer que filme bom é o que está em cartaz no Coral [onde passava *A sina do aventureiro*]. Esta fila está demorando muito, vamos pra lá.

Hoje, isso, nas escolas de publicidade, se chama marketing de guerrilha. Todo mundo esnobava o Zé do Caixão e suas produções primárias, e aí a *Cahiers du Cinéma*, a revista mais importante sobre cinema, dá quatro páginas sobre sua obra, chamando-o de melhor cineasta *primitif* do mundo. Os intelectuais do cinema tiveram de rever as suas ideias sobre a obra do Zé do Caixão.

José Mojica não pagava atores, eram as pessoas que pagavam para aparecer nos filmes dele. Funcionava assim:

— Papel do padeiro custa tanto, quem quer fazer?

— Papel de mocinho custa tanto, quem quer fazer?

— Ainda tá sobrando o papel de pai do vilão. Tá baratinho.

Os papéis mais caros, apesar de se tratar de filmes de suspense e de terror, eram os do mocinho e da mocinha. O do mocinho ficava um pouco mais caro, porque teria direito a beijar a mocinha. Eles filmavam num estúdio no Brás, numa antiga sinagoga, com as paredes pintadas com cenas do Velho Testamento. Nós fomos até lá, o Rudy Margheritto e eu. Pergunto pelo Zé Mojica e a resposta é:

— Hoje ele não tá aqui, porque hoje tem uma externa sendo filmada no pântano. O Zé tá filmando a cena das aranhas.

Não resistimos e fomos ver a filmagem da cena das aranhas. O set estava na beira de um rio, com aranhas-caranguejeiras andando em cima do corpo da atriz. As caranguejeiras são pacatas e seu veneno é usado na confecção de um tipo de analgésico, por isso eram as usadas pelo Zé do Caixão e em todos os filmes americanos. Certa vez, quando eu já estava na TV Record, fui entrevistar um professor, do Instituto Butantan — que dormia, junto com a mulher, com cobras venenosas no seu quarto. Ele odiava os americanos pela má fama que deram às caranguejeiras:

— É uma maldade! Só usam porque elas são enormes e bonitas! Parecem de veludo! As mais perigosas são pequenas e não são fotogênicas!

Nós levamos o Mojica ao Clubinho dos Artistas, no centro de São Paulo, frequentado por intelectuais como o fantástico crítico de cinema Almeida Salles. Os habitués do clubinho iam chegando às cinco, seis horas da tarde para tomar uns drinques e bater papo. O garçom se aproximou da mesa onde todos estavam encantados com a presença do cineasta *primitif* tão elogiado e começou a tirar os pedidos. A turma toda pede o uísque de sempre. O garçom dirige-se ao Mojica:

— E o senhor? Vai querer um uísque também?

— Não. Prefiro um samba-em-berlim.

Ficamos todos extasiados. Alguns, com inveja, outros com pena de não terem esperado o Zé do Caixão pedir, para depois poderem acompanhá-lo naquela bebida de nome tão original. Ninguém ali sabia do que se tratava. Nem o garçom. Eu conhecia a tradicional cuba-libre, rum com Coca-Cola. Então, o Zé, sempre muito bem-educado, explicou:

— É simples: é cachaça com Coca-Cola.

Samba-em-berlim, a versão nacional para a cuba-libre. O drinque havia sido inventado pelos pracinhas brasileiros que estavam em Berlim durante a Segunda Guerra. Eles ganhavam Coca-Cola dos soldados americanos e misturavam com a cachaça que levaram do Brasil.

Outra coisa maravilhosa era a academia de cinema do Mojica, a Academia Apolo, no bairro do Brás. Ali, ensinava os atores a representar dentro do seu método, o Método Zé do Caixão. Ele pegava as reações faciais e corporais inerentes às emoções e colocava números nelas. O susto, por exemplo, ensinava:

— O susto, o elemento consegue alçando a parte superior da sobrancelha, abrindo a boca formando um O e inspirando. Isso é a expressão de susto.

Fotografava a expressão com uma Polaroid, escrevia "Susto" e dava um número a ela: 25. Depois vinha o medo:

— O medo, o elemento consegue encolhendo o pescoço, ao mesmo tempo levantando os braços, colocando as mãos à frente do rosto e quase que fechando totalmente os olhos.

Fotografava na Polaroid, escrevia "Medo", dava outro número à expressão: 32. Depois vinham paixão, raiva, humor etc., cada uma com a Polaroid, a legenda e o número. Na porta da academia tinha um quadro com o próprio Mojica fazendo todas as expressões numeradas. Na última, aparecia com os braços cruzados sobre o peito, e abaixo a legenda: MORTO.

Ele dizia que o Método Zé do Caixão facilitava muito na hora de dirigir:

— Eu ponho o elenco em cena e aí eu vou dizendo: "Atenção, a cena agora é com tais e tais atores e a sequência é 36, 28, 12, 57. Vamos filmar. Ação!".

Dirigir, para o Mojica, era moleza.

Quando nos casamos, embora estivéssemos duros, a Theresa estabeleceu o seguinte: "O marido tem que dar uma mesada para a mulher. Então, todos os meses, de tudo que você ganhar você dá uma quantia X". Assim, do pouco que eu ganhava, eu passava uma parte para ela. Eu era muito menino e tinha tido uma vida de príncipe, então acho que ela estava querendo que eu assumisse uma responsabilidade com o dinheiro. Passado um ano que estávamos na cidade, ela somou todo o dinheiro que eu havia lhe dado, mês a mês, preencheu um cheque e me devolveu o dinheiro. Isso é coisa de mulher grande, né? Só posso agradecer a Deus a sorte imensa com os meus dois casamentos. Theresa e Flavinha, em momentos bem diferentes da minha vida, foram, cada uma em sua época e cada uma com o seu jeitinho, mulheres extraordinárias. Elas foram o meu compasso e a minha régua. Flavinha, no segundo casamento, foi (e ainda é) uma mulher que, apesar de muito jovem, me surpreendeu o tempo todo com a sua maturidade — bem mais velho, eu sempre fui o criação do casal —, com as suas atitudes corajosas e com sua visão inovadora das coisas. Com ela eu sempre me senti protegido. A Flávia é a mulher da minha vida.

Theresa e eu fomos morar num apartamento na rua Áurea, na Vila Mariana, perto do belo prédio do Instituto Biológico de São Paulo. De lá, fomos para uma casa num lugar que na época era praticamente uma selva, um lugar longínquo, a alameda Jauaperi, em Moema — hoje um bairro com uma enorme densidade populacional por causa da quantidade de edifícios. Aos poucos estávamos estabilizando a nossa vida profissional na capital paulista. Algum tempo depois, um movimento do Nilton Travesso mudou definitivamente a minha carreira — e provou que havia uma avenida aberta em São Paulo para um homem gordo.

X

Aos poucos, ao longo da década de 1960, a TV Record, canal 7 de São Paulo, ia se tornando o canal de referência na televisão brasileira. A Excelsior, que era o centro de criatividade, perdeu o fôlego depois do golpe de 1964, pelas razões já mencionadas no capítulo anterior. A Tupi, que também teve os seus dias gloriosos, começou a se perder na imensa confusão que passou a ser a gestão dos Diários e Emissoras Associados desde que Assis Chateaubriand sofreu seu derrame, em 1960, e, sobretudo, depois que faleceu, em 1968. Essa seria a década em que a televisão mudaria o país, não só na fronteira do entretenimento, da cultura e do comportamento das pessoas, mas também nas áreas política e econômica.

Um dos planos estratégicos do regime militar foi o de unir e centralizar o Brasil. As possibilidades de as TVs se tornarem redes, falando para todo o país — e, melhor ainda, na perspectiva do novo governo, redes submetidas a uma censura também centralizada —, seriam uma peça fundamental nesse projeto, daí o empenho em fundar a Embratel, em 1965, que permitiria unificar as transmissões diretas em todo o território nacional. Dentro das emissoras, os dois grandes nomes que conseguiam enxergar o futuro da televisão, Walter Clark e José Bonifácio de Oliveira Sobrinho, que trabalharam juntos na TV Rio, sabiam que ela teria de caminhar para a cobertura em rede nacional. Mas nem os gestores dos Diários e Emissoras, da Tupi, que já eram uma cadeia gigante de rádios, revistas, jornais e TVs, mas todas balcanizadas, focadas na sua força regional; nem a família Machado de Carvalho, da Record, sócia da TV Rio, dirigida pelo Pipa Amaral (João Batista do Amaral), que tinha uma irmã casada com o Paulo Machado de Carvalho; e nem o João Saad, um empresário de sucesso no rádio paulista, que começava a sua vida na televisão, com a Bandeirantes, tiveram a visão, ou as condições, ou a determinação para montar uma rede de TV pra valer no país. Quem fará isso, a partir do lançamento da Globo, em 1965, será o Roberto Marinho.

Tudo foi acontecendo no desenrolar da década, mas, quando a Record começou a decolar, consegui embarcar naquele avião. Minha experiência prévia no canal 7, o *Dick Farney Show*, não deu muito certo, mas eu estava pleno de ideias, energia e tinha uma vantagem: falava várias línguas, escrevia, fazia imitações, tocava instrumentos, criava números e tinha projetos de programas, poderia fazer diversas coisas, e essa versatilidade valia bastante num momento de tantas improvisações pelo qual a televisão em sua adolescência passava. Também tive outra experiência infeliz. O educadíssimo Alex Periscinoto, que era sócio na Alcântara Machado Publicidade, me chamou um dia e disse:

— Nós patrocinamos um programa infantil aos domingos pela manhã na Record que se chama *O Circo do Arrelia*. Nós queremos dar uma mudada no formato, queremos fazer algo diferente, e achamos que o seu tipo de humor se encaixa perfeitamente nessas mudanças.

Topei na hora, porque o cachê era muito bom. Não dava para eu desprezá-lo naquele momento. Comecei a fazer uns números de circo para encaixar no programa — fingir que estava andando numa corda bamba esticada no chão, por exemplo —, mas ficava tudo muito ruim. O pessoal que tinha o circo no DNA, e que participava do programa há mais tempo, reclamava à boca pequena. O palhaço Pimentinha resmungava com o querido Durval de Sousa:

— Poxa, mas pagar um cachê desse tamanho pra esse gordo fazer isso? Meu avô já fazia tudo isso... e olhe que, no tempo dele, já era considerado ruim...

Depois, Durval e eu ríamos muito desses comentários. Ele também sabia que aquelas participações foram movidas apenas pelo vil metal. Atrevimento meu, que tenho o maior respeito pelo circo. Faço questão de dizer que o circo sempre foi a base de tudo, usando uma frase que é lugar-comum entre nós, atores: "A serragem dos picadeiros corre em nossas veias".

Quando o Silveira Sampaio chegou à Record, queria me levar para o seu programa, mas viu os meus números circenses e me disse que eram muito ruins. Incompatíveis, mesmo, com a participação no programa dele. Silveira tinha noção absoluta do que estava falando, porque se baseava na própria experiência:

— Eu tenho muita admiração pelo circo, tanto que cheguei a ter um projeto para fazer uma apresentação todo maquiado, junto com o Luís de Lima. Nós não teríamos como ser reconhecidos. Não deu certo, porque aquilo é um mundo diferente, com suas próprias maneiras de atuar, e tudo que fazemos no picadeiro fica artificial e ruim.

Eu estava e não estava na Record. Faltava um avalista, alguém para me bancar num contrato regular que me desse tranquilidade para desenvolver um trabalho, construir uma história dentro da emissora. Quem fez isso foi uma das pessoas mais valiosas na vida da TV Record e da televisão brasileira: Nilton Travesso.

Nilton insistiu com o Alfredinho Machado de Carvalho, diretor comercial na emissora, para que me contratasse. O Alfredinho dizia para ele:

— Não sei o que você vê nesse gordo.

— Você não vê, mas eu vejo. Contrata o Jô, por favor?

Quando o Nilton resolve uma coisa, desista, pois o homem não vai desistir nunca. Ele sempre me lembra a piada do padre com o passarinho. O padre tinha um passarinho que adorava. Havia um menininho na paróquia que todo dia insistia:

— Padre João, me dá o passarinho?

— Não, meu filho. Eu amo meu passarinho.

Essa ladainha não tinha fim. Todos os dias, o menino pedia ao padre:

— Padre João, por favor! Eu quero tanto esse passarinho!

Um dia, o padre, não aguentando mais, deu o canário para o menino:

— Leva logo esse passarinho antes que eu enlouqueça!

Padre João estava no confessionário, certa tarde, ouvindo os pecados das ovelhas do seu rebanho cristão, quando um menino, muito constrangido, revelou:

— Padre João, eu não sei mais o que fazer... Tem um menino que fica o dia inteiro querendo que eu dê a minha bundinha pra ele esfregar o pintinho dele. Não sei mais o que fazer, padre João!

— É um ruivinho? Sardento?

— É, sim, padre, é ele mesmo.

— Então dá logo, meu filho, porque você não vai escapar dele!

Costumo dizer que o Nilton é o menino do passarinho...

Paulo Machado de Carvalho — primo do Antônio de Alcântara Machado, talvez o mais importante cronista da cidade de São Paulo — era conhecido por suas superstições. Só ia a jogo do time do São Paulo de terno marrom. Só sentava na mesma cadeira no estádio do Pacaembu. A Record passaria por dois incêndios devastadores, mas ele, por pura superstição, se recusava a fazer seguros para a emissora e seus teatros (ao contrário, o dinheiro da indenização por lucros cessantes, causados pelos incêndios, foi a oportunidade para a Globo investir em equipamentos mais modernos, passo necessário para o salto de qualidade que o canal deu na TV brasileira). Uma das suas histórias mais famosas está ligada ao aposto que viria a acompanhá-lo pelo resto da vida: Marechal da Vitória. Como presidente da Federação Paulista de Futebol, Paulo Machado de

Carvalho chefiou a delegação da Seleção que foi à Suécia ganhar a nossa primeira Copa do Mundo. Na final, os brasileiros enfrentavam os donos da casa, que também jogavam com uma camisa amarela. Houve um sorteio e os anfitriões, mandantes da partida, ficaram com o direito de jogar a decisão da Copa com o uniforme número um. O segundo uniforme dos brasileiros era o da fatídica camisa branca que os jogadores vestiam na derrota na final contra o Uruguai, no Maracanã, em 1950. O supersticioso Machado de Carvalho entrou em pânico. Os jogadores também. O maior adversário do Brasil não era o time sueco, era o próprio fantasma de 1950: e se perdêssemos mais uma final? O Marechal da Vitória tomou a decisão: não entraríamos em campo vestindo o uniforme branco. Disso ele tinha certeza. Mas com que cor jogaríamos? Com o verde — a cor que mais representava o país, ao lado do amarelo — ou com o azul, também uma possibilidade? Ao fazer suas orações diárias para Nossa Senhora Aparecida, decidiu: o azul seria a cor da nossa camisa na final. Reuniu os jogadores e inventou:

— Eu tive um sonho com Nossa Senhora Aparecida onde ela pedia que o nosso time jogasse de azul. Nós vamos jogar de azul, que é a cor do manto de Nossa Senhora. Ela é a nossa padroeira, ela vai nos proteger e nos guiar, e seremos campeões.

Aquela notícia deu uma energia extra aos jogadores, que estavam abatidos com a notícia do uniforme branco. Diz a lenda que a Seleção não tinha camisas azuis, os dirigentes saíram para comprá-las. Os brasileiros encantaram o mundo na final, 5 a 2 para nós, e o moleque Pelé conquistou a fama de melhor jogador do mundo. Eu tenho o vídeo completo do jogo final, não me canso de revê-lo, aquela Seleção era de uma beleza digna de um grande museu de arte. E o Paulo Machado se consagrou como chefe da delegação: foi mantido no cargo em 1962, quando fomos bicampeões no Chile. Depois da vitória no Chile, ainda no campo, ele cruzou com o Pedro Luís, que tinha passado o tempo todo fazendo campanha contra a Seleção numa emissora rival, e disse:

— Engole mais essa, Pedro Luís...

Pedro Luís disse:

— Engulo, sim, Paulo Machado de Carvalho! Pelo Brasil eu engulo tudo!

Resposta pífia para o verdadeiro Marechal da Vitória.

Paulo Machado de Carvalho tinha o apelido de Cabeça de Manga por causa justamente do formato de sua cabeça, quando vista de perfil: a testa alta e uma proeminência arredondada e acentuada da parte posterior do crânio, lembrando um caroço de manga chupada. O homem que construiu a Record odiava o apelido, por isso foi constrangedor quando, numa homenagem que os funcionários da TV lhe prestaram, o representante dos trabalhadores da empresa, muito empolgado, começou a sua saudação ao presidente da rede dizendo:

— Ilustríssimo doutor Paulo Machado de Carvalho, o Marechal da Vitória, o grande homem que só nos honra por estar à frente dessa maravilhosa empresa, o grande visionário que viu a força do rádio e depois a força da televisão antes dos outros, o nosso líder, o nosso maior amigo e, por que não dizer?, respeitosamente, o nosso querido Cabeça de Manga...

Ele dividia o comando dos negócios com seus três filhos: Paulinho, que cuidava mais do Teatro Record, trazendo para São Paulo uma cesta variadíssima de atrações internacionais; o Alfredinho, que era responsável pela TV; e o Tuta, que tocava sobretudo as rádios e transformou a Jovem Pan na potência que é até hoje e que na TV fazia parte, como já mencionei, da Equipe A, juntamente com o Nilton Travesso, Manoel Carlos e o Raul Duarte, além de ter participado de momentos decisivos da história da Record. Quando a televisão cresceu e passou a ser um negócio muito maior do que os outros, o Paulinho passou para a direção-geral do canal 7.

Uma das boas ideias que o velho Paulo teve ao montar a Record foi a de procurar uma equipe totalmente nova para colocar a emissora no ar. Um novo veículo precisava de novos profissionais, com uma nova visão das suas possibilidades — até então, grande parte dos profissionais da televisão vinha do rádio. Ele resolveu montar um treinamento sobre a linguagem da TV e selecionar os jovens mais talentosos desse processo, com a cabeça fresca, para trabalharem, contratados, na parte técnica da emissora. Entre os escolhidos estava o Nilton Travesso.

O Nilton tem uma história pessoal incrível. Ele trabalhou de "comparsa" (figurante) em montagens de óperas no Teatro Municipal de São Paulo, na época em que Maria Callas e Renata Tebaldi pisaram naquele palco. Além de ter ficado apaixonado por ópera, Nilton apaixonou-se por Marilu Torres, uma bailarina do Municipal lindíssima, com quem se casou.

Infelizmente, ele perdeu o pai muito cedo e teve que se virar para ajudar a família, a mãe e duas irmãs. Trabalhava como office boy na General Electric e, de quinze em quinze dias, doava — ou, melhor dizendo, vendia — uma dose de seu sangue no Hospital Santa Helena, na Liberdade, para complementar os rendimentos e pagar as contas. O Nilton começou na Record — em 1953, antes de o canal ir para o ar —, trabalhando de cameraman, e isso foi fundamental para a sua formação: logo aprendeu não só todo o segredo da maquinaria de um canal de televisão, mas também a ter um "olhar" de homem da TV, que sabia logo o que funcionava e o que não funcionava na tela de um aparelho de televisão. Com sua criatividade, talento e inquietação, ele passou a descobrir novos modos de usar — talvez a palavra correta seja "adaptar" — as câmeras, a iluminação, os recursos sonoros e de edição. Só dois profissionais conseguiam operar sozinhos um dolly, aparelho que movimenta a câmera para cima e para os lados: Nilton, em São Paulo, e Moacir Masson na TV Rio. O dolly representou um avanço tão grande nos equipamentos de televisão, que equivalia a escovar os dentes e chupar cana ao mesmo tempo. Quanto ao Masson, o Walter Clark levou-o junto quando foi para a Globo, e ele acabou sendo importantíssimo na construção do jornalismo da emissora, com o Armando Nogueira. Por ter começado mais cedo, ter tido muita competição inicial e conseguido atrair grandes talentos tanto no conteúdo quanto na área técnica, a televisão brasileira conseguiu criar uma linguagem própria de qualidade que logo a colocou em primeiro plano no ambiente internacional — muito superior, por exemplo, quando comparada às TVs dos demais países latino-americanos.

Nilton Travesso foi ainda da equipe que criaria o *Fantástico*, na TV Globo, programa para o qual inventou, juntamente com o Cyro del Nero, o videoclipe. Técnicos das TVs americanas vieram ao Brasil para ver como conseguiam fazê-lo. Ainda na Globo, ele vislumbrou a possibilidade de tornar as manhãs em horário comercialmente atrativo e criou o *TV Mulher*, apresentado pela Marília Gabriela, na década de 1980. Nilton Travesso estava na TV Manchete, nos anos 1990, quando a emissora conseguiu bater a audiência da Globo com a novela *Pantanal*, escrita pelo Benedito Ruy Barbosa e dirigida pelo Jayme Monjardim. Nilton é uma fonte inesgotável de energia e imaginação.

Penso que foi pela minha disposição e capacidade de ser pau para toda obra, de fazer várias atividades diferentes, que o Nilton — que já havia trabalhado comigo no *Dick Farney Show* — resolveu me indicar para o Alfredo de Carvalho, que comandava a Record em 1963. O Alfredinho relutou em me contratar, mas depois cedeu. Nunca soube a razão, mas inicialmente o diretor da emissora não gostava muito de mim, achava que eu não tinha talento nenhum. O Nilton lhe disse:

— Calma, Alfredinho, você vai ver a importância dele. É muito jovem, não vamos perdê-lo. Ele fala seis línguas, é um ótimo ator e é um cara internacional. Ainda vai ser muito útil pra emissora.

O Nilton Travesso é um sujeito tão correto que, além de ter arranjado um contrato para mim, se sentia responsável pela minha carreira dentro da Record e pairava como uma espécie de meu anjo na emissora.

Um dos primeiros trabalhos que fiz com ele foi o de escrever o roteiro para o *Dia D*, programa que o Nilton dirigia. Marilu, sua mulher, dona de um talento extraordinário, fazia um número dançado e cantado na abertura. Lembro bem que fiz com ela um dueto dublado de um musical americano: *Sinfonia de Paris*. Aliás, do mesmo filme eu fiz ainda (dublado, é claro) "I'll Build a Stairway to Paradise". O comediante e compositor Chocolate, que sapateava, fez também um número dublando o Fred Astaire. Nunca ninguém viu o Chocolate sapatear tão bem... Não sei como é que fui tirar essas lembranças do fundo do baú. Eu, dublando musical americano. Que vergonha, meu Deus!

O Nilton montou um arquivo de imagens dos artistas da Record, caso o canal precisasse fazer um obituário de emergência de alguém do seu cast. Não havia arquivos digitais e organizados no padrão que têm as televisões de hoje. Macabramente, para fazer humor negro, ele colocou nesse arquivo o desenho da caveira em cima de dois ossos cruzados. Eu tinha pavor de estar nesse arquivo — achava de mau gosto gravar minhas imagens para a posteridade — e o Nilton vivia me perseguindo. Um dia ele me enganou. Disse que estava testando uma câmera nova e me pediu que simulasse uma entrevista. Eu disse:

— Niltinho, eu não estou entendendo, o que você quer que eu faça?

— Faz de conta que você está entrevistando alguém... por exemplo, faça uma pergunta para o Maurice Chevalier como se ele já estivesse morto.

Fiquei um pouco desconfiado, mas o padre João da piada e eu sabíamos que era impossível negar seus pedidos. Nilton me dirigia:

— Agora sorri e fecha os olhos, relembrando.

Quando terminou, disse:

— Pronto. Finalmente consegui te pegar pro arquivo morto.

Assim, fiz a primeira entrevista póstuma da história da televisão, para o arquivo dos mortos, que — graças a Deus! — virou pó num dos incêndios da Record.

Só tivemos um momento de tensão nos nossos anos todos de trabalho. Foi durante a gravação de um programa chamado *O Pequeno Mundo de Ronnie Von*. Um dia, eu e o Ronnie Von contracenávamos ao vivo no palco do Teatro Record. Estávamos os dois sentados num banco de praça, eu, de mendigo, e o Ronnie de príncipe, é claro. Entenderam a sutileza? O Príncipe e o Mendigo? Bom. Na coxia, o Maneco e o Nilton. Gravação como se fosse ao vivo. O Nilton queria me passar uma informação e falava alguma coisa, sussurrando, da coxia:

— Jô! Muda oisjcawcíjhsdhdê! Muda! Oisjcawcíjhsdhdê!

Entenderam? Eu também não entendia. O Nilton, exasperado, repetia:

— Oisjcawcíjhsdhdê!

Depois de um certo tempo, dei de ombros, insinuando que não estava entendendo mesmo, para ele desistir. Foi quando o Nilton berrou para mim:

— Você não está me entendendo, seu BURRO!

Virei-me para o Ronnie e disse educadamente:

— Com sua licença, Príncipe.

Levantei-me, fui até a coxia e berrei para o Nilton:

— Burro, não! Burro, não!

Voltei para o banco calmamente e seguimos nossa conversa. Deu para ouvir o Manoel Carlos dizer às gargalhadas:

— Nilton, você não podia ter achado outro adjetivo em vez de "burro"?

Nessa altura, o Nilton começou a rir. O Ronnie Von não entendeu nada do que estava se passando, mas também riu. Se nem o Príncipe sabia o motivo da risada, imaginem a plateia e os telespectadores. Foi uma das risadas mais enigmáticas da história da televisão. O Nilton, aquela pessoa afabilíssima e bem-educada, não se perdoa até hoje por ter me dito aquilo. Mas tenho certeza de que sabe que minhas dívidas com ele são muito maiores.

Na época, eu fazia uma aparição ou outra no *Grande Show União*, patrocinado pelo Açúcar União, um programa de quadros liderado pelo engraçadíssimo Renato Corte Real, que fazia dupla com a Nair Belo. Anos depois, o Renato e eu nos divertiríamos muito contracenando nos programas de humor da Globo.

Livio Rangan, o italiano de Trieste que chegou ao Brasil em 1953, deu aulas de latim no tradicional colégio da comunidade Dante Alighieri, produziu espetáculos de dança e se tornou a cabeça pensante da moda no país. Sua cidade natal, entre 1947 e 1954, foi conhecida como Território Livre de Trieste, com parte da área sendo administrada pelo governo da então Iugoslávia, por isso eu brincava dizendo que ele era iugoslavo e não italiano. Livio tinha um cacoete: batia a mão direita na testa quando alguma coisa não saía do jeito que queria. Geralmente, tinha razão. E tinha também a obsessão pela qualidade. Acordava diariamente de madrugada para nadar e para poder pegar o *Estadão* sendo distribuído, às 5h30, na rua Major Quedinho. O Nilton e eu brincávamos dizendo que ele tinha medo de que o jornal acabasse. Era o primeiro leitor, todos os dias. Quando o *Estadão* estava atrasado, ficava batendo a mão na testa e dizendo:
— O que é que houve? É greve?
Livio cuidava de toda a comunicação da Rhodia, a filial local da empresa francesa Rhône-Poulenc, que vendia tecidos com fibras sintéticas, num país tropical acostumado com os panos de algodão. E a Rhodia foi na época uma das maiores anunciantes do Brasil, então seu poder era enorme. Livio Rangan tinha uma visão totalmente inovadora de como fazer marketing. Pediu a artistas do escopo de Alfredo Volpi, Iberê Camargo e Aldemir Martins que criassem estampas para os tecidos que produzia. Ele contratou um time espetacular de manequins com silhuetas contemporâneas e deu enorme glamour para elas. Ele inventou uma nova maneira de fazer editoriais de moda nas revistas *O Cruzeiro, Claudia* e *Manchete*. Ele criou shows-eventos memoráveis. Um deles, o *Momento 68*, tinha direção do maestro Rogério Duprat, que fez os

arranjos do histórico disco *Tropicália*; desfilando entre as belas modelos estavam os atores Raul Cortez e Walmor Chagas; e Millôr Fernandes escreveu o texto. Uma banda específica foi criada para esse show, a Brazilian Octopus, cujo líder, o excepcional guitarrista Lanny Gordin, anos depois tocaria num dos shows históricos do Brasil, o *Gal fatal*. Lanny era filho do Alan, um pianista israelense sócio do baterista Hugo, também de Israel, na boate Stardust, que ficava próxima à praça Roosevelt, e atearia fogo nas próprias mãos durante um solo de guitarra viajando com lsd. Rita Lee lançou a sua carreira solo no *Build Up*, da Fenit 1970, que contou também com a participação de Tim Maia e Jorge Ben, um dos eventos patrocinados pela Rhodia que mais repercussão obteve. A Fenit, a feira da indústria têxtil, era *o* evento de moda do país. Quando ela acabava, os shows e as modelos faziam longas turnês pelo Brasil e até para o exterior.

Na época, Livio me chamou para escrever e participar de um show para as Lojas Ducal que percorreria as capitais do país. Eu apresentava o espetáculo e fazia alguns números. Um deles, concebido como homenagem à mulher do século xx. Fazia parte do show, além das manequins, da Wanderléa e do Wanderley Cardoso, a fabulosa travesti Rogéria, para quem traduzi a canção "Fever" para o francês. Eu achava que renderia muito mais em francês, língua que Rogéria dominava perfeitamente, e eu queria muito ouvi-la cantando em francês e dizendo: "fièvrrre", cheio de "rs". Rogéria adorava. Foi uma pessoa muito querida, uma artista fabulosa. Um exemplo de talento e de profissionalismo. Deixa imensa saudade em todos que com ela conviveram. Amava e entendia de futebol, e foi uma goleira sensacional no futebol de areia.

Toda a estratégia da Rhodia passava também por um programa de televisão. A aproximação de dois talentos como o Livio Rangan e o Nilton Travesso, um com imenso poder de financiar e produzir coisas novas, o outro com um canal de distribuição crescendo em prestígio e audiência, só poderia gerar a fagulha de algo de primeira grandeza. Em 1961, os dois tiveram a ideia de fazer o *La Revue Chic*, um programa totalmente inovador, que aproveitaria as famosas modelos contratadas pela Rhodia. O Nilton, diretor da atração, me indicou para ser apresentador e roteirista do programa. Meu santo bateu com o do Livio logo de cara, no nosso primeiro encontro — e eu tinha o atrativo de brincar com ele em italiano.

Cada semana tínhamos uma história inteiramente nova, e eu faria um personagem diferente em cada edição. Fiquei na gravação de um dos programas até as cinco horas da manhã, dentro de um aquário, vestido de Netuno, passando um frio danado porque o aquecedor que puseram na água não funcionava direito. Noutro programa, havia uma luta de boxe em que uma das modelos (eram quatro: Inge, Mirela, Paula, que faria um sucesso estrondoso em Paris, e Lúcia) nocauteava o campeão mundial dos pesos-galos, Éder Jofre. O Livio era extremamente exigente e queria ver tudo, inclusive o roteiro escrito, com uma antecedência quase neurótica e obsessiva. O Nilton Travesso, ele e eu nos encontrávamos todas as quintas-feiras na agência Standard, que tinha a conta da Rhodia, para ler o roteiro do programa que seria gravado dali a duas semanas. A Standard, onde trabalhava também o redator Roberto Duailibi, o futuro D da DPZ, ficava na praça Roosevelt, então um local chique, com as casas de música, restaurantes, e a TV Excelsior ali perto. Eu, como sempre fiz, gostava de escrever os textos em cima da hora. Para ganhar tempo, escrevia diretamente nas folhas de mimeógrafo a álcool — o aparelho de copiar que existia antes da invenção das impressoras e das máquinas de xerox —, que soltava muita tinta, eu vivia tingido de azul. Para Livio, escrever em cima da hora era inadmissível. Um dia, só para enlouquecê-lo, enfiei no dedo médio da mão direita um tubo vazio de aspirina. Enrolei o tubo com uma faixa elástica, criando a aparência de um ferimento brutal. Cheguei à reunião, triste, mostrando o dedo ferido:

— Livio, infelizmente sofri um acidente. Prendi o dedo na porta do carro, então ainda não pude escrever.

Livio respondeu, consternado:

— Não tem importância, meu amor. Dá mais do que tempo.

Então, para susto do Livio, arranquei aquela tranqueira toda num gesto rápido e preciso. Como toda pessoa inteligente, Livio tinha o maior senso de humor. Riu muito junto com o Nilton. Além disso, se deu conta de que havia um certo exagero na antecedência da entrega dos textos.

La Revue Chic era exibido às sextas-feiras, às 21 horas. Começou a ir muito bem em São Paulo e passou a ser veiculado também pela tv Rio, com ótima audiência. O Walter Clark, que comandava a programação do canal carioca, brincava comigo dizendo que ele só tinha uma boa receptividade no Rio porque pegava carona na audiência de um dos programas de humor cariocas. É claro que pesou na decisão do Walter — um homem que se formou em agências de publicidade — de levá-lo para o Rio o fato de ter um patrocinador poderosíssimo como a Rhodia. Uma das pessoas que o Walter Clark levou para trabalhar na tv Rio foi o Boni, que ficava na ponte aérea fazendo a ligação entre a Record e a tv Rio, unidas pela sociedade dos cunhados Machado de Carvalho e Pipa Amaral, e separadas por um conjunto não convergente de interesses entre o principal acionista de São Paulo e o principal acionista do Rio.

O Bonifácio usava um terno avançado para a época. Para sacaneá-lo, eu dizia que, com aquele terno, ficava parecendo um colchão. Ou perguntava se o terno tinha sido confeccionado pelo estofador, em vez do alfaiate. No fundo, eu tinha inveja dele, porque adoraria ter um terno daqueles. Eu dizia:

— Ainda vou mandar fazer um desses pra mim.

Um dia, ele comentou comigo:

— Eu vi que você está fazendo um novo programa, que legal, é um programa diferente.

— Obrigado — eu disse, comovido.

— Não é bom, mas é diferente.

Um programa diferente! A frase é a cara do Bonifácio. Nesse momento senti que o programa pegara. Contei a história para o Paulinho, que ficou furioso com o Boni. E eu disse a ele:

— Paulinho, isso vindo do Boni significa que o programa está uma maravilha.

Para a Rhodia, o objetivo do *La Revue Chic* era promover, por meio de um programa de televisão inovador e charmoso, os tecidos sintéticos que fabricava. As manequins — pela primeira vez na nossa TV, eram altas, magras, com cabelos mais longos e mais cheios do que a mulher brasileira comum usava — apareciam em modelos elegantíssimos, desenhados pelos grandes costureiros (então não se utilizava a palavra "estilista"). Uma delas, a Lúcia Curia, que foi descoberta em Porto Alegre pelo Bonifácio quando selecionava uma garota para fazer a publicidade da Varig, se tornou a manequim número um do Brasil. Depois, fez carreira internacional e casou-se com o embaixador e banqueiro Walther Moreira Salles.

Na época, boa parte dos editoriais de moda (as matérias de moda nas revistas), em vez de serem apenas uma sequência de fotos com legenda como são hoje em dia, narravam uma historinha. No Natal de 1963, Thomaz Souto Corrêa, então editor-chefe na revista *Claudia* — o diretor de redação, pasmem, era o grande cartunista e humorista (Reginaldo) Fortuna, que viria a ser um dos fundadores do *Pasquim* —, naquele tempo a mais importante da Editora Abril depois dos gibis do Pato Donald, criou um editorial de moda em que há um misterioso "Presente Persistente" embrulhado em todas as fotos. Nelas, ao lado das modelos, apareço também fazendo o papel de um personagem misterioso (numa página como um lorde inglês, noutra como um mexicano, noutra ainda como uma velhinha, e, na última, como Papai Noel). Thomaz escreveu uma história de mistério em formato de legendas longas. No final, revela-se que o presente misterioso era uma árvore de Natal. Quem fez as fotos foi outro grande amigo e craque do clique, o Otto

Stupakoff, reconhecidamente um dos melhores fotógrafos de moda do mundo. Os três nos divertimos muitíssimo fazendo essa matéria para a *Claudia*. Anos depois, em 1969, eu voltaria a uma edição de Natal da grande revista feminina brasileira: fui o cover boy, vestido de Papai Noel ao lado de uma menina linda.

Minha parceria com o Livio Rangan deu tão certo, que passei a escrever uma sitcom patrocinada por um tecido famosíssimo nos anos 1960, o Tergal. Chamava-se *Show a Dois*. No casal que protagonizava o programa, os atores Cleyde Yáconis (para quem não sabe, Cleyde Becker Yáconis era irmã da Cacilda Becker) e Leonardo Villar. Tinha um cenário inovador com quatro ambientes diferentes em dois andares, criado pelo meu grande amigo Cyro del Nero, na época diretor de arte da Excelsior. Eu apresentei Cyro ao Livio e foi uma das mais afinadas parcerias do show biz brasileiro. O Cyro passou a fazer todos os cenários dos shows, desfiles e filmes da Rhodia, e montou uma estrutura que chegou a ocupar, casa por casa, quase um quarteirão inteiro na rua Treze de Maio, no Bixiga, o lugar das cantinas italianas antigas de São Paulo, muito frequentado pelos artistas. Na abertura, o *Show a Dois* mostrava um desenho animado — dificílimo de fazer com as condições de produção na época — primoroso, uma criação do Jefferson (José Ferreira Filho), da Standard. Nela apareço pela primeira vez num cartum que adorei e durante muito tempo usei como a minha marca pessoal. Depois de treze anos revolucionando a comunicação de moda e o marketing no país, o Livio Rangan deixou a Rhodia, em 1970, e abriu a agência de publicidade Gang.

Silveira Sampaio foi a pessoa que, em 1957, como contei no primeiro capítulo destas memórias, disse, na beira da piscina do Copacabana Palace, que o meu destino eram os palcos. Conceituado diretor de teatro de revista, Silveira apostou, em 1953, na jovem Theresinha Austregésilo para a cobiçada posição de uma das principais estrelas da sua companhia. Filho de imigrantes portugueses, seu nome completo era José da Silveira Sampaio. Ingressou muito jovem na Faculdade de Medicina do Rio e se tornou um brilhante pediatra, com consultório na rua São José, no centro da cidade. Silveira participou da Sociedade Científica Supermentalista Tattwa Nirmanakaia, dedicada, segundo matéria do *Correio da Manhã*, a prestar assistência "médico-social gratuita" e promover "a reeducação intelectual e psíquica no sentido de restabelecer o indivíduo na posse de suas energias criativas e realizadoras, na plena expansão do seu ser".

Seu primeiro livro publicado, pela editora do *Jornal do Brasil*, foi *Noções de higiene infantil*. Grande parte do trabalho do pediatra com preocupações sociais, naquele tempo, era gasta na educação básica dos pais sobre questões elementares de higiene — um país pobre com alta taxa de mortalidade infantil. Silveira gravou uma série de 58 programas sobre o tema para a Rádio JB, em 1934. No rádio, começou a dramatizar as perguntas — muitas delas talvez criadas por ele mesmo — que chegavam das ouvintes e as respostas que dava. Naquele momento, estava sendo fisgado pela mosca azul do show business.

Em 1943, dirigiu o filme didático *Educando novas gerações*. Dois anos depois, Silveira Sampaio fazia sua estreia em cinema de diversão, assinando com José Carlos Burle o roteiro da chanchada da Atlântida *O gol da vitória*, que tinha Grande Otelo no papel principal — o roteiro teria sido inspirado no craque Leônidas da Silva, o inventor do gol de bicicleta. Em 1947, já totalmente dedicado ao mundo artístico, fez a produção, a direção, o roteiro e atuou em *Uma aventura aos 40*, que ganhou o prêmio de melhor filme brasileiro do ano pela Associação Brasileira de Críticos de Arte — um ótimo filme, com uma qualidade técnica impressionante, porque feito com equipamento caseiro e elenco praticamente de amadores (hoje, infelizmente, esquecido por completo). É a história futurística de um médico que, nos anos 1940, corrige a sua biografia apresentada na televisão 35 anos depois, em 1975.

A segurança do Silveira Sampaio na direção, para um filme de estreante, é digna de nota.

Uma de suas especialidades seria a chamada comédia de costumes, revelada logo na estreia nos palcos, em 1948, como autor e ator de *A inconveniência de ser esposa*, um grande sucesso. E foi outra comédia sua, no ano seguinte, que inaugurou o Teatro de Bolso — onde conheci a Theresa —, em Ipanema: *Da necessidade de ser polígamo*. Ainda em 1949, ele ganharia quase todos os prêmios de melhor diretor pela montagem de *Um deus dormiu lá em casa*, de Guilherme de Figueiredo. A partir daí, o nome de Silveira Sampaio pôde ser lido quase diariamente, durante anos, nos anúncios de teatro nos jornais — muitas vezes em publicidade de peças diferentes sendo exibidas nos mesmos dias. Um de seus maiores sucessos foi *No país dos Cadillacs*, em 1954, no palco da boate Béguin, do Hotel Glória, que tinha Dolores Duran na lista do elenco principal da primeira temporada. Uma lei de 1940, portanto do Estado Novo, modificada por um decreto no final do governo de Eurico Gaspar Dutra, permitia que o viajante que fosse para o exterior, ao voltar ao país, incluísse como parte de sua bagagem um carro. Isso mesmo, um carro zero-quilômetro importado! Havia vários modelos Ford, Buick etc., mas o objeto do desejo era um Cadillac do ano. Claro que logo apareceu um mercado negro de venda dos carros importados no Brasil: quem viajava, tinha o seu passaporte copiado por uma máfia de importadores de automóveis e, mesmo sem saber, tornava-se um comprador de carro no exterior. Dessa maneira, em pouco tempo o pátio da alfândega no porto do Rio estava abarrotado de carros americanos zerinho. O decreto passou a ser conhecido pelo apelido de Lei do Cadillac — e foi nessa lei que o Silveira Sampaio se baseou para escrever e produzir o espetáculo de enorme êxito.

Em 1956, Silveira Sampaio ia fazer o espetáculo *Flagrantes do Rio*, no Golden Room do Copa. Na apresentação do roteiro, a direção do hotel achou a peça muito ácida politicamente. Começou um diz que diz que, a imprensa passou a publicar notas sobre o possível veto da montagem pelo Copacabana Palace, e Silveira Sampaio deu uma explicação antológica ao *Correio da Manhã*, que tem validade para explicar quase todas as situações de censura ao humor:

— Tudo é uma questão de mais ou menos humor, mais ou menos receio, mais ou menos impertinência.

O roteiro previa um número em que vedetes brancas, fantasiadas de cavalos, seriam cavalgadas por vedetes negras. O dono do Copacabana Palace, Octávio Guinle, não gostou dessa cena e falou para o Silveira fazer a inversão: as vedetes brancas cavalgariam as vedetes negras. Ele não aceitou e disse:

— Quem decide a cor dos meus cavalos sou eu.

E não houve espetáculo.

Em 1957, na TV Rio, canal 13, Silveira Sampaio começa a sua carreira como homem de televisão. Inicialmente chamado de *Pessoalmente com Silveira Sampaio*, logo passou para o maravilhoso e proustiano nome *Em Busca do Bate-Papo Perdido*, que ia ao ar às quartas, às 20h15. No mesmo ano, em São Paulo, a TV Record lançou, nas noites de segunda, o *Bate-Papo com Silveira Sampaio*, o que fez dele um dos primeiros habitués da ponte aérea São Paulo-Rio. Em 1961, leva o *Silveira Sampaio Show* para a TV Paulista, canal 5 — das Organizações Victor Costa, que logo depois seria vendido para a Globo —, nas noites de sexta-feira. Em São Paulo, ficava hospedado no Lord Hotel, na rua das Palmeiras, perto do estúdio da TV Paulista. Em 1965, quando a Record lançou o programa *Jovem Guarda*, Roberto e Erasmo Carlos moraram por um tempo no mesmo hotel (vejam o que acontece quando tudo está dando certo para um veículo de comunicação: a Jovem Guarda só existe porque a Record precisava tapar um imenso rombo da programação dos domingos à tarde, pois fora proibida a transmissão ao vivo de jogos de futebol, aliás, uma das paixões de Paulo Machado de Carvalho...). Quem também se hospedava nesse hotel era o João Evangelista Leão, uma ótima figura, que produzia o programa. Nós o chamávamos de Pombo, porque ele andava com o tórax para a frente e a cabeça empinada, parecia um peito de pombo. Tratava--se de um programa simples, com duas câmeras, baseado na inteligência, no carisma, na elegância e nos comentários de fino humor de Silveira Sampaio, que conversava com o auditório. Ele sabia da importância da reação da plateia num programa de entrevistas. Em um dos quadros, pegava um daqueles telefones antigos de uma peça só, com o discador de números na base de apoio — o modelo do telefone era chamado de JK, para lhe dar ar de modernidade —, e simulava uma conversa com alguém, quase sempre um político. No Rio, o Silveira gostava de pegar no pé de Carlos Lacerda. Aliás, já na Record, Sampaio fez uma entrevista com Lacerda. Todos esperavam que o tema seria político. No entanto, a política não foi abordada nenhuma vez. Só falaram sobre rosas.

Um dia, Theresinha e eu ligamos a televisão, sintonizada no canal 5 na TV Paulista, e estava no ar o Silveira Sampaio. Que alegria! "Há quanto tempo não vemos o Silveira? Que saudades!" Combinamos de ir assistir ao programa no auditório. Quando nos viu na plateia, o Silveira fez uma cara de surpresa e um sinal para conversarmos depois. Fomos falar com ele no final. Silveira disse que queria me entrevistar no programa. Claro que aceitei e nos divertimos muito. Contei histórias da minha estadia na Suíça — o episódio do barbeiro com os irmãos gêmeos argentinos, uma simulação de um assassinato da máfia que fizemos na porta da saída de um cinema de Lausanne —, e a entrevista emplacou. Como o programa tinha ótima audiência, eu acabei ganhando mais popularidade em São Paulo. Quem já trabalhava na equipe paulista do Silveira Sampaio era o Thomaz Souto Corrêa, que, antes de ir para a Abril, acumulava essa atividade com a de jornalista da área internacional de *O Estado de S. Paulo*.

Em 1963, vindo para a Record, Silveira Sampaio passou a ter um tempo que poucos tinham na televisão: três horas de programa. Foi quando comecei a trabalhar para ele. Eu ajudava a escrever o programa e fazia as entrevistas internacionais, porque, embora falasse inglês e francês, o Silveira achava que seu domínio sobre essas línguas não seria bom o suficiente para fazer as conversas na TV — e Silveira Sampaio era um perfeccionista. Durante um tempo, participei também, no papel de intérprete, das entrevistas internacionais para o programa da Hebe Camargo aos domingos, outro grande sucesso de audiência da Record. No *Silveira Sampaio Show*, comecei a fazer matérias em restaurantes da cidade. Eu chegava com a equipe e fazia uma festa com os frequentadores, os garçons, o pessoal da cozinha, os donos. Gravava-se a imensa maioria da programação das TVs em estúdio, então matérias externas quebravam a rotina e davam temperatura. Como não havia muita mobilidade, equipes de TV trabalhando em locais públicos eram uma raridade, e por isso atraíam grande atenção aonde quer que chegassem. Uma das matérias que repercutiram enormemente foi gravada num restaurante português que promovia uma "desgarrada", um tipo de improviso que existe em Portugal. Um dos cantores começa:

Começou a desgarrada
Quem quiser entrar agora...

Uma algazarra gostosa tomou conta do restaurante português, e lá pelas tantas ninguém mais estava preocupado em fazer improvisos com rima. Saíam coisas assim:

Não sei por que, pra que te quero
Te amo tanto que por ti
Ando até de helicóptero...

Virou um nonsense total, todo mundo se divertindo muito. Deu ótima audiência e o restaurante ficou lotado por um mês, com a repercussão da apresentação daquela noite. Depois de um tempo, a frequência do local voltou ao que era antes do programa e o dono, preocupado, resolveu me procurar em minha casa:

— Queria que fizesses lá uma nova noitada. Aquilo foi tão bonito, deu tão certo! — disse ele.

— Oi, querido, foi bonita mesmo, mas é uma vez só. Não dá pra repetir no programa. Cada semana eu tenho de fazer em um lugar diferente.

Ele não se deu por derrotado:

— Mas é que aquela noite foi um espetáculo. Podias fazer de novo, ó pá!

Eu, firme:

— Não, meu amigo, eu não posso.

E ele, jogando a última cartada na mesa, baixou a voz e disse em tom de segredo:

— Ó, se tu fizeres de novo, dou-te um par de meias!

— O quê?

— Tu voltas lá e dou-te um belo par de meias!

— O quê?

Ficou meio acanhado e disse:

— Eu tenho uma fábrica de meias também, então não me custa nada te dar um belo par de meias…

— Olha, eu adoraria ganhar um par de meias seu, tenho certeza de que são lindas, eu agradeço muito, mas realmente não vai dar.

O gajo queria me subornar com um par de meias. Foi, ao mesmo tempo, uma cena de malandragem e de ingenuidade. São essas situações ambivalentes que encontramos na vida e que são complicadas de transformar em palavras — mas que fazem a riqueza da existência. A ideia do suborno me causava repugnância, mas ao mesmo tempo a oferta sincera de um belo par de meias era tão simplória que não dava para ficar bravo por muito tempo. Para aqueles que já nasceram sabendo de tudo — os amigos que são campeões em tudo, no verso do Fernando Pessoa —, não existem situações complexas. Eles têm o poder celestial de dizer o que está certo e o que está errado em qualquer ocasião, da política à vida íntima das pessoas. Já nasceram togados e com o martelinho de madeira do juiz na mão, no lugar do chocalho. Eu não consigo ser assim.

Nessa época, Theresinha trabalhava num programa na Tupi, com o Othelo Zeloni e o Walter D'Ávila, chamado *Três É Demais*, que tinha patrocínio de um dos clientes da agência Multi Propaganda, onde o Boni estava trabalhando. Quem o contratou e era seu chefe foi o meu amigo Jorge Adib. Jorge Adib continua me dando o privilégio de quase toda semana me telefonar. Jorge é um cara tão extraordinário que, para ter um gênio como o Bonifácio trabalhando na sua equipe, aceitou ganhar menos do que o subordinado. Apesar de eu ainda não ter exclusividade na Record, não deveria fazer nada para a Tupi. Nesse período eu não fazia nada na Record. Só me mantinha lá, pendurado, graças à insistência do Nilton. Não me canso de repetir: devo muito a ele. Eu escrevia e levava o script do *Três É Demais*, na minha moto BMW branca, eixo cardã, até a Multi e entregava para o Jorge Adib. Quem sugeriu que eu escrevesse o programa foi o Zeloni, de quem fiquei muito amigo desde que fizemos a chanchada *Vai que é mole*, nos estúdios Herbert Richers. Othelo tinha um programa que era um grande sucesso aos domingos, na Tupi. Nele, tocava-se a versão brasileira de uma música italiana que eu adoro e que, no original, começa assim:

Vecchia America dei tempi
di Rodolfo Valentino
Quando Al Jolson canticchiava
e Frank Sinatra era bambino...

A tradução do Zeloni era perfeita e, nos anos de barra pesada da década de 1970, uma espécie de teatro de revista libertário chamado Dzi Croquettes, com o bailarino americano Lennie Dale (filho de italianos, se chamava Leonardo La Ponzina) à frente, cantava a versão inteira em português da deliciosa *canzone* que começava:

Velha América dos tempos
de Rodolfo Valentino
Quando Al Jolson já cantava
e Frank Sinatra era menino…

Bem, voltando à Tupi, o Othelo Zeloni disse ao Cassiano Gabus Mendes, diretor da emissora, que me chamasse para escrever o programa. Como a Theresa estava no elenco, ele tinha certeza de que eu faria. Eu já era contratado com exclusividade da Record, não podia fazer nada para a Tupi, então a Theresinha assinava o texto.

Foi um prazer incrível escrever para o *Três É Demais*, porque o trio de atores fazia o texto crescer, dava uma envergadura poderosa ao script. Eu adorava conversar com o Cassiano Gabus Mendes, outro nome fundamental na história da televisão brasileira no que tem de melhor. O grupo das Emissoras Associadas era tão poderoso que em São Paulo tinha a concessão de um segundo canal, chamado TV Cultura, canal 2 (só em 1969, no governo do Roberto Costa de Abreu Sodré, é que ela se torna pública, de propriedade da Fundação Padre Anchieta). A Cultura precisava produzir programação própria, para não perder a concessão, e funcionava num estúdio minúsculo na sede das Emissoras Associadas, no Edifício Guilherme Guinle, na rua 7 de abril, 230, no centro da cidade.

Se fazer um canal só já era difícil, imaginem tocar dois canais, um deles com uma estrutura precaríssima. Eu dizia ao Cassiano que, sendo uma televisão feita praticamente num quarto — aquela coisa minúscula só poderia ser chamada de estúdio com muita boa vontade —, todo o conceito do canal deveria ser de uma TV de bolso, com programas pequenos. Eu sugeria:

— Vocês já têm a Tupi, que é um gigante, então você tem de desenhar uma programação totalmente diferente, com cabeça de televisão pequena mas cheia de ideias. Criar a Pocket-TV.

E dei ideia de alguns programas que eu achava que ele poderia fazer. Um dia, o Cassiano me chamou e perguntou se eu aceitava ser contratado pela TV Tupi, para trabalhar nela mas, ao mesmo tempo, ser o diretor-geral do canal 2, TV Cultura, com todos os poderes para fazer o que eu quisesse. O convite era tentador, porém eu estava embalando na Record e resolvi não aceitá-lo. Pouco tempo depois, as Emissoras Associadas anunciavam um acordo com o governo do estado para a produção de dez horas de programação educativa na emissora — e a Cultura foi achando o seu próprio caminho.

Uma coisa que eu lembro muito bem é que, certa vez, vi na antessala do Cassiano, aguardando uma reunião com ele, o Ulysses Guimarães. Me disseram que ia tratar de assuntos de interesse do Santos Futebol Clube — na época, com Pelé, Zito, Gilmar, Pepe e companhia, disputando com o espanhol Real Madrid a condição de melhor time do mundo —, clube do qual tinha sido vice-presidente por muitos anos. O Senhor Diretas, como ficaria conhecido anos mais tarde, chamava atenção pelo jeito muito simples, sentadinho no sofá da sala de espera, com seus olhos de um azul profundo.

Três É Demais foi tão bem que a Record o levou para a sua grade de programação. Mas cometeu um erro fatal. Eu fiz de tudo para tentar convencer o Paulinho Machado de Carvalho a não tirar o formato de meia hora. Era o timing perfeito para manter o ritmo, a pegada, do programa, que só tinha três pessoas no palco. Mas ele cismou de colocar o programa no formato de uma hora e, evidentemente, *Três É Demais* perdeu o ritmo. Um dia, eu cruzo com o Paulinho nos corredores da Record, que me diz, em tom irritado:

— Porra, você viu o programa de ontem?

Eu respondi:

— Paulinho, me desculpe, mas você me paga pra escrever. Se é pra assistir também, você tem de me pagar o dobro.

Ele ficou puto com a minha resposta, mas foi um erro aumentar o tempo do programa. Eu olhava atenciosamente as sitcoms americanas: duravam 22 minutos. O tempo suficiente para uma comédia de episódios semanais com uma trinca de atores. Uma hora era demais, o programa não conseguiu se manter no ar.

O Paulo Machado de Carvalho, pai do Paulinho, tinha um irmão chamado Marcelino. Os dois eram opostos. Água e vinho, sendo que o último era o Marcelino, Marcelino de Carvalho, um dos primeiros no Brasil a ensinar as diferenças entre os tipos de vinho e a maneira correta de bebê-los. Era conhecido do grande público pelos livros e pelas lições de etiqueta que dava — etiqueta é uma pequena ética: num país em que crescia uma enorme classe média afluente, que não sabia nada de nada de como se comportar em público, Marcelino de Carvalho dava essas lições. Foi o homem dos eventos sociais da época. Circulava uma brincadeira que dizia que ele e o irmão Paulo só se viam por alguns minutos todos os dias: quando o Marcelino voltava para casa, de madrugada, o Paulo estava saindo para trabalhar. Isso era folclore, porque, na verdade, os dois, apesar das diferenças, se complementavam no mundo dos negócios.

Marcelino de Carvalho parecia uma figura de desenho animado, pequenino, sempre bem-vestido, tinha uma voz meio gutural. Todos os dias, antes de ir para a Record, passava na floricultura que havia ao lado de sua casa para comprar um cravo e colocar na lapela do paletó. Uma vez, me disse que classificava as recepções a que tinha que ir, e as piores, na escala Marcelino, eram as denominadas Três Esses. Nelas você tem que "Surgir, Sorrir e Sumir". Numa entrevista, perguntaram a ele por que bebia uísque, se bebida fazia mal para a saúde. Indignado, respondeu:

— Isso é uma calúnia. Um uísque de boa procedência só faz bem. O que faz mal para a saúde é água ruim. Água ruim mata.

O Marcelino de Carvalho cuidava de um programa realmente insuportável da Record, dedicado exclusivamente a um concurso de bandas de música. Havia uma grande final, no estádio do Pacaembu, com todas as bandas dos colégios do estado reunidas. Aquilo era um xodó do Marcelino. Um ano, veio uma determinação: "Não vamos transmitir o concurso de bandas". Devia haver uma razão séria para uma medida tão drástica, mas nunca soube o que aconteceu. Marcelino resolveu pedir explicação ao sobrinho Alfredinho, o diretor comercial da emissora. Na sala de espera do Alfredinho, três senhoras da elite quatrocentona paulista, que tinham ido até lá para pedir divulgação para um trabalho de caridade, aguardavam. Junto com as senhoras, estava o Durval de Sousa, que apresentava o programa das bandas musicais (o Durval era um ator maravilhoso e uma pessoa fantástica, que foi sugado pelas estruturas da televisão; fazia as imitações mais espetaculares do Marcelino de Carvalho). Existiam dois sofás na antessala do Alfredinho, um deles dava de frente para quem abria a porta. O outro, se a porta não fosse totalmente escancarada, ficava oculto da visão de quem a abria. Marcelino de Carvalho, o homem da etiqueta, abre a porta, vê o Durval no sofá em frente e não percebe a presença das três senhoras — do tipo daquelas que fizeram a Marcha da Família com Deus pela Liberdade, em São Paulo, incitando o golpe contra João Goulart — no outro. Ele diz para o Durval de Sousa:

— Durval, nós vamos falar com o Alfredinho porque este ano não terá o concurso das bandas, embocetou.

O Durval, desesperado, tentando avisá-lo da presença das senhoras, começou:

— Doutor Marcelino!...

— Não tem o que discutir, Durval, embocetou!

— O senhor não está me entendendo, doutor Marcelino, eu queria dizer que...

— Não tem o que discutir, Durval, embocetou, tá embocetado!

Bateu a porta e afastou-se, deixando o pobre Durval enfrentar sozinho as três senhoras. Ele, sem saber o que falar, tentou se explicar:
— É o doutor Marcelino de Carvalho... — Pausa. — É irmão do doutor Paulo...

Eu estava acertando a minha vida na televisão, mas não perdia o contato com o pessoal da música e do teatro, e, sobretudo, não perdi nunca o meu desejo de trabalhar no palco, como ator, ou com o palco, como diretor. Levei o meu bongô para dar canjas nas noites paulistanas com o Dick Farney. Cheguei até a fazer um show — cantando, tocando e fazendo uns números de humor — na boate Djalma's, na praça Roosevelt, lugar da primeira apresentação da Elis Regina em São Paulo. A praça era um reduto para os músicos, pois, além do Djalma's (antigo Farney's), tinha a Baiuca e o Stardust, locais com excelente música ao vivo. O Jorge Ben não pôde fazer a semana reservada para ele no Djalma's. Deveria estar muito ocupado em Búzios, encantando a Brigitte Bardot. Ficou conhecido como o Jorginho da BB. Lá fui eu quebrar o galho. Fiz um show quase de improviso, não tive tempo de preparar nada especial.

Maria Ruth dos Santos Escobar nasceu no pequeníssimo distrito português de Campanhã, na área da cidade do Porto, e veio para o Brasil com dezesseis anos. Ela casou-se com o filósofo e dramaturgo Carlos Henrique Escobar, homem lindo e extremamente culto e inteligente. Foram para a França, onde Ruth fez cursos de interpretação. De volta ao Brasil, montou com Alberto d'Aversa o Novo Teatro, que fazia montagens inovadoras, e, em 1964, criou o Teatro Nacional Popular, adaptando um ônibus para levar teatro à periferia de São Paulo. Ainda nesse ano, construiu o Teatro Ruth Escobar. Mulher corajosa, dinâmica, inventiva, aberta a experimentações e fortemente comprometida em trazer o teatro contemporâneo internacional para o país, enfrentou muitas polêmicas e muitas críticas pelo seu lado de empresária. O que não se pode discutir é que seu espaço foi uma das referências mais relevantes do teatro moderno brasileiro. Talvez pelo fato de ela não ter montado uma companhia fixa, hoje se fala muito, com razão, no TBC, no Arena e no Oficina, mas não se faz justiça à importância daquelas salas na rua dos Ingleses, no bairro da Bela Vista — que abriram suas portas com uma montagem da *Ópera dos três vinténs*, de Bertold Brecht, dirigida pelo José Renato Pécora.

Em 1965, a Ruth me pegou totalmente de surpresa ao me convidar para dirigir uma peça em seu teatro.

— Tu tens que dirigir — ela me disse.

Foi um daqueles momentos em que a ousadia — ou insensatez — tomava conta da sua personalidade. Eu ainda não me sentia preparado para dirigir teatro. Mas ela já tinha uma peça em mente, por sugestão do Ary Toledo, que trabalhara como contrarregra na montagem carioca de *Soraia, Posto 2*, do Pedro Bloch. A peça havia feito sucesso no Rio com Jece Valadão e Glauce Rocha no elenco, e com direção de Léo Jusi. Pedro Bloch, nascido na Ucrânia, era primo do Adolfo Bloch, da Manchete, e, tal qual o Silveira Sampaio e o Max Nunes, exercia a medicina — foi fonoaudiólogo do João Gilberto e do Roberto Carlos. Continuou a exercer a profissão e salvou a voz de vários atores, com métodos absolutamente originais. Além disso, escreveu cerca de uma centena de livros, a maioria dedicada às crianças. Pedro Bloch não tinha muito prestígio junto à crítica brasileira por ser um autor que conseguia muito sucesso popular, mas as suas peças mais conhecidas, *As mãos de Eurídice* e *Os inimigos não mandam flores*, foram montadas no Teatro de Malmö, na Suécia, com direção sabe de quem? Do Ingmar Bergman. Só isso. Eu vi a correspondência entre os dois.

Bloch chegou a pensar em chamar *Soraia, Posto 2* de *Copacabana, essa desconhecida* por ser o lado B do glamour da Bossa Nova, das boates, do Copacabana Palace. Fizemos a estreia em junho de 1965. No elenco estavam Ary Toledo, Theresa Austregésilo, Milton Ribeiro, Rubens Campos, Ruth Motta, Ruthinéa de Morais (que ganhou vários prêmios de atriz coadjuvante) e Sebastião Campos, com cenários do Wladimir Pereira Cardoso, que na época era marido da Ruth Escobar. Ela fez uma pesquisa com o público na saída do espetáculo e publicou um anúncio na *Folha* dizendo que a peça recebeu 90,3% de avaliação "ótimo e bom". Esperta, Ruth respondia ao crítico do jornal, Paulo Mendonça, que detonava o texto do Pedro Bloch, embora fizesse elogios à montagem:

> Dirigidos com sobriedade e inteligência por Jô Soares, os intérpretes fazem o possível. Dizer com convicção aquelas baboseiras e compor com imaginação aquelas pseudopersonagens, não há de ser fácil. E eles conseguem, salvando a pátria. Aplausos e toda a minha simpatia a Theresa Austregésilo, Milton Ribeiro, Rubens Campos, Ruth Motta, Ruthinéa de Morais e Ary Toledo.

A participação na peça deu uma boa ajuda na carreira do Ary Toledo, que era bom músico, bom humorista e bom ator. Mas ele estouraria mesmo com a canção sobre o comedor de giletes, composta pelo Carlinhos Lyra e pelo Vinicius de Moraes. Seu sucesso foi imediato. Para Ary não ser prejudicado em sua carreira, quando era chamado para participar de algum show, eu atuava no seu papel. Na época dos festivais, chegamos a fazer uma canção juntos, chamada "Liberdade". A letra fala das ruas de São Paulo que levam ao bairro da Liberdade — uma coisa meio óbvia, de acordo com o clima de participação política por meio das canções que havia nos festivais. Por exemplo, o nordestino recém-chegado perguntava a um guarda como ir até o bairro da Liberdade:

— Moço, essa rua Cuba vai dar na Liberdade?

— Não. Cuba não vai dar na Liberdade.

— E a Polônia?

— Também não dá na Liberdade.

A única coisa que a canção me rendeu foi mais um registro na ficha do Dops.

"Uma história não está terminada até que algo tenha dado extremamente errado." Essa frase, muito boa, é do escritor e dramaturgo suíço Friedrich Dürrenmatt. Como passei no teste de diretor, Ruth Escobar me convidou para dirigir uma segunda peça. *O casamento do sr. Mississippi*, de Dürrenmatt, estreou na sala Gil Vicente no dia 4 de setembro de 1965. É uma peça dificílima de ser feita, complexa, "verdadeiro pandemônio cênico, de um cinismo que não respeita nada", nas palavras do grande intelectual Anatol Rosenfeld. A peça — dado o seu caráter corrosivo — tinha tudo para enfrentar problemas com a Censura, afinal já estávamos havia mais de um ano sob o jugo do regime militar, mas teve apenas restrição de faixa etária: foi proibida para menores de dezesseis anos. Fiquei superlisonjeado porque Anatol Rosenfeld gostou tanto do espetáculo que nos pediu que fizéssemos uma sessão extra, à tarde, para seus alunos da Escola de Arte Dramática de São Paulo. Claro! Aceitamos na hora.

A fossa do Ruth Escobar ficava embaixo do palco, a descoberto. Durante o dia, no verão, às vezes o cheiro era insuportável. Foi o que aconteceu naquela tarde. Eu, nervoso com a presença do Anatol, comentei com a Ruth, já no palco, antes de a cortina abrir:

— Ruth, está um cheiro insuportável de merda.

E ela:

— É mesmo. O que será?

— É merda!

Nós dois caímos na risada, o que aliviou a tensão.

O casamento do sr. Mississippi foi o meu primeiro trabalho com o grande amigo Túlio de Lemos, que fazia parte de um elenco todo extraordinário. Havia uma brincadeira que dizia que *O casamento do sr. Mississippi* era uma peça para todos os tamanhos: o baixinho Jaime Barcelos (completamente careca), o homem de estatura média Rubens de Falco, o gigante Túlio de Lemos e o volumoso — eu mesmo. Ruth Escobar também estava no elenco. Na época, não existia prêmio melhor para um diretor do que ver o seu trabalho ser reconhecido por críticos do tamanho de um Décio de Almeida Prado ou de um Sábato Magaldi. O primeiro escreveu no *Estadão*:

> Como diretor, [Jô Soares] soube afastar de início aquela malfadada ideia, tão difundida entre nós, de que a farsa deve ser sempre representada com o máximo de gesticulação e todo vapor. [...] A encenação ajuda-nos a compreender as intenções da peça, mantendo-se de pé com muita finura e firmeza nesse terreno essencialmente escorregadio que é o grotesco.

Sobre a minha atuação como ator, ele disse:

> Jô Soares surpreende-nos duplamente, como diretor e como ator, não por desconhecermos o seu talento cômico, tão vasto quanto a sua circunferência, mas por se tratar de um artista formado no show, cujas regras não são as do teatro.

Perto do final da peça, tinha um "bife" — um texto grande — que eu falava descendo uma rampa que dava na plateia e, depois, subindo a rampa de volta. O monólogo funcionava muito bem e, para minha recompensa, fui aplaudido em cena aberta várias vezes depois do "bife". Uma das vantagens de fazer peças no Ruth Escobar era que o teatro tinha muitos recursos, tinha alçapão, tinha urdimento, tinha altura para você criar efeitos. Havia uma cena em que a Ruth ficava de um lado do palco e eu do outro, nós gritávamos "meu amor!" e saíamos correndo um para abraçar o outro, só que eu fazia o papel de um míope, que não conseguia enxergá-la direito, passava por ela e caía numa escada, desaparecendo. Foi uma cena que também provocava aplausos, e que só daria para fazer num teatro com estrutura e concebido para hospedar esse tipo de montagem cheia de efeitos.

Ruth Escobar vivia financeiramente como um equilibrador de pratos chineses, correndo aqui e ali para nenhum deles quebrar. Foi famosa pelos seus cheques sem fundo. Uma vez, ela me pagou uma parte em dinheiro e, tempos depois, me pagou o restante com um cheque. Fui descontá-lo e descobri que o valor descrito na folha do cheque era maior do que o saldo na conta da pessoa que emitiu o cheque e o assinou, ou seja, Ruth. Perguntei ao caixa do banco quanto seria a diferença entre os dois valores. Ele respondeu que não podia revelar uma informação confidencial. Aí eu perguntei:

— Se eu depositar na conta dela 100 mil cruzeiros, o novo saldo daria para descontar o cheque?

O caixa olhou para os dois lados, baixou a cabeça e disse quase num sussurro:

— Sim, vai dar.

Então eu depositei os 100 mil na conta dela e saquei o valor total do cheque. O caixa, que nunca tinha visto uma coisa daquelas, deu muitas risadas. De noite, no teatro, encontro a Ruth, que me repreende, toda nervosa:

— Como você conseguiu descontar aquele cheque? Aquele cheque não podia ser descontado. O dinheiro que tinha na conta era pra pagar outras pessoas, estão todas aqui agora a reclamar.

Eu expliquei que havia feito um pequeno depósito na conta dela e dessa maneira pude sacar o cheque. Ela olhou bem para mim, deu uma risada e disse:

— Genial.

Para construir o teatro, ela conseguiu apoio da colônia portuguesa, porque apresentara o projeto de uma casa que se chamaria Gil Vicente. No dia da inauguração, descobriram que o local se chamaria Teatro Ruth Escobar — Sala Gil Vicente.

Um dia, a Theresa foi com ela renovar uma nota promissória no Banco do Estado de São Paulo (Banespa). Ruth seguiu direto para a sala do presidente. Assim que entrou, disse, sem cumprimentá-lo:

— Olha, meu amor, eu estou muito apertada, preciso fazer pipi.

Passou reto e dirigiu-se ao banheiro privativo do presidente. Lá de dentro, ela gritou:

— Meu amor, tenho que renovar essa promissória!

O homem ficou tão desconcertado que renovou na hora, ainda meio perplexo. Theresa ficou de queixo caído. Quando saíram da sala do presidente, a Ruth disse:

— Viu, meu amor? Aprende. É assim que se faz.

Ruth Escobar nunca parou para fazer contas e cálculos econômicos. Agindo dessa forma, ajudou o teatro brasileiro a se atualizar de uma maneira inusitada na década de 1960. Devo muito da minha carreira como diretor às oportunidades dadas pela Ruth. Um dia ela me contou uma história que pouca gente conhece:

— Sabes que eu já morri na África?

— Como é que é, Ruth?

— Eu devia estar a bordo de um avião que caiu em Angola. Todos os passageiros morreram. Eu li o meu nome na lista: Maria Ruth dos Santos. Foi uma sensação horrível.

— E você não desmentiu?

— Não, eu tinha umas dívidas por lá e assim zerei aquelas contas. Voltei a ficar solvente.

Esta é a genial Ruth Escobar. Querida Ruth. Obrigado por ter vivido depois de morta.

Infelizmente, quando estou finalizando este livro, recebo a informação devastadora do falecimento real da Ruth, cujo cérebro já estava sendo devorado pelo cruel Alzheimer. A última notícia que tive dela foi por intermédio do genial dramaturgo, escritor e cineasta Fernando Arrabal, quando o entrevistei no *Programa do Jô* há alguns anos. Ele tinha visitado a Ruth no dia anterior e já entrou no estúdio falando dela. Disse-me que das poucas coisas lúcidas que ela falava era quando se recordava de mim. Perguntou pelo Jô repetidas vezes.

Amada e odiada Ruth: lamento profundamente que você não tenha conseguido driblar a morte mais uma vez.

Em 1965, tive o meu primeiro programa na TV, o *Jô Show*, na Record. O Marcelo Leopoldo e Silva era o diretor, com supervisão do Nilton Travesso. Nós fazíamos várias experimentações com a linguagem da televisão, algumas muito difíceis com os recursos tecnológicos da época. Numa delas, eu aparecia na tela na casa do telespectador como os quatro Beatles — John, Paul, George e Ringo — ao mesmo tempo, tocando e cantando a canção "A Hard Day's Night". Contracenava comigo mesmo, fazia o John e o Paul olhando um para o outro. Não havia equipamento especial para fazer uma trucagem dessas, tínhamos de gravar Beatle por Beatle separadamente, cada um numa posição diferente na lente da câmera, e sincronizar exatamente em cada compasso da música. O Marcelo quase ficou louco, mas conseguiu fazer, e ninguém entendia a maneira como aquilo era realizado.

Ele sempre procurava inovações técnicas. Marcelo tinha visto na capa da *TV Guide* americana uma matéria sobre os truques do Ernie Kovacs, um dos gênios do humor com efeitos especiais, baseados em ideias óbvias, da história da televisão. O mais famoso desses truques era colocar no cenário uma mesa inclinada para um lado, com uma cadeira, na qual eu sentava, que ficava na mesma posição inclinada da mesa. A lente da câmera também foi colocada no mesmo ângulo de inclinação. Quem olhasse pela lente, ficava com a impressão de que estava tudo num plano reto, horizontal — sensação igual à que as pessoas teriam em casa. Então, tudo que se punha na superfície, no tampo da mesa, ia escorregando para fora dela. Ninguém conseguia entender a maneira como os objetos escorregavam e voavam da mesa. Devido à inclinação, se tentasse pôr água no copo, a água sempre caía fora. Nem mesmo o Cassiano Gabus Mendes, da concorrente TV Tupi, um homem supertalentoso que sabia tudo sobre televisão, à frente e atrás das câmeras, sacou como aquilo foi realizado. Me chamou e disse:

— Já sei como vocês fazem aquilo: tem uma esteira rolante escondida no tampo da mesa.

— É? E a água que não cai dentro do copo?

— Desisto. Como é que vocês fazem aquilo?

Quando contei, ele bateu com a mão na testa e disse apenas:

— Puta que pariu! Por que é que eu não pensei nisso!?

— Porque, no fundo, equivale a um truque de mágica e, como todo bom truque de mágica, é simples demais...

Ernie Kovacs, além de ser um ator e comediante excelente, foi o rei das invenções e de fazer humor com efeitos, quando a televisão ainda era em preto e branco, quase sempre usando a canção "The Ballad of Mack the Knife", de Kurt Weill e Bertold Brecht. Tenho toda a obra dele em vhs e em dvd. É um trabalho que interessa não só a quem é do ramo.

Os números de efeitos de humor que Marcelo, Nilton e eu criávamos, faziam um sucesso danado e mostravam a quantidade de gente talentosa que trabalhava naquela tv. Nós brincávamos também com efeitos sonoros, e tinha um quadro que era uma novela de rádio onde eu fazia o contrarregra, imitando os sons do vento, da chuva, das trovoadas etc., além de todos os personagens.

É incrível que, de toda essa trabalheira, toda essa criatividade, não restou nada. Perdemos horas e horas da memória da nossa televisão nos vários incêndios que atingiram a Record, a Tupi, a Globo, a Band. O trabalho de diretores de tv, de artistas, de jornalistas, de editores, de técnicos, de agências de publicidade, de produtoras de vídeo — tudo queimado. Além disso, depois da era do videoteipe, as emissoras, para economizar, começaram a gravar em cima de programas já gravados, não deixando cópias. A televisão foi uma das manifestações culturais e artísticas em que o Brasil pode se orgulhar de ter conseguido uma linguagem própria de alta qualidade, mas, infelizmente, não pode mais recuperar suas imagens — a não ser pelas memórias, com seus lapsos e imperfei-ções, de quem participou de tudo aquilo.

Eu me lembro de como fiquei enlouquecido quando vi uma nova cantora que vinha da Bahia chamada Maria Bethânia no show *Opinião* — onde ela se apresentava ao lado do Zé Kéti e do João do Vale. Bethânia cantando "Carcará", de autoria de João do Vale com José Cândido, incendiava o espetáculo, em seu momen-to marcante. No Opinião ouvi, pela primeira vez, a canção "É de manhã", do Caetano, que me comove até hoje (aquele "E foi por ela/ Que o galo cocorocô" era — e é — de uma modernidade im-pressionante).

O impacto do espetáculo do Augusto Boal foi tão grande, que mudei o formato do *Jô Show* só para poder entrevistá-los e ter Maria Bethânia no programa. Seu irmão, Caetano Veloso, que ainda não era conhecido como compositor e cantor, ficou sentado quietinho num canto do estúdio. Faço questão de registrar que de todo o extenso repertório do Caetano, além de toda a fase inicial e da Tropicália, uma música sempre me comove quando a escuto: "Sampa". Ninguém registrou com tal perfeição a cidade. Caetano sabe disso. Sempre que tive oportunidade, pedi a ele que a cantas-se. Para mim também, o coração de São Paulo bate ali na Ipiranga com a São João, esquina que frequentei muito.

Em março de 1967, começamos um dos programas históricos da televisão brasileira: *Família Trapo*. (Por favor! Sem pretensão! Só que é verdade…) Ele nasceu de conversas entre o Tuta, o Nilton e o Manoel Carlos. A ideia era criar uma sitcom de humor, com uma família meio escrachada. A Record tinha um elenco maravilhoso, e cada membro da família foi sendo desenhado a dedo para o cast de atores da casa. O nome Trapo saiu da família Von Trapp, do filme *A noviça rebelde*, com a Julie Andrews, embora a única coisa em comum entre as duas famílias fosse a sonoridade do nome. Os pais, Othelo Zeloni (Pepino Trapo) e Renata Fronzi (Helena Trapo), eram velhos conhecidos das chanchadas e, principalmente, das revistas musicais. Funcionavam perfeitamente como marido e mulher. A Cidinha Campos (Verinha) e o Ricardinho Corte Real (Sócrates), nos papéis de filha e filho. A estrela do show era o Ronald Golias no papel do Carlos Bronco Dinossauro, o cunhado folgado que morava de favor na casa da família. Eu fazia uma ligação entre os quadros, no papel do mordomo factótum, Gordon.

Havia, no Rio de Janeiro, uma rede de lanchonetes chamada Gordon. Depois do sucesso do programa, muita gente achava que eu seria o dono dessas lanchonetes. Nunca fui. A minha única ligação com elas foi um sanduíche chamado Submarino. Como o próprio nome indica, era enorme, feito numa baguete no formato do navio de guerra. Dentro, cabia de tudo: carne, queijo, tomate, alface, presunto, salame e condimentos. Vinha recoberto por um molho verde-claro que não inspirava a menor confiança. Lembrava o vômito do filme *O exorcista*. A salvação é que no cardápio tinha a opção de outro molho: um delicioso molho rosé, o meu preferido. A iguaria passou a ser conhecida pelo nome de Submarino com Molho Trocado.

Parodiando o amigo Enio Mainardi, um bom sanduíche a gente conhece no dia seguinte: o pitéu provocava sistematicamente uma tremenda diarreia. Depois de um cuidadoso estudo, descobri a solução: em frente ao Gordon do Leblon ficava a Farmácia Piauí. Antes de pedir meu supersanduíche, passava na farmácia e comprava o remédio Imosec. Quando o Submarino chegava, eu abria o sanduíche e acrescentava dois comprimidos de Imosec, que eram distribuídos pelo recheio do quitute. Para quem não conhece esse vigoroso curativo, a bula explica que o Imosec trava qualquer diarreia aguda sem causa específica e sem caráter infeccioso. Problema resolvido. Contei a solução ao amigo Armando Costa, meu companheiro de idas ao Gordon, com quem estava escrevendo um show, que exclamou feliz:

— Eles não ganham da gente!

Já que falei na Farmácia Piauí, devo contar um detalhe curioso. Um dos passatempos favoritos do nosso genial maestro e compositor Tom Jobim era o de atuar como balconista na Piauí. Aconselhava remédios, trocava indicações dadas pelos médicos:

— Olha, este outro aqui faz o mesmo efeito e é mais barato.

Desculpem a divagação. Agora voltemos à *Família Trapo*.

O programa era "gravado ao vivo" — ia ao ar sem cortes —, exibido aos sábados, e obteve uma popularidade avassaladora. Eu escrevia o roteiro com o Carlos Alberto de Nóbrega. No nosso primeiro encontro, ele me disse que nunca havia escrito nada a quatro mãos. Aí propus a ele o seguinte sistema: nós nos encontraríamos, discutiríamos uma ideia geral para o programa daquela semana, e depois cada um escreveria sozinho a sua parte. O programa tinha uma média de dezoito a vinte cenas, então a gente dividia meio a meio. Cada um escolhia as cenas que achava que poderia ter mais a ver com o seu estilo de escrever. Restaram pouquíssimas cenas da *Família Trapo*, que podem ser vistas na internet. Uma delas é maravilhosa, porque tem o gênio do Pelé como convidado especial. Ele iria jogar no time do Golias, que não reconhece o camisa 10 do Santos. É divertidíssimo. Pelé era famoso por ter inventado a técnica de bater pênaltis dando uma paradinha antes de tocar na bola. O Bronco, sem perceber que aquele é o Rei do Futebol, fica perguntando se ele sabia dar a paradinha...

Um dia, já muito pressionado pela quantidade de trabalho, me lembrei daqueles escritores no cinema que ditavam o que queriam escrever e depois davam para alguém transcrever, e comecei a ditar o texto. Arrumei uma secretária, passava as fitas para ela, e depois só precisava fazer uma revisão. Era chatíssimo, porque eu tinha de ditar assim: "Zeloni, abre parêntese, chegando aborrecido em casa, fecha parêntese, onde está a minha almofada, ponto de interrogação". Muuuito chato. E, pior do que isso, descobri que escrever e ditar são duas coisas totalmente diferentes. São atividades que mexem com áreas separadas do cérebro. Voltei a escrever meus textos.

Vou confessar uma sacanagem que eu fazia com o Golias: nas cenas em que contracenávamos, eu me posicionava sempre do seu lado esquerdo. Cheio de tiques e manias, ele só gostava de contracenar com atores que ficavam do seu lado direito. Eu quase o enlouquecia, porque me postava de propósito do seu lado esquerdo. Então, o Golias ficava o tempo todo girando em torno de mim para mudar de lado e, assim que ele mudava, eu ia para o seu lado esquerdo novamente. Todo mundo achava que o Ronald Golias improvisava o tempo todo, que ia criando suas falas enquanto o programa ia se desenvolvendo. Nada mais falso. O Golias não improvisava muito, gostava de seguir o script. Claro que, como todo bom comediante, tinha momentos de invenções geniais, mas isso só acontecia porque estava sempre seguríssimo no texto. Só entrava em cena com suas falas bem decoradas, firmíssimas. Quando necessário, ele improvisava. Uma das grandes invenções do programa na televisão brasileira era o cenário, que mostrava dois andares da casa dos Trapo. Havia um cano — do tipo desses que se usam na pole dance — por onde se descia do segundo andar para a sala de baixo. Um dia, o cano despencou quando o Golias descia. Ele não se apertou: virou-se para mim e disse:

— Viu, Gordon? Quase que eu entrei pelo cano...

Passado o susto, a plateia explodiu em risos e aplausos.

Em seu livro de memórias, o Tuta Machado de Carvalho lembra que o público ia assistir à gravação da *Família Trapo* como quem ia ao teatro, as mulheres faziam o cabelo à tarde e os homens punham terno e gravata. Era um programa ir ao programa. Não usávamos as claques, uma invenção americana que logo contaminou a televisão brasileira. Mas, às vezes, a plateia estava fria, não dava muitas risadas durante a gravação — e humor na TV precisa de risadas para funcionar. Diz o Tuta:

Quando o programa estava ficando meio chato e sentia que estava difícil arrancar gargalhadas do público, a equipe A mandava e o Jô Soares improvisava: encrencava com o Zeloni, não o deixando em paz, tramava alguma coisa inesperada com o Golias [...]. E quando nada disso dava certo, sabe o que [o Jô] fazia? Caía! É isso mesmo: desabava. Eram tombos fantásticos e invariavelmente deslumbravam o público.

Poder fazer humor com as quedas no palco era uma das vantagens que eu tinha por ser um gordo leve. O Boni um dia me disse:

— Eu acho que vou engordar só pra dizerem que sou ágil.

Entre julho e setembro de 1965, Golias e eu havíamos feito na Record uma novela-comédia chamada *Ceará Contra 007*. Ela ia ao ar diariamente no horário nobre, às 20h30. O título era uma paródia do *Moscou contra 007*, que fazia parte da série de filmes do James Bond que consagrou o ator Sean Connery. Não sei se houve alguma outra tentativa no gênero; se houve, acho que nenhuma marcou tanto quanto a *Ceará Contra 007*. O meu personagem se chamava Jaime Blonde, e o do Golias, Bartolomeu Guimarães (ele odiava esse personagem e, um dia, eu passei um trote telefônico nele que contarei daqui a pouco). No elenco, ainda estava um timaço formado pelo Renato Corte Real, a Consuelo Leandro (que fazia uma personagem parodiando a Mamãe Dolores, da novela *Direito de Nascer*, de muito sucesso na Tupi), o Ary Toledo, a Carmen Verônica, o Simplício e o Adoniran Barbosa. A história girava em torno de uma quadrilha internacional que queria roubar a fórmula do jabá sintético, criada pelo grande cientista Bartolomeu Guimarães. Durval de Sousa fazia o papel de um embaixador francês que o Nilton Travesso batizou de Bernard Taillan. Bernard Taillan era o nome de um vinho, bebida que o Nilton Travesso, que dirigia a novela, começou a beber aos dezessete anos e nunca parou.

O vinho estava sendo lançado no Brasil. Quando o dono da vinícola que o produzia soube da história, nos mandou caixas e caixas desse vinho de presente. Sem estarmos conscientes disso, inauguramos o merchandising de novela na televisão brasileira. Quando o Adoniran Barbosa viu um caminhão chegar com todas aquelas caixas, me perguntou o que se passava por ali. Eu expliquei:

— É que Bernard Taillan, que é o nome do Durval na novela, é também o nome do vinho. Então, como agradecimento, o produtor do vinho mandou essas caixas.

— Só por causa do nome?

— Sim, isso mesmo.

Fomos gravar a novela. A primeira cena começava com uma fala do Adoniran. Ele olha para a câmera, com olhar pensativo e sapeca:

— Pois é, eu estou precisando tanto do meu Fubá Mimoso...
Nilton:

— Cooorta! O que é isso, Adoniran?

— Ué? É o fubá que eu dou pras minhas galinhas lá na granja. Quem sabe eles também me mandam umas sacas?

O Adoniran teria feito o segundo merchandising da televisão brasileira se a sua fala tivesse ido para o ar.

Quem escreveu *Ceará Contra 007* foi um rapaz de Sorocaba (SP), muito talentoso, que se chamava Ari Madureira Filho mas se assinava Marcos César. Marcos César ficou muito amigo meu e chegou a escrever quadros para mim. Curioso, ter um redator com nome artístico. Ele era excelente e escrevia também o Azambuja, um dos grandes personagens do Chico Anysio. O Marcos César só tinha um problema: mandava o texto muito em cima da hora. Deixava a gente num sufoco danado, quase não dava tempo para decorar e gravar. Nós ficávamos todos no estúdio por horas esperando o texto chegar. Mas, como éramos um elenco de comediantes, acabávamos contando muitas histórias nessas esperas e nos divertíamos às pampas. Sua mulher, Ediça, ficou amiga da Theresa e nós quatro costumávamos nos reunir lá em casa quase toda semana. Ediça era bonita e paciente. Ser casada com quem escreve com prazos curtíssimos não é fácil.

Comecei a fazer aparições na pele do personagem Alemão na *Praça da Alegria*, o mais longevo programa de humor da história da televisão brasileira. Está há sessenta anos no ar. Vejam o que é acertar um formato na TV: o humorístico foi criado pelo pai do Carlos Alberto, o Manoel de Nóbrega — a primeira pessoa a dar um emprego para o Boni, quando ele ainda era um moleque —, e se tornou um programa que passou de pai para filho, mudou de nome, mas resiste até hoje. Eu brincava com o Carlos Alberto:

— Carlinhos, o teu pai te deixou um banco melhor do que qualquer banqueiro...

Um dia, liguei na casa do Carlos Alberto para conversar qualquer coisa sobre a *Família Trapo*.

— Ele tá na casa do Golias — me responderam.

Aí, telefonei para a casa do Golias. Ele não podia ver um telefone tocando que atendia. Fosse onde fosse, na casa de quem fosse, em estabelecimento comercial, não interessava: tocava, o Golias atendia. Eu sabia disso e, quando atendeu, disse:

— Eu queria falar com o Golias.

— Quem deseja?

— Aqui é o doutor Paulo Machado de Carvalho.

Ronald Golias foi um dos maiores talentos que eu conheci e com quem tive o privilégio de conviver, mas o que ele tinha de talento, tinha de insegurança. Acho que é um problema que atinge a nós todos, na nossa profissão. Golias respondeu:

— Doutor Paulo? Pois não, doutor Paulo, o que é que o senhor manda?

O Carlos Alberto ouviu o "doutor Paulo" e imediatamente começou a cochichar no ouvido do Golias:

— Qualquer coisa me põe junto que eu tô pra renovar contrato, qualquer que seja, me põe junto!

Aí eu disse, sempre imitando o Paulo Machado de Carvalho:

— É o seguinte: eu fui convidado pra comemorar os cinquenta anos do Lions Club, vai ser uma festa imensa. E, como são cinquenta anos, eu queria entrar de braço com você fazendo aquele personagem que você faz e que eu gosto muito, o Bartolomeu Gonçalves.

— É Guimarães, doutor Paulo.

— Que Guimarães? Eu não conheço nenhum Guimarães!

— Não, doutor Paulo, o nome do personagem é Bartolomeu Guimarães!

— Não interessa, eu quero o Bartolomeu Gonçalves!

— Tá bom, doutor Paulo, então é Gonçalves...

Para não contrariar o Marechal da Vitória, ele já mudou o nome do personagem consagrado.

— Eu quero que você entre de braço comigo e faça um número, uma palhaçada daquelas que você faz, você faz palhaçada muito bem.

O Golias, já assumindo a mudança de nome do personagem, responde:

— Muito obrigado, doutor Paulo. Só que é o seguinte: em vez do Bartolomeu Gonçalves não era melhor ir o Bronco, mesmo?

Como eu já disse aqui, o Golias odiava o personagem Bartolomeu Guimarães da novela-comédia *Ceará Contra 007*. Sabe-se lá por quê.

— Que Bronco? Não me interessa Bronco nenhum. Se eu quisesse um tal de Bronco, eu ligava pro meu filho e pedia pra ele falar com o Bronco. Eu quero levar o Bartolomeu Gonçalves. Já vi que você tá com má vontade. Então muito obrigado, pode deixar.

— Não, doutor Paulo, pelo amor de Deus! Bronco é o nome de um personagem que eu faço.

Nesse ponto, já um tanto arrependido de ter atendido a ligação, ele começou a fazer o Bronco no telefone. Eu fiquei em silêncio do outro lado da linha.

— Doutor Paulo? — Tempo. — Doutor Paulo, o senhor está aí? Então, lembrou do Bronco?

E eu, depois de uma pausa:

— Você tá debochando de mim, é isso? Você não acha que se eu quisesse esse tal de Bronco eu ligava pro Paulinho e pedia pra ele falar com esse Bronco?

O Golias, já se lamentando do dia em que criou o personagem do Bronco:

— Não, doutor Paulo, o Bronco também é um personagem que eu faço, só que ele é melhor pra show.

— Olha, são cinquenta anos do Lions Club, nessa quinta-feira às nove horas eu quero o velho idiota. Você não quer, muito obrigado. Adeus.

— Não! Não desliga, doutor Paulo! Pode deixar que eu faço o Bartolomeu Guimarães. Não! o Gonçalves! O Gonçalves! Claro que eu faço! Faço tudo que o senhor quiser!

E eu disse:

— Então toma nota do endereço onde vai ser a festa.

Pausa. O Carlos Alberto, depois, me contou o que se passava do outro lado da linha: o Golias tapou o bocal e gritou para a mulher:

— Lúcia, eu já falei que tem que ter um lápis e um bloco de notas aqui do lado do telefone… Lúúúcia!

Aí ele se virava para mim e dizia:

— Um minutinho, doutor Paulo.

Enquanto o Golias procurava o lápis e o papel, eu me afastava um pouco do bocal e gritava:

— Avenida Pacaembu, 3956! Pronto. Adeus!

Finalmente a Lúcia, sua mulher, entregou o lápis e o papel para ele.

— Um momento, doutor Paulo! Pronto! Pode dizer o endereço. Já estou com o lápis e o papel na mão!

— Já está com o papel na mão?

— Já, doutor Paulo.

— Então limpa o cu com ele.

Na sua santa bondade e ingenuidade, o Golias jamais sonhou que o Paulo Machado de Carvalho pudesse dizer isso para ele, então teve um bloqueio, e se recusava a escutar o que eu estava falando:

— Avenida Pacaembu eu já entendi, doutor Paulo, mas o número é?

— Não, minha flor, você não está entendendo. É limpa o cu! Limpa o cu com o papel! Você não tá com o papel?

— Tô, sim, doutor Paulo...

— Então limpa o cu!

— Tá bom, doutor Paulo, avenida Pacaembu. Essa parte eu entendi. Eu só não peguei o número.

— Não tem número nenhum, é só o papel pra você limpar bem o cu e depois enfiar o lápis no cu!

— Pois é. Só falta mesmo o número.

Aí eu não aguentei mais e caí na risada.

— Golias, é o Jô, é o Jô!

E ele, depois de uma pausa:

— Doutor Paulo? Doutor Paulo?

Demorou muito para cair a ficha. Finalmente ele disse:

— Filho da puta! Quer me matar do coração?

Golias nos disse que achou que o Paulo Machado tinha pirado e estava imitando o Jô Soares no telefone! Que criatura maravilhosa! O Carlos Alberto me disse que, quando percebeu que eu passava um trote no Golias, riu como poucas vezes riu na vida — e olhe que ele respirava humor 24 horas por dia.

Certa vez, Golias e eu saímos do Teatro Record, na Consolação, onde gravávamos a *Família Trapo*, para tomar café num botequim próximo. No caminho, passamos em frente a uma tinturaria, onde havia, pendurado numa arara, um paletó velho, solitário. Era uma imagem quase felliniana. O Golias deu uma freada, extasiado. Falou para mim:

— Vem comigo. Preciso comprar esse paletó.

— Golias, isso não é uma loja, é uma tinturaria.

— Não tem importância. Eu quero esse paletó.

Era uma maluquice, inclusive porque o paletó, já surrado, não tinha nada de diferente. Ele entrou, chamou o dono da tinturaria e disse:

— Boa tarde, eu quero comprar esse paletó.

Claro que o dono da tinturaria caiu na gargalhada. Pensou tratar-se de uma brincadeira do extraordinário comediante. Ele olhou para mim, que fiz sinal de que Golias falava a sério. O proprietário então explicou:

— Por mais que eu o admire e goste muito do seu trabalho, não posso lhe vender porque não é meu. Está aqui só pra lavar a seco. Dá para ver que é um paletó velho. Aliás, muito velho e, na minha opinião, muito feio, também.

Eu sabia que meu amigo nunca desistia. Imediatamente retrucou:

— Então liga pro dono do paletó que eu quero falar com ele.

O proprietário da tinturaria começava a se divertir e queria saber onde aquilo iria parar. Ligou para o dono do paletó e explicou que na sua frente estava o Ronald Golias em pessoa, que queria muito falar com ele.

— Não estou com tempo pra ouvir trote! — disse o dono do paletó, batendo o telefone.

O tintureiro ligou de novo:

— Não é trote, não. O senhor vai ouvir.

Claro que, de início, o dono do velho casaco caiu na gargalhada: era o Golias, o comediante de maior popularidade da TV naquele momento, querendo comprar seu paletó. Quando se convenceu da veracidade do telefonema e daquele estranho desejo, declarou:

— Olha, Golias, pra mim, isso é uma honra. Não entendo por que você gostou tanto dele, mas faço questão de lhe dar de presente esse meu paletó usado.

Finda a conversa, o dono da tinturaria perguntou:

— Quer que eu embrulhe?

— Não. Vou vestir agora mesmo.

Saiu de lá ao meu lado, vestindo aquele horror, feliz como uma criança com um brinquedo novo. Durante vários dias, apareceu na Record vestindo o paletó velho.

Uma tarde, o Golias entrou no meu camarim no SBT e elogiou um blazer azul que viu no armário, com brasão no bolso e botões dourados. Era um blazer clássico. Eu peguei, entreguei para ele e disse:

— Toma. É teu.

— Tá falando sério?

Imediatamente, vestiu o blazer, todo contentinho. Claro que o paletó ficou muito folgado.

— Puxa! Muito obrigado! Ele é lindo!

— Agora é só você mandar ajustar.

— Não tem que ajustar nada. Assim é que é legal!

Saiu dali e foi para os outros camarins mostrando:

— Olha o blazer que eu ganhei do Jô!

Golias só andava de sapatos de cadarços, mas com o laço solto. Estava sempre mal-ajambrado. Um dia, levei-o para comprar um mocassim no Spinelli, um dos melhores sapateiros do país. Altemio Spinelli era italiano, filho de fabricantes de sapatos, e fugira de sua terra para não fazer o serviço militar, que durava dois anos. Chegou aqui em 1958, abriu uma oficina numa garagem na rua Oscar Freire, no Jardim Paulista. Ele logo passou a ser referência em calçados e sinônimo de mocassins em São Paulo. Até então, os homens só usavam sapatos de cadarços. O Spinelli tirou as medidas dos pés do Golias e fez, à mão, um mocassim especial para o comediante famoso por ser um dos menos bem-vestidos da televisão brasileira. O Golias adorou. Usou um dia, dois dias, no terceiro começou a bater o salto do sapato, com o calcanhar, no chão. E dizia:

— Engraçado, este salto podia ser um pouco mais baixo.

Aí ligou para o Spinelli e falou:

— Olha, o mocassim tá ótimo, só tem um problema. Eu tô achando o salto um pouco alto. Acho que precisava tirar uma camadinha de cinco milímetros.

O Spinelli respondeu:

— Claro, Golias, mande que faço isso com o maior prazer.

Tirou a camada do salto e mandou o sapato de volta para o Golias, que ficou feliz. Andou um dia, dois dias e, no terceiro, começou novamente a bater o salto do mocassim, com o calcanhar, no chão.

— Eu tava enganado, o salto não estava muito alto, na verdade precisava de mais uma camada.

Liga novamente para o Spinelli e pede para ele colocar a camada que havia no salto original e mais uma de cinco milímetros.

— Manda pra mim — responde o Spinelli.

O Golias ficou radiante por ter finalmente acertado o tamanho do salto. Andou um dia, dois dias e, no terceiro, começou a bater com o calcanhar no chão. Ligou novamente para o Altemio:

— Eu acho que eu errei nas duas primeiras vezes, mas agora tenho certeza que achei a altura certa. É o salto original, você podia deixar como era quando eu comprei?

O Spinelli arrumou novamente, mandou o mocassim de volta para o Golias. Agora ele estava mais feliz do que em todas as outras vezes, quase saltitava no primeiro dia, andou normalmente no segundo dia e, no terceiro, começou a bater outra vez com o salto no chão.

Ligou novamente para o Spinelli (detalhe: as ligações eram entre meia-noite e uma e meia da manhã, porque o Golias dormia tarde).

— Ô Spinelli, agora eu tenho certeza que eu descobri a altura certa do salto. O melhor jeito é com uma camada do salto a mais. Vai ficar perfeito.

Aí, o Spinelli, que precisava acordar cedo para trabalhar e que já estava de saco cheio, disse:

— *Mio carissimo* Golias, faz o seguinte: joga o sapato no lixo.

E bateu o telefone.

No outro dia, o Golias apareceu na Record com o velho sapato sujo de cadarços desamarrados.

Outra coisa de que o Golias fazia questão era que as rodas das suas caminhonetes — ele adorava a vida de fazendeiro — estivessem sempre sujas e sem calota. Andava com elas imundas. Mandava lavar a caminhonete, mas não podia lavar as rodas.

— Não gosto delas limpas. Roda limpa não dá confiança — dizia.

Quando ele se separou da Lúcia, sua nova casa não tinha móvel nenhum. Só a cama para dormir e um banco para sentar.

— Móvel pra quê? Móvel não tem utilidade.

Golias, que foi muito pobre na infância, brincava que começou a vida sendo executivo da agropecuária.

— Fui catador de bosta.

Quando menino, em São Carlos (SP), ele recolhia cocô de cavalo, de vaca, para vender como adubo. Seu companheiro nessa atividade foi um garoto chamado Euclides, que Golias tornaria famoso com o bordão "Ô Cride, fala pra mãe", do personagem Pacífico da *Praça da Alegria*, hoje lembrado pela citação na música "Televisão", dos Titãs.

Um dia, o Carlos Alberto e ele foram convidados para fazer um show na casa do Laudo Natel, um dos homens mais importantes do Bradesco — o banco em que tinha confiança. Ele sempre dizia:

— Eu compro tudo em notas do Bradesco porque, se o Bradesco falir, o Brasil já faliu antes.

Eles fizeram o show e, quando terminou, o Laudo Natel chamou os dois:

— Vamos ali no meu escritório para eu acertar logo com vocês.

Foram até o escritório, o Natel, que também foi governador de São Paulo, puxou o talão de cheques de uma gaveta e começou a preenchê-lo. O Golias, com o seu milhão de cacoetes, falou:

— Doutor Laudo, o senhor me desculpe, mas eu não aceito cheque. Não é falta de confiança. É um hábito, é uma cisma, mas o meu pagamento tem que ser em dinheiro.

O Carlos Alberto, ao lado dele, queria morrer. Aí, o Laudo disse para o Golias:

— Você sabe que você é meu cliente, né? Você sabe que o seu dinheiro todo é aplicado comigo.

— Eu sei, doutor Laudo, eu já expliquei que não é falta de confiança, confio totalmente no senhor, tanto que meu dinheiro tá todo aplicado no Bradesco. Mas é questão de cisma, tem que ser em dinheiro.

Uma pausa. O gelo só foi quebrado quando o Laudo riu. Achou graça, abriu um puta cofre que tinha no escritório e pagou em dinheiro. O Carlos Alberto, com medo de que o Laudo Natel ficasse bravo e não pagasse ninguém, dizia:

— Olha, doutor Laudo, pra mim o senhor pode pagar com o cheque mesmo.

Ficou pior a emenda que o soneto.

Nessa época, o alfaiate chique de São Paulo chamava-se Raffaele Minelli. Homem de visão e de um grande senso de humor. Sua alfaiataria ficava no centro, na rua Barão de Itapetininga. Era uma figura deliciosa. Havia um velhinho, um veteraníssimo alfaiate napolitano, que trabalhava com ele, Il Professore. O Minelli adorava o velhinho. Il Professore não fazia mais nada. Uma tarde, eu estava lá provando as minhas roupas, o Minelli chamou-o:

— *Professore, vieni qui.*

Ele veio, e o Minelli disse:

— O Jô vai levar o senhor para cantar na televisão, então mostra pro Jô como o senhor canta bem.

Aí o velhinho começou:

— *O sole mio...*

E o Minelli:

— Não, não, tá bom. Temos de criar uma acústica melhor para o senhor.

Aí ele trancava Il Professore num armário antigo, imenso, que havia na alfaiataria. Uma coisa totalmente insólita naquela casa clássica, roupas clássicas, móveis clássicos, gente seríssima. E aquela voz saindo do armário:

— *O sole mio…*

E o Minelli:

— *Professore*, canta mais um pouco, só mais um pouquinho, que agora, sim, a sua voz está boa…

O velhinho dizia ter inventado um método pelo qual conseguia fazer um terno para uma pessoa baseado somente numa foto três por quatro dela. Minelli, sempre pronto para uma brincadeira, deu um corte de tecido baratinho, e eu dei uma foto três por quatro para ele. O Minelli me disse que o viu à noite, escondido, procurando a ficha com as minhas medidas. Mas, mesmo feito segundo as medidas, o terno ficou péssimo. O Professore já havia perdido a mão fazia muito tempo, mas o Minelli dizia:

— Bravo, ficou muito bom. Parabéns, Professore.

— Então mereço um aumento?

— Não, Professore. O senhor sabe muito bem que o seu salário só é regulado pelo aumento do preço do leite.

O Minelli só dava aumento para o Professore quando subia o preço do leite. E justificava sua atitude:

— Se não sobe o preço do leite, pra que é que o senhor quer aumento? Não precisa.

Quando aumentava o preço do leite, Il Professore entrava berrando na alfaiataria com o jornal na mão:

— *È aumentato il latteee! È aumentato il latteee!*

Era coisa de filme italiano.

Em todas as lapelas dos paletós que costurava, o Minelli colocava uma fitinha vermelha, respeitando uma velha tradição da alfaiataria. Nos meus ternos a fitinha é azul, porque é da condecoração francesa que recebi, a de Chevalier de L'Ordre National du Mérite. A única condecoração civil francesa mais importante do que essa é a da Légion d'Honneur. Quando o freguês perguntava para ele qual era o significado da fitinha vermelha, explicava:

— Essa é uma marca dos alfaiates tradicionais da Itália, é uma condecoração.

O nome que pôs na condecoração foi *Vanguel*, que dizia ser uma variação do dialeto napolitano para "vaffanculo". Minelli cuidava tanto do Professore, que até arrumou uma noiva para ele. Colocou um anúncio imenso no jornal *Fanfulla*, dedicado à colônia italiana, e conseguiu minorar a solidão na velhice do Il Professore.

Depois de ficarmos na "toca" de Moema, Theresinha e eu mudamos para um amplo apartamento, também alugado, na alameda Santos, próximo à avenida Paulista, e, em 1967, pude comprar a minha primeira casa, numa vila muito charmosa que saía da avenida Brigadeiro Luís Antônio, não muito longe do Parque do Ibirapuera. Nós não tínhamos nenhuma poupança para comprá-la, então demos de entrada um anel de brilhante da Theresa, de nove quilates, lapidação Brasil, presente da sua mãe, que o ganhara do marido, o professor Austregésilo. A lapidação Brasil, antiga, desvalorizava, e muito, o preço da pedra. Só para que se possa ter uma ideia: para transformá-la numa lapidação moderna, a gema perderia cinco quilates. Mesmo assim, serviu como entrada para a casa.

Sou eternamente grato ao amigo Geraldo Mauger — representante dos automóveis Vemag, na Serva Ribeiro (do pai do jornalista Leão Serva), que conheci por intermédio do Reinaldo Zangrandi —, por ter assinado seis promissórias assumindo a minha dívida. Ele não era um homem rico, tinha mulher, filhos, e agiu na pura confiança, pois fazia muito pouco tempo que nos tornáramos amigos. Obrigado sempre, Geraldo Mauger, obrigado seis vezes. A casa da Brigadeiro foi fundamental na nossa vida. Virou um ponto de encontro de velhos e novos amigos de diversas áreas, e ali vivíamos num ambiente de efervescência criativa. Além de atuar no teatro, a Theresa escrevia poemas, e teve um livro publicado com capa do artista José Roberto Aguilar e prefácio do físico e crítico de arte Mário Schenberg. Ela começou a pintar, também. Desde menino, sempre gostei de desenhar — hoje, com tudo digitalizado, fico horas no computador brincando com elementos gráficos, criando figuras, mexendo com tipografia, criando ilustrações. Meus romances, aliás, dão muito trabalho para os diagramadores, pois são repletos de ilustrações que eu mesmo criei. Não consigo escrever sem o auxílio de imagens (a única exceção está sendo este livro de memórias, mesmo assim aqui e ali fico tentado a colocar uma ilustraçãozinha, à medida que vou me recordando de fatos e pessoas...).

Alguns pintores começaram a frequentar nossa casa, e ficamos muito amigos do José Roberto Aguilar — um turbilhão de energia criativa —, que pintou um mural numa das paredes e a banheira que ficava na sala, que eu usava como sofá. Por meio do Aguilar conheci o Jorge Mautner e o José Agrippino de Paula — outras duas criaturas riquíssimas em informação e inovação que também ficaram nossos amigos. Mautner havia fundado o Grupo Kaos, em 1956. Fazia questão de dizer que era Kaos com K.

O Aguilar adorava a Theresa e chamava a nossa casa de "covil cultural" — a turma ficava lá até as cinco, seis horas da manhã. Passei a dividir o estúdio com ele, na rua Frei Caneca, 348; no mesmo imóvel, mas em sala separada, funcionava o ateliê do artista plástico Gontran Guanaes Netto. Lembro que o Aguilar foi o primeiro no Brasil a usar o spray com tinta metálica de automóvel para pintar, com pistola de ar comprimido. Tinha um imenso compressor no ateliê e todos devíamos usar máscaras. Nem sempre se usava. Tirava-se a máscara para fumar (o Guiga — como eu o chamava — era um dragão) e beber muita água, e às vezes nos esquecíamos de recolocá-la. Felizmente, fazíamos isso por pouco tempo. Aguilar participou das Bienais de 1963, de 1965, e foi convidado para a de 1967. Em 1966, eu havia feito a minha primeira exposição na Galeria Atrium, e fui premiado numa exposição da Esdi no Rio de Janeiro (com a pintura que tem o Super-Homem com uma torneira no lugar do pênis e no balão típico dos quadrinhos se lê seu pensamento: "Ninguém é perfeito…"). Depois seria medalha de prata no Salão de Campinas, muito importante na época, com uma obra chamada *Sessão de cinema*: uma história em quadrinhos pintada nas almofadas de três portas enfileiradas, presas no mesmo suporte. A pessoa ia lendo, abria a porta e a história continuava na porta seguinte. Na última porta, quando o visitante saía, estava escrito "Fim". Para dar uma ideia da importância do Salão, o primeiro prêmio, medalha de ouro, ficou com o fantástico artista plástico Marcello Nitsche. Quando recebi a notícia de que também fora selecionado para participar da ix Bienal, a de 1967, que ficou conhecida como a Bienal da Arte Pop, fiquei exultante. A representação americana trouxe uma sala especial de Edward Hopper e obras de Andy Warhol, Jasper Johns, Robert Rauschenberg e de um artista que eu adoro, Roy Lichtenstein, entre outros. Minha formação visual foi muito influenciada pelos quadrinhos, e isso me aproximou muito da pintura de Lichtenstein.

Meu trabalho, um tríptico de sete metros, ocupava uma parede inteira. No catálogo da Bienal, o título da minha obra está como *Cosmogonia 1*, feita com esmalte sintético. Chamei-a de *O gênio sobre a cidade* ou *Nexo, Sexo, Plexo*. Na base, havia uma cidade pintada nos três quadros, no estilo história em quadrinhos, e eles eram interligados por tubos de plástico em cujo interior circulavam automoveizinhos. Os tubos começavam na pintura *Sexo* e, por meio de uns buracos, penetravam a *Plexo* e terminavam no cérebro, na pintura *Nexo*. Um dia, pego a ponte aérea, o cara sentado do meu lado vai dizendo:

— Jô Soares, que prazer em conhecê-lo. Eu e minha mulher somos seus fãs. Fiquei sabendo que você está expondo na Bienal, que maravilha! Além de tudo, artista plástico! Nós fomos até lá, mas não conseguimos ver a sua obra. Vamos voltar à Bienal só para vê-la.

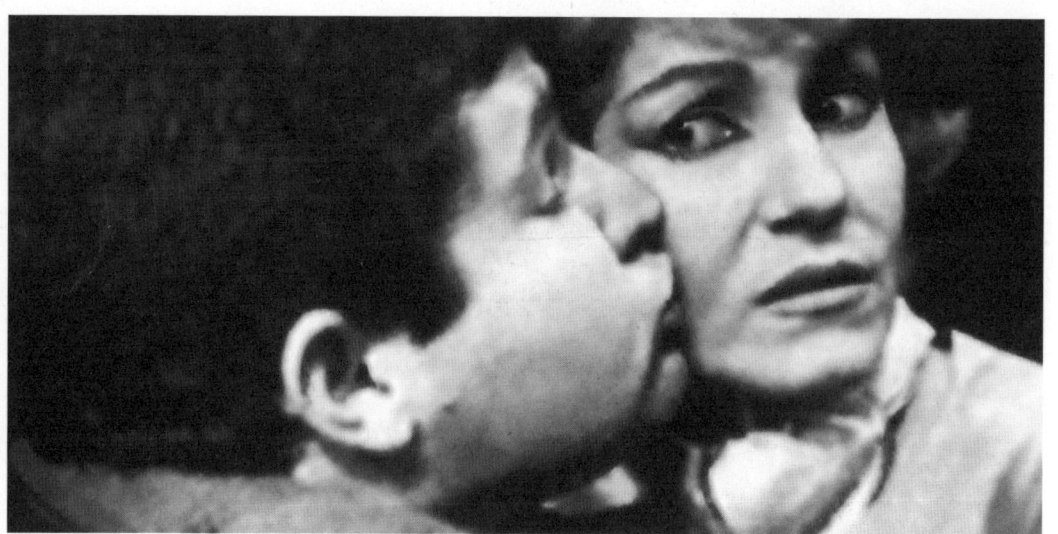

Com Cacilda Becker, na minha primeira participação de importância no teatro, na montagem de *Oscar*.

◀ Em meu primeiro trabalho
com Ronald Golias,
na chanchada *Tudo legal*,
em 1960.

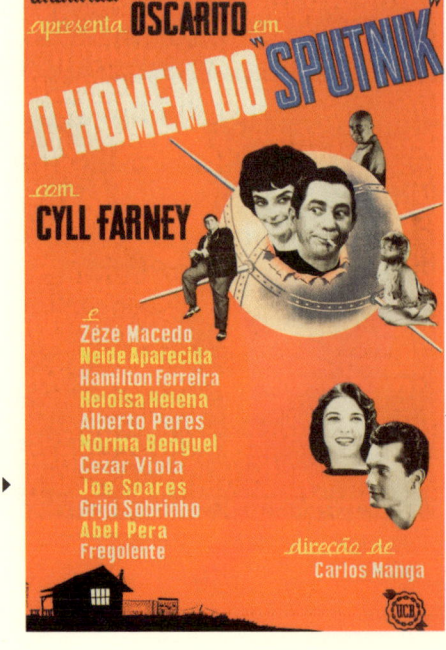

Cartaz do filme que ▶
fez grande sucesso,
O homem do Sputnik,
onde ainda apareço
como "Joe" Soares.

◄ Nos tempos da TV
Record: com Chico Buarque
e com Moacyr Franco —
o maior sucesso da
televisão no início da década
de 1960 —, recebendo os
nossos prêmios Roquette
Pinto.

Dois LPs em que posso ser ouvido tocando bongô: *Em tempo de jazz*, o primeiro disco de jazz gravado por brasileiros, e *Dois na Bossa nº 3*, de Elis Regina e Jair Rodrigues.

Em 1962, na cantina La Tavola, com os amigos da TV Excelsior:
da esquerda para a direita, Cyro del Nero, Álvaro de Moya,
Manoel Carlos e eu.

◀ Em 1963, com um dos meus
grandes mestres, Silveira
Sampaio, o homem que fez
o primeiro talk show
da televisão brasileira.

Em 1963, na Record, entrevistando o ator Mário Benvenutti e a deslumbrante Odete Lara para o programa de Silveira Sampaio.

Em 1962, no anúncio de ▸
La Revue Chic, programa
de TV patrocinado pela
Rhodia, com as modelos Inge,
Lúcia Curia (futura sra. Walther
Moreira Salles), Mariela e
Paula — que depois faria um
sucesso estrondoso em Paris.

◂ Em 1963, vestido de
velhinha, num editorial
de moda da revista
Claudia, criado por
Thomaz Souto Corrêa
e fotografado por Otto
Stupakoff, dois grandes
amigos; no embrulho tem
uma árvore de Natal.

Em 1962, o Jorge Ben ▶
não pôde fazer um show
na boate Djalma's,
e lá fui eu substituí-lo
por uma semana.

▲
Em 1967, com Golias e Sônia Ribeiro, no meu primeiro grande
sucesso popular na televisão, *Família Trapo*.

◄ Em 1965, na TV Record, com o meu parceiro e inesquecível amigo Othelo Zeloni no programa *Ru Fu Fu*, no qual fazíamos dois ladrões que só se davam mal.

▲ Em 1969, numa das minhas participações no cinema udigrúdi: *A mulher de todos*, dirigido por Rogério Sganzerla.

Em 1968, fiz o papel de samurai no talvez mais incompreendido dos filmes brasileiros, *Hitler 3º Mundo*, do saudoso José Agrippino de Paula.

Regina Duarte era uma jovem atriz, em 1969, quando a convidei para fazer o papel de Julieta, na primeira montagem profissional da peça de Shakespeare no Brasil; Heleno Prestes era o Romeu.

O repouso do guerreiro, a pintura com a qual participei da
1ª Feira Paulista de Opinião e que acabou irritando os militares.

Em 1968, criei o cartaz da 1ª Feira Paulista de Opinião; baseado numa velha propaganda do Xarope São João, era um manifesto contra a mordaça da Censura.

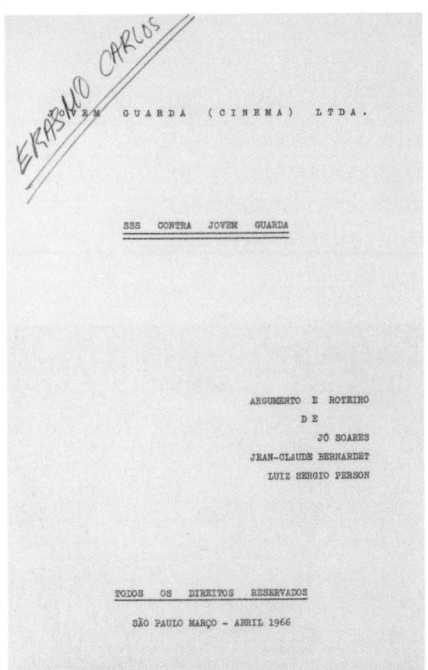

JOVEM GUARDA (CINEMA) LTDA.

SSS CONTRA JOVEM GUARDA

ARGUMENTO E ROTEIRO
DE
JÓ SOARES
JEAN-CLAUDE BERNARDET
LUIZ SERGIO PERSON

TODOS OS DIREITOS RESERVADOS

SÃO PAULO MARÇO — ABRIL 1966

Em 1966, Jean-Claude Bernardet e eu
trabalhamos no roteiro do que seria
o primeiro filme de Roberto Carlos,
Erasmo Carlos e Wanderléa: *SSS contra
Jovem Guarda*, a ser dirigido por Luís
Sérgio Person; esta era a cópia do
roteiro do Erasmo.

Fac-símile da cópia
mimeografada a álcool
do script que escrevi para
o *Simonetti Show*,
em abril de 1962.

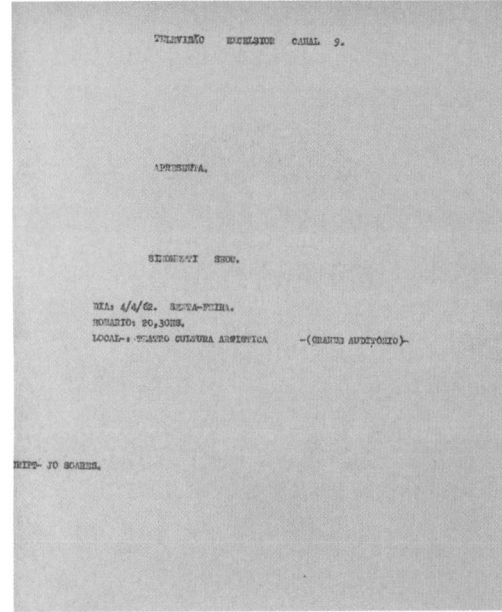

SOARES, Jô

ENDEREÇO:

ASSUNTO: Em 24/11/65 participou da assembleia de Intelectuais
e Artistas no Teatro Ruth Escobar, ocasião em que fizeram críticas
aos atos do Governo e em especial às prisões contra intelectuais.
Vide d.c. nº 7 na pasta de "Intelectuais".

Em novembro
de 1965, por causa
de uma assembleia
de intelectuais e
artistas no Teatro
Ruth Escobar, ganhei
uma ficha no Dops.

O recém-nascido ruivinho Rafael, com a vovó Mêcha e o vovô Garoupa.

Rafinha, aos dois anos: não havia em seus traços físicos nenhum indício do autismo que iria se desenvolver nos anos subsequentes.

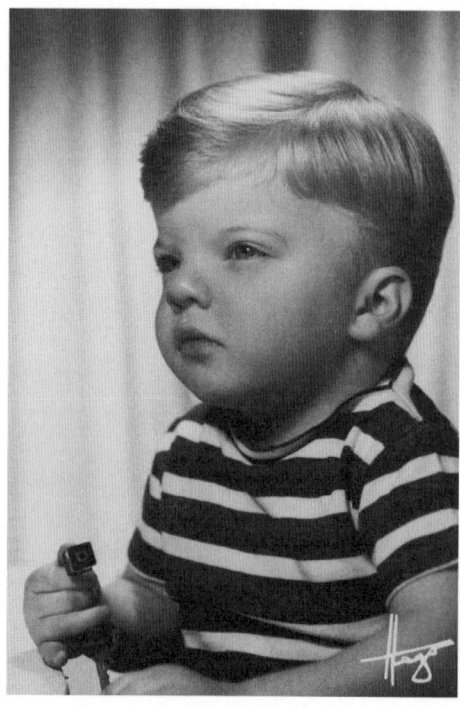

Rafinha com a sua mãe, Theresinha Austregésilo, que trocou uma brilhante carreira de atriz por 51 anos de dedicação ao nosso filho.

Rafinha, eu e o nosso ▶
lindo pastor-alemão
preto Bonzo;
adoro essa foto.

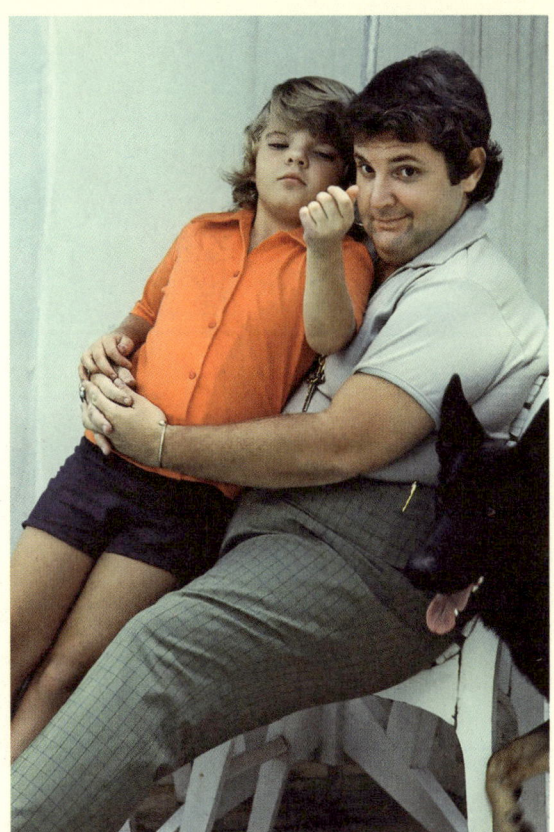

◀ No Natal de 1969,
fui o Papai Noel da
capa da revista *Claudia*.

Com dois líderes mundiais: em 1994, com Mikhail Gorbatchóv, em Moscou; e, em 1997, autografando para Bill Clinton a edição americana de *O xangô de Baker Street* (*A Samba for Sherlock*, em inglês).

Eu respondo:

— Puxa, que honra, muito obrigado.

Ele continua:

— A Bienal está muito boa, mas teve uma obra que nos desagradou muito. São três quadros do mesmo artista, uma grosseria. Há um pênis que sai de um quadro e entra no outro, e entra no outro, uma coisa de dar medo. Eu e minha mulher ficamos horrorizados. Falei pra ela: "Esse sujeito só pode ter os colhões na cabeça…".

À medida que ia falando, ia descrevendo o meu tríptico que estava na Bienal. Ele não se dera conta de que foi exatamente a minha obra que o chocou tanto. Esperei que terminasse de falar e disse:

— Puxa, uma pessoa que gosta tanto assim de pintura como você, merece um presente. Me dê o seu cartão que, assim que a Bienal terminar, vou mandar a minha obra que está lá de presente pra você.

Ele respondeu felicíssimo:

— Nossa, não precisa, Jô…

— Eu faço questão.

— Não, seria uma honra, minha mulher ficaria muito feliz, mas é muita generosidade, não posso aceitar…

Eu fui firme:

— Eu já disse que faço questão, é raro encontrar hoje em dia uma pessoa no Brasil entusiasmada com a pintura, então eu faço questão mesmo.

O cara do meu lado, felicíssimo, emocionado, mesmo achando o presente exagerado, me deu seu cartão. Eu disse a ele:

— Mas não se esqueça de ir lá na Bienal olhar a minha obra antes, pra vocês terem certeza de que é uma obra que está à altura do bom gosto de vocês.

— Jô, nem brinca, tenho certeza que nós vamos adorar. Nós vamos à Bienal neste fim de semana mesmo.

Daí eu passei um tempo me divertindo, pensando no pavor do cara ao ver um caminhão chegar na casa dele com o meu tríptico da Bienal...

Infelizmente, o depósito onde deixei as minhas pinturas em São Paulo, quando voltamos a morar no Rio, em 1970, pegou fogo, e eu não tenho nem fotos do trabalho exposto na Bienal. Em 1968, a barra pesou: o Gontran Guanaes Netto, por ser do Partido Comunista, teve de ir para a clandestinidade — acabou se exilando em Paris —, havia um mimeógrafo daqueles de álcool no estúdio, que usava para imprimir algumas mensagens políticas, e o Aguilar precisou mudar seu ateliê da Frei Caneca. Em julho de 2004, quando fiz minha última exposição, Quadro de Luz, o José Roberto Aguilar foi o curador e a Flavinha fez uma montagem maravilhosa, sofisticada, com as paredes pretas e uma iluminação especial sobre as telas.

Ainda em 1967, ano da Bienal, no primeiro dos shows do dia 7, a Record promoveu uma espécie de *Esta Noite se Improvisa* do humor. O *Esta Noite se Improvisa* revelou, entre outros, Chico Buarque e Caetano Veloso. A produção colocava uma palavra no ar, o concorrente que apertasse a campainha em primeiro lugar tinha de cantar uma música cuja letra usasse aquela palavra. Se me lembro bem, a ideia do programa nasceu num *Show do Dia 7*, que reunia os timaços de música e de humor do canal. O *Show do Dia 7* foi outra invenção genial da TV Record: como o número do canal era o 7, todo dia 7, não importava em que dia da semana caísse, havia um show especial de quase quatro horas de duração, com todo o maravilhoso elenco de contratados da casa. O programa mensal funcionava com um reforço incrível da marca e da identidade do canal. Lembro que a cantora Isaurinha Garcia, de bastante prestígio na época, só cantava na TV disfarçando o fato de que escrevia na mão a letra da canção. Ela não conseguia decorar letra nenhuma. Um dia, estávamos cantando o "Parabéns a você" num *Show do Dia 7*, eu olho para o lado e a Isaurinha está com a letra na mão. Digo baixinho:

— Pô, Isaurinha, é o "Parabéns a você"...

E ela:

— Eu não decoro nada, eu não decoro nada, vai que...

E seguiu lendo a letra do "Parabéns a você".

Naquele *Show do Dia* 7 dedicado ao humor houve a tal da competição de piadas entre os humoristas da casa. Na final, ficamos o Renato Corte Real e eu. Ganhei. O prêmio era uma passagem para Nova York na classe econômica, onde fui esmigalhado nos meus 140 quilos. Foi a primeira vez que voltei à cidade depois da viagem com meu pai e minha mãe, em 1951, e me deu uma nostalgia de rever o hotel onde tínhamos ficado hospedados. Peguei um táxi e pedi ao motorista que me levasse ao Astor, na Times Square. O motorista riu e disse:

— Só se for numa viagem no tempo. O hotel já foi destruído.

Fiquei triste. Imediatamente, pedi a ele que me deixasse num hotel perto da Times Square. Parei em um que ficava na Broadway — bem mais simples que o Astor — e que me lembro de cobrar sete dólares por noite. Eu passava grande parte do tempo indo aos cinemas, só que, depois de quatro dias, comecei a sentir uma solidão danada. A Theresinha não viajou comigo e eu me programara para ficar um mês por lá, mas começou a bater uma vontade de vir embora... — engraçado, nunca havia tido esse tipo de sentimento antes, vivia perfeitamente bem fora do Brasil. Um dia, vou ao Village, desço do táxi, ainda pensando em voltar, e a primeira pessoa que vejo na calçada é o meu amigo Jorge Mautner! Da turma lá de casa! Ele me disse que havia conseguido um trabalho na ONU e que quem também estava por lá era o cineasta Neville d'Almeida, trabalhando como garçom numa lanchonete, enquanto aprendia tudo que podia nos cursos de cinema. Neville me disse uma frase ótima:

— Olha, na ONU tem de tudo, tem indianos, tem árabes, tem chineses, tem gente vestida com todo tipo de roupa. Mas a roupa que mais chama atenção lá é a do Mautner.

Ele ia à ONU com uma mistura incrível de cores entre a gravata e a camisa, um paletó de terno surrado que não combinava com nada, tênis sem meia. Eu adorava relógios, não podia passar por uma vitrine de relógios que parava maravilhado. Aliás, eu parava em frente a qualquer vitrine que cintilasse, e o Mautner me repreendia:

— Vamos embora, não fica fascinado, não fica fascinado.

Foi uma época de muita agitação na Washington Square, grupos de todos os tipos de ideologia — defensores dos direitos humanos, comunistas, trotskistas, defensores da sociedade alternativa e até neonazistas — iam para lá discursar e fazer agitação política. Nós nos misturávamos nesses grupos e entrávamos na discussão, era muito divertido. Os nazistas tentavam ganhar as discussões usando o recurso do gramaticalmente correto. Por exemplo, alguém cometia um erro comum: dizia *who* em vez de *whom*. O nazista corrigia com imenso desprezo:

— Não é *who*, o certo aqui é você usar *whooom*...

Já disse que adoro a obra do Roy Lichtenstein. Como algumas pinturas dele estavam expostas na Bienal de São Paulo, achei que seria um bom gancho para procurá-lo em Nova York. Mas como achá-lo? A tentativa mais fácil era procurar na lista telefônica, e foi o que fiz. Olha que sorte e que ousadia: procurei na letra L e achei vários Lichtenstein. Senti que o caminho podia dar certo. Passei o dedo na lista das pessoas que tinham esse sobrenome e, opa, vejo "Lichtenstein, R.". Anoto o número num papel, reúno toda a minha imensa cara de pau, e ligo. Uma voz de homem atende. Dá-se o seguinte diálogo:

— *Mr. Lichtenstein?*
— *Yes. Speaking.*
— *Mr. Roy Lichtenstein?*
— *Yes.*
— *Mr. Roy Lichtenstein, the artist?*
— *Yes, that's me!*

Aí eu disse que era fã da sua obra, me identifiquei como um artista plástico brasileiro que expunha na mesma Bienal que ele e perguntei se podia visitá-lo. Roy Lichtenstein deu um show de gentileza, disse que sim, e eu — munido da minha carteirinha de artista expedida pelo Comitê Nacional de Artes Plásticas — me mandei para o Bowery, num prédio cuja fachada estava caindo aos pedaços. Vi, pela primeira vez, um galpão de depósito, com aqueles elevadores imensos de portas pantográficas, transformado em loft. Uma das coisas que mais me impressionaram foi o cuidado meticuloso de Lichtenstein, que pintava as retículas uma a uma, em vez de usar uma máscara perfurada, que facilitaria bastante o trabalho. Ele me disse que seu galerista era o então marchand da pop art Leo Castelli, o mais importante galerista do mundo nos anos 1960. Fui até a galeria e me regalei vendo os últimos trabalhos de todos os grandes artistas pop, todos representados por Castelli.

Se a expressão existisse na época, na adolescência eu poderia ser chamado de nerd. Sempre fui um leitor fanático por histórias em quadrinhos, sempre gostei de ficção científica e de ciência, sempre tive uma queda enorme pelo universo trash — esse universo que, junto com a paixão pelos computadores, que só seriam disponíveis para as pessoas terem em casa muito tempo depois, compõe a cultura nerd. Minha biblioteca vai de Dostoiévski ao Fredric Brown, escritor quase desconhecido de ficção científica. Passando, é claro, por Machado de Assis, Fernando Pessoa, minha paixão, sobre quem fiz um espetáculo aqui e em Lisboa, e Benjamim Costallat, um escritor brasileiro genial dos anos 1920 e 1930.

Assim, em 1961, quando comecei a frequentar a tv Excelsior, nada mais natural que ficasse amigo de seu diretor de programação, o Álvaro de Moya, que era fanático por cinema e o especialista mor em quadrinhos no Brasil. Para dar uma ideia da sua obsessão pelos filmes (paixão que, aliás, toda a nossa turma compartilhava com a mesma intensidade), ele contava que no dia da estreia do

Macbeth, do Orson Welles, foi um dos primeiros a chegar ao Cine Ipiranga, para a sessão das duas da tarde — depois, assistiria tantas vezes ao filme que o sabia quase de cor, todos os enquadramentos, as falas, a iluminação etc. Acabou a sessão, Álvaro atravessou a rua e entrou no Cine Marabá, para ver o *Hamlet*, dirigido e interpretado pelo Laurence Olivier. Acabou a sessão, saiu caminhando pela avenida São João e viu que estavam reprisando, no Cine Ritz, *O falcão maltês*, com o Humphrey Bogart — e não teve dúvida, entrou no Ritz para ver mais uma vez o filme. Na saída do cinema, encontra a irmã com o namorado, que iam assistir ao *Hamlet*. Álvaro sugeriu que, em vez do *Hamlet*, fossem ver o *Macbeth* do Orson Welles. Eles aceitaram, foram para o Cine Ipiranga... e o Moya foi junto, para ver o filme de novo.

Álvaro de Moya, um grande desenhista, começou a trabalhar na televisão fazendo vinhetas. Em 1951, fazia parte do grupo (que tinha também o produtor gráfico Reinaldo de Oliveira) que conseguiu organizar a primeira exposição internacional de quadrinhos no Brasil, com originais de Alex Raymond, Hal Foster, Milton Caniff, George Herriman, Al Capp, George Wunder, Frank Robbins e outros. Os quadrinhos eram vistos como lixo cultural, então o Masp não aceitou fazer a exposição. Encontraram acolhida no Centro Cultura e Progresso, na rua José Paulino, no coração da comunidade judaica de São Paulo. Numa mostra cheia de provocações para chacoalhar a imensa ignorância local — sobretudo dos editores — com relação ao universo das histórias em quadrinhos, o Moya e sua turma colocaram lado a lado, num painel chamado de "Plágio", ilustrações dos livros do Monteiro Lobato com suas "fontes de inspiração" tiradas do *Flash Gordon* e do *Príncipe Valente*. E fizeram questão de convidar o então proprietário da Editora Brasiliense, o importante historiador marxista Caio Prado Jr., para ver a exposição. Em outro painel sob o nome de "Paradoxo", eles pegaram um desenho de Wilhelm Busch e colocaram embaixo a data 1892 (os organizadores erraram aí, o ano certo da publicação do desenho era anterior, 1865), e, com a data de 1950, reproduções das páginas brasileiras das histórias de *Juca e Chico* (*Max und Moritz*, no original e traduzido genialmente por Olavo Bilac), com a seguinte legenda: "A maioria das nossas editoras de 'livros infantis' não é, em absoluto, contra as histórias em quadrinhos, apenas encontram-se mais de meio século atrasadas no assunto".

Em 1967, com todo o amor que tinha pelos quadrinhos, já que estava em Nova York, não poderia deixar passar a oportunidade de tentar encontrar um dos meus ídolos supremos, o cartunista Will Eisner. Eu considero *Gerhard Shnobble, o homem que sabia voar*, publicada por Eisner em 5 de setembro de 1948, absolutamente genial. Resumindo: é a história de um homenzinho que tem a extraordinária capacidade de voar. Não mostrou isso para ninguém por ser extremamente tímido, com talento apenas para o anonimato. Morava sozinho, num cubículo, no porão de um prédio pavoroso no pior bairro possível, infestado de ladrões e assassinos. Pois bem: certo dia, cansado dessa vida por ele mesmo escolhida, resolve mostrar que sabe voar. Já pensou? O único ser humano, sobre a terra, que voa? Vai para o alto do prédio de um banco, onde está acontecendo um assalto, e se atira no espaço. Começa a executar manobras aéreas incríveis. Sorri para a vida. Exatamente nesse momento, explode um violento tiroteio entre a polícia e os ladrões do banco. Antes que as pessoas possam perceber que ele está voando, é atingido por várias balas perdidas e vai ao chão. E assim termina a história de Gerhard Shnobble, um homenzinho que sabia voar e ninguém viu.

Depois de muita procura, consegui localizar o endereço. Fui até lá e era uma pequena gráfica que imprimia manuais de aparelhos eletrodomésticos, que os americanos adoravam ler. Naqueles dias, como já disse, histórias em quadrinhos ainda estavam no nível do lixo cultural, apesar da influência que já exerciam sobre alguns artistas pop, como Andy Warhol e o Lichtenstein. Perguntei se eu encontraria o Will Eisner ali, foram chamá-lo e ele apareceu, de gravatinha-borboleta, sorridente, e curioso para saber quem o procurava.

— Mister Eisner, eu sou brasileiro, estou de férias em Nova York e vim até aqui somente pra lhe dizer o seguinte: eu sei que você voa!

Ele ficou comovido, eu fiquei comovido porque ele ficou comovido, batemos um papo e nos despedimos.

Anos depois, quando o entrevistei no SBT, relembrei o episódio e Will Eisner se recordou. Vi que não foi apenas por delicadeza que disse se lembrar, porque mencionou detalhes da conversa.

No final da década de 1960, o Álvaro de Moya organizou uma antologia que se tornou um clássico da literatura sobre gibis no Brasil, chamada *Shazam!*, que foi publicada em 1970, pela Editora Perspectiva. O jornalista Sérgio Augusto escreveu um texto sobre os *space-comics* que tem uma abertura sensacional ("Como se sabe, a Terra é azul porque Flash Gordon assim o disse em 1933"), e dois psiquiatras que eram muito influentes em São Paulo na época, também colaboraram no livro, o José A. Gaiarsa e o Paulo Gaudêncio. Eu escrevi dois textos, "Os pensamentos do Fantasma — Die Gedanken des Gespenst", no qual contesto a tese de que O Espírito que Caminha era racista e colonialista, e "Do ressurgimento do Capitão América e suas consequências", que relaciona a volta do super-herói à eclosão da Guerra do Vietnã. No livro, o Álvaro de Moya publicou-os como se fossem duas partes de um mesmo texto com o título insosso de "Os dilemas do Fantasma e do Capitão América". Todos os cultuadores de quadrinhos no Brasil precisam conhecer a importância que o Álvaro de Moya teve para o gênero em nosso país.

Em 1968, havia um evento qualquer da Fifa em Zurique, Suíça, do qual a TV Record precisava participar. Ninguém da direção estava disponível para viajar naquele momento, então o Paulo Machado de Carvalho me chamou e disse que eu teria uma missão na

Europa. Fiquei muito feliz, era a primeira vez que voltaria ao Velho Mundo desde os estudos na Suíça. Nessa viagem me reencontrei com o Bob Zagury em Paris, como já relatei, e ele me levou ao Castel. Anos depois, o Castel viria a abrir seu restaurante no Rio, e ficamos muito amigos. Fiquei amigo também de um nome, hoje esquecido no Brasil, importantíssimo nas relações culturais franco- -brasileiras: o Pierre Barouh. Cantor, ator, músico, produtor, tor- nou-se mundialmente conhecido por sua participação no filme que foi um blockbuster internacional em 1966, *Um homem, uma mu- lher*, dirigido por Claude Lelouch. Na película, atua como ator, faz duo com Nicole Croisille na famosíssima trilha sonora com o mes- mo nome do filme, composta por Francis Lai, e apresenta uma versão francesa do "Samba da bênção", do Baden Powell e do Vi- nicius de Moraes, intitulada "Samba saravah". Na mesma trilha, Barouh canta com Croisille a belíssima "Plus fort que nous". Ah, e Barouh ainda era casado com a atriz de *Um homem, uma mulher*, Anouk Aimée, portanto sua participação no filme ia muito além das telas... Pierre Barouh gravou uma grande quantidade de ver- sões francesas da Bossa Nova e fundou o selo de música Saravah, que foi responsável pela divulgação da música e de músicos brasi- leiros na França e na Europa.

Uma das vezes em que o encontrei em Paris, Pierre Barouh nos levou, Flavinha e eu, para ver uma peça baseada no livro *Terra dos homens*, do Antoine de Saint-Exupéry, autor do *Pequeno príncipe*. O avião pilotado por Henri Guillaumet, que trabalhava com Exupéry na empresa aérea Aéropostale na América do Sul, caiu na cordi- lheira dos Andes, em 1930, quando ia do Chile para a Argentina. Ficou cinco dias na neve e sobreviveu porque foi encontrado por um menino andino e acolhido por sua comunidade. O autor de *O pequeno príncipe*, também piloto, fez o relato da história do amigo no *Terra dos homens*. (Um detalhe: Antoine de Saint-Exupéry pou- sava muito em Santa Catarina, onde, como a população local não conseguia pronunciar o seu nome, era chamado de Zé Perri.)

Depois da peça, fomos jantar no Chez Castel, do nosso amigo comum. No elenco havia atores chilenos, exilados da ditadura de Pinochet. Eles faziam o papel de membros da comunidade andina que acolheu o piloto francês após o desastre aéreo. Um dos atores nos contou uma história incrível: soube que seu irmão que vivia exilado na Suécia estava muito mal de saúde. Resolveu visitá-lo, porém não tinha passaporte, vivia irregularmente na França. Um dos seus amigos chilenos lhe sugeriu que pegasse um cardápio de um restaurante árabe (sem tradução para o francês), o recortasse de maneira a parecer um documento, colocasse a sua fotografia nele e o enchesse de carimbos falsos. O ator pegou o trem para a Suécia portando o "documento" de um país árabe que teria a mesma validade de um passaporte. À medida que ia passando pelas fronteiras, mostrava o papel, os guardas olhavam com muita atenção aquele "documento" estranho, mas, no final, carimbavam o visto de entrada. Aí o trem chegou à fronteira da Suécia. Ele entregou o documento. O guarda da fronteira examinou, olhou de um lado, olhou do outro, olhou para ele e disse:

— Só um instante, por favor.

A essa altura, o ator chileno estava desesperado. O policial chamou seu superior, confabularam em sueco, e daí o guarda se voltou para ele:

— Isso aqui é o documento que você usa pra viajar, é seu passaporte?

— Sim.

— Amigo, se países muito mais importantes como a França e a Alemanha deixaram você viajar com esse papel, não será a pequena Suécia que vai barrar a sua entrada.

E, *pá*, carimbou o papel.

Fico arrepiado e emocionado todas as vezes que me lembro do chileno contando essa história em Paris... Já li e vivi o suficiente para saber que, nas situações mais difíceis, sempre aparece um anjo.

Voltando à viagem para a Europa de 1968. Dessa vez, fui de primeira classe, tinha espaço suficiente para o meu corpinho na cabine do avião. O dr. Paulo me pediu que conseguisse, na sede da Fifa, vídeos de treinamentos e de jogos de todas as seleções filiadas à entidade máxima do futebol. Ele continuava inteiramente ligado a esse esporte e à Seleção, que, chegando como bicampeã do mundo à Copa da Inglaterra, em 1966, decepcionou os brasileiros e o mundo, sendo facilmente eliminada. Para sua imensa frustração, Paulo Machado de Carvalho havia perdido o posto de chefe de delegação para João Havelange, que não seguiu o plano traçado pelo Marechal da Vitória para o Brasil conquistar o tri em Londres. O fracasso de 1966 poderia significar sua volta ao comando do nosso escrete na Copa seguinte. Até hoje me pergunto se ele não queria ter o material sobre a preparação das seleções estrangeiras para fazer um novo plano para a Copa de 1970, que seria no México. Fossem quais fossem seus planos, foram frustrados. Fui introduzido numa reunião de velhinhos que detinham o poder do futebol mundial. Primeiro me disseram que não conheciam a TV Record. Quem representava a televisão brasileira na Fifa era o diretor das Emissoras Associadas — leia-se TV Tupi —, o dr. Almeida Castro, figura importantíssima na história do veículo no país. Era o único nome do Brasil que constava num enorme livro encadernado em couro marrom. Os velhinhos me diziam que só poderia haver um responsável pela TV brasileira. Apesar do imenso respeito que tinha pelo dr. Almeida Castro, declarei na maior cara de pau:

— Realmente, Monsieur Castrô foi o nosso representante. *Mais, malheureusement il est mort* [Infelizmente, já faleceu].

Num gesto irresponsável, coloquei o meu nome no lugar do dele. Peço mil desculpas ao Almeida Castro e sua família, mas, felizmente, o episódio não teve nenhuma consequência. Os representantes da Fifa me explicaram que a entidade não detinha nenhum teipe de treinamentos e preparações dos selecionados. O único caminho era tentar conseguir os vídeos diretamente com as federações de cada país.

Ou seja, viagem perdida.

Bem, nem tanto. Antes de deixar o Brasil, o Tuta, que, embora estivesse participando dos melhores projetos da TV Record, continuava no comando da Rádio Jovem Pan, sempre renovando e inovando, me procurou e disse:

— Já que você vai para a Europa, leva este gravador e entrevista o papa em Roma, no Vaticano, pra gente usar na Semana Santa.

Era um gravador do tamanho de uma maleta, tipo James Bond, com aquelas enormes fitas de rolo. O técnico que me ensinou a usar aquele aparelho imenso foi o Quem-Quem, que até hoje trabalha com o Roberto Carlos. Ele sempre me diz:

— As duas únicas pessoas que me chamam de Quem-Quem hoje em dia são você e o Roberto.

O nome dele é Genival.

Depois da minha aventura "fifesca", lá fui eu para a Itália. Na minha santa ingenuidade, achava que bastava bater à porta do Vaticano, dizer que era o Jô Soares da TV Record, do Brasil, que a entrevista com o papa estava garantida. Mas, antes que eu tivesse algum problema e me desesperasse, o dedo divino me ajudou:

— Jô Soares? O que que ocê tá fazendo aqui no Vaticano?

Era um padre brasileiro, de Minas, muito magrinho, que fumava muito.

— Vim entrevistar o papa Paulo VI pra Rádio Jovem Pan.

— Uai, cê tem a entrevista marcada? Se não, vai sê impossível conseguir. Cê pensa o quê?

Eu ainda tentei, num tom esperançoso:

— Será que não dá mesmo? Se a gente falar que é uma mensagem para os brasileiros na Semana Santa...

Ele caiu na gargalhada. O padre magrinho falava devagar, com sotaque mineiro, mas tinha os olhos vivos e era muito esperto. Me disse, entre uma tragada e outra:

— Vem comigo. Eu acho que tem uma maneira de dar um jeitinho nisso.

Se não me engano, ele trabalhava para uma rádio de Belo Horizonte. Fomos para sua sala, o padre mineiro chamou um técnico, disse o que eu estava fazendo ali (o técnico não sabia que eu falava italiano), riram muito da minha bendita pretensão. Então o padre disse ao técnico:

— Vai no arquivo, pega aquela mensagem em português que Sua Santidade fez no ano passado em Fátima, na Semana Santa.

O técnico pegou a fita, fomos para o estúdio da Rádio Vaticano, ele botou a fita, e nela o papa dizia em português:

— Povo de Portugal, povo que foi abençoado pela aparição de Nossa Senhora de Fátima. Nesta Semana Santa...

O padre mineiro começou a cortar todas as menções a Portugal e ao povo português, fez algumas edições e, no final, o papa Paulo VI dizia:

— Abençoo todos os queridos católicos desse país, nesse dia tão especial... em nome do Pai, do Filho e do Espírito Santo!

O resultado ficou tão bom, que se podia jurar de joelhos que ele estava se dirigindo ao ouvinte brasileiro. Aí, entrei na cabine de som e gravei a cabeça, com a voz bem circunspecta:

— Estamos falando ao vivo do Vaticano, nesta Semana Santa, e temos uma mensagem exclusiva, para a Rádio Jovem Pan, do papa Paulo VI para o povo brasileiro.

Enfim, tínhamos uma bênção do papa. A única coisa que não precisava era eu ter viajado o tempo todo com aquela maleta pesada do gravador... Aproveitei a rápida estadia em Roma e fui almoçar com meu amigo siciliano Adolfo Celi, com quem tanto aprendi. Ele vivia o auge da fama internacional, depois de ter feito o papel do vilão Emilio Largo no filme *007 contra a chantagem atômica*, com Sean Connery, em 1965.

Um dos grandes êxitos da televisão brasileira em 1968 foi a novela da Tupi de São Paulo *Beto Rockfeller*. Escrita por Bráulio Pedroso, dirigida pelo Lima Duarte, ela fez tanto sucesso que chegou a ter 327 capítulos. Luis Gustavo, o Tatá, fazia o papel do protagonista — um cara de classe média baixa de São Paulo que se fazia passar por um playboy milionário —, que tinha o Plínio Marcos, um mecânico de automóveis, como seu grande amigo, a futura deputada pelo PT Bete Mendes como sua paixão do bairro onde vivia, a Débora Duarte como a menina milionária em quem ele sonhava dar o golpe do baú, e a Irene Ravache como sua irmã e confidente. A novela revolucionava o conceito de teledramaturgia em tudo: nos personagens — Beto era um anti-herói; nas gravações fora de estúdio, que representavam 90% das cenas; na dicção dos personagens, mais próxima do cotidiano, sem a afetação característica das novelas anteriores; e até na trilha sonora, usando Beatles, Rolling Stones, Bee Gees e Erasmo Carlos. O Bráulio editava o Suplemento Literário do *Estadão* e também frequentava as noitadas da nossa casa na Brigadeiro. Foi uma usina de ideias e, infelizmente, morreu muito cedo. A ideia da novela surgiu numa ocasião em que Cassiano e o Tatá, que eram cunhados, estavam na boate Dobrão, na noite de aniversário de uma socialite paulistana. Na festa, chamava atenção um cara vestido de maneira diferente, muito simpático, que dançou com as meninas e levou a aniversariante com ele. Alguém disse para o Cassiano que o cara seria um bicão na festa, e o diretor da Tupi respondeu:

— Bicão nada, este cara dá um puta personagem!

O Cassiano queria alguém com a cabeça diferente para escrever o texto da novela, então convidou o Bráulio, que não tinha experiência em televisão. Ele conversava muito comigo e com a Theresa — responsável por Bráulio ter sido apresentado à sua futura mulher, Marilda, numa festa na casa da Ruth Escobar — sobre os planos para a novela. O Dirceu Fontoura, do Laboratório Fontoura ("Be-a-bá, be-é-bé, be-i-bi... otônico Fontoura"; o jingle era famosíssimo e o nome do xarope fora dado pelo escritor Monteiro Lobato), dono do *Atrevida*, o maior iate do Brasil na época, não perdia um capítulo de *Beto Rockfeller*. Um dia ele chama o Tatá e diz o seguinte:

— Nós vamos lançar um remédio novo e eu proponho te pagar uma quantia todas as vezes que você pronunciar o nome do remédio na novela.

O Tatá ficou atraído, mas o personagem, a princípio, não combinava com remédios. Aí o Dirceu explicou para ele:

— É um remédio revolucionário, para curar ressaca.

Bingo! Curar ressaca seria algo que tinha tudo a ver com o personagem Beto Rockfeller. O remédio era o Engov. A quantia proposta pelo Dirceu para cada uma das citações chegava a três vezes mais do que o Tatá ganhava por um mês de trabalho na Tupi. Um funcionário do Dirceu ficava encarregado de assistir à novela e anotar quantas vezes o Tatá dizia "Engov". O remédio para ressaca fazia tanto sucesso que, cada vez que a Regine, dona de boates no Brasil, em Paris e em Nova York, saía do país, levava uma mala cheia de Engov para distribuir nas festas que dava em suas casas noturnas do exterior. Presenciei essa distribuição num réveillon que passei com a atriz Sylvia Bandeira, com quem eu era casado na época, em Nova York. Aliás, meu ídolo Rod Steiger, sentado à mesma mesa, olhou para Sylvia e disse: "*A movie star!*". Naquela noite, ela deslumbrava.

Voltando à novela: Beto Rockfeller desandou a falar Engov várias vezes por capítulo. Na época, não havia departamento de merchandising nas emissoras. Tatá conta que só num capítulo chegou a falar 33 vezes o nome do remédio. Esse excesso de citações despertou a atenção da diretoria comercial da Tupi, que não estava gostando da ideia de não ter participação no merchandising. O Lima Duarte, dirigindo a novela, deu uma chamada no Luis Gustavo. No capítulo seguinte, a novela começava com os créditos passando em sobreposição a um copo onde fervilhava um Sonrisal. Tatá ficou louco. E agora? O que fazer? Assim que começaram os diálogos, perguntou ao ator que contracenava com ele:

— O que é isso?

— É um Sonrisal. Fui numa noitada ontem e estou tomando um pra aliviar a ressaca.

E o Beto:

— Isso não vale nada, rapaz. O bom mesmo é o Engov…

O Lima, puto da vida:

— Corta! Corta!

E o Tatá:

— Tã bom, eu entendi. Não falo mais… Agora, vamos refazer a abertura.

Nessa altura, com o dinheiro do Engov, já tinha dado para o Tatá mobiliar seu apartamento inteiro.

O Beto Rockfeller é um dos mais perfeitos casos de identificação da figura do personagem com o ator na televisão brasileira, a ponto de Luis Gustavo não ter conseguido outro trabalho por alguns anos — ninguém achava que daria certo em outro papel, o que foi uma grande injustiça, porque inaugurou um estilo casual e despojado de interpretar, parecia que estava sempre atuando na sala da sua própria casa. Pouca gente sabe, mas ele é descendente de espanhóis (seu nome é Luis Gustavo Sánchez Blanco) e nasceu na Suécia.

Uma das ideias que o Bráulio Pedroso teve foi a de escrever uma novela na qual eu seria um cantor de iê-iê-iê, como se dizia na época, tipo Roberto Carlos, só que gordo. Ele achava que eu era um gordo com leveza, que tinha agilidade, e seria divertido ter um herói anti-herói de novela assim. Surgiriam produtos que causariam o fenômeno: a gordura leve! Mas o projeto não se concretizou. Em 1975, montei no Rio um espetáculo chamado *Feira de adultério*. O Bráulio escreveu um dos textos. Nele, graças a uma cirurgia plástica, meu personagem virava irmão gêmeo do personagem do ator Osmar Prado. Gêmeos? Nada mais diferente do que a cara e o corpo de um e do outro. Eu tirava as ataduras da cirurgia, olhava para o Osmar e dizia:

— Parece que eu estou me olhando no espelho!

Uma das pessoas que o José Roberto Aguilar levou lá em casa foi o escritor e cineasta José Agrippino de Paula. Em 1967, ele lançou um dos romances mais importantes da década, o seminal *PanAmérica*, que é considerado uma espécie de versão literária do tropicalismo e representante do movimento da contracultura no Brasil. O livro é citado na letra de "Sampa", do Caetano Veloso:

PanAméricas de Áfricas utópicas,
túmulo do samba
Mas possível novo Quilombo de Zumbi.

Em 1968, o Agrippino dirigiu o filme *Hitler 3º Mundo* e me convidou para atuar nele. O filme tem começo, meio e fim, mas não nessa ordem. Ele não se preocupava em contar uma história do ponto de vista tradicional: seu filme são sequências, happenings ao ar livre, onde a ficção se mistura com a realidade que passa ao lado da câmera, há certo exagero no grotesco. Para muitos é um filme incompreensível, mas a verdade é que é o filme mais incompreen- dido do cinema brasileiro. É o maldito entre os malditos. Tenho orgulho de ter trabalhado nesse projeto do Zé, tanto pelo filme em si quanto pelo que ele representou em minha vida. Havia nele um modo radical de não separar arte e vida que o levou a um exílio, não do país, mas do mundo, na cidade de Embu das Artes, na Região Metropolitana de São Paulo. No filme, faço o papel de um samurai de teatro do grotesco, que come e vomita a comida para um grupo de gueixas, que bate com um bife na tela da televisão sintonizada num programa do Silvio Santos. O samurai é detentor do truste dos mendigos anões, enfia todos dentro de uma Kombi e sai distribuin- do pelos bairros de São Paulo. Ele disputa esse mercado — o de mendigos anões — com o Capitão América, que é amante do Hi- tler, que, por sua vez, mora no bairro da Liberdade e é adepto da macrobiótica radical. A Ruth Escobar e o Túlio de Lemos também estão no elenco, e a direção de fotografia é do Jorge Bodanzky.

Há uma cena da qual não me esqueço nunca, eu, em plena rua Barão de Itapetininga, no centro de São Paulo, dando golpes no ar com a espada do samurai, os transeuntes parando para ver aquele espetáculo bárbaro. Não havia aviso de filmagem, não havia segurança para a equipe e os atores, não havia nada. Rodamos num fim de tarde, os figurantes eram os office boys e as pessoas saindo dos escritórios. Eu tinha contratado um professor de japonês para me ensinar algumas palavras que diria enquanto dava os golpes no ar, mas, na remontagem, devido ao péssimo estado do original, trocaram o diálogo de várias cenas por uma trilha sonora inadequada, que tirou boa parte da força da cena. Quando vi que tinham substituído as minhas palavras, caprichadas na pronúncia gutural que o professor de japonês me ensinou, muitíssimo mal comparando, me lembrei da reclamação do Orson Welles sobre a maravilhosa cena da sala de espelhos no filme *A dama de Xangai*, dirigido por ele: os produtores do filme colocaram uma trilha sonora em vez do ruído dos vidros dos espelhos se quebrando, e, com essa mudança no áudio, a sequência perde parte da sua vida dramática. Orson Welles mostrou as duas versões numa entrevista no programa do genial Dick Cavett. Dá para entender sua indignação.

Um dia, o Zé estava atravessando o Conjunto Nacional, na avenida Paulista, carregando debaixo do braço uma lata de filme com a cópia do que havia rodado, até então, do *Hitler 3º Mundo*. Ele era um homem muito bonito, tinha uma barba longa preta, só andava com uma japona azul e uma calça de veludo cotelê bordô. Naquela época, funcionava no mezanino do Conjunto Nacional uma das filiais do restaurante Fasano, onde, nos jantares dançantes, se apresentaram astros internacionais como Nat King Cole e Marlene Dietrich. Nele havia um jardim de inverno que foi o lugar dos eventos sofisticados da capital paulista. O ano de 1968 marcou a escalada do ciclo mais violento da repressão da ditadura militar — é o ano do AI-5, que tirava as garantias constitucionais e concedia o direito ao presidente Costa e Silva de fechar o Congresso Nacional. Naquela noite em que o Zé Agrippino, caminhante solitário, atravessava o Conjunto Nacional, havia um evento de militares no Fasano. De longe, perplexo, ele escutou a execução do Hino Nacional. Era uma cena surrealista: o hino, naquela hora, naquele lugar? Os soldados que faziam a segurança dos militares, ao verem aquela figura barbuda segurando uma lata, gritaram para ele parar e não se mexer. Havia sempre o temor dos atentados. Ele parou e um cara, muito nervoso, gritou com ele:

— Que é isso que você está carregando?

— É um filme.

— Que filme o quê, põe isso no chão já!

Ele colocou a lata no chão e um dos seguranças, apavorado, falou:

— É bomba, é bomba!

O Zé tinha mania de coçar muito a barba, estava apavorado também, mas tentava manter a calma:

— Não, não é bomba. É só um filme.

— Então abre a lata pra gente ver.

O Zé entrou em pânico:

— Não posso abrir, vai velar todo o filme, todo o meu trabalho.

— Se você não quer abrir, é porque é bomba e, se não é bomba, você vai abrir na marra.

— Estou dizendo que é só uma lata de filme e que, se eu abrir, vou perder todo o meu trabalho.

Aí o mesmo segurança falou:

— Documentos!

O Zé deu os documentos. O soldado viu que ele serviu como oficial da reserva, porque havia feito o curso preparatório, o CPOR, equivalente ao serviço militar para quem tinha curso superior. Mudando completamente sua atitude e o tom da voz, ele perguntou ao Zé Agrippino:

— É Secreta? É isso? Você é da Secreta? É Secreta? — referindo-se aos policiais que trabalhavam disfarçados para o órgão de repressão do regime militar.

O Zé teve um estalo na hora e respondeu:

— É isso mesmo, Secreta.

Aí o soldado se vira para os outros e diz:

— Calma, todo mundo! É um dos nossos. Está vestido desse jeito porque deve estar infiltrado. Olha, peço desculpas, parceiro, é que estamos protegendo uma alta patente. Um general que está fazendo aniversário...

E o Zé:

— Não tem problema, não tem problema, estamos todos de serviço.

O Zé Agrippino pegou a lata de negativos. Estavam salvos. Ele deu no pé.

Pouco depois de eu ter filmado o *Hitler 3º Mundo*, o Rogério Sganzerla, um dos nomes importantes do chamado cinema udi-grúdi, e que também frequentava nossa casa, ia rodar *A mulher de todos* e me chamou para fazer um papel. Ele tinha realizado um dos melhores filmes brasileiros de todos os tempos, *O Bandido da Luz Vermelha*, com o Paulo Vilaça, que tem a ótima sacada da narrativa, feita por locutores de rádio no estilo sensacionalista. Quem participou de *O Bandido da Luz Vermelha*, sendo inclusive premiado, foi o genial Pagano Sobrinho — sempre me lembro de que o Sérgio Porto vinha de vez em quando a São Paulo só para conversar com o Pagano, Sérgio achava que ele representava um humor tipicamente paulistano, diferente, original. O Rogério Sganzerla chegava ao que deveria ser um set de filmagem com um papel na mão, supostamente o roteiro do dia. Aí dizia que faltava copidescá-lo e quem copidescava era eu, no dia de filmagens.

A mulher de todos radicaliza a linguagem de *O Bandido da Luz Vermelha*. Neste novo filme do Rogério, alusivo às chanchadas da Atlântida e à comédia de pastelão americana, faço o papel do Doktor Plirtz, um ex-oficial nazista que detém o monopólio do negócio de revistas em quadrinhos no Brasil e que é o marido da ninfomaníaca Ângela Carne e Osso (Helena Ignez). As condições de filmagem eram precaríssimas e, no final, nem a equipe estava mais respeitando as determinações do coitado do Sganzerla. Um dia acaba a bateria da câmera e não há bateria substituta. Rogério fica furioso e diz:

— É fogo, sabe, a produção não me dá nenhum apoio.

Só que a produção era ele mesmo. Eu tinha um Ford Galaxy bordô, que estava sendo usado nas filmagens, e não tivemos outra solução senão usar a bateria do carro para não interromper o dia de rodagem do filme.

As pessoas que gostam de rotular tudo podem achar que havia uma contradição entre eu participar do *mainstream* do show business brasileiro — ser contratado da Record ou, mais tarde, da Globo, no auge da popularidade dessas emissoras — e, ao mesmo tempo, me envolver com atividades consideradas marginais à "alta" cultura brasileira. Para mim, nunca houve contradição nenhuma; são coisas diferentes de uma mesma visão de mundo e da cultura, como são diferentes — e têm funções diferentes — os cinco dedos da mesma mão. Mas, mesmo com essa visão inclusiva da cultura marginal e da plena consciência da sua importância, acho que é preciso um mínimo de consideração profissional na hora de fazer os trabalhos. O Rogério era meu amigo e eu me empenhei bastante ao atuar em seu filme e colaborar com ele. Um dia, chegou para mim e perguntou:

— Quanto é que você vai cobrar para fazer o filme?

Eu respondi:

— Quanto você quiser pagar.

Ele disse:

— O máximo que podemos pagar é o mínimo que se paga prum ator.

— Tudo bem.

Terminadas as filmagens, ele não pagou o meu cachê. Quando chegou a hora da dublagem, eu disse:

— Olha, Rogério, você é meu amigo, me perdoe, mas a gente tem que manter um mínimo de nível profissional. Se você não me pagar, eu não vou dublar.

Conto essa história mais pelo que ela ilustra da minha maneira de encarar situações desse tipo do que para criticar o Rogério, um dos talentos indiscutíveis do cinema brasileiro. Gosto de ser e exijo ser bem remunerado pelos trabalhos que faço, mas não sou mercenário. Quando gosto de um projeto — o caso dos filmes do José Agrippino de Paula e do Rogério Sganzerla —, não poupo esforços para fazê-lo nas condições possíveis. Mas havia fortemente — e ainda sobrevive — uma cultura de favor no teatro e no cinema brasileiro que é a outra face da falta de compromisso com a qualidade das obras. Combinado é combinado. Não interessa o valor. Já fiz trabalhos em troca de um copo d'água e uma flor ou de uma coleção de livros — que, aliás, nunca foi entregue.

Em 3 de agosto de 1966, no Teatro Ruth Escobar, montei uma adaptação musical de *Les Trente Millions de Gladiator* (1875), escrita pelo autor francês de vaudeviles Eugène Labiche. Mundialmente conhecido, no século XIX, como um grande criador de comédias, teve em Arthur Azevedo um dos inúmeros autores brasileiros que fizeram adaptações de suas obras. Havia muito tempo não se montava o Labiche no Brasil. Comédias, quando são transpostas do seu país de origem, pedem necessariamente adaptações, pois nem sempre o contexto do humor produzido numa nação viaja para outra. Quando foram também escritas há muito, solicitam a adaptação. Eu transformei o Gladiator do título da peça original em "americano", e a montagem se chamou *Os trinta milhões do americano*. Mexi tanto no texto para adaptar a peça, que o Décio de Almeida Prado brincou que era "*Os trinta milhões do americano*, de Eugène Labiche, tradução de Jô Soares. Ou talvez *Os trinta milhões do americano*, de Jô Soares, tradução de Eugène Labiche".

No elenco estavam vários atores que já tinham trabalhado comigo: a Arabela Bloch, o Túlio de Lemos, a Ruthinéa de Morais e a Theresa. Uma das coisas mais difíceis de conseguir na direção de uma peça é a coesão, a afinidade do grupo de atores; então, quando você tem um elenco que se dá bem e em quem você confia, grande parte da montagem já foi encaminhada. Mas havia um ótimo comediante, nascido na França, com quem eu trabalhava pela primeira vez, que funcionou muito bem, o Roberto Srour, que depois virou um renomado professor de cursinho para vestibular, onde ele dava aulas representando. Subia na mesa para proclamar a Independência do Brasil.

No enredo, um milionário americano ou sul-americano (na época, os europeus faziam uma confusão danada entre as Américas, não as diferenciavam; porém, os brasileiros ricos da borracha e do cacau é que invadiam Paris) envolvia-se com uma cocote francesa, no século XIX. Eu me lembrei da célebre história da Madame Paiva ou Madame de Paivá. O milionário Albino Francisco de Paiva Araújo, português de Macau ligado ao tráfico de ópio, que adquiriu o título de marquês, se casou em Paris com a belíssima cortesã russa de origem judaico-polonesa chamada Thérèse Esther Blanche Lachmann, famosa como Madame de Paiva ou *La Paiváaá*. Um dia após o casamento, de posse de uma fortuna que o contrato matrimonial lhe outorgou e de um título de marquesa, ela escreveu uma carta ao marido dizendo que ele já havia obtido o que queria e ela também tinha obtido o que queria, então podiam encerrar o casamento.

O escritor português Camilo Castelo Branco, entre outros, ficou fascinado com a vida da *La Paivá*. Seu salão literário foi concorridíssimo, e sua casa em Paris, a mais chamativa da Capital do Século XIX. Em suas memórias, o bon vivant e sedutor Boni di Castiglione, um dos amantes de La Paiva, conta que, ao mostrar a casa aos frequentadores das disputadas festas que davam, apresentava o quarto de dormir dizendo: "Este é o meu escritório". A fama de La Paiva correu o mundo e, no Rio da Belle Époque, fazia-se uma confusão dizendo que ela se casara com um brasileiro chamado Paiva Araújo — que, como vimos, na verdade nasceu em Portugal e vivia em Macau. Mamãe contava que, na sua juventude,

ouvia uma piada que dizia que Madame Paiva, que falaria português com imenso sotaque francês, teria reclamado com alguns
brasileiros de que seus filhos, quando o marido chegava em casa,
se agarravam em seu pescoço:

— Ficam saltando no cu do Paivá.

A anedota referia-se à antiga e manjada brincadeira com a
palavra "pescoço" (*cou*) em francês, que fazia mais sentido no tempo em que o francês era a segunda língua da elite brasileira. Eu
usei essa velha piada na montagem de *Os trinta milhões do americano*, porque sempre desconfiei que há algo da história do Paiva no
personagem Gladiator, na peça do Labiche.

A Ruth Escobar topou na hora a aventura que propus a ela, a
da primeira montagem pop no Brasil. Entre outras coisas, havia
um pianista que passava pendurado por um cabo de aço, feito o
bondinho do Pão de Açúcar, sobre o palco enquanto os atores
cantavam e dançavam no nível do palco. Esse pianista puxava de
uma perna. Um dia, perguntei se tinha sofrido algum acidente e
ele respondeu:

— Não, não sofri nenhum acidente. Eu manco por causa de
uma "gonorreia de gancho" mal curada.

Foi a primeira e única vez que ouvi a expressão.

O cenário do Wladimir Pereira Cardoso, marido da Ruth, era
magnífico. O Sábato Magaldi escreveu que "já no começo abre-se
uma ponte, no alto do palco, e um piano se coloca na frente do
espectador, correndo por trilhos presos aos urdimentos". Os figurinos foram criados pela Ana Maria Neumann. Eu lembro que o
Vianinha (Oduvaldo Viana Filho) adorou a montagem, veio aos
camarins bastante efusivo ao nos parabenizar. Numa cena de um
jogo de pôquer, desciam e subiam aqueles balões das histórias em
quadrinhos, para mostrar o que os atores estavam pensando; havia
um fiacre puxado por cavalos de peças de jogo de xadrez vestidos
por dois contrarregras; tinha um poste que se abria num imenso
guarda-chuva, formando uma abóbada para a cena de um baile.

Foi uma peça superproduzida. Até hoje não sei como conseguimos fazê-la em condições técnicas quase rudimentares e com pouquíssimo dinheiro. Milagres de uma geração, milagres do teatro.

Um dia, em 1968, ligo para o Nelson Rodrigues e vou falando, cheio de dedos:

— Nelson... estou querendo muito montar *Os sete gatinhos*... aqui em São Paulo... Me desculpe, mas eu estou com receio do nome... aqui em São Paulo estão me perguntando se é peça infantil... Você se incomodaria de sugerir outro nome?

Ele me interrompe e diz de cara:

— Que tal *A última virgem*?

Zás, o problema do título fora resolvido instantaneamente. Achei o novo até mais impactante do que o original. Eu adorava tudo do Nelson Rodrigues — a pessoa, o teatro, as crônicas, os textos sobre futebol —, mas era um risco e tanto montar uma peça de sua autoria. Ele navegava pelo universo realista da classe média carioca, e o meu trabalho até ali como diretor fora o de explorar muito a criatividade na montagem. Enfrentar um texto do Nelson Rodrigues, sem cair no vulgar, é desafio pra gente grande. Além de tudo isso, seu nome estava vinculado às retumbantes montagens que o Zbigniew Ziembinski fez do *Vestido de noiva* e do *Anjo negro*.

Já existia risco demais, mas, quando a dificuldade é gigantesca, há sempre espaço para mais problemas. Até então, o Nelson Rodrigues era um nome muito forte na cena teatral carioca. Sua dramaturgia tinha ressonância menor em São Paulo e, naquele tempo, o Rio de Janeiro ficava muuuito longe. Havia, ainda, uma situação delicada adicional: a peça é sobre uma família de quatro irmãs que são prostitutas e a quinta, a adolescente mimada Silene — que é acusada de matar uma gata que estava prenhe de sete gatinhos (daí o nome original da peça) —, também não era mais virgem. Depois do golpe de 1964, enfrentávamos não só a perseguição política implacável, mas também um triunfo provisório do falso moralismo, da mesquinhez provinciana, do ressentimento da classe média contra as mudanças dos costumes. Parte desse ambiente, com histórias reais, está exemplarmente mostrada no *Festival de besteira que assola o país* (*Febeapá*), do Stanislaw Ponte Preta. O enredo e os personagens de Nelson Rodrigues poderiam ser até mais subversivos do que as ideias de Marx para os conservadores da moral. Nunca poderei esquecer que *A última virgem* estreou apenas dezesseis dias após a decretação do AI-5 — respirava-se um ar tenso no país. Por outro lado, na esquerda já começava um zum-zum para criar uma cortina de silêncio contra o Nelson Rodrigues, acusado de ser reacionário e convivente com a ditadura militar. Enfim, montar uma peça do Nelson naquele momento era entrar na zona de fogo cruzado de um período de muitas radicalizações.

Na montagem, usei uma concepção oposta à de *Os trinta milhões do americano*: uma montagem ao rés do chão, simples, valorizando fortemente o texto do Nelson Rodrigues. Trabalhei com um elenco novo para mim (com exceção da Ruthinéa de Morais), mas contei novamente com atores extraordinários: Yolanda Cardoso, Jofre Soares, Dirce Migliaccio, Raquel Martins. A linda Ana Maria Magalhães, dando os primeiros passos na sua carreira, ficou com o importante papel da adolescente Silene. Fiz também uma coisa que, até onde sei, foi a primeira vez que aconteceu com um autor de teatro brasileiro. Eu disse à Ruth Escobar que queria que ela desse ao Nelson um *avaloir*, um *advance*, que pagávamos para os autores estrangeiros na hora da contratação da peça mas não pagávamos para os brasileiros, e ela concordou.

Eu iria usar um palco que nunca havia usado, o do Teatro Galpão. Em julho de 1968, ele tinha sido inteiramente depredado pelo Comando de Caça aos Comunistas dos alunos da Universidade Mackenzie e por policiais da repressão disfarçados — os atores da peça em cartaz, *Roda viva*, Marília Pêra à frente, foram violentamente espancados. Naquela noite o teatro mostrou aos brasileiros as suas mulheres de fibra: Cacilda Becker e Ruth Escobar, entre outras e outros, lideraram um grupo de atores que foi durante toda a noite denunciar a violência à polícia e terminou, de madrugada, fazendo um protesto nas imediações da casa do governador Abreu Sodré — elas queriam acordar o governador, mas a segurança não permitiu. Em dezembro de 1969, o Wladimir Pereira Cardoso praticamente destruiu todo o espaço do Galpão para fazer a marcante montagem da peça *O balcão*, de Jean Genet, dirigida pelo franco-argentino Victor García (autor de outra montagem memorável dos anos 1960, *Cemitério de automóveis*, com textos do espanhol Fernando Arrabal). García era um dos que se divertiam muito com as coisas que eu aprontava com a nossa grande amiga Ruth Escobar.

Uma tarde, eu estava chegando ao balcão da companhia aérea no Aeroporto Santos Dumont, no Rio, quando vejo o Jean Genet à minha frente, com aquele andar arrastado que os franceses dizem ser o "passinho de ferro de engomar". Cheguei por trás dele, toquei no seu ombro e disse:

— Monsieur Genet.

Ele se encolheu e se virou todo assustado:

— *Oui!*

Havia um certo pânico nos seus olhos. Para vocês verem o quanto esse homem sofreu, o quanto foi perseguido, o quanto foi maltratado na prisão. Eu disse:

— Monsieur Genet, eu trabalho com a Ruth Escobar e estou ensaiando uma peça [*Romeu e Julieta*] na sala ao lado de *O balcão*. Sou seu admirador.

Aí ele relaxou, ficou muito simpático.

Em 17 de setembro de 1969, estreia a minha primeira peça de William Shakespeare, *Romeu e Julieta*. Nunca pesquisei este fato para apurar o quão correto seria, mas a nossa é considerada a primeira montagem profissional de *Romeu e Julieta* no Brasil. Um dos maiores desafios para quem vai dirigir Shakespeare no país é saber qual tradução utilizar. Muitas das boas traduções simplesmente não funcionam no palco, por isso as do genial Millôr Fernandes, que sempre foram realizadas com o olho no texto e o ouvido no palco, acabam sendo as mais adaptadas. No meu caso, desde essa primeira montagem, optei por fazer uma tradução minha, já temperada pela minha visão cênica da peça. No *Romeu e Julieta*, trabalhei na tradução com o José Luiz Archanjo — sua irmã, Neide, fazia a assistência de direção, junto com o talentosíssimo ator Pedro Paulo Rangel, que também estava no elenco. O crítico Sábato Magaldi fez um elogio geral à nossa tradução/adaptação, mas criticou alguns excessos tolos e dispensáveis nas falas de Capuleto, na sua opinião. Outro crítico, Jefferson del Rios, achou que a adaptação funcionava, mas que empobrecemos demais o texto shakespeariano. Enfim, esse é um dos dilemas que todo diretor do bardo no Brasil tem de enfrentar, para o bem ou para o mal. Felizmente, hoje em dia há uma maior aceitação das adaptações de Shakespeare. Na minha visão, ele resiste há tanto tempo não só pelo valor de seu texto, mas também porque soube ser popular em sua época. Não era um mero exercício para intelectuais.

Eu vi uma jovem atriz, Regina Duarte, fazendo uma figuração na *Megera domada*, dirigida pelo Antunes Filho, e pensei com os meus botões: esta menina dá uma excelente Julieta. Tinha um sorriso lindo. Cruzava o palco brincando, iluminando a cena. Convidei-a para o papel e ela aceitou. Uma coisa curiosa é que o Franco Zeffirelli havia lançado, com estrondoso êxito mundial, a sua versão da peça para o cinema, com a Olivia Hussey no papel de Julieta Capuleto. Na versão do Zeffirelli, ela aparece nua e transando com o Romeu. A Regina estava recém-casada e o seu marido, Marcos, chegava para mim nos ensaios e dizia:

— Não vai ter nudez, né? Nem sexo?

Não era uma atitude moralista por parte dele, era uma preocupação genuína de primeiro namorado zelando pela namorada. Eu dizia para ele ficar tranquilo, na peça original do Shakespeare não havia nada disso. Uma das coisas importantíssimas da monta-

gem foi o cenário criado pelo Cyro del Nero, nos moldes elisabe-
tanos: a plateia ficava nas arcadas de um palácio em volta do palco
— que lembrava uma praça de Verona. O Cyro fazia a diferença
nas montagens da época, criou trabalhos memoráveis com o Flávio Rangel. Muito tempo depois, aconteceu algo que marcou muito minha relação com o Cyro. Eu fui o primeiro e último amigo a
falar com ele. Explico essa frase maluca: o Cyro teve um infarto
gravíssimo. Achou que estava morto, mas sobreviveu. Quando se
recuperava, liguei para ter notícias sobre o seu estado de saúde.
Sua mulher atendeu e me disse:

— Jô, ele não falou com ninguém até agora, mas está fazendo
sinal aqui que quer falar com você.

Aí, ela me passou o Cyro, que me disse:

— Jô, sou eu, tô aqui. Não morri.

Conversamos um pouquinho, senti que estava muito fraco.
Pouco tempo depois da nossa conversa, Cyro del Nero tem um
segundo infarto e morre — levando uma imensa cultura teatral junto com ele.

Mais uma vez, a Ruth Escobar topou refazer toda a estrutura
do teatro para adequá-lo ao conceito da montagem. A Clarisse
Abujamra fez a coreografia e também participava do grande elenco, que contava ainda com nomes como Heleno Prestes (no papel
de Romeu), Lélia Abramo, Lafayette Galvão, Sérgio Mamberti,
Pedro Paulo Rangel, que voltou várias vezes a trabalhar comigo, e
a Theresa. Entre os atores da montagem, estavam dois espetaculares que depois optaram pela carreira de jornalista: Roberto Maya
e Renato Machado. Faziam uma cena de duelo sensacional. O futuro autor de sucesso Walcyr Carrasco fazia uma figuração, por
puro amor ao teatro.

Na década de 1960, houve pelo menos um ótimo projeto de
montagem com o qual me envolvi e que não pôde ir adiante. Eu
participaria, como ator, da montagem do Teatro de Arena para a
peça *As mãos sujas*, do Jean-Paul Sartre, com direção do Augusto

Boal e participação do Fauzi Arap, um dos maiores atores que vi em cena e que depois resolveu só dirigir e nunca mais atuou. Se não me engano, o Paulo José também estava no elenco. O Flávio Império — um raro talento e um dos papos maravilhosos com quem tive o prazer de conviver — desenhou os cenários e os figurinos, maravilhosos. Estávamos ensaiando fazia uns vinte dias, quando chegou a notícia de que o Sartre tinha proibido a montagem da peça no mundo inteiro. Ela saiu quando o filósofo criticava com contundência o stalinismo e havia rompido com o Partido Comunista Francês. Depois, ele retomou os laços com o Partido e resolveu proibir a montagem da peça. Foi uma pena, porque o projeto era muito bom e o ambiente político do país, naquela hora, propício ao texto da peça.

Fiquei totalmente adaptado à vida de São Paulo, cheio de trabalho e de atividades, ganhando um bom dinheirinho e estava entre os artistas mais populares da televisão. Parecia que tudo dava certo. Mas havia um sentimento que via no olhar das pessoas, cheirava pelo ar da cidade e experimentava profundamente em mim: o medo.

XI

No dia 1º de abril de 1964, pelas janelas da TV Rio, vimos o coronel Montagna tomar o forte de Copacabana. Naquele momento passei a ter um sentimento que não conhecia e com o qual não sabia que iria conviver por muito tempo. O medo. Era um medo diferente, um medo coletivo, medo por mim e por todos. No mesmo dia, voltei para São Paulo e, da capital paulista, liguei para os meus pais. Na hora em que fui discar o número da casa deles, bateu a paranoia de que os militares poderiam ter colocado uma escuta no telefone. Então, passei a dizer para minha mãe coisas sem sentido:

— Que bom que tudo deu certo...

Mamãe perguntava do outro lado:

— Como, deu certo?

— Não, mamãe, você não está entendendo. Eu estou querendo dizer que é bom que ninguém saiu ferido.

— Como, ninguém saiu ferido, menino? Que merda você está falando? Isso foi um grande atraso pro Brasil. O Brasil saiu ferido.

Aí meu pai pegou o telefone e me disse:

— Você está mal da cabeça?

Tentei me explicar, mas ao mesmo tempo estava morrendo de medo de estar sendo gravado:

— Eu queria apenas ouvir a voz de vocês pra saber se está tudo bem... a gente pode estar sendo gravado...

Aí meu pai disse:

— Ah, entendi... Tá bom... Tá tudo certo.

A paranoia já tomava conta de mim no primeiro dia do golpe. Não havia a menor chance de estarmos grampeados naquele momento. Esse é um dos grandes problemas dos regimes autoritários. Eles acabam gerando a paranoia, a boataria e a delação. São coisas que ficam no ar, um ar pesado.

Isso se deu quando Theresa e eu ainda morávamos na longínqua Moema. Alguns meses depois do golpe, o Juca de Oliveira bateu à minha porta. Estava acompanhado de um senhor de cabelos brancos e grossas sobrancelhas negras; preso nos dentes, um indefectível charuto. O Juca me disse:

— Precisamos esconder o Mário.

Mário Schenberg. Um dos mais importantes físicos do mundo, considerado por Einstein um de seus herdeiros. Era procurado pela repressão.

Quando meu filho, Rafael, nasceu no Rio, no dia 11 de maio de 1963, eu tive quarenta segundos da maior alegria da minha vida. Vivi uma emoção que jamais experimentara. No momento em que o vi, pensei: "Meu Deus, é um menino, é lindo, é ruivinho!". Quando soube que a Theresinha estava para dar à luz, meu amigo dos tempos que frequentávamos o bar Le Rond Point, em Copacabana, Adriano Cruz Ferreira, um grande endocrinologista, foi para o hospital e ficou comigo, esperando. Havia um pessoal — Henrique Monat da Fonseca, que também era endocrinologista e depois passou para a psicanálise, Toninho Pessoa de Queirós, economista, e o Adriano — que se reunia diariamente no Le Rond Point, e eu, muito moleque, me infiltrava na mesa deles. Ficamos amigos. Dr. Jorge de Rezende, o médico que fez a minha cesariana, fez também a do Rafa. Ele me disse que tudo correra bem na cirurgia do parto, estávamos confraternizando, quando, de repente, ouço o dr. Jorge dizer para o Adriano:

— Ele nasceu com hipospádia, um problema genético.

Fiquei aquela noite sem dormir. Passei a procurar tudo sobre hipospádia nos livros de medicina. Poucos anos depois, ficamos sabendo que, além do acidente genético, Rafinha era autista. Autista? Na época? No Brasil? O que seria aquilo?

Uma tarde, em 1977, pego o primeiro táxi na fila em frente ao Aeroporto Santos Dumont. Eu estava morando no Rio novamente, numa pequena cobertura na rua Baronesa de Poconé, na Fonte da Saudade. Quando o táxi parou na porta da minha casa, perguntei:

— Quanto é a corrida?

O motorista, que notei estar um pouco nervoso, me respondeu:

— Não é nada.

Como artista famoso, estava acostumado a gentilezas e ofertas, mas aquele não me parecia ser o caso. Insisti:

— Como, não é nada? Eu faço questão.

Ele disse:

— Eu preciso falar uma coisa pro senhor.

Já um pouco incomodado, querendo subir logo para minha casa, ouço-o dizer:

— Fui eu que matei a sua mãe...

Mamãe morreu atropelada, em 1968. Ela havia feito exames com o Nelson Moura Brasil, considerado o melhor oftalmologista da época, casado com a Helena, irmã de mamãe. Pouco tempo antes, sofrera um acidente num táxi em São Paulo, e dizia que estava vendo "estrelinhas". Então, assim que voltou ao Rio, foi se consultar com o tio Nelson. O consultório dele ficava perto da Cinelândia. Ele a examinou e disse:

— Mêcha, não é nada. É um trauma levíssimo da batida que você levou. Isso vai passar. Nem se preocupe.

Chovia muito. Minha mãe respondeu:

— Que ótima notícia, Nelson. Mas, bom, deixa eu ir embora, que está chovendo.

Tio Nelson disse para ela:

— Espera um pouco, eu tenho que atender só mais uma pessoa e te levo.

Mamãe respondeu:

— Não, não, obrigada, Nelson. Vou indo porque o Orlando está me esperando para jantar e não quero me atrasar. Eu não gosto de deixar o Orlando à minha espera.

Tio Nelson ainda tentou:

— Mas está chovendo muito!

Mamãe:

— Nelson, não tem problema, eu pego um táxi.

Ela desceu. Chovia muito. Ela viu um táxi, saiu correndo para atravessar a Cinelândia e... foi colhida por outro táxi, que vinha na direção oposta. Ficou desacordada. O motorista que a atropelou, parou, botou mamãe no carro e a levou para o Miguel Couto. Do hospital, ligaram para o Garoupa, que acionou os médicos que eram seus amigos, inclusive o neurocirurgião Paulo Niemeyer, o pai. Depois de muito tempo de angústia, ele se aproxima de papai e diz:

— Orlando, é impressionante: o coração está perfeito, está a mil, mas não vai dar pra ela se recuperar. Mercedes teve uma fratura grave do crânio.

Algumas horas depois ela morreu. Estava com setenta anos. Nunca pensei que papai pudesse ficar tão arrasado. Fiquei em estado de choque, numa tristeza profunda. Não consegui chorar. Perdi mais do que uma mãe, perdi uma cúmplice, uma parceira. Alguém que sempre soube o que eu seria na vida. Quando chegamos em casa, depois do enterro, na pequena quitinete emprestada pela minha tia, na rua Farani, onde eles moravam, papai sentou-se à beira da cama e disse:

— Puxa, vou me encontrar com a minha mulher, companheira de 45 anos, e ela não chega... não chega porque morreu?

Só então desabei num choro profundo, junto com ele.

Espero que este livro possa ser a retribuição e o agradecimento que não tive tempo de fazer à Mêcha.

— Você não matou a minha mãe, foi um acidente.

Eu tentei consolar o motorista de táxi — ao mesmo tempo em que estava abismado com a trama do destino que nos levara àquele encontro.

— Faz dez anos que não consigo dormir, eu não consigo me esquecer da imagem da sua mãe caída na rua. Só vou conseguir dormir se o senhor me perdoar...

— Mas, meu querido, não há o que perdoar. Meu pai sabe que foi um acidente, eu sei que foi um acidente. Além de ter sido um acidente, você prestou socorro a ela, levou para o Miguel Couto e ficou lá o tempo todo. Ficou ao lado do meu pai até o fim.

O motorista não mudou o seu pedido:

— Seu Jô, eu acho que foi Deus quem arrumou este nosso encontro. Só vou conseguir dormir se o senhor me perdoar.

Ele começou a chorar, e eu também:

— Você está perdoado. Eu te perdoo, meu pai te perdoou e tenho certeza de que minha mãe também perdoou você.

Eu conheci o Juca de Oliveira porque ele estava no elenco de uma peça em que a Theresinha começou a trabalhar pouco depois de chegarmos a São Paulo. Era a peça autobiográfica *Depois da queda*, dirigida pelo Flávio Rangel. O Paulo Autran fazia o papel do dramaturgo Arthur Miller, autor da peça, a Theresa, uma de suas mulheres, e a Maria della Costa, a Marilyn Monroe. O Juca militava no Partido Comunista, o Túlio de Lemos também. Fiquei muito próximo dos dois, sem aderir ao Partido.

O importante professor que chegou à nossa casa com o Juca de Oliveira era, além de físico e crítico de arte, uma das lideranças históricas do Partido Comunista Brasileiro. Mário Schenberg foi também fundador e presidente do CES (Centro de Estudos Sociais), um centro de estudos marxistas cujo tesoureiro era o artista Gontran Guanaes Netto, que dividira a casa da rua Frei Caneca com o José Roberto Aguilar. Fico imaginando o quanto de dinheiro ele teria para controlar essa instituição "milionária" do bom Mário e o quanto de aptidão o querido Gontran teria para ser tesoureiro de alguma coisa... Mário Schenberg esteve na primeira leva de presos políticos após o golpe de 1º de abril de 1964, fora solto mas estava sendo procurado novamente. Eu transformara a garagem da casa num escritório e, por quase três meses, o cômodo passou a ser a casa dele. O Mário não podia circular, precisava tomar o maior cuidado. Nós não tínhamos militância política, mas aceitamos acolher aquele homem do bem com grande prazer — embora estivéssemos morrendo de medo de que algo desse errado.

De quando em quando, algumas pessoas iam visitá-lo, eram todas respeitosíssimas, chamavam-no de professor o tempo todo. Mas Theresinha e eu sempre fomos de uma informalidade absoluta e desenvolvemos uma intimidade com ele. O físico fumava um charuto baiano Pimentel nº 2 e ficávamos horas conversando, para nós ele sempre foi simplesmente o Mário — para todos os efeitos, para o público externo, ele era um tio que tinha vindo passar uns tempos conosco. O Juca, sempre respeitoso com tudo e com todos, não acreditava na maneira despojada como nós nos relacionávamos com um gênio da física, respeitado mundialmente.

O Mário usava um sapato de couro laranja e, por uns dias, cismou de tingir os cabelos e colocar maquiagem, para poder sair à rua. A Theresa disse para ele:

— Mário, não vai adiantar nada, as pessoas vão acabar te reconhecendo. Vão dizer: "Lá vai o Mário, aquele comunista. Agora virou veado!".

Ele dava gargalhadas. Como quase todo grande cientista, Mário Schenberg tinha um lado místico. Havia uma garota do

Partido Comunista, com um nome de guerra, é claro, que fazia a comunicação dele com o mundo exterior. Um dia, nos disse que iria com ela até o bairro do Pacaembu. Nós perguntamos o que ia fazer lá, e Mário respondeu que ia à casa de uma senhora que crescia de tamanho todas as vezes que ficava sob a luz do sol. Eu disse a ele:

— O quê? Um grande físico como você está me dizendo que irá ver uma mulher que não pode sair de casa porque ela cresce à luz do sol?

Ele respondeu ligeiramente irritado, sempre com os olhos semicerrados:

— Sim! Várias pessoas me dizem que isso acontece mesmo.

— E você acredita?

O Mário vacilou um pouco, deu umas baforadas no charuto e respondeu:

— Não sei, preciso ver...

Theresa e eu pressionamos para ele não ir. Era muito arriscado e, além de tudo, seria um vexame se fosse preso na casa de uma mulher que dizia aumentar de tamanho enquanto tomava sol e voltar a encolher na sombra... Na invasão da casa dele, logo depois do golpe, um dos delegados que comandaram a ação começou a olhar a sua valiosa biblioteca. Pegava os livros, dava uma olhada, depois os jogava no chão. Aí ele tirou da prateleira os *Diálogos*, de Platão. Folheou com o ar de quem tinha achado um documento importante e falou em tom severo para o Mário:

— E isso aqui? O que é?

— É *Diálogos*, de Platão.

E o delegado:

— Sim, mas diálogos de Platão com quem?

O Mário se segurou para não rir.

— Este livro é subversivo. O senhor não é professor? Então isso o senhor vai nos revelar: com quem foram estes diálogos e qual era o assunto!

Na cela em que o colocaram, já estava um homem negro alto e bem forte, que resolveu tomar conta do Mário e protegê-lo. Ele dizia coisas assim:

— Professor, não deita naquele colchão que tem muquirana.

— O quê?

— Muquirana. É um percevejo que é um horror. Ele morde e fede.

Um dos maiores físicos do mundo, perseguido por insetos.

A vida desse grande brasileiro foi um inferno durante os anos da repressão militar. Além de preso várias vezes, ele seria anos depois compulsoriamente cassado, e não pôde mais dar aulas. Penso em quanto a física brasileira, historicamente necessitada de apoio, pode ter sido prejudicada em seu desenvolvimento pelo fato de Mário Schenberg não poder trabalhar. O prejuízo que a ditadura causou ao país com as perseguições aos cientistas de esquerda é incalculável. Quando ouço, hoje em dia, jovens falando na volta dos militares ao poder, fico pensando como seria importante esclarecê-los sobre as consequências amplas e profundas de uma vida sob o tacão ditatorial. O país retrocede não só nos direitos da cidadania, mas também no conhecimento, na inovação, na cultura e no avanço científico.

Me aproximei muito do Juca de Oliveira naqueles anos — e mantivemos uma relação maravilhosa para sempre. No dia 11 de novembro de 1965, o primeiro presidente da ditadura militar, marechal Humberto de Alencar Castello Branco, hospedou um encontro da OEA (Organização dos Estados Americanos) no Hotel Glória, no Rio de Janeiro. Como os estatutos da OEA não permitiam que a organização fizesse reuniões em países não democráticos, foi providenciada uma manifestação na porta do hotel. No protesto foram presos Antônio Callado, Glauber Rocha, Flávio Rangel, Thiago de Mello, Carlos Heitor Cony, Joaquim Pedro de Andrade, Mário Carneiro e Jaime de Azevedo Rodrigues. O episódio ficou conhecido como Os Oito do Glória. Em São Paulo, a classe teatral se reuniu para fazer um protesto contra as prisões. Precisavam de alguns nomes para formar a mesa que coordenaria a reunião. O Juca disse:

— Eu proponho o nome do Jô Soares.

Fui então para a mesa e ajudei a organizar a reunião. Resultado: fui o único dos presentes a ser chamado para depor no Dops. Apavorado, procurei o Juca e disse:

— Você sugeriu que eu ficasse na mesa e veja o que aconteceu.

Ele se justificou:

— Eu sugeri o seu nome porque você era a pessoa menos suspeita que havia naquele encontro.

— E passei a ser o mais suspeito, né, Juca? E agora, o que é que eu faço?

— Você, eu não sei, mas por bem menos do que isso eu peguei o trem pra Bolívia.

— Obrigado pelo conselho.

Não tinha alternativa a não ser ir prestar depoimento no Dops. Fiquei lá o dia inteiro e parte da noite. Lembro-me de que estava no Dops, igualmente para dar esclarecimentos, o excelente jornalista Luiz Lobo, que trabalhava na revista *Cláudia*, e ótima pessoa, que não me consta estivesse ligado a alguma organização política. Ele me perguntou se eu havia trazido a escova de dentes, e só aí percebi o risco que estávamos correndo. Como fui chamado para prestar esclarecimentos, nem me passou pela cabeça que poderia necessitar de uma escova de dentes, que poderia não sair daquele lugar tão cedo. Eu estava com medo, com muito medo. Não sofri nenhuma violência física, mas ter de ficar ali, sozinho, exposto àquele medo imenso, sem saber o que iria acontecer comigo, tudo isso já era uma violência. Me fizeram perguntas assim:

— O que o senhor estava fazendo lá naquela noite?

— Era uma reunião de artistas, de intelectuais.

— Intelectual. O senhor sabe o que está falando? O senhor sabia que a palavra "intelectual" foi inventada pelos comunistas?

— Não, não sabia.

— O senhor sabe como nós sabemos disso? Em todo material que nós recebemos de Brasília, as palavras que estão entre aspas são palavras inventadas pelos comunistas. E "intelectual" vem sempre entre aspas.

— Aprendi agora...

— Não me interrompa enquanto eu estou falando! Só responda às minhas perguntas. Então o senhor não sabia que a Cacilda Becker é comunista?

— Não tinha a menor ideia.

— Mas o senhor já trabalhou com ela.

— Sim, foi ela quem me lançou no teatro. Sou muito grato a ela.

— Sabe como chamam gente do tipo do senhor por aqui? Inocente útil.

Enfim, um interrogatório sem sentido nenhum, nenhuma pergunta e nenhuma resposta aproveitável para nada. Serviu apenas para que eu sentisse muito medo. Para quem passou por uma humilhação daquelas, começou a ter um sabor diferente a história que corria na época que dizia que uma jovem fora detida para depor no Dops. O delegado que a interrogava perguntou por que ela era comunista.

— Meu pai era comunista, minha mãe era comunista, então eu também sou comunista.

— Ah, é? Quer dizer que, se seu pai fosse cafetão e sua mãe fosse puta, você também seria puta?

— Não, aí eu seria agente do Dops.

O ano de 1968 foi muito agitado para o pessoal do teatro. Numa conversa entre o Lauro César Muniz, o Augusto Boal, o Plínio Marcos e o Jorge Andrade, surgiu a ideia de fazer um espetáculo coletivo onde se procuraria responder à questão "O que pensa você do Brasil de hoje?". Imediatamente o Boal propôs que o Teatro de Arena produzisse o evento, e eles convidaram o Gianfrancesco Guarnieri e o Bráulio Pedroso para participar também. Os autores escreveram seis peças curtas: *O líder* (Lauro), *É tua a história contada?* (Bráulio), *Animália* (Guarnieri), *A receita* (Jorge), *Verde que te quero verde* (Plínio) e *A lua muito pequena e a caminhada perigosa* (Boal). As peças eram entremeadas de canções: "Tema de abertura" (Edu Lobo), "Enquanto seu lobo não vem" (Caetano Veloso), "M.E.E.U.U. Brasil brasileiro" (Ary Toledo), "Espiral" (Sérgio Ricardo) e "Miserere nobis" (Gilberto Gil). O Arena havia criado uma fórmula de unir o teatro com a música nos seus espetáculos de grande sucesso — *Arena conta Zumbi* e *Arena conta Tiradentes* — que funcionava muito bem, e a fórmula seria adaptada para a i Feira Paulista de Opinião.

Entre os corajosos atores que participaram da Feira estavam a Aracy Balabanian, o Renato Consorte, a Miriam Muniz, o Rolando Boldrin, a Cecília Thumim Boal, o Antonio Fagundes, o Luís Carlos Arutin, o Luiz Serra, o Zanoni Ferrite. No saguão do teatro, havia obras de artistas como o Nelson Leirner (um longo túnel verde e amarelo), de Marcello Nitsche, do Mário Gruber, do Cláudio Tozzi. A cenografia e os figurinos foram do Marcos Weinstock, e a direção musical do maestro Carlos Castilho. Eu fiz o cartaz da Feira, baseado num antigo anúncio do Xarope São João, onde aparece a ilustração de um homem sendo amordaçado, com a legenda "Larga-me... deixa-me gritar!". No meu cartaz, lia-se: "Largue-me, deixe-me falar!". Na época, a divulgação mais efetiva do teatro era pregar cartazes em todos os muros da cidade, então São Paulo foi toda empapelada com o cartaz da Feira, o que me deixou superemocionado. A primeira vez que entrevistei o Augusto Boal no meu talk show, ele me levou de presente o original do cartaz. Participei da Feira também com uma pintura que acabou dando muita repercussão, e me expôs ainda mais aos órgãos censores e repressores da ditadura. Ela retratava um general sentado na privada e tinha o título *O repouso do guerreiro*. O curioso é que, coincidentemente, no texto do Plínio Marcos para a i Feira

Paulista de Opinião tinha um militar do departamento de censura que ia ao banheiro, usava um capacete como penico e se limpava com o texto de uma peça. Dá pra ver que havia uma sintonia no grupo que se uniu em torno do evento. O Boal sempre abria o espetáculo dizendo que o evento era o primeiro ato de desobediência civil feito nos palcos e mostrava o meu quadro, que sempre provocava gargalhadas.

Enquanto a Censura não liberava o evento oficialmente, várias peças que estavam em cartaz em São Paulo, em solidariedade, abriram espaço durante suas apresentações para os atores da Feira fazerem intervenções que serviam para a divulgação do evento. Um casal que eu amava, Fernanda Montenegro e Fernando Torres, que estava em cartaz no Teatro Maria della Costa, abriu generosamente espaço para a divulgação do espetáculo. A abertura da I Feira Paulista de Opinião, no dia 7 de junho de 1968, na Sala Gil Vicente do Teatro Ruth Escobar, foi um grande ato de desobediência civil, pois não tinha certificado de autorização da Censura. (Ao mesmo tempo, a *Roda viva*, em montagem explosiva do Zé Celso Martinez Corrêa, estava no Teatro Galpão; o endereço da rua dos Ingleses, naqueles dias, funcionava como um lugar aberto ao público de contestação ostensiva ao regime militar.) Os textos do evento haviam sofrido mais de setenta cortes pela Censura e ninguém quis aceitar os vetos. O advogado Luiz Israel Febrot, que também era autor de teatro, conseguiu uma liminar do juiz Américo Lacombe, da 9ª Vara Federal, e os organizadores tocaram o projeto em frente. Estávamos mobilizados e todo mundo foi para o teatro preparado para o pior, prevendo a possibilidade de haver confronto com a polícia. Alguns atores e diretores estavam armados. Antes do início, Cacilda Becker leu um manifesto que dizia:

A representação na íntegra da I Feira Paulista de Opinião é um ato de rebeldia e desobediência civil. Trata-se de um protesto definitivo dos homens livres de teatro contra a Censura de Brasília, que fez

71 cortes nas seis peças. Não aceitamos mais a Censura centralizada, que tolhe nossas ações e impede nosso trabalho. Conclamamos
o povo a defender a liberdade de expressão artística e queremos
que sejam de imediato postas em prática as novas determinações do
grupo de trabalho nomeado pelo ministro Gama e Silva para rever
a legislação da Censura. Não aceitando mais o adiamento governa-
mental, arcaremos com a responsabilidade desse ato, que é legítimo e honroso. O espetáculo vai começar.

A Feira foi um momento marcante do nosso teatro. As sessões ficavam lotadas — era um canal para o público se manifestar
sobre os rumos do país — e a repercussão crítica foi enorme. Anatol Rosenfeld observou:

> No seu todo, a "peça" composta por seis peças enriquece o teatro
> brasileiro pela originalidade de sua proposição geral de "feira de
> opinião", pelo arrojo com que reúne e funde, num só espetáculo,
> atores tão diversos, assim como pelas possibilidades que abre à
> imaginação cênica dos diretores.

O momento era barra-pesada, de muita violência, mas, olhando de hoje, não deixava de ter os seus lances bizarros. Depois da
invasão do Galpão e da agressão aos atores da *Roda viva*, houve
uma assembleia para discutirmos como aumentar a segurança dos
teatros. A polícia já demonstrara que não iria colaborar e não havia dinheiro para contratar seguranças, então nós mesmos teríamos de zelar pela integridade do espetáculo e de quem trabalhava
nele. Designaram a mim e ao Plínio Marcos para ficar na porta
fazendo a segurança do Teatro Oficina. É para rir, imaginem os
dois de segurança do teatro... Eu me recordo também de que o
José Roberto Aguilar, o José Agrippino de Paula, o Efisio Putzolu
e uma turma resolveram fazer uma faixa que seria solta com balões
de gás para sobrevoar o estádio do Pacaembu, num dia de jogo,

com os dizeres: "Abaixo a ditadura". O Efisio, escultor participante da Bienal de 1967 (um de seus trabalhos era chamado de *O homem hibernando*), foi também engenheiro eletrônico. Ele fez os cálculos de quantos balões seriam precisos para levantá-la acima do estádio. Era uma enormidade, mas tocaram a ideia em frente. A faixa ficou pronta, chegou, estava enrolada. Quando começaram a desenrolar, o Zé Agrippino, coçando a barba, disse:

— Não vai dar pra usar esta faixa.

— Por quê, Agripa?

— Porque "abaixo" é com "x" e na faixa está com "ch"!

Italiano, o Efisio errara na grafia e a faixa não pôde decolar, sob pena de seus autores passarem por um vexame subversivo. Mesmo vivendo o chamado Período de Chumbo, nós procurávamos manter a alegria. Nosso mestre Lívio Xavier brincava que ele foi preso na Liberdade (bairro de São Paulo) e apanhou no Paraíso (outro bairro de São Paulo, onde ficava o centro de torturas da Oban).

Um momento totalmente surrealista: até hoje não entendo por que, em maio de 1966, Túlio de Lemos e eu recebemos, em locais diferentes, um convite para o lançamento do livro *O infante imortal*, do então major Mauro Lopes Lima, publicado por uma editora chamada Caravellas. Além de não sabermos por que fomos convidados, o lançamento era na Livraria Brasiliense, da rua Barão de Itapetininga, que pertencia a um notório comunista, o historiador Caio Prado Jr. Aliás, foi nesse endereço da Brasiliense que o meu editor Luiz Schwarcz começou sua carreira no mundo dos livros, hoje reconhecida internacionalmente. O livro do major é uma biografia do general Antonio de Sampaio, o cearense que é o patrono da nossa Infantaria. Fomos recebidos com a maior gentileza. Na vitrine da Brasiliense, havia a ampliação de uma fotografia do general Sampaio, numa postura tipicamente militar. A boca cerrada, cenho franzido, numa atitude de quem não quer conversa.

Assim que entramos e nos aproximamos da mesa onde o educadíssimo major autografava seu livro, Túlio estalou os calcanhares, bateu continência e proclamou, com sua voz de baixo profundo, uma das epígrafes do livro:

— Os melhores são apenas bons para a Infantaria!

O major agradeceu, visivelmente emocionado. O Túlio continuou:

— Comoveu-me profundamente a fotografia da vitrine, que captou o general Sampaio assobiando.

O major, meio sem graça:

— Desculpe, senhor Túlio, mas ele não está assobiando...

— Está! E está assobiando o Hino Nacional!

Durante todo o tempo dessa tertúlia, para disfarçar o riso eu fingia que espirrava. Já estava louco para ir embora, mas o Túlio insistia em ficar. De vez em quando, uma senhora passava com uma travessa oferecendo salgadinhos:

— O senhor aceita um salgadinho?

Ele sempre respondia:

— *Merci*, tenho nojo.

O major nos contou uma história que, para ele, era interessantíssima:

— O senhor sabe, senhor Túlio, quando exumaram os restos do general Sampaio para transladá-los para sua terra natal, os botões da sua farda estavam intactos.

Túlio pôs-se de joelhos, ergueu as mãos para o céu e entoou:

— Milagre! Milagre militar!

Para mim, foi a gota d'água. Depois de quase uma hora de muita apreensão, consegui arrastá-lo para fora dali.

Quando estávamos fazendo *Os trinta milhões do americano*, Renée Gumiel, a ex-bailarina e coreógrafa francesa radicada no Brasil, foi assistir ao espetáculo juntamente com sua sobrinha, uma menina magrinha que devia ter no máximo dez anos. No final, foram nos cumprimentar, e o Túlio — como gostava de fazer — se despediu apertando a mão das duas e dizendo pela ordem:

— Pro diabo... e pro diabinho.

Nos dias 31 de março e 1º de abril de 1964, e nos dias subsequentes, a redação da *Última Hora* paulista foi invadida pelo medo. A linha editorial do jornal, comandado por Samuel Wainer, era de apoio ao governo Jango Goulart. A redação carioca do jornal fora "empastelada" (destruída) na primeira hora do golpe. Em São Paulo, temia-se por uma invasão da sede do jornal a qualquer momento. Como eu sempre fazia uns números de humor na redação, naqueles dias essas brincadeiras passaram a ajudar a descomprimir a forte tensão que pairava no ar. Uma tarde, provocaram a Alik Kostakis — nascida na Grécia, colunista social da *UH* paulista — e ela aceitou a provocação: subiu numa grande mesa que havia no centro da redação e começou a dançar a música de *Nunca aos domingos*, filme grego dirigido por Jules Dassin, com a Melina Mercouri, que ganhou o prêmio de melhor atriz do Festival de Cannes por esse papel. Evidentemente, não resisti e subi para dançar com a Alik. O Ignácio de Loyola Brandão sempre me lembrava que aquela mesa enorme tinha valor histórico, foi em volta dela que os filósofos franceses Jean-Paul Sartre e Simone de Beauvoir se reuniram com os líderes sindicalistas brasileiros, quando o casal visitou o país em 1960. Histórica ou não, a mesa virou um tablado para a Alik e eu divertirmos a rapaziada da *Última Hora*, que, além do medo da repressão, estava apavorada com a perspectiva de o jornal fechar e eles ficarem sem emprego.

O fotógrafo João Farkas tinha treze anos no dia em que o AI-5 foi decretado, 13 de dezembro de 1968. Ele diz que na mesma noite houve um encontro de artistas na casa de seu pai, Thomaz Farkas, no bairro do Pacaembu. Além de ser um dos grandes fotógrafos brasileiros do século xx, Thomaz, que nasceu na Hungria, produzia e dirigia documentários importantes. Era proprietário da rede de lojas Fotóptica e muito ligado aos intelectuais e artistas de esquerda. João diz que os artistas — entre eles Caetano Veloso — decidiram ir aos teatros naquela noite para interromper as peças e conclamar os espectadores a resistirem a mais aquele avanço da ditadura militar. Apesar de ser um menino, João se lembra de ter ido junto com o pai, no Citroën, ao Teatro Ruth Escobar, onde a peça que estava em cartaz foi interrompida para a conversa com a plateia. Ele se lembra de que sentou do meu lado. Embora não tenha lembrança dessa assembleia, as recordações do João Farkas mostram o clima de mobilização permanente pelo qual passamos.

Nessa época, o Juca de Oliveira, o Túlio de Lemos e eu resolvemos formar uma companhia teatral junto com Zbigniew Ziembinski, o grande diretor e ator polonês radicado no Brasil. É lógico que o carro-chefe da história seria o Zimba, de altíssimo prestígio com o público que frequentava os teatros. Começamos a ensaiar com ele a peça do dramaturgo do teatro do absurdo polonês Sławomir Mrożek chamada *A polícia*. É um texto interessantíssimo: um cidadão é cruelmente torturado para confessar que é inocente. "Eu sou inocente, eu sou inocente", acabava dizendo. Há uma inversão na lógica da tortura que amplia a reflexão sobre o tema. Era totalmente adequada ao momento político que vivíamos. O Ziembinski fez a tradução e tinha os direitos para a encenação da peça no Brasil. Logo ainda na fase da mesa, isto é, na leitura do texto, quando começam os ensaios, apareceu um grande problema. O Zimba havia feito praticamente uma tradução do polonês para o polonês. Explico: como é uma língua que usa muito a ordem indireta, o Ziembinski traduziu também tudo na ordem indireta. Frases do tipo: "Houve um atentado ontem à noite" viraram: "Ontem à noite atentado houve". Ou um caso pior ainda, porque a frase era enorme: "Nunca ninguém duvidou da sua sempre reconhecida e, por isso mesmo admirada até pelos seus mais raivosos inimigos, honestidade". Não dava para a peça ser montada assim. Nós dizíamos:

— Não dá, Zimba, assim ninguém vai entender.

Ele não arredava o pé:

— Dá, sim, é assim no original, vamos manter.

O Túlio, já um pouco cansado da discussão sobre a tradução, dizia com sua voz de baixo profundo, enquanto fumava:

— Não faz mal, deixa assim, ninguém vai entender essa porra mesmo. Se eu que estou a seu lado não estou entendendo nada, acha que alguém vai entender isso?

As discussões sobre a tradução da peça eram tantas, que um dia fomos parar na casa do Ziembinski para ver o original em polonês. Numa das frases sobre as quais tínhamos dúvida, o prisioneiro se referia à própria magreza dizendo: "Fiquei mais magro até do que a minha própria sombra". Na sua tradução, o Zimba colocou: "Fiquei mais magro do que a sombra dele". Dessa vez, bati pé:

— Zimba, não é possível. Só pode ser "do que a *minha* sombra". E ele:

— Non, non. Em polonês está lá: "*twój sylwetka*".

Insisti que, por mais que a peça fosse do teatro do absurdo, aquilo não fazia o menor sentido. Ele pegou o original, leu várias vezes e muito a contragosto concedeu:

— É verdade. Não é "*twój sylwetka*", é "*mój sylwetka*"...

O Túlio, sempre sacana, falou baixinho:

— Que pena, antes era mais engraçado...

Eu me lembro de que no caminho para sua casa, nós quatro no carro, o Zimba disse:

— Antes de vir pra Brasil, mina me criou.

Não entendi direito, e pedi que esclarecesse:

— Zimba, quem era a Mina? Sua avó?

Ele explicou:

— Non! Mina, mina de Estado polonês. Meu pai trabalhava em mina, morreu, então mina sustentava família.

O Ziembinski queria que o ator falasse exatamente da maneira que ele falava. E isso era impossível, porque tinha o sotaque polonês muito acentuado. Insistia que o Juca repetisse uma fala. A fala do Juca estava perfeita, mas não reproduzia o sotaque do Zimba. Como o Juca de Oliveira nutria um profundo respeito pelo diretor, afinal se tratava do grande Zbigniew Ziembinski que estava nos concedendo a honra de trabalharmos com ele, ficava repetindo a fala infinitas vezes. Aí, só para sacanear, eu dizia:

— Juca, a fala é assim ó — e imitava o sotaque do Ziembinski.

O Zimba, sem perceber que eu o estava mimetizando, dizia:

— É, é assim mesmo!

O Juca me fuzilava com os olhos. Nós não conseguimos também chegar a um acordo com a Ruth Escobar e o marido dela, o Wladimir, que fez cenários maravilhosos, sobre o caminho a tomar na montagem dessa peça. O Ziembinski queria uma montagem mais simples, o Wladimir queria usar dois palcos, um deles suspenso, o Túlio — na montagem de *O casamento do sr. Mississippi*, um quadro que estava preso por um fio de náilon quase caiu na sua cabeça — disse que não atuaria embaixo do palco suspenso. O Ziembinski dizia:

— Não pode ser assim, vai dar cu de *bói*, vai dar cu de *bói*...

A peça não foi adiante no Teatro Ruth Escobar, mas daí nasceu a ideia de fazermos a nossa própria companhia.

Na rua General Jardim, existia um teatro chamado Leopoldo Fróes. Nós pedimos uma audiência com o prefeito de São Paulo, na época, o brigadeiro Faria Lima — um homem tão violento, que o garçom que nos serviu durante a audiência tremia só de chegar perto dele. Havia uma empresa de petróleo americana chamada Mobiloil. O símbolo era um cavalo de asas, voando. O Pégaso. Claro que, pelas suas patadas, o brigadeiro foi apelidado pelos subalternos de Mobiloil, o cavalo voador. O brigadeiro empurrou o pedido para a Secretaria de Cultura, a Secretaria de Cultura enrolou, e nós não conseguimos o teatro. Alguém nos disse que teria um casarão velho perto do Parque Trianon, na região da avenida Paulista, que serviria para nosso uso. Fomos até lá, adoramos o lugar, mas precisávamos de um projeto — sem contar que precisávamos também do dinheiro para as obras. Foi aí que o Juca de Oliveira sugeriu:

— Vamos pedir o projeto pro Artigas.

Vilanova Artigas, um nome importantíssimo para a história da arquitetura brasileira, autor do projeto da Faculdade de Arquitetura e Urbanismo da USP, militava também no Partido Comunista e, assim como Mário Schenberg, foi aposentado compulsoriamente em 1969 pelo regime militar, tendo de deixar o ensino de arquitetura que ajudara a modernizar no Brasil. Eu falei para o Juca que nós não tínhamos dinheiro para pagar um projeto do Artigas, e ele respondeu:

— O Artigas não vai cobrar nada. Eu vou dizer que é tarefa.

"Tarefa" era sinal de que se tratava de algo de interesse do Partido. Além disso, lá estava também o Túlio, havia uma dupla do chamado Partidão envolvida no projeto.

— Ele não vai cobrar nada da gente — explicou o Juca.

Foi o que aconteceu. O Vilanova Artigas e a mulher nos receberam lindamente, nunca me esqueci desse fato. O Juca explicou o nosso projeto, fazer uma companhia de repertório que apresentaria uma peça diferente por semana, e a nossa situação, zero de dinheiro. Ele realmente disse que tomaria o projeto como uma tarefa para o Partido. Examinou uma planta do casarão e disse:

— Nada disso serve.

Tomamos um susto. Então não poderíamos aproveitar aquele casarão que, por estar praticamente abandonado, tinha um aluguel muito baixo? Com sua maneira de falar claríssima, Artigas explicou:

— Não, não é isso. Vocês têm de aproveitar esta área aqui.

Apontou para o quintal do casarão. Rapidamente, desenhou um galpão — onde ficaria o palco — como extensão da velha casa. Com poucas linhas, ele enxergou a solução para tudo que precisávamos. Foi um presente que aquele grande arquiteto nos deu. Só que não conseguimos nenhum investidor nem patrocínio para levar adiante o projeto da companhia e do teatro. Não era época para membros do Partido Comunista e seus amigos conseguirem apoio para seus sonhos.

Um dia, eu vejo o Othelo Zeloni chegar branco, parecendo um boneco de cera, ao ensaio da *Família Trapo*. Ele me chama no camarim, tranca a porta e diz:

— Gordo, acabei de ouvir uma coisa terrível, uma coisa que eu não pude acreditar.

Eu, preocupado, pergunto:

— O que foi, Othelo?

— Sabe um daqueles homens do Fleury que fazem a segurança aqui no teatro, um magro, desdentado?

— Sim, claro.

O Zeloni falou baixinho:

— Gordo, ele contou que estava no assassinato do Marighella e que seria ele que matou o Marighella. Enfiou o revólver no carro e gritou: "É cana, Beringela!".

Eu acho que foi a primeira vez que o Zeloni teve consciência do que ocorrera realmente no regime fascista, porque ele era menino na época do Mussolini e sempre viveu como uma pessoa de espírito inocente, ingênuo até.

O delegado Sérgio Paranhos Fleury pertencia à escória da polícia corrupta que se aliou aos militares para reprimir as organizações de esquerda e o terrorismo. Foi um dos facínoras do período em São Paulo, uma das peças importantes da engrenagem do Esquadrão da Morte, que assassinava marginais antes mesmo de prendê-los, e um dos homens de ouro do trabalho sujo da ditadura. Por um período, Fleury foi da segurança do Teatro Record, mas naquele momento não se sabia muito sobre as barbaridades que praticava.

Certa madrugada, tendo saído do Teatro Ruth Escobar, eu dirigia o meu carro, as ruas estavam desertas. De repente, um pássaro bate no para-brisa, que se estilhaça. Tomei um susto danado, meu coração disparou, não sabia o que estava acontecendo. Fiquei com o carro parado no meio da rua, tentando me recuperar. Surge outro carro. Desce um homem forte e se aproxima. Era o Fleury.

Ele me perguntou se estava tudo bem comigo e se dispôs a me acompanhar até a minha casa. Agradeci muito, mas preferi ir para casa sozinho, dirigindo meu carro com o para-brisa quebrado.

O Paulinho Machado de Carvalho costumava fazer reuniões na sala dele, no Teatro Record. Um dia, entro na sala e ele estava muito nervoso, preocupado:

— Veja a que ponto as coisas chegaram... Agora eles querem pegar os nossos artistas. Recebi aqui uma lista dos artistas de quem irão atrás.

Eu olhei a lista e os primeiros nomes eram Caetano Veloso e Gilberto Gil. Fiquei apavorado. Saí do teatro morrendo de medo, procurei um orelhão para não ser grampeado, liguei para o apartamento do Caetano, na avenida São Luís. O Gil estava por lá, falei com ele e contei que vi a lista com o nome deles. Eu conhecia bem os dois, fui um dos primeiros a ir prestar solidariedade ao Caetano depois da imensa vaia que recebeu no Tuca, nas eliminatórias do Festival da Canção. Se eles estavam sendo procurados, as coisas realmente tinham tomado dimensões imprevisíveis. Muitos anos depois, quando entrevistei o Gil no talk show, ele disse:

— Eu sou muito agradecido a você, você foi o primeiro a nos avisar que nossos passos estavam sendo seguidos.

Um dos caminhos que levavam à nossa casa passava em frente à sede da Operação Bandeirantes, a famigerada Oban, que ficava nos fundos do 36º Distrito Policial, na rua Tutoia. Para passar por ali, os automóveis eram obrigados a reduzir a velocidade, e não tinha quem não sentisse o coração bater mais forte naquele trecho cheio de seguranças com metralhadoras na mão. Uma noite, ao chegarmos em casa, na vilinha da Brigadeiro Luís Antônio, Theresa e eu tomamos um enorme susto. A casa estava pichada com as letras ccc, a sigla do Comando de Caça aos Comunistas, em tinta vermelha para lembrar sangue. Havia uma escultura de mármore de uma menina segurando um ramo de flores — era uma lembrança do Antônio Austregésilo — que também estava banhada em tinta vermelha. A luz fora cortada. Estávamos sendo aterrorizados na nossa própria casa. Medo.

Em meio àquele clima de pavor, nós tínhamos um momento lírico todas as manhãs: ainda garotinho, o futuro ator Paulinho Guarnieri, filho do Gianfrancesco com a Cecília Thompson, nossos vizinhos, batia à nossa porta para entregar o leite. Era a coisa mais fofinha do mundo. Para mim, será sempre o meu leiteirinho.

Quando penso na sinceridade e na lealdade com que meus amigos do Partido Comunista acreditaram nos ideais do socialismo e na União Soviética, não deixo de ter uma certa tristeza por eles e pela minha geração que acreditou tanto na revolução. Para mim, a vida deles foi uma lição de coragem e de retidão, mas o resultado final do comunismo é melancólico. As verdades históricas também doem.

Em 1994, a cervejaria Brahma perdeu o patrocínio da Seleção Brasileira, que disputaria a Copa do Mundo nos EUA. Quem cuidava da conta da Brahma era o publicitário Eduardo Fischer, que, não podendo anunciar na Globo durante os jogos da Seleção, programou uma grande cobertura no SBT, na época com grande prestígio e ótima audiência (outro publicitário, o internacionalmente reconhecido pelo seu talento Washington Olivetto, havia criado um slogan genial para o canal do Silvio Santos: "SBT, liderança absoluta no 2º lugar"). Durante aquela Copa, eu fazia o *Jô Soares Onze e Meia* diretamente de um dos estúdios de Hollywood; era uma operação complexa, porque o fuso horário de Los Angeles — quatro horas a menos do que no Brasil — nos obrigava a correr contra o tempo. Parecia que o dia encolhera. Mas, felizmente, tudo acabou dando certo.

Por sugestão do Eduardo Fischer, fui fazer matérias nos países cujas seleções de futebol enfrentariam a Seleção de Romário, Bebeto e outros craques — que, no final, traria para o Brasil o seu quarto título mundial. O time brasileiro estrearia na Copa contra a Rússia no dia 20 de junho de 1994 (vencemos por 2 a 0, gols de Romário e Raí). Então, fomos para Moscou fazer reportagens. Entrevistei o pobre lateral esquerdo da seleção soviética que marcara o Garrincha na Copa de 1958. Naquela Copa na Suécia, os soviéticos jogavam com as letras CCCP escritas no peito de suas camisas vermelhas, e os brasileiros diziam que elas significavam: "Camaradas, cuidado com Pelé". Eles tinham o melhor goleiro do mundo, o Lev Yashin, conhecido como o Aranha Negra.

Um dia, o Eduardo informou, para a minha completa surpresa, que iríamos entrevistar o Mikhail Sergueiévitch Gorbatchóv. Simplesmente o homem da Glasnost e da Perestroika, aquele que abriu a chamada Cortina de Ferro, aquele que deu condições para a queda do Muro de Berlim, acabando com a Guerra Fria. Gorbatchóv já não ocupava nenhuma posição política, mas ainda gozava do status de um dos grandes estadistas do final do século XX. Era presidente da Fundação que levava o seu nome. Na hora, achei que tudo não passava de um delírio do Eduardo, os publicitários tinham fama de megalomaníacos. Mas aí chega o rapaz que estava fazendo o contato com o Gorbatchóv e diz:

— Tudo certo, consegui fechar com o secretário dele. Mister Gorbatchóv topa fazer a entrevista. Mas vai custar 5 mil dólares, que não podem ser declarados. Mil dólares vão para o secretário, e o restante para Mister Gorbatchóv.

Tudo por baixo do pano! Eu dizia: "Não estou acreditando nisso", mas o diretor do programa, meu amigo Willem van Weerelt, estava comigo como testemunha de toda a história. Fomos gravar a entrevista, lá estava o Gorbatchóv muito bem-posto, bem-vestido, sério mas bem-humorado. Havia dois tradutores, o nosso e o oficial que fazia todas as traduções dele; eu fazia as perguntas, e ele ia respondendo sobre a importância do fim da Guerra Fria, da queda do Muro de Berlim etc. Enquanto falava, eu pensava: "Este homem é um político brasileiro". Olhava nos olhos dele e identificava o mesmo olhar divagante que via na imensa maioria dos políticos brasileiros que entrevistei. O olhar do político não se fixa em você, os olhos se voltam na sua direção mas o olhar é distante, dissimulado. Eles olham para você sem te ver.

Enquanto eu conversava com o Gorbatchóv, o Eduardo Fischer ficava fazendo um sinal de número um para mim. Toda a estratégia de comunicação da Brahma era a de dizer que se tratava da cerveja preferida dos brasileiros — a número um. Contrataram o Romário, que, a cada gol que fazia, saía comemorando com o dedo indicador da mão direita para cima, indicando o número um. O Eduardo queria porque queria que o Gorbatchóv fizesse o gesto com o dedo indicador para cima. E eu, pensando que ele jamais faria um absurdo desses. O Eduardo, ao lado, fazia o gesto para mim. Eu fingia não entender o que ele queria. Até que perguntei ao Gorbatchóv se a Rússia poderia ganhar a Copa. Ele disse que seria muito difícil. Aí, perguntei:

— E o Brasil?

— Brasil, sim, Brasil número um. — E levantou o indicador.

Gorbatchóv, quem diria, acabou na Brahma. Acho que o seu comportamento nesse pequeno episódio revela muito do que virou a Rússia pós-Soviética. No momento em que escrevo estas memórias, registra-se o centenário da Revolução Russa de 1917. Os primeiros passos foram gloriosos — apesar da minha anarquia política congênita, sou admirador do Liev Trótski —, mas o meio e o fim da história são trágicos. Em Moscou, pude ver que o comunismo soviético, que iludiu tanto os meus grandes amigos do PC na década de 1960, não deixava nem sequer saudades.

Quarenta segundos depois do Rafa nascer, me transformei num homem atormentado. Naquela época não havia internet nem Google para conseguir informação sobre uma doença, nem as fontes de esclarecimento eram tantas, nem a medicina tão avançada quanto hoje. Saí desesperadamente buscando saber o que seria a tal de hipospádia, de que nunca tinha ouvido falar. Passei a noite procurando nas minhas enciclopédias. Descobri que o rei francês Luís XVI teve esse problema, por isso era mais difícil para ele ter filhos. É algo terrível: o canal da uretra não chega até a glande do pênis. O menino não consegue urinar direito, o jato da urina não é eliminado horizontalmente, fazia xixi para baixo, como se fosse uma menina. O aspecto do pênis também muda, pois a pele do prepúcio hiperdesenvolve. Até três ou quatro anos de idade o Rafinha sofreu várias cirurgias para refazer o canal da uretra. Imaginem o sofrimento dessa pobre criança. E teve um agravante, no caso dele: usaram a pele do púbis para refazer o canal da uretra. Um baita erro, porque, alguns anos depois, o pelo pubiano também cresceu dentro do canal. Doía muito para o Rafael fazer xixi, era uma dor horrorosa. Ele teve de fazer outra cirurgia no canal da uretra.

Podia ser uma deficiência genética. Passei anos com uma culpa profunda: seriam meus genes que teriam transmitido todo aquele sofrimento ao lindo menininho de cabelo de fogo. Foi uma imensa dor para ele, foi uma imensa dor também para a Theresa e para mim, que procuramos preservar no nosso íntimo. A felicidade plena da paternidade tinha durado quarenta segundos. Depois eu era um homem atormentado, tentando descobrir como resolver o problema do meu filho. Anos depois, outro grande endocrinologista, José Carlos Cabral de Almeida, me disse que o que ocorrera fora um acidente genético, passível de acontecer num pequeno número de casais.

Um dia, o Rafinha ainda estava no berço, nós estávamos ouvindo um jogo da Seleção pelo rádio, e começou a tocar o Hino Nacional. Ao lado, ele começou a cantarolar o hino. Olhei para a Theresa e disse:

— O Rafa é uma surpresa por dia.

Nós não tínhamos a menor ideia do que era um autista *savant*, que é aquele que desenvolve capacidades extraordinárias. Se mesmo hoje, com todas as informações disponíveis, leva alguns anos até o pai e a mãe identificarem que o filho é autista, imaginem naquela época. Mas não só nós, os pais, não sabíamos o que acontecia com ele. A própria medicina no Brasil não estava pronta para diagnosticar o autismo. Fizemos uma peregrinação por consultórios médicos, conversamos com muita gente, mas não conseguíamos chegar a nenhuma conclusão. Houve até um médico que disse para a Theresa:

— A única coisa que eu posso aconselhar à senhora é ter outro filho, para compensar a frustração de vocês com este. — E completou sem sutileza: — Esse não vai nem aprender a falar.

Foi grosseiro e estava errado.

Imaginem uma mãe ouvindo uma coisa dessas. A Theresa chorava muito. Eu disse a ela que não iríamos chorar nem fazer outro menino, que nós íamos *fazer* o menino que tínhamos. "Vamos chorar quando for a hora." Não dava para saber o que esperar dele em cada momento, ficávamos totalmente desarmados, na expectativa. Fomos aprendendo aos poucos, dia após dia. Por um lado, Rafinha mostrava uma inteligência inacreditavelmente avançada para a idade. Por outro, tinha uma dificuldade imensa de socialização com as pessoas e com as outras crianças. Não queria abraço de ninguém, não queria que as pessoas o tocassem. Isso é uma das coisas mais difíceis de aprender no convívio com uma criança autista: a falta do contato físico, do abraço, do beijo, do carinho. Isso evolui para uma falta de interação, de comunicação. Theresa e eu tínhamos de decifrar e tentar antecipar suas reações, qualquer coisa fora do que ele esperava acontecer poderia deixá-lo muito bravo.

Rafael aprendeu a ler com cinco anos. Tocava piano maravilhosamente bem, tinha ouvido absoluto, identificava na hora as notas musicais. O afinador do nosso piano brincava com ele: "Rafa, vamos afinar o lá", e ele dava o tom certo. Lembro que uma das coisas de que não gostava era ir ao futebol. O canto e o grito das torcidas, que achava muito desafinados, machucavam os seus ouvidos. Nas exibições das escolas, ele se apresentava como um concertista. Nos cruzeiros que fazia com a mãe, virava uma atração ao piano. Do nada, começou a dizer coisas em inglês (aprendia ouvindo músicas inglesas e americanas no rádio). Íamos muito ao Jockey. Ele adorava as tardes acompanhando os páreos. À medida que crescia, ficava fisicamente claro que ele portava algum problema, mas qual?, nos perguntávamos. Rafa manifestava apego a uma rotina que não gostava de mudar nem um pouquinho. Theresa, uma atriz talentosíssima, deixou a carreira que ainda prometia muito para cuidar do Rafa. Não foi nenhum sacrifício, pois ela adorava o filho e fez essa escolha. Poucas coisas são menos recompensadoras do que cuidar de uma criança autista: são meses de carinho, de atenção, de tentativa de adivinhar seus pensamentos e sentimentos, para ganhar em troca, muito de quando em quando, uma palavra, um sorriso, um sinal de afeto. Aos poucos, Theresa foi se tornando uma pessoa mais mística, e a força espiritual a ajudou muito.

Sei que muitas pessoas falaram que reneguei e escondi o meu filho. Não posso negar que a maneira como o Rafinha veio ao mundo mexeu muito comigo. Hoje consigo entender bem o que ocorre com os pais de filhos especiais. Mas as pessoas não conhecem o dia a dia de uma criança autista, o seu horror ao contato com outras pessoas, a sua necessidade de uma rotina rigorosamente igual todos os dias. Ele não queria ver o mundo e não queria que o mundo o visse. Com dois pais extremamente comunicadores, Rafa se recusava a comunicar com o mundo. Vários amigos me viram com ele no Jockey, na praia, no Maracanã, no Clube Campestre, no Alto Leblon, onde eu encontrava com o jornalista Flávio Pinheiro, sua mulher, Vera, e os filhos ainda meninos. Mas Rafael trocava cada vez mais a vida exterior por uma vida interior riquíssima, que aos poucos ia absorvendo-o totalmente.

Um jornalista foi entrevistar o Nilton Travesso e, entre as perguntas que fez, quis saber como era a sua convivência comigo na época da Record. Nós éramos muito mais do que companheiros de trabalho afinadíssimos, éramos grandes amigos. Sem que o Nilton soubesse, o jornalista me mostrou o que ele falou. Fiquei muito emocionado ao ouvir as palavras dele, e peço licença aos dois — entrevistador e entrevistado — para transcrever um trecho do que o Nilton disse, mesmo correndo o risco de ser um pouco cabotino (não sei se as pessoas sabem, mas originalmente a palavra "cabotino" designava os "comediantes de valor questionável"):

A maneira como o Jô protegeu o Rafael eu chamo de coisa de Deus. Eu entrei um dia no quarto do Rafael, um quarto azulado, tocava Haydn e o Rafael dormia. Eu guardei o retrato daquele momento para o resto da minha vida. Eu quase chorei quando eu vi o jeito que o Jô cuidava, guardava, protegia seu filho. Poucas pessoas entenderão o que era o interior do Jô Soares, a alma dele, o comportamento dele, a dedicação que ele teve ao Rafael.

O Rafinha morreu, aos 51 anos, depois de uma batalha contra o câncer com um tratamento terrível do qual ele nunca se queixou, nem mesmo quando um erro no procedimento da quimioterapia queimou todo o seu peito. Sou eternamente grato ao jornalista Luiz Fernando Vianna, pai de um menino autista, que escreveu na sua coluna quando o Rafinha morreu: "Há alguns anos, lia-se na internet que Jô escondia seu filho autista. Mentira. Ele levava Rafael ao clube, às ruas, mostrou-o na imprensa".

O Garoupa morreu um ano depois de mamãe. O cigarro o matou. Papai fumava seis maços de Continental sem filtro por dia. Teve um infarto fazendo um check-up. Infarto com edema. O médico me alertou:

— Olha, ele saiu deste, mas tá muito complicado. O infarto que ele teve é muito extenso, sobrou muito pouca coisa que não tenha sido afetada. Você se prepare.

Eu respondi:

— Sim, estou preparado, mas tô torcendo para que se recupere.

De uma hora para outra, ele ficou com os cabelos totalmente brancos e emagreceu muito. Um mês depois, papai teve outro infarto. O cigarro e a ausência de mamãe o levaram. Minha mãe sofreu muito as consequências do cigarro, meu pai sofreu muito as consequências do cigarro. É um vício diabólico. O Max Nunes me dizia ter visto, num hospital público, um paciente com a mesma doença de mamãe, provocada pelo tabagismo. O cara já tinha as pernas e um braço amputados, mas estava com um cigarro na boca.

Eu fumei, mas não era fumante compulsivo. Só conseguia fumar cigarro turco, o Abdullah, fraquinho mas muito fedido, que vinha numa lata verde. A Flavinha ficava furiosa. Ela dizia que eu fumava "rato morto". O Abdullah é o cigarro que a Gloria Swanson e o William Holden aparecem fumando no *Crepúsculo dos deuses*. Teve uma época em que o único lugar que vendia os cigarros turcos em São Paulo era o Café Jeca, muito frequentado então, na esquina da Ipiranga com a São João. Depois o Abdullah desapareceu. Ficamos com um cigarro turco fabricado no Brasil, chamado Cairo, que só eu e o Túlio de Lemos fumávamos. Igualmente fraquinho, igualmente fedido. Passada essa fase do cigarro turco, fumei um pouco uns cigarros que enrolava com fumo de cachimbo. Mas, como não era fanático pelo cigarro, parei com esse também. Houve um tempo em que passei a fumar charutos — tive até charuto com a minha marca —, mas hoje não fumo mais.

O cigarro acabou, muito cedo, com a vida do Flávio Rangel. Sua última frase, no leito de morte, foi uma frase linda:

— Crianças, não fumem.

Um dia, em 1969, o Ricardo Amaral me procurou em casa. Nós tínhamos sido companheiros de página na *Última Hora*, ele fora muito amigo do Wallinho Simonsen no auge da TV Excelsior, mas não éramos próximos. Ao contrário, havia alguma distância entre nós. Em 1962, eu fiz a apresentação do show do Rei do Twist, Chubby Checker, no Teatro Record. O Ricardo Amaral não gostou e tascou uma nota na coluna dele dizendo: "Acho que este gordinho não vai longe". Mas, quando me procurou, anos depois da nota, já morava no Rio de Janeiro e tinha uma visão diferente do meu trabalho. Ricardo produzira, com muito sucesso, um show do Chico Anysio no Teatro da Lagoa — teatro que existia ao lado de sua casa noturna Sucata. Veio até São Paulo e me convidou para fazer o show que substituiria o *Chico Anysio só*. Ele dizia que, depois do magro, só o gordo. Mais ou menos na mesma época, o Bonifácio me procurou para fazer um convite. A partir das conversas com o Ricardo Amaral e o Boni, minha vida iria mudar mais uma vez. Mas isso é matéria para o próximo volume destas memórias desautorizadas.

Até lá, e beijo do gordo.

Agradecimentos

A minha doce e eterna Flavinha, o Drauzio Varella, meu amigo médico ou meu médico amigo, e o Luiz Schwarcz, meu amigo e editor, há anos insistiam para que eu escrevesse as minhas memórias. Também Theresa Austregésilo Soares, com quem fui casado por vinte anos, minha primeira incentivadora e conselheira, que abandonou sua carreira de atriz de sucesso para dedicar 51 anos de amor ao nosso filho, Rafael. Resisti o quanto pude.

Os bons companheiros Anne Porlan, Hilton Marques, Ignácio de Loyola Brandão, Jairo Arco e Flexa, José Roberto Aguillar, Lucia e Luis Fernando Verissimo, Nilton Travesso, Ricardo Amaral, Thomaz Souto Corrêa e Willem van Weerelt foram as fontes refrescantes da minha cansada memória. Obrigado, amigos. Sem esquecer do meu agradecimento ao vigilante dr. Carlos Jardim e à Angélica Brum Suzuki, pela sua imensa paciência.

Aos pesquisadores Antônio Sérgio Ribeiro (meu eterno fornecedor de informações impossíveis), Érico Melo e Paloma Malaguti.

Aos colaboradores com informações, observações e sugestões valiosas: Bia Abramo, Elvia Bezerra, Flávio Pinheiro, Geraldo Forbes, Helena Maria Gasparian, José Mario Pereira e Raquel Zangrandi.

Ao amigo a quem devo sempre, Ziraldo.

À equipe da casa, meu apoio dedicado de incontáveis anos: Antonio Colossi, Sebastião Kassen Moreira dos Santos, Maria das

Graças Alves de Britto, Marycleidy de Oliveira Costa e Marlucy de Oliveira Costa.

Sem falar da minha amiga e assessora de tudo, Claudia Colossi.

À impecável equipe da Companhia das Letras: Otávio Marques da Costa, Lucila Lombardi, Márcia Copola, Fabiana Roncoroni, Alceu Nunes, Erica Fujito, Paula Souza, Lilia Zambon, Fabio Uehara, Clara Dias, Eliane Trombini, Renata Abdo e Bianca Arruda.

A todas e todos que participaram por um minuto sequer da minha vida e que fizeram dela uma alegria e um aprendizado constante, meu muitíssimo obrigado.

Finalmente, ao meu mais recente amigo de infância, Matinas Suzuki Jr. Sem ele, não haveria este livro.

Bibliografia

Escrever livros, para mim, é só um pretexto para fazer muitas, muitas pesquisas. Até para reconstituir as minhas próprias memórias, eu precisei consultar vários livros, sem contar o Santo Google. Como sou daqueles autores que colocam bibliografia até nos romances que escrevem, não poderia deixar de citar os livros e autores que ajudaram muito a contar a minha história.

ALBUQUERQUE, Medeiros e. *Quando eu era vivo: Memórias*. Porto Alegre: Livraria do Globo, 1942.

ALMEIDA PRADO, Décio de. *Procópio Ferreira*. São Paulo: Brasiliense, 1984.

_____. *História concisa do teatro brasileiro: 1570-1908*. São Paulo: Edusp, 1999.

AMARAL, Ricardo. *Vaudeville*. São Paulo: Leya, 2010.

AUGUSTO, Sérgio. *Este mundo é um pandeiro: A chanchada de Getúlio a JK*. São Paulo: Companhia das Letras, 1989.

BENGELL, Norma. *Norma Bengell*. São Paulo: nVersos, 2014.

BERGER, Paulo. *Dicionário histórico das ruas de Botafogo*. Rio de Janeiro: Fundação Casa de Rui Barbosa, 1987.

BEZERRA, Elvia. *A trinca do Curvelo: Manuel Bandeira, Ribeiro Couto e Nise da Silveira*. Rio de Janeiro: Topbooks, 1995.

BONADIO, Maria Claudia. *Moda e publicidade no Brasil nos anos 1960*. São Paulo: nVersos, 2014.

BRAGA, Rubem. *Retratos parisienses*. Rio de Janeiro: José Olympio, 2013.

BULCÃO, Clóvis. *Os Guinle: A história de uma dinastia*. Rio de Janeiro: Intrínseca, 2015.

CAGGIANI, Ivo. *João Francisco: A Hiena do Cati*. Porto Alegre: Martins Livreiro, 1988.

CAMARGO, Gustavo. *Um alfaiate no Palácio do Catete: Histórias de José de Cicco, o mestre das tesouras no país dos elegantes*. São Paulo: Estação das Letras e Cores, 2015.

CARVALHO, Marco Antonio de. *Rubem Braga: Um cigano fazendeiro do ar*. São Paulo: Globo, 2007.

CARVALHO, Tuta. *Ninguém faz sucesso sozinho*. São Paulo: Escrituras, 2009.

CASTRO, Ruy. *Ela é carioca: Uma enciclopédia de Ipanema*. São Paulo: Companhia das Letras, 1999.

_____. *A noite do meu bem: A história e as histórias do samba-canção*. São Paulo: Companhia das Letras, 2015.

_____. *Chega de saudade: A história e as histórias da bossa nova*. São Paulo: Companhia das Letras, 2008.

CHEVALIER, Scarlet Moon de. *Dr. Roni e Mr. Quito: A vida do amado e temido boêmio de Ipanema*. Rio de Janeiro: Ediouro, 2006.

CLARK, Walter. *O campeão de audiência: Uma autobiografia*. São Paulo: Summus, 2015.

COSTALLAT, Benjamin. *Mutt, Jeff & Cia*. Rio de Janeiro: Grande Livraria Leite Ribeiro, 1922.

_____. *Fitas...* Rio de Janeiro: Benjamin Costallat & Miccolis, 1924.

FERREIRA, Procópio. *Procópio Ferreira apresenta Procópio: Um depoimento para a história do teatro no Brasil*. Rio de Janeiro: Rocco, 2000.

FERREIRA DOS SANTOS, Joaquim. *Um homem chamado Maria*. Rio de Janeiro: Objetiva, 2006.

_____. *Enquanto houver champanhe há esperança: Uma biografia de Zózimo Barrozo do Amaral*. Rio de Janeiro: Intrínseca, 2016.

FOGUEL, Israel. *Cacilda Becker: Dos sonhos nascem os mitos*. São Paulo: Clube dos Autores, 2016.

GALLICO, Paul. "Pity the Poor Giant" (1938). In: KIMBALL, George; SCHULIAN, John (Orgs.). *At the Fights: American Writers on Boxing*. Nova York: Penguin, 212. pp. 57-9.

GOUTHIER, Hugo. *Presença: Memórias*. Rio de Janeiro: Record, 1982.

GUINLE, Jorge. *Um século de boa vida*. São Paulo: Globo, 1997.

HALBERSTAM, David. *The Fifties*. Nova York: Fawcett Books, 1993.

JORDAN, André. *O Rio que passou na minha vida*. Rio de Janeiro: Léo Christiano Editorial, 2006.

JÚNIOR, Gonçalo. *Pais da TV: A história da televisão brasileira*. São Paulo: Conrad, 2001.

LEÃO, Danuza. *Quase tudo: Memórias*. São Paulo: Companhia das Letras, 2005.

LEITE, Francisco. *Emílio de Menezes e a expressão de uma época*. Curitiba: Governo do Estado do Paraná, 1969.

LIRA NETO. *Getúlio 1945-1954: Da volta pela consagração popular ao suicídio*. São Paulo: Companhia das Letras, 2014.

LUSTOSA, Isabel. *Histórias de presidentes: A República no Catete 1897-1960*. Rio de Janeiro: Agir, 2008.

MAGALDI, Sábato. *Amor ao teatro*. São Paulo: Sesc, 2016.

MAGALHÃES JÚNIOR, R. *O fabuloso Patrocínio Filho*. Rio de Janeiro: Civilização Brasileira, 1957.

MENEZES, Raimundo de. *Emílio de Menezes: O último boêmio*. São Paulo: Livraria Martins Editora, 1946.

MORAIS, Fernando. *Chatô: O rei do Brasil*. São Paulo: Companhia das Letras, 1995.

MOYA, Álvaro de (Org.). *Shazam!*. São Paulo: Perspectiva, 1997.

NABUCO, Joaquim. *Um estadista do Império*. Rio de Janeiro: Nova Aguilar, 1975.

NERY, Emmanuel. *Couraça da alma*. Rio de Janeiro: Expressão e Cultura, 1996.

OLIVEIRA SOBRINHO, J. B. *O livro do Boni*. Rio de Janeiro: Casa da Palavra, 2011.

RESENDE, Otto Lara. *O príncipe e o sabiá*. 2. ed. São Paulo: Companhia das Letras, 2017.

SCHMIDT, Augusto Frederico. *As florestas: Páginas de memórias*. Rio de Janeiro: Topbooks, 1997.

SÉRGIO, Renato. *Dupla exposição: Stanislaw Sérgio Ponte Porto Preta*. Rio de Janeiro: Ediouro, 1999.

TOZI, Giovani. *Jô Soares, diretor teatral*. Campinas: Unicamp, 2017. (Dissertação de mestrado, Instituto de Artes.)

VENTURA, Zuenir. *1968: O ano que não terminou*. Rio de Janeiro: Objetiva, 1988.

VERISSIMO, Erico. *Solo de clarineta*. v. 2. São Paulo: Companhia das Letras, 2005.

VILLAÇA, Antonio Carlos. *O livro dos fragmentos*. Rio de Janeiro: Civilização Brasileira, 2005.

_____. *O nariz do morto*. Rio de Janeiro: Civilização Brasileira, 2006.

ZAMORA, Pedro e Maria Célia. *A era Kanela*. Rio de Janeiro: Shogun Editora e Arte, 1984.

ARQUIVOS DE JORNAIS E REVISTAS

Correio da Manhã (RJ)
Diario Carioca (RJ)

Diario da Noite (SP)
Diario de Noticias (RJ)
Folha de S.Paulo (SP)
Intervalo (SP)
Jornal da Tarde (SP)
Jornal do Brasil (RJ)
Jornal dos Sports (RJ)
O Estado de S. Paulo (SP)
O Globo (RJ)
Realidade (SP)
Tribuna da Imprensa (RJ)
Última Hora (RJ)
Última Hora (SP)
Veja (SP)

SITES

Academia Brasileira de Letras: <http://www.academia.org.br/academicos/membros>.
Dicionário Histórico-Biográfico Brasileiro (Cpdoc-FGV): <http://www.fgv.br/cpdoc/acervo/arquivo>.
Google Books: <https://books.google.com>.
Hemeroteca Digital Brasileira: <http://bndigital.bn.gov.br/hemeroteca-digital>.
Memória Globo: <http://memoriaglobo.globo.com>.
YouTube: <https://www.youtube.com>.

OUTROS DOCUMENTOS

Ficha n. SN2580 do Departamento Estadual de Ordem Pública e Social (Deops) de São Paulo: "Jaime Schvarman (sic) Rotbart".
Ficha n. SN6993 do Departamento Estadual de Ordem Pública e Social (Deops) de São Paulo: "Jô Soares".
Relatório da Prefeitura Municipal de São Paulo sobre os cinemas históricos da cidade (Processo Condephaat 67915/2012).

Créditos das imagens

Todos os esforços foram feitos para reconhecer os direitos autorais das imagens publicadas neste livro. A editora agradece qualquer informação relativa à autoria, titularidade e/ ou outros dados, se comprometendo a incluí-los em edições futuras.

p. 2: Acervo pessoal do autor/ Reprodução de Marcos Vilas Boas.

CADERNO I

pp. 1 e 16: Acervo pessoal do autor.
pp. 2 (acima) e 3-15: Acervo pessoal do autor/ Reprodução de Marcos Vilas Boas.
p. 2 (abaixo): Acervo Cruz Vermelha Brasileira.

CADERNO 2

pp. 1, 7 (acima), 12 (abaixo) e 16 (abaixo): Acervo pessoal do autor.
pp. 2 e 3: Arquivo O Cruzeiro/ EM/ D.A Press.
pp. 4-6, 7 (abaixo), 8-12 (acima) e 13-6 (acima): Acervo pessoal do autor/ Reprodução de Marcos Vilas Boas.

CADERNO 3

Índice remissivo

Bandeira, Manuel, 41-2, 238, 242
Bandeira, Ricardo, 231
Bandeira, Sylvia, 85, 399
Bandido da Luz Vermelha, O (filme), 404
Baptista, Nelson, 183
Barbada, A (peça televisiva de Jô Soares), 198, 253
Barbosa (jogador), 93
Barbosa, Adoniran, 97, 370-1
Barbosa, Benedito Ruy, 337
Barbosa, Francisco de Assis, 44
Barbosa, Rui, 105
Barcelos, Jaime, 360
Bardot, Brigitte, 58, 175-7, 247, 357
Barouh, Pierre, 393
Barrault, Jean-Louis, 149
Barreira, A (Orris Soares), 62
Barreto, Fernando Pereira, 309
Barreto, Lima, 44, 62
Barreto, Tobias, 61, 237
Barros, Luís de, 245-6
Barroso, Ary, 170, 185
Barthes, Roland, 119
Basaglia, Maria, 316
Bat Masterson (série de TV), 289-90
Bate-Papo com Silveira Sampaio (programa de TV), 348
Batista, Fulgencio, 164, 303
Beatles, 364, 398
Beauvoir, Simone de, 430
Bebeto (jogador), 437
Bebeto (músico), 219
Becker, Cacilda, 242, 262, 295, 299-300, 322, 345, 410, 424, 426
Bee Gees, 398
Beijo da morte, O (filme), 77
Bela madame Vargas, A (João do Rio), 231
Bellini (jogador), 227
Bellotto, Tony, 73
Belmondo, Jean-Paul, 299
Belo, José Henrique, 185
Belo, Nair, 340
Ben, Jorge, 175-6, 341, 357

Bengell, Norma, 168, 176, 247
Bentley, Eric, 230
Bergman, Ingmar, 358
Bernardes Filho, Artur, 78
Bernardet, Jean-Claude, 324
Bernhardt, Sarah, 79
Beto Rockfeller (telenovela), 397-400
Betti, Ugo, 230
Bife, bebida e sexo (Hugh Herbert), 230
Bilac, Olavo, 61-2, 123, 391
Biriba (office boy do Copacabana Palace), 81
Bittencourt, Paulo, 22
Bittencourt, Sérgio, 207
Blanco, Armindo, 322
Blanco, Billy, 262
Bloch, Adolfo, 80, 358
Bloch, Arabela, 406
Bloch, Arnaldo, 80
Bloch, Hélio, 211, 215
Bloch, Pedro, 358-9
Boa noite, e boa sorte (filme), 100
Boal, Augusto, 366, 413-4, 424-6
Boal, Cecília Thumim, 425
Bodanzky, Jorge, 401
Bogart, Humphrey, 109, 121, 217, 390
Boite do Ali Babá (programa de TV), 255
Boldrin, Rolando, 425
Bombonati, Valdemar, 241
Bonde chamado desejo, Um (filme), 98
Boni (José Bonifácio de Oliveira Sobrinho), 96, 135, 268-9, 271-2, 274, 290-2, 311-2, 330, 343-4, 352, 370, 372, 407, 445
Bonitinha, mas ordinária (Nelson Rodrigues), 210
Bonomi, Maria, 322
Boone, Richard, 290
Borba Filho, Hermilo, 256
Borden, Monica, 78-9
Bornay, Clóvis, 185
Bôscoli, Fernando, 181-2
Bôscoli, Lila, 182

Bôscoli, Ronaldo, 181
Botelho, Julinho, 128, 130
Bozsik (jogador), 131
Braga, Rubem, 28, 182, 241, 255, 321-2
Braguinha (compositor), 92, 262
Brandão, Caldas, 39
Brandão, Ignácio de Loyola, 295, 316, 323-4, 430
Brando, Marlon, 98-9, 121, 208, 241
Brant, Fernando, 294
Brasil 60 (programa de TV), 281
Brasil: Da censura à abertura (Jô Soares), 85, 125
Brasini, Mário, 242
Bravo, Jaime, 118
Brazilian Octopus (banda), 341
Brecht, Bertolt, 210, 358, 365
Breton, André, 296
Brito, Manuel do Nascimento, 141
Brito, Sérgio, 254
Broca, A (Jô Soares), 253
Brooks, Mel, 225
Brown, Clifford, 152
Brown, Fredric, 389
Bruzzi, Íris, 257
Buarque, Chico, 386
Buarque, Paulo Planet, 131
Buell, Marge Henderson, 185
Bueno, Marilu, 270
Build up (disco de Rita Lee), 341
Bulcão, Athos, 230
Buñuel, Luis, 305, 308
Burroughs, William S., 178
Busch, Wilhelm, 390
Byrd, Winston, 101

Cafajestes, Os (filme), 167
"Café-soçaite" (canção), 171
Cahiers du Cinéma (revista), 326
Cajado Filho, José, 225
Caju, Paulo César, 55
Calhern, Louis, 239
Callado, Antônio, 180, 228-9, 235, 422

Callas, Maria, 336
Calmon, Valdir, 205
Câmara, Hélder, 228, 282
Camargo, Hebe, 350
Camargo, Iberê, 340
Câmera Um (programa de TV), 198, 222, 253
"Camisa amarela" (canção), 170
Camões, Luís de, 265
Campos, Aurélio, 311
Campos, Cidinha, 367
Campos, Jaci, 222, 252-3
Campos, Paulo Mendes, 241
Campos, Rubens, 358-9
Campos, Sebastião, 359
Campos da Paz Jr., Aloysio, 220
Camus, Albert, 29
Canção de Bernadette, A (filme), 88
Cândido, José, 366
Caniff, Milton, 390
Cañizares, José, 305-6, 308
Capp, Al, 390
"Carcará" (canção), 366
Cardinali, Vittorio, 170
Cardoso, Elizeth, 149
Cardoso, Fernando Henrique, 295
Cardoso, Lúcio, 180
Cardoso, Ruth, 295
Cardoso, Wanderley, 341
Cardoso, Wladimir Pereira, 359, 408, 411, 433
Cardoso, Yolanda, 410
Carlitos, 13
Carlos (concierge do Copacabana Palace), 81-2
Carlos Alberto (jogador), 55
Carlos Magno, Paschoal, 229, 239, 241, 252
Carmem (mulher de Mendes Vianna), 27
Carmen Verônica, 370
Carneiro, Cecília, 300-1
Carneiro, Ferdy, 185-6
Carneiro, Mário, 422

Rocha, Aurimar, 228, 235, 257
Rocha, Carlito, 57
Rocha, Glauber, 422
Rocha, Glauce, 358
Roda viva (peça de Chico Buarque), 410, 426-7
Rodrigues (jogador), 129
Rodrigues, Augusto, 242
Rodrigues, Dinarte, 220
Rodrigues, Jaime de Azevedo, 422
Rodrigues, Jair, 219
Rodrigues, Lolita, 272
Rodrigues, Nelson, 56-7, 127-9, 180, 210-1, 231, 409-10
Rodrix, Zé, 211, 214-5
Rogéria, 341
Rogério (Orris Soares), 62-3
Rogers, Ginger, 79, 149, 183
Rolling Stones, 398
"Romance de uma caveira" (canção), 245
Romário (jogador), 437-9
Romeu e Julieta (Shakespeare), 110, 411-2
Ronnie Von, 339
Roosevelt, Franklin Delano, 165
Rosa, Guimarães, 29, 178, 312
Rosa, Noel, 74
Rosa, Renato, 96
Rosenfeld, Anatol, 360, 427
Rossano, Herval, 226
Rossi, Ítalo, 254
Rotbart, Etka, 309
Rotbart, Jaime Schvarzman (Jaiment), 303-10
Rothschild, Philippe de, 117
Rubin, Sacha, 205
Rui, Evaldo, 241
Russo do Pandeiro, 106, 240

Sá, Rodrix e Guarabyra (banda), 211
Saad, João, 331
Saad, Valdomiro, 219
"Sábado em Copacabana" (canção), 88
Sabino, Fernando, 180, 252

Saint-Exupéry, Antoine de, 393
Saladini, Mário, 167
Salário do medo, O (filme), 126
Saldanha, João, 55
Salgado, Plínio, 24, 34
Salgado Filho, Joaquim Pedro, 46
Salles, Aloysio, 183-4
Salles, Arlete, 212, 214-5
Salles, Fernando Moreira, 19
Salles, João Moreira, 19
Salles, Walther Moreira, 19, 344
Salles Jr., Walter, 32-3
"Samba da bênção" (canção), 393
"Sampa" (canção), 366, 401
Sampaio, Antonio de, 428
Sampaio, Silveira, 17, 239-40, 297, 332, 345-50, 358
Sánchez Padilla, Julio, 56
Sangue no domingo (Walter George Durst), 230
Santana, Telê, 228
Santinha, dona *ver* Dutra, Carmela Teles Leite
Santos, Djalma, 130
Santos, Nilton, 131, 227
Santos, Paulo, 218-9
Santos, Silvio, 98, 401, 437
Santos, Walter, 219
São Paulo noir (org. Tony Bellotto), 73
Sarmanho, Walder, 165
Sarney, José, 86, 287
Saroyan, William, 262
Sartre, Jean-Paul, 29, 413-4, 430
"Sassaricando" (canção), 145
Sauvajon, Marc-Gilbert, 242
"Scarlett's Gone" (canção), 219-20
Schaaf, Ernie, 120
Schenberg, Mário, 383, 416, 420, 422, 434
Scher, Tânia, 321
Scheverter, Dora, 21
Schiaparelli, Elsa, 28
Schiller, Lúcio, 241
Schmidt, Augusto Frederico, 24, 236, 241

1ª EDIÇÃO [2017] 2 reimpressões

ESTA OBRA FOI COMPOSTA POR OSMANE GARCIA FILHO EM JANSON
E IMPRESSA PELA GEOGRÁFICA EM OFSETE SOBRE PAPEL PÓLEN BOLD DA
SUZANO PAPEL E CELULOSE PARA A EDITORA SCHWARCZ EM JANEIRO DE 2018